가임력보존

Principles of Fertility Preservation

KSFP 대한가임력보존학회
The Korean Society for Fertility Preservation

가임력보존

Principles of Fertility Preservation

첫째판 1쇄 인쇄 | 2021년 08월 12일
첫째판 1쇄 발행 | 2021년 08월 26일

집 필 대한가임력보존학회
발 행 인 장주연
출 판 기 획 최준호
책 임 편 집 이현아
편집디자인 주은미
표지디자인 김재욱
일 러 스 트 김명곤
제 작 담 당 이순호
발 행 처 군자출판사(주)
등록 제4-139호(1991. 6. 24)
본사 (10881) **파주출판단지** 경기도 파주시 회동길 338(서패동 474-1)
전화 (031) 943-1888 팩스 (031) 955-9545
홈페이지 | www.koonja.co.kr

ISBN 979-11-5955-746-0
정가 80,000원

가임력보존

Principles of Fertility Preservation

축사

생식생리학 분야에 있어 가장 커다란 발전은 1978년 시험관아기의 출생을 꼽을 수 있을 것입니다. 국내에서도 1985년 10월 12일 한국 최초의 시험관아기를 탄생시킬 수 있었습니다. 이는 본인과 국내 연구팀의 큰 성과였으며, 국내 보조생식술의 첫걸음이었습니다. 이후 보조생식술은 눈부신 발전을 통해 현재는 확립된 난임 치료 방법으로 오늘도 수많은 난임 부부들에게 희망을 주고 있으며, 이렇게 국내 보조생식술의 시작을 열고 이후 30년이 넘는 긴 기간 동안 생명 탄생의 조력자로 역할을 하고 있다는 사실에 감사하고 있습니다.

보조생식술 분야는 불과 수십 년 만에 많은 발전과 성과를 이루어 냈습니다. 이 중 금세기 가장 주목해야 할 성과 중 하나는 가임력보존 개념의 도입일 것입니다. 암치료의 성적이 지속적으로 향상되면서 암을 극복한 남녀의 완치 이후의 삶에 대한 관심 또한 지속적으로 증가해 왔습니다. 이러한 환자들의 암 완치 이후의 삶의 질에 있어서 아이를 낳고 가족을 꾸리는 것은 매우 중요한 요인으로 작용합니다. 또한 이는 개인, 가족 더 나아가 사회의 행복과 지속적인 발전을 위해서도 필수적인 요소입니다. 국내 출산율이 지속적으로 감소하는 현 사회 분위기에서도 가임력보존은 매우 중요한 역할을 할 수 있습니다. 일찍이 이러한 중요성을 정확히 인지한 김석현 교수는 오래 전부터 가임력보존을 위한 국내 연구를 이끌고 임상 적용을 하였으며, 가임력보존을 보급하기 위해 노력하였습니다. 이러한 과정의 일환으로 2013년 대한가임력보존학회를 창립하여 국내 학술 활동 및 국외 유수 연구자들과의 뜻 깊은 학술 교류를 선도하여 왔습니다. 이렇게 보조생식술의 새로운 치료 개념을 적극적으로 도입하고 선도하는 연구자가 있다는 것을 자랑스럽게 생각합니다.

이제 가임력보존의 개념과 관련된 이론을 제시하고, 현재까지 이루어진 학문적 성과를 정리함으로써, 앞으로 나아가야 할 방향을 제시할 수 있는 우리말로 된 교과서가 필요한 시점이 되었다고 느끼고 있었습니다. 이러한 필요성에 맞추어 김석현 교수가 정년을 맞이하여 해당 분야에서 활약하는 여러 연구자들과 함께 가임력보존 교과서 편찬을 하였다는 소식을 들으면서 다시 한번 가임력보존에 대한 김석현 교수의 애정과 관심을 느낄 수가 있었습니다.

본 교과서의 내용들을 살펴보면서 제가 막 발걸음을 시작하였던 보조생식술이 오늘날 눈부신 발전을 바탕으로 가임력보존으로 확장되어 환자들을 위해 활용되고 있다는 사실에 감회가 새롭습니다. 많은 국내 연구자들이 가임력보존에 대한 관심과 일념으로 뭉쳐서 체계적이고도 일목요연하게 해당 분야를 한 권의 책으로 정리해 주었다는 점에 감사드리며, 이렇게 시의적절하면서도 꼭 필요한 저술을 주도해 준 김석현 교수와 연구자들에게 선배로써 고마움과 자랑스러움을 느낍니다. 본 교과서가 가임력보존에 대한 관심을 상기시키고, 해당 분야를 공부하고 환자를 치료하고자 하는 여러 연구자들과 임상의들에게 좋은 길잡이가 될 것이라 기대합니다.

이제 생식생리학의 가임력보존이라는 새로운 우물을 깊게 파서 보조생식술을 공부하는 의사와 환자들에게 길잡이가 되기를 바라며 김석현 교수의 정년퇴임을 다시 한 번 축하합니다.

서울대학교 의과대학 산부인과학교실 명예교수

엠여성의원 대표원장

문 신 용

Foreword

It is very clear that fertility preservation is a rapidly expanding area of reproductive medicine and positioning as one of the indispensable disciplines of medicine. Although the concept of fertility preservation has been circulated for a long time, the practicality of clinical applications has not been freely entertained until the early 1990s because of a lack of reliable technologies to preserve fertility (especially in women). Then, successful cryopreservation of oocytes and ovarian tissue was reported, and which signaled an emergence of a new era of fertility preservation. The growth of this field has been remarkable owing to the dedicated scientists and physicians and has benefited many young cancer patients.

To enhance scientific development with networking and facilitate clinical applications by education and improve the public awareness of consequences of cancer treatment on future fertility, the International Society for Fertility Preservation (ISFP) was founded in 2007 by the world leaders in this field. Of note, Korea is one of the pioneering countries for fertility preservation under the leadership of Professor Seok Hyun Kim who participated in the ISFP board of directors. Furthermore, he founded the Korean Society for Fertility Preservation (KSFP) in 2013. I personally recognize the enthusiasm of Korean scientists and physicians for fertility preservation and their contributions to the field. Thus, the publication of this comprehensive Korean book on fertility preservation should be commended and celebrated as a milestone. It is surely timely and proper for Professor Seok Hyun Kim who has dedicated his whole career to advances in reproductive medicine. This book is meaningful in the sense that this is the first Korean language textbook on fertility preservation written by prominent Korean contributors. The book is well structured and designed, which is comprised of 19 chapters covering most of the significant topics of fertility preservation including the history, effects of cancer therapy on reproductive function, principles of cryopreservation, fertility preservation strategies, obstetrics outcomes, future technologies for fertility preservation. This book will be a valuable reference for Korean researchers, students, and clinicians especially who are working in the field of reproductive medicine and oncology.

S. Samuel Kim, M.D., FACOG

Founder and Past President, ISFP

Professor (retired), University of Kansas

Foreword

Thanks to the progress made in cancer treatment in recent years, the number of cancer survivors who can survive for an extended period of time is increasing throughout the world. Therefore, from the perspective of cancer survivorship, there is growing interest in improving the long–term quality of life after cancer treatment. Especially for the survivors of childhood and adolescent and young adult–onset cancer, fertility preservation before cancer treatment and impairment of fertility due to cancer treatment are important concerns. In 2004, Dr. Jacques Donnez of Belgium reported the achievement of live birth via cryopreserved and thawed ovarian tissue transplantation, which became a breakthrough event in this field of research. Thereafter, since 2006, the field of oncofertility entered a new area, and how we now think of oncofertility has spread worldwide. In 2006, the ISFP (International Society for Fertility Preservation) was established by Dr. Donnez and in the same year, FertiPROTEKT, a network related to oncofertility, was established in German–speaking countries. Furthermore, in 2006, the ASCO (American Society of Clinical Oncology), in collaboration with the ASRM (American Society for Reproductive Medicine), published the world's first guideline on oncofertility. Moreover, in 2006, Dr. Teresa Woodruff founded the Oncofertility Consortium, a nationwide oncofertility network in the USA. As can be seen, 2006 became the key year in the advancement of oncofertility.

In Asia as well, the ASFP (Asian Society for Fertility Preservation) was established in 2015 by Prof. Seok Hyun Kim and others, and activities promoting the awareness of oncofertility in Asia are also underway. In particular, the KSFP (Korean Society for Fertility Preservation), which was established by Prof. Kim in 2013, who was also a director of the ISFP at that time, led the oncofertility field in Asia. The 2019 ASFP Workshop held in Seoul and chaired by Prof. Kim was a wonderful meeting where we could share the challenges and issues of oncofertility in Asia and get a real feel for the progress being made in oncofertility throughout Asia. We would like to thank Prof. Kim for the guidance he has provided to the JSFP (Japan Society for Fertility Preservation) and the ASFP as president of the KSFP. Personally, I have been greatly guided by Prof. Kim. Although I have been friends with Prof. Kim's team members such as Dr. Jung Ryrol Lee and Dr. Seul Ki Kim, for less than 10 years, we have spent fruitful time at academic conferences held not only in Korea and Japan but also in various countries around the world.

Thus, in this foreword, I would like to honor Prof. Seok Hyun Kim as the Editor of the first Korean textbook on fertility preservation for childhood and adolescent and young adult cancer patients and all the authors who have contributed their knowledge to this textbook, which will surely become the gospel for fertility preservation in the survivors of childhood and adolescent and young adult–onset cancer in Korea.

Nao Suzuki, M.D., Ph.D.

Professor and Chair, Department of Obstetrics and Gynecology

St. Marianna University School of Medicine

President of the JSFP

Former President of the ASFP

Foreword

I write on the happy occasion of the publication of the first Korean book on oncofertility edited by the inaugural president of the Korean Society for Fertility Preservation (KSFP) Professor Seok Hyun Kim. The Principles of Fertility Preservation coincides with the retirement of Prof Kim and recognizes his global leadership in clinical care, research, and in organizing the Korean branch of the Oncofertility Consortium. Through his selfless dedication to infertility patients, Dr. Kim has created a new generation of physician–scientist who will continue this important work long into the future.

The book that has been assembled is a tour de force in the field of fertility preservation with some of the leading authors in Korea and intellectual leaders in the world on topics ranging from the history oncofertility, the effect of cancer treatment on reproductive health, options for fertility management in both oncologic and non–oncologic settings, assessment for reproductive health pre– and post–treatment, tissue cryopreservation, transplantation methods and new concepts that every student, resident, and practitioner can use. Indeed, I recommend the book be read by every practitioner who may treat a patient who has fertility management concerns.

I must also note that the chapters of the Principles of Fertility Preservation were assembled in the time of COVID–19 and the ravages of a global pandemic. The fact that the authors persevered and completed this work is a testament to the extraordinary dedication of every single member of this Korean Society for Fertility Preservation. COVID taught us that we are better together, that we can make radical changes to our lives yet continue to make contributions to a better world and that even a global pandemic must come to an end. We take with us the memories of this time of isolation and separation and know that we must re–connect – on behalf of our patients, the field of oncofertility, ourselves and indeed the world. The Oncofertility Consortium, which was founded with inclusion as its leading value and members of the KSFP as leaders, created the first global medical discipline that grew up as a field that embrace 'all of us' rather than 'one of us'. In this regard, the Oncofertility Consortium and the KSFP are ready to reignite our work and bring this field of medicine to the patients who so urgently need fertility preservation care.

Once again, congratulations to Dr. Kim, to the KSFP leaders and members, to the authors and to the field of medicine that you created. The Principles of Fertility Preservation is a record of that good work, and the world applauds your efforts.

Teresa Woodruff, Ph.D.

Provost and Executive Vice President for Academic Affairs

Michigan State University

Director, The Oncofertility Consortium

발간사

가임력보존은 과거에는 암환자가 암치료 외에는 다른 생각을 가지지 못하였는데 최근 들어서는 지속적인 의학의 발전으로 암환자 생존율이 높아지면서 암치료 후에 성생활이나 자녀를 갖고 싶어 하는 등 삶의 질에 대한 관심이 높아지면서 선택이 아닌 필수의료 영역으로 자리매김하고 있습니다. 또한 특별한 질환이 없어도 미래의 가족계획을 위한 선택적 가임력보존이라는 새로운 가치관의 변화로 인한 사회적인 환경변화가 가임력보존 영역의 심도 있는 발전을 요구하고 있습니다. 학회는 이렇듯 빠르게 변해가는 의료현실과 사회적 환경의 변화에 그 역할을 다하기 위해서 최선의 노력을 다하고 있으며 특히 회원들의 헌신적인 노력과 성원 덕택에 회원수나 학문적 깊이 측면에서 나날이 많은 발전을 이루어 오고 있습니다.

대한가임력보존학회는 2013년 9월 창립된 이래로 올해로 8년째를 맞이하고 있는데 현재까지 가임력보존에 관한 한글판 교과서가 없었습니다. 하지만 이번에 학회를 창립하신 서울의대의 김석현 초대 회장님께서 주축이 되어서 가임력보존에 관한 교과서를 집필하게 되어서 학회로서는 참으로 감사하고 그 노고에 찬사를 보내는 바입니다. 이 교과서는 가임력보존에 관한 공부를 처음 시작하는 학생이나 전공의, 간호사, 연구원 선생님부터 깊이 있게 학문적 체계를 갖추고 있는 전문가까지 모두에게 유용한 지침서가 될 것이라 확신합니다.

항상 모든 일에는 처음 시작이 가장 어려운 것입니다 가임력보존에 대한 교과서를 집필하여주신 김석현 교수님과 이정렬 교과서 편찬 위원장님 이하 집필 위원 선생님들께 이 자리를 빌어 감사인사를 드립니다.

대한가임력보존학회 회장

고려대학교 의과대학 산부인과학교실 교수

김 탁

서문

체외수정시술(IVF-ET)이라는 방법을 통해 성공적으로 생명을 탄생시킨 1978년의 역사적인 첫 발걸음을 시작으로 보조생식술(ART)은 현재까지 약 40여 년간 눈부신 발전을 거듭해왔습니다. 체외수정 시술은 난임 부부들에게 많은 희망을 주었고, 이는 생식내분비학 발전의 귀중한 성과라고 할 수 있을 것입니다. 나아가 이제 보조생식술의 발전은 난임 부부들의 임신 시도뿐만 아니라 가임력보존(Fertility Preservation, FP)의 영역으로 적용 범위가 확장되었고, 항암치료 등으로 가임력이 저하될 수 있는 상황에 처한 환자를 대상으로 한 가임력보존 치료가 필수적인 의료 분야로 자리 잡게 되었습니다. 또한 지속적으로 결혼 연령이 높아지고 이에 따라 여성의 출산 나이가 높아지면서 가임력보존에 대한 사회적 관심도 크게 증가하였습니다. 무엇보다 이와 같은 가임력보존 분야의 발전은 기초와 임상을 아우르는 여러 연구자들의 노력과 헌신에 더불어 유관 학회들의 활발한 학술활동과 교류가 큰 원동력이 되었습니다. 특히 국내에서는 2013년에 대한가임력보존학회(Korean Society for Fertility Preservation, KSFP)가 창립되면서 가임력보존에 대한 본격적인 논의와 발전이 가속화될 수 있었으며, 이는 많은 회원 여러분들의 아낌없는 열정과 성원이 있었기에 가능하였습니다.

이 책은 지금까지의 가임력보존 분야 발전에 발맞추어 가임력보존의 역사에서부터 최신의 연구결과들까지 체계적으로 정리하여 국내 최초의 가임력보존 교과서로서 이 분야를 공부하고자 하는 의과대학생, 수련의뿐만 아니라 가임력보존 환자를 만나는 여러 의료 현장의 의료인들에게 다각도의 정보와 전문 지식을 제공하고자 하였습니다.

첫 단원에서는 가임력보존의 개념적인 내용을 비롯하여 동결생물학을 포함하는 기초적인 내용을 체계적으로 다루었고, 항암치료가 가임력에 미치는 영향뿐만 아니라 양성 질환이 가임력에 미치는 영향 및 가임력보존의 중요성에 대해서도 살펴보았습니다. 두 번째 단원에서는 가임력보존 치료의 방법에 대한 최근까지의 연구결과들을 본격적으로 심도 있게 다루고 남성의 가임력보존에 대해서도 상세히 다루었습니다. 또한, 가임력보존 환자에 대한 다학제적 접근의 중요성과 관련하여 가임력보존 치료의 제공과 상담, 가임력보존 이후의 관리와 계획, 윤리적인 고려 등에 대해서도 폭넓게 담았습니다. 마지막으로는 가까운 미래에 가임력보존 치료의 획기적인 발전을 도모할 것으로 기대되는 줄기세포와 재생의학 등을 기반으로 한 최신 연구들과 전문가적 지견을 소개하였습니다.

필자는 지난 30여 년간 산부인과 생식내분비학에 몸담아 교육, 연구, 진료에 힘써왔으나 가임력보존에 대해 자세히 설명되어 있는 국문 교과서가 부족한 것을 늘 아쉽게 생각해왔습니다. 이는 비단 필자뿐만 아니라 생식내분비학을 전공하는 다른 현직 의료진들의 공통된 갈증이었고, 이와 관련하여 잘 정리된 체계적인 지식을 후학에게 전달하는 방법을 찾아보고자 하는 것이 우리의 공통된 의견이었습니다. 의지가 모인 상황에 기회까지 닿아 여러 전문가 선생님들과 가임력보존 교과서 초판을 집필하고 출간할 수 있게 되어 이루 다 말할 수 없이 기쁘고 벅찬 마음입니다. 개인적으로는 정년 즈음하여 숙원한 바를 마무리할 수 있게 되어 향후 진료 및 연구에 조금이라도 도움을 줄 수 있을 것이라는 기대와 위안을 가지고 정든 공간을 떠날 수 있어 너무나 감사한 마음입니다. 무엇보다 이 책을 출판하기까지 수고와 노력을 아끼지 않아 주신 많은 분들께 진심으로 감사의 인사를 드립니다. 국내 가임력보존 연구와 진료의 최고 전문가들이 집필에 참여하여, 알차고 유익한 내용의 교과서가 될 수 있도록 최선을 다해 집필해 주셨습니다. 바쁘신 와중에도 흔쾌히 집필을 맡아준 저자들, 검토에 참여해 주시고 기획과 편집을 맡아 주신 출판사 직원 여러분들께 깊은 감사의 말씀 올립니다.

이 책이 가임력보존을 공부하고자 하는 후학들과, 가임력보존 치료가 필요한 환자들에게 최선의 진료를 하기 위해 밤낮없이 고민하고 연구하는 많은 의료진들에게 아주 조금이나마 도움이 될 수 있기를 바랍니다. 그리고 본 출판을 초석으로 하여 더욱 알찬 내용으로 거듭 개정판이 출간되어 가임력보존 학문 발전의 발판이 될 수 있기를 기대합니다.

2021년 7월

대표저자
서울대학교 의과대학 산부인과학교실 교수
김 석 현

편찬위원회

편찬위원장 | 이정렬 서울의대

편 찬 간 사 | 이다용 경북의대

편 찬 위 원 |
- 김용진 고려의대
- 김자연 차의과학대
- 김지향 차의과학대
- 박주현 연세의대
- 박현태 고려의대
- 이경욱 고려의대
- 이재왕 을지대
- 주창우 마리아병원

집필진

대 표 저 자 | 김석현 서울의대

집 필 진 (가나다 순) |
- 김미란 아주의대
- 김성우 서울의대
- 김슬기 서울의대
- 김용진 고려의대
- 김자연 차의과학대
- 김지향 차의과학대
- 김충현 함춘여성의원
- 김 탁 고려의대
- 나용진 부산의대
- 박소연 이화의대
- 박주현 연세의대
- 박준철 계명의대
- 박중신 서울의대
- 박지윤 서울의대
- 박현태 고려의대
- 서창석 서울의대
- 신정호 고려의대
- 윤태기 차의과학대
- 이경욱 고려의대
- 이다용 경북의대
- 이동률 차의과학대
- 이병석 연세의대
- 이상훈 고려의대
- 이우식 차의과학대
- 이재왕 을지대
- 이재훈 연세의대
- 이정렬 서울의대
- 이정호 계명의대
- 이택후 경북의대
- 전진현 을지대
- 정경아 이화의대
- 주종길 부산의대
- 주창우 마리아병원
- 지병철 서울의대
- 최영식 연세의대
- 홍연희 서울의대
- 황경주 아주의대

Contents

가임력보존 개론
(Introduction)

Contents

가임력보존 치료
(Fertility Preservation Treatments)

Contents

가임력보존 환자의 관리
(Care of Fertility Preservation Patients)

Contents

가임력보존 치료의 전망
(Future Techniques for Fertility Preservation)

Contents

Section I

가임력보존 개론

(Introduction)

Chapter 01

가임력보존의 역사: 보조생식술로부터 가임력보존까지

(History: from ART to fertility preservation)

서울의대 **김석현**
서울의대 **김성우**

1 보조생식술의 역사

1790년에 런던의 저명한 외과의사인 John Hunter(1728−1793)가 요도하열증이 있는 남편의 정액을 채취해서 주사기를 이용해 질 안쪽으로 주입한 후 성공적으로 임신한 것이 역사적으로 인간에서의 최초 보조생식술(assisted reproductive technology, ART)이라고 부를 수 있을 만한 보고이다[1]. 현대의 보조생식술을 정액 처리와 난자, 배아를 다루는 기술의 총칭이라고 정의한다면, John Hunter의 시술은 엄밀히 말해 보조생식술에 포함된다고 하기 어려울 수도 있겠지만, 인간의 생식 과정에 외부적 개입을 시도하여 성공적인 임신 결과를 얻어냈다는 것에 의의가 있다.

이후 19세기 중반에 수많은 과학자와 의사들에 의해 난자와 정자의 수정 과정에 대한 연구가 이루어졌고, 1960년대부터 시작된 Robert Edwards와 Patrick Steptoe의 체외수정과 배아이식에 대한 끈질긴 연구와 시도 끝에 1987년 7월 25일에 세계 최초로 체외수정을 통해 태어난 아기인 Louise Brown이 보고되었다[2]. 그 후로 체외수정 시술에 대한 전세계적인 노력과 발전이 이어졌고, 1983년에 호주에서 최초로 동결 배아 이식을 통해 생아가 출생하였다[3]. 한국에서는 1985년에 최초로 체외수정시술을 통한 임신과 출산에 성공하였다[4].

보조생식술의 요법(protocol)에 있어서도 변화와 발전이 지속되어, 1980년대에 생식샘자극호르몬(gonadotropin)을 이용한 난소과자극이 시도되기 시작하였다. 초창기에는 난소과자극

기간 동안 황체형성호르몬 급증(LH surge)을 통제하는 방법이 없었는데, 1990년대에는 생식샘자극호르몬방출호르몬작용제(gonadotropin-releasing hormone (GnRH) agonist)를 이용해 조기 배란을 억제하는 요법이 사용되기 시작하였다. 그리고 1990년대 후반 이후로 생식샘자극호르몬방출호르몬길항제(GnRH antagonist)가 활용되기 시작했다.

또한 점차 배양기술이 발전하면서 포배기 배아(blastocyst) 이식이 늘었고, 세포질내정자주입(intracytoplasmic sperm injection, ICSI), 착상전유전검사(pre-implantation genetic testing, PGT), 체외성숙(in vitro maturation, IVM), 고환조직정자채취술(testicular semen extraction, TESE) 등 다양한 기술들의 급속한 발전이 이루어져 왔다. 이러한 보조생식술의 기술적 발전에 따라 가임력보존과 관련하여 난자와 정자를 포함한 생식세포들을 동결하고 해동하는 방법적 발전도 이루어지게 되었다.

2 가임력보존의 발전

가임력보존이란 자연적인 생식능력이 끝나기 전에 불임의 위험이 높아질 수 있는 상황에 처한 성인이나 소아를 대상으로 유전적 부모가 될 가능성을 보존하기 위해 수술적, 약물적, 실험적 처치들을 적용하는 것이라고 정의할 수 있다. 과거에는 암환자의 치료 목표가 생존에만 집중되어 있었기 때문에 상대적으로 가임력보존의 문제에 대한 인식이 부족하였고, 가임력보존을 위한 방법도 거의 없었다. 하지만 눈부신 의학의 발전으로 암환자의 생존율이 증가하면서 젊은 나이의 암 생존자가 증가하였고, 이것이 가임력보존의 발전에 큰 추진력을 제공하였다[5, 6]. 암 생존자들의 삶의 질과 가임력보존의 문제는 점차 중요성을 갖게 되었고, 최근에는 암치료 과정에서 반드시 고려되어야 할 부분으로 점차 인식되기 시작하였다[7]. 또한 보조생식술의 발전이 암환자의 가임력을 보존하는 방법적인 측면과 기술적인 측면의 발전에 큰 원동력이 되었다.

1) 난소 조직 동결

1970년대에 혈관을 문합하는 방식의 난소 이식술이 몇 차례 시도 되었으나, 혈관을 포함하여 난소를 동결보존하는 것이 기술적으로 가능하지 않았기 때문에 가임력보존을 위한 방법으로 활용하기에는 문제가 있었다. 1990년대에 난소의 피질을 작게 조각내어 동결보존 하였다가 이식하는 방법에 대한 연구가 이루어졌고, 1994년 Harp R 등은 쥐에서 이와 같은 방법으로 난소 조직을 동결 및 이식 후 난소기능이 회복되는 것을 확인하였다[8]. 같은 해에 Gosden RG 등은 양을 이용한 연구에서, 난소의 피질 절편을 체내에 신선 이식 한 모델과, 동결-해동 후 이식한 모델 모두에서 임신에 성공하였다[9]. 이 연구들은 향후 난소 조직 동결이 가임력보존의 방법으로서 사용될 수 있다는 가능성을 열어준 계기가 되었다.

1996년 Hovatta 등의 연구와 1997년 Oktay 등은 동결-해동 후 인간의 원시난포(primordial follicle)가 생존하여 기능을 유지할 수 있음에 대해 생체외(in vitro) 연구에서 확인하였다[10, 11]. Oktay에 의해 2000년도에 인간을 대상으로 난소 조직을 동결보존 후 해동하여 다시 체내 이식을 하는 시도가 이루어졌고[12], 4년 후인 2004년에 Donnez J 등이 호지킨림프종(Hodgkin's lymphoma)을 진단받은 여성에서 동결보존했던 난소 조직을 해동하여 같은자리이식(orthotopic transplantation)을 한 뒤 생아를 출산하는데 성공했다[13]. 그리고 같은 해에 Stern CJ 등은 난소 조직의 동결-해동 후 다른자리이식(heterotopic transplantation)을 통해 임신 후 쌍태아를 출산하는데에 성공하였다[14]. 그 이후로 현재까지 약 130건 이상의 생아 출산 증례가 발표되었으며, 오늘날 난소 조직 동결보존은 체외성숙(in vitro maturation, IVM) 및 난모세포의 유리화동결(vitrification) 기술과 결합하여 더욱 발전된 결과를 보여주고 있다[15-17]. 한국에서는 동결보존 하였던 난소 조직을 다른자리이식하여 난소기능의 회복을 확인한 결과가 2004년에 최초로 보고되었다[18]. 그 이후 2015년에는 동결보존했던 난소 조직 이식한 후 체외수정 시술을 성공적으로 시행한 증례가 국내에서 최초로 보고되었다[19].

2) 난자 동결

난자의 동결에 있어서는 1986년 호주에서 완만동결법(slow-freezing)으로 동결보존했던 성숙난자를 급속 해동(rapid-thawing)하여 임신 후 생아를 출산한 최초의 증례가 보고되었다[20]. 원시난포의 경우 동결에 덜 취약하지만 난모세포의 경우 동물 연구에서 동결 해동 후 생존율도 낮았고, 방추 중합체분해(spindle depolymerization)에 의해 염색체 이수성(aneuploidy)의 위험이 높아지는 것에 대한 우려가 있었다. 그러나 2008년 Borini 등은 완만동결법 기술로 동결보존했던 난자를 이용해 임신 후 출생한 아기들을 대상으로 한 연구에서 비정상 염색체의 위험이 높아지지 않음을 보여 주었고, 난모세포 동결이 효과적인 방법임을 주장하였다[21]. 2007년 Kuwayama 등은 유리화동결로 보존했던 난자를 이용한 연구결과를 발표하였는데, 유리화동결법은 초고속 냉각을 통해 세포의 미세구조에 손상을 야기하는 얼음 결정의 생성을 방지함으로써 동결-해동 후 좋은 성적을 보여주었고, 현재 전 세계적으로 난자 동결이 활성화되는데 중추적 역할을 하였다[22]. 현재 난자 동결보존은 배아 동결보존과 더불어 미국 생식의학회(American Society for Reproductive Medicine, ASRM)가 확립된 가임력보존의 방법으로 제시하고 있다[23].

최근 배양 기술이 발전함에 따라 난소 조직을 이식한 후에 난포 생존을 향상시키는 여러 가지 새로운 방법이 현재 연구되고 있는데, 원시난포로부터 체외성숙을 하는 기술이 계속해서 발전하고 있다[24]. 체외성숙 방법에 대한 연구는 1980년대에 시작되었으며, 설치류의 작은 난포를 이용하여 V-well 또는 일반적인 플라스틱 접시에서 배양을 하거나, 알진산염(alginate)을 이용하는 방법 등 다양한 방법이 보고되었다[25-27]. 1991년에 최초로 공여를 통해 얻은 미성숙 난자를 체외성숙을 통해 체외수정을 시행하고 생아를 출산하는데 성공하였다[28]. 현재까지 난자의 체외성숙 방법은 미성숙 난자를 활용한 보조생식술의 기술 중 하나로 활발하게 이용되고 있다[29]. 1996년에 Eppig와 O'Brien은 원시난포의 다단계 배양(multi-stage culture) 방법을 소개하였고, 2011년에 Woodruff는 전동난포(preantral follicle)를 알진산염을 이용해 캡슐화하여 한 달 후 동난포(antral follicle) 상태로 배양한 뒤 중기(metaphase) II 단계의 난자를 얻어내는데 성공했다.

3) 가임력보존 대상의 확장

2000년대 후반 이후에는 암환자뿐만 아니라 양성 질환을 가진 환자들을 대상으로 난소 수술 등 가임력 저하가 우려되는 치료를 시행하기 전에 가임력보존 목적으로 생식세포를 동결하는 것에 대한 적응증과 동결보존 후 임신 성공률에 대해 보고되고 있다[30]. 최근 2020년에는 1,044명의 자궁내막증 환자에서 난자 동결을 시도하고, 이 중 485명이 동결된 난자를 이용해 임신시도를 했던 결과가 발표된 바 있다. 연구결과 난자의 해동 후 생존율은 83.2%, 누적생아 출산율은 46.4%에 달했고, 나이가 어린 환자에서 수술 전 가임력보존의 효용성이 더 높을 것으로 보고하였다[31]. 또한 혼인 및 임신 연령이 늦어지는 사회현상에 따른 비의학적 난자 보관(social banking)도 급격히 늘고 있다[32].

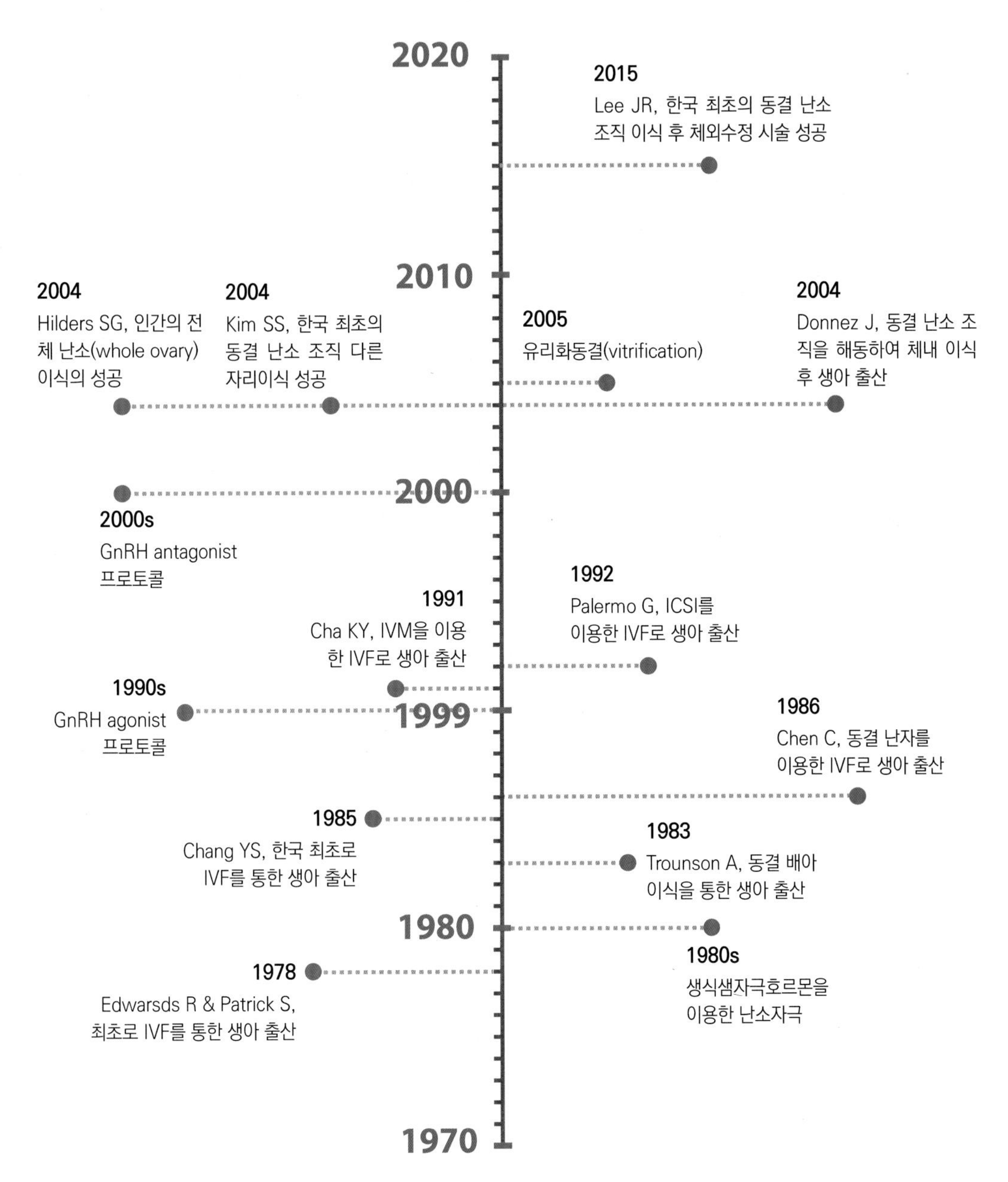

그림 1-1. 보조생식술 및 가임력보존의 역사

3 국내/국외 가임력보존 관련 학회

가임력보존은 지난 20년간 빠르게 발전해 온 분야로, 무엇보다도 국내외의 여러 관련 학회의 창립 및 각종 학술활동과 심포지움 등의 개최가 보조생식술 및 가임력보존의 발전을 이끈 주요 원동력이 되었다. 특히 2007년 국제 가임력보존 학회(International Fertility Preservation Society, ISFP)의 설립은 가임력보존에 대한 높은 관심의 반영이라고 할 수 있다.

국내에서는 2013년 9월에 대한가임력보존학회(Korean Society for Fertility Preservation, KSFP)가 창립되었고 한국에서의 가임력보존에 대한 활발한 학술활동과 교육활동을 이어오고 있다. 2013년 11월에 창립학술대회를 개최한 이래로 매년 학술대회를 열어 가임력보존에 대한 다양한 연구결과를 발표하고 공유하고 있으며, 매년 개최되는 연수강좌를 통해 가임력보존의 최신 지견에 대한 논의를 이어오고 있다. 이 과정을 통해 아직 걸음마 단계였던 한국의 가임력보존 치료 수준을 크게 향상시켰으며, 또한 전국의 각 지역 거점 병원에 대한 가임력보존 술기 기술 전수를 위한 네트워크 구성과 의사 연구원들의 워크숍을 진행하였다. 전국적으로 가임력보존 치료가 정착할 수 있는 데 많은 기여를 하였다. 또한, 대한가임력보존학회를 중심으로 여러 분야의 의료인과 연구자들의 협력 하에 2017년 국내 가임력보존의 표준 치료방침을 개발하였다. 혈액종양 환자에서의 가임력보존, 유방암환자에서의 가임력보존, 부인암환자에서의 가임력보존, 항암치료 시 가임력보존으로 나누어 세부적인 표준 치료방침을 마련하여 국내 가임력보존 치료의 발전에 기여하고 있다. 또한, 최근에는 아시아 가임력보존학회 설립과 국제 학회 활동을 통해 가임력보존의 수준이 낮은 인도 및 동남아시아 지역의 가임력보존 치료 기반을 구축하는 데에도 적극적으로 기여하고 있다. 이 외에 가임력보존 관련 국내 학회로는 대한생식의학회, 대한보조생식의학회가 있으며 창립 이래 활발한 활동을 이어오고 있다.

국외 학회

국제 가임력보존 학회(International Society for Fertility Preservation, ISFP)

- 창립년도 : 2007년
- 홈페이지 : http://www.isfp-fertility.org/
- 활동 : 2년 마다 ISPF world congress 개최, ISFP newsletter 발간

전세계의 기초과학자와 임상의들의 네트워크를 만들고, 일반인 대상으로 교육하고, ISFP 홈페이지 및 ISFP world congress, workshop등을 통해 최신 지식을 공유하고 새로운 지식을 발견, 다학제적인 연구 진행을 도모하고, 가임력보존에 대한 가이드 라인 마련하고 있음.

온코퍼틸리티 콘소시엄(Oncofertility consortium)

- 창립년도 : 2007년
- 홈페이지 : https://oncofertility.msu.edu/
- 활동 : Diaglogues in oncofertility 발행, 매년 Oncofertility Consortium Conference, Fertility Preservation and Reproductive Late Effects Conference, Reproductive Ethics Conference, Oncology Nursing Conference 및 각종 심포지움 개최

암생존자들의 가임력에 관한 국제적이고 다학제적 단체로, 전문가를 대상으로 Oncofertility conference 를 개최하며 일반인들 대상으로 교육을 시행하고 있음.

아시아 가임력보존 학회(Asian Society for Fertility Preservation, ASFP)

- 창립년도 : 2016년
- 홈페이지 : http://www.asfpasia.org
- 참여국가 : 한국, 일본, 홍콩, 인도, 싱가포르, 대만, 태국, 인도네시아, 베트남, 필리핀, 중국, 파키스탄
- 활동 : 매년 ASFP meeting 개최

아시아 최초의 다국가간 가임력보존 학회로, 가임력보존을 위한 기초과학과 임상 전문가들이 주축이 되어 아시아 사회에 특화된 가임력보존에 대한 교류를 만들고자 함.

국내 학회

대한생식의학회 (Korean Society for Reproductive Medicine, KSRM)

- 창립년도 : 1972년
- 홈페이지 : www.ksfs.or.kr
- 유관저널 : Clinical and Experimental Reproductive Medicine (대한보조생식의학회 공동발행)
- 자학회 : 대한배아전문가협의회, 대한생식면역학회
- 활동 : 매년 춘계, 추계 학술대회 개최

기초 및 임상을 아우르는 학문적 발전과 난임 의료기술의 성장을 이끄는 중추적인 역할을 담당하며, 생명윤리법 개정 자문 (생명윤리법, 배아생성의료기관 표준운영지침), 정부지원사업에 대한 지침마련 (난임부부 지원사업), 일반인에 대한 난임에 대한 교육자료 제공, 전국의 회원병원을 통해 지역의 난임 환자 진료 수준의 향상을 도모하고 있음.

대한보조생식의학회(Korean Society for Assisted Reproduction, KSAR)

- 창립년도 : 2003년
- 홈페이지 : www.kosar.org
- 활동 : 매년 춘계, 추계 학술대회 개최, 한일보조생식학회 개최(2017년 이후 중단)

의학과 기초과학을 포함하는 다학제적 지식을 바탕으로 난임 해결에 관심을 가진 전문가 집단으로, 기초과학의 발전과 임상적 시술 간의 조화를 추구하여 각 시술의 안정과 질 향상을 도모해 옴. 난임부부 지원사업 심의, 대한산부인과 보조생식술 윤리지침 개설, 인공수정 및 체외수정 시술 의학적 기준 가이드라인 제시 및 개정, 체외수정 시술기관에 대한 안내, 센터별 체외수정 성공률 보고 등의 활발한 활동을 하고 있음.

대한가임력보존학회(Korean Society for Fertility Preservation, KSFP)

- 창립년도 : 2013년
- 홈페이지 : www.ksfp2013.org
- 활동 : 매년 연수강좌와 학술대회 개최

가임력보존 치료에 대한 의료인 및 연구자들간의 학술적인 교류 및 교육, 가임력보존에 대한 홍보 강화, 가임력보존의 표준 치료방침 논의 및 개발 등의 목적을 위해 보다 여러 분야의 의료인과 연구자들의 협력이 이루어지고 있음. 2017년에 The Korean Society for Fertility Preservation clinical guidelines (Fertility preservation for patients with hematologic malignancies, Fertility preservation for patients with breast cancer, Fertility preservation for patients with gynecologic malignancies, Fertility preservation during cancer treatment)를 통해 국내 가임력보존의 임상 가이드라인을 제시함.

References

1. Donnez J, Kim SS. Principles and practice of fertility preservation. UK: Cambridge University Press; 2011
2. Steptoe PC, Edwards RG. Birth after the reimplantation of a human embryo. Lancet 1978;2(8085):366.
3. Trounson A, Mohr L. Human pregnancy following cryopreservation, thawing and transfer of an eight-cell embryo. Nature 1983;305(5936):707-9.
4. Chang YS, Lee JY, Moon SY, Kim JK. Pregnancy and its outcome by in vitro fertilization of human oocytes and embryo transfer. Korean J Obstet Gynecol 1986;29:354-61.
5. Feigin E, Freud E, Fisch B, Orvieto R, Kravarusic D, Avrahami G, et al. Fertility preservation in female adolescents with malignancies. Cancer in female adolescents 2008;38:101.
6. Chung K, Donnez J, Ginsburg E, Meirow D. Emergency IVF versus ovarian tissue cryopreservation: decision making in fertility preservation for female cancer patients. Fertil Steril 2013;99(6):1534-42.
7. Howlader N, Noone A, Krapcho M. Surveillance, Epidemiology, and End Results program cancer statistics review, 1975-2014. 2017. Bethesda, MD: National Cancer Institute.
8. Harp R, Leibach J, Black J, Keldahl C, Karow A. Cryopreservation of murine ovarian tissue. Cryobiology 1994;31(4):336-43.

9. Gosden RG, Baird DT, Wade JC, Webb R. Restoration of fertility to oophorectomized sheep by ovarian autografts stored at -196 degrees C. Hum Reprod 1994;9(4):597-603.
10. Hovatta O, Silye R, Krausz T, Abir R, Margara R, Trew G, et al. Cryopreservation of human ovarian tissue using dimethylsulphoxide and propanediol-sucrose as cryoprotectants. Hum Reprod 1996;11(6):1268-72.
11. Oktay K, Nugent D, Newton H, Salha O, Chatterjee P, Gosden RG. Isolation and characterization of primordial follicles from fresh and cryopreserved human ovarian tissue. Fertil Steril 1997;67(3):481-6.
12. Oktay K, Karlikaya G. Ovarian function after transplantation of frozen, banked autologous ovarian tissue. N Engl J Med 2000;342(25):1919.
13. Donnez J, Dolmans MM, Demylle D, Jadoul P, Pirard C, Squifflet J, et al. Livebirth after orthotopic transplantation of cryopreserved ovarian tissue. Lancet 2004;364(9443):1405-10.
14. Stern CJ, Gook D, Hale LG, Agresta F, Oldham J, Rozen G, et al. Delivery of twins following heterotopic grafting of frozen-thawed ovarian tissue. Hum Reprod 2014;29(8):1828.
15. Donnez J, Dolmans MM. Fertility Preservation in Women. N Engl J Med 2017;377(17):1657-65.
16. Jensen AK, Macklon KT, Fedder J, Ernst E, Humaidan P, Andersen CY. 86 successful births and 9 ongoing pregnancies worldwide in women transplanted with frozen-thawed ovarian tissue: focus on birth and perinatal outcome in 40 of these children. J Assist Reprod Genet 2017;34(3):325-36.
17. Rodriguez-Wallberg KA, Tanbo T, Tinkanen H, Thurin-Kjellberg A, Nedstrand E, Kitlinski ML, et al. Ovarian tissue cryopreservation and transplantation among alternatives for fertility preservation in the Nordic countries - compilation of 20 years of multicenter experience. Acta Obstet Gynecol Scand 2016;95(9):1015-26.
18. Kim SS, Hwang IT, Lee HC. Heterotopic autotransplantation of cryobanked human ovarian tissue as a strategy to restore ovarian function. Fertil Steril 2004;82(4):930-2.
19. Lee JR, Lee D, Park S, Paik EC, Kim SK, Jee BC, et al. Successful in Vitro Fertilization and Embryo Transfer after Transplantation of Cryopreserved Ovarian Tissue: Report of the First Korean Case. J Korean Med Sci 2018;33(21):e156.
20. Chen C. Pregnancy after human oocyte cryopreservation. Lancet 1986;1(8486):884-6.
21. Borini A, Cattoli M, Bulletti C, Coticchio G. Clinical efficiency of oocyte and embryo cryopreservation. Ann N Y Acad Sci 2008;1127:49-58.
22. Kuwayama M. Highly efficient vitrification for cryopreservation of human oocytes and embryos: the Cryotop method. Theriogenology 2007;67(1):73-80.
23. Ethics Committee of the American Society for Reproductive Medicine. Fertility preservation and reproduction in patients facing gonadotoxic therapies: an Ethics Committee opinion. Fertil Steril 2018;110(3):380-6.
24. Telfer EE, Zelinski MB. Ovarian follicle culture: advances and challenges for human and nonhuman primates. Fertil Steril 2013;99(6):1523-33.
25. Spears N, Boland NI, Murray AA, Gosden RG. Mouse oocytes derived from in vitro grown primary ovarian follicles are fertile. Hum Reprod 1994;9(3):527-32.
26. Cortvrindt R, Smitz J, Van Steirteghem AC. In-vitro maturation, fertilization and embryo development of immature oocytes from early preantral follicles from prepuberal mice in a simplified culture system. Hum Reprod 1996;11(12):2656-66.
27. Xu M, Kreeger PK, Shea LD, Woodruff TK. Tissue-engineered follicles produce live, fertile offspring. Tissue Eng 2006;12(10):2739-46.
28. Cha KY, Koo JJ, Ko JJ, Choi DH, Han SY, Yoon TK. Pregnancy after in vitro fertilization of human follicular

oocytes collected from nonstimulated cycles, their culture in vitro and their transfer in a donor oocyte program. Fertil Steril 1991;55(1):109-13.

29. Sauerbrun-Cutler MT, Vega M, Keltz M, McGovern PG. In vitro maturation and its role in clinical assisted reproductive technology. Obstet Gynecol Surv 2015;70(1):45-57.
30. Elizur SE, Chian R-C, Holzer HE, Gidoni Y, Tulandi T, Tan SL. Cryopreservation of oocytes in a young woman with severe and symptomatic endometriosis: a new indication for fertility preservation. Fertility and sterility 2009;91(1):293. e1-e3.
31. Cobo A, Giles J, Paolelli S, Pellicer A, Remohi J, Garcia-Velasco JA. Oocyte vitrification for fertility preservation in women with endometriosis: an observational study. Fertil Steril 2020;113(4):836-44.
32. Donnez J, Dolmans MM. Fertility preservation in women. Nat Rev Endocrinol 2013;9(12):735-49.

Chapter 02

암치료와 가임력

(The effect of cancer therapy on reproductive function)

경북의대 **이택후**
경북의대 **이다용**

1 암치료와 가임력보존의 중요성

최근 수십 년간 암치료 성적이 지속적으로 향상되면서 암치료 후의 삶은 의료진과 환자 모두에게 중요한 관심사가 되었다. 지금도 많은 암환자들은 항암치료 및 그와 관련된 신체적, 의료적 상황으로 인하여 가임력의 감소 또는 상실을 겪게 된다. 가임력 감소 및 상실로 인한 영향은 특히 소아, 청소년 및 젊은 성인 암환자들에게 크게 미치기 때문에, 항암치료가 생식기능 저하에 미치는 영향을 정확히 파악하여, 이를 최소화하고 극복할 수 있도록 하는 처치가 더욱 중요해지고 있다. 또한 항암치료 성과 향상에 결정적인 영향을 미치는 조기 진단을 위한 선별검사가 널리 보급되고 이를 위한 진단 기술이 지속적으로 발달하고 있으며, 표적 치료제, 면역 치료제와 같은 새로운 치료제가 계속해서 개발되어 암환자들에게 사용되면서 암환자의 기대 수명은 지속적으로 증가하고 있는 추세이다. 이러한 상황에서 상당수의 암환자들은 완치 이후 자신의 가임력 여부에 대해 관심이 커지고, 이들 중 상당수가 아이를 갖기를 원한다. 이러한 환자에게서 항암치료 개시 이전에 가임력을 보존할 수 있는 방법들과 그 가능성에 대한 구체적인 설명과 논의를 통해 암 완치 후 임신 가능성 여부에 대해 정확한 판단을 할 수 있는 기회를 제공하는 것이 암 완치 이후의 삶의 질에도 영향을 미치게 된다. 방사선요법과 항암화학요법과 같은 항암치료는 암치료 성적에 있어서 많은 발전을 이뤄왔지만, 이러한 치료 과정은 생식과 관련된 장기들에 영향을 미침으로써 치료의 종류와 용량, 빈도에 따라 가임력 저하를 유발할 수 있다는 문제점도 가지고 있다. 실제로 남녀 암 생존자의 경우 정상 대조군에 비해서 암치료 후에 약 80%까지 가임력 감소를 겪게 된다[1]. 소아암으로 진단받은 여성 환자의 경우 완치 이후 임신할 확률은 같은 나이대의 건강한 여성에 비해서 약 20% 감소하게 되며, 성인기 초기에 진단을 받은 경우에는 50%까지 감소하게 된다[2]. 따라서 소아, 청소년 및 젊은 가임기 암환자들에게 항암치료로 인한 가임력 저하의 가능성을 객관적으로 설명하고, 가임력의 저하를 최소화하며, 환자마다 개별화된 최적의 가임력보존 방법을 제공하는 것은 암환자들의 치료에 대한 의지를 높이고 암치료 이후의 삶의 질을 향상시키는 데 있어서 매우 중요한 요인이다[3]. 이러한 점들을 고려하면, 각종 암종에 따른 항암치료가 가임력에 미치는 영향을 살펴보는 것은 가임력보존에 대한 관심을 환기시키고, 가임력 저하를 극복할 수 있는 방안을 마련하기 위한 기본적이고도 중요한 과정이라고 할 수 있다.

2 암치료가 가임력에 미치는 영향

항암화학요법과 방사선요법은 그림 2-1과 같이 남성의 정소와 여성의 난소, 자궁 등을 포함한 생식기에 영향을 미칠 수 있으며, 가임력의 완전한 소실을 유발할 수도 있다[4]. 남아 암환자에서 항암치료를 마친 후 장기적 추적관찰 결과, 무정자증이나 심한 희소무력정자증(oligo-asthenozoospermia)으로 인한 난임이 문제가 된 경우가 약 30%에 달했다[5, 6]. 정소의 생식세포는 A (dark), A (pale), B 세포의 세 종류의 정조세포(spermatogonia)로 구성되어 있다[7]. 이 중 A (dark) 정조세포는 휴지기의 세포이며, A (pale) 정조세포는 지속적으로 정자를 생산하는 세포이다. 상대적으로 세포 분열 주기가 느린 A (dark) 세포는 활발한 세포분열이 진행되는 A (pale) 세포에 비해서 항암치료로 인한 손상에 저항성을 가지기 때문에 항암치료로 인한 심한 정소 손상 이후에도 충분한 시간이 지난 후 정소의 기능이 회복될 수 있는 줄기세포의 저장소 역할을 할 수 있다. 그 외에도 정소의 라이디히 세포(Leydig cell)는 상대적으로 항암화학요법과 방사선요법으로 인한 손상에 더 강한 저항성을 가지는 것으로 알려져 있다.

여성에서는 40세 이전에 난소기능이 소실되는 조기난소부전(primary ovarian insufficiency)이 유발되어 가임력의 감소나 상실이 초래될 수 있다. 조기난소부전으로 인한 여성호르몬의 부족은 청소년기에 여성호르몬의 영향을 받는 발달 과정에도 영향을 미칠 수 있다. 조기난소부전의 경우 일반적인 정의로는 40세 이전에 무월경이나 희발월경이 4개월 이상 지속되면서 혈청학적 검사상 난포자극호르몬(follicle stimulating hormone, FSH) 혈청학적 검사 결과

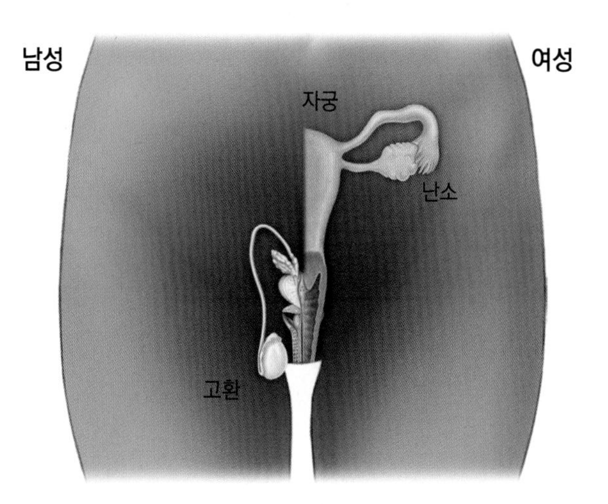

방사선요법에 의한 손상

- 이온화 방사선에 의한 DNA 직접 손상
- 생식샘 직접조사 및 확산을 통한 간접조사 (주변 기관 및 조직의 특성과 연관)
- 환자의 나이 및 방사선 총 조사량, 조사 방법 (분획 조사, 조사 시간, 조사 간격) 등과 연관

방사선요법에 의한 손상

- DNA 직접 손상(주로 알킬화 약물)
- 미토콘드리아 사멸
- 염증 반응과 활성화 산소에 의한 조직 및 혈관 손상과 섬유화
- 환자의 나이, 난소 잔여기능 및 약제의 종류, 총 투여량, 1회 투여량 등과 연관

그림 2-1. 암치료가 남성과 여성에서 가임력과 관련된 장기에 미치는 영향

가 1달 간격으로 2회 이상 상승되어 있으면 의심할 수 있다[8]. 세포 분열이 활발한 시기의 난포가 항암치료로 인한 손상에 더 취약하며, 이러한 이유로 성장하는 난포는 휴지기에 있는 원시 난포보다 더 빠른 비율로 손상되어 감소하게 된다[9]. 따라서 40세 이하의 여성에서는 최종 항암화학요법 치료 직후 무월경이 유발되고 생식샘자극호르몬의 증가가 관찰되더라도 경우에 따라서는 수 개월 이후부터 손상되지 않고 남아 있던 휴지기의 원시난포(primordial follicle)들을 통해서 월경이회복될 수 있다[10]. 이러한 기전으로 암치료 후 무월경이 발생한 환자 중 상당 비율에서 시간이 지난 후 월경이 다시 돌아올 수 있다. 이러한 경우 월경이 다시 시작되는 시점은 항암치료를 마친 이후 1년 이상의 기간이 걸릴 수도 있다는 사실을 염두에 두어야 한다[11]. 기존 연구에 따르면, 20–35세 사이의 비교적 젊은 여성에서 다양한 암종으로 항암치료를 시행한 경우를 추적관찰한 결과 약 30%에서 무월경이 유발되었고, 이 중 90%는 2년 이내에 생리가 다시 시작되었다[12]. 게다가 이 중 상당수는 1년 내에 월경을 다시 시작하였으며 그 비율이 70% 정도였기 때문에 항암치료로 인한 조기난소부전을 단순히 4개월간의 무월경이나 희발

월경을 기준으로 판단하는 것은 한계가 있음을 알 수 있다. 따라서 암치료 이후의 조기난소부전 발생은 신중히 판단해야 한다. 또한 월경이 다시 시작되는 경우라 할지라도 이러한 군에서 월경 주기가 불규칙할 수도 있고, 난임의 비율이 증가하며, 폐경의 시기가 앞당겨지는 등의 문제들이 동반될 수 있다는 점 또한 고려해야 한다[13].

이렇게 항암치료가 여성의 생식기능에 미치는 영향을 다룬 연구들을 살펴보면, 각 연구마다 무월경을 판단하는 기준이 다르고, 다양한 암종을 다양한 병기에서 다루고 있으며, 방사선요법 및 항암화학요법을 포함한 다양한 치료방법이 다양한 방식으로 적용되었고, 대상 환자의 평균연령도 각 연구들마다 다양한 것을 알 수 있다. 따라서 이러한 결과들을 일반화, 표준화하는 과정은 쉽지 않다. 여성 환자에서 항암치료로 유발된 생식기능의 저하를 판단하는 기준으로는 단순하게는 무월경의 발생부터 그에 동반된 생식샘호르몬 수치, 난소예비능(ovarian reserve)을 반영하는 검사인 항뮬러관호르몬(anti-Müllerian hormone, AMH) 수치와 전동난포수(antral follicle count, AFC), 임신 결과, 폐경 또는 조기난소부전이 유발되는 시기 등 다양한 기준이 혼재되어 사용되고 있다. 따라서 이러한 결과들을 해석하고 비교함에 있어서도 주의를 기울여야 한다. 난소예비능을 측정하는 지표로는 현재 AMH가 대표적으로 활용되고 있으며, 난포자극호르몬이나 인히빈B(inhibin B) 등도 난소예비능을 반영하는 지표이다. 황체화호르몬(luteinizing hormone, LH), 에스트라다이올(estradiol) 수치 등도 보조적으로 사용할 수 있다. 이 중 AMH가 다른 지표들에 비해 신뢰도와 민감도가 좋은 것으로 알려져 있어 암치료 이후의 가임력 변화를 판단하는 지표로 많이 사용되고 있다. 항암치료 후에 관찰되는 AMH의 감소는 해당 지표가 항암치료로 인한 난소기능 저하를 잘 반영한다는 것을 보여주나, 이를 실제 환자의 예후를 예측하는 인자로 사용하는 등의 임상적인 활용에 있어서는 아직 한계점이 있다[14].

여성에서 임신이 되고 유지되는 과정을 고려하면, 항암치료가 난소에 미치는 영향뿐만 아니라 자궁에 미치는 영향도 함께 고려해야 한다. 자궁내막암치료를 마친 후 임신을 시도하는 경우에, 암치료 전에 동결보존하였던 난자를 이용하거나 기증난자를 이용하여 임신을 시도하였을 때에도 암치료 이력이 없는 여성에 비해서 착상률이나 임상적 임신률이 유의하게 낮은 것이 관찰되었다[15]. 이는 항암치료 이후의 가임력의 감소에는 난소뿐만 아니라 자궁 또한 영향을 미친다는 것을 반영한다. 또한 임신의 결과를 분석한 연구에서도 항암치료 과거력이 있는 여성에서 유산이나 조산의 가능성이 더 높았으며, 출산아의 체중이 감소하였다는 결과를 보고한 연구자들이 있다[16, 17]. 이러한 결과들을 종합해보면 항암치료는 난소의 기능뿐만 아니라 자궁에도 영향을 미쳐서 착상과정을 저해하고, 임신의 유지에도 악영향을 미칠 수 있다는 것을 시사한다.

1) 방사선요법이 가임력에 미치는 영향

방사선요법을 시행할 때 정소나 난소, 자궁에 직접적으로 조사되는 방사선뿐만 아니라 확산을 통해 간접적으로 노출되는 방사선도 해당 장기에 손상을 유발할 수 있다. 방사선요법에서 발생하는 이온화 방사선(ionizing radiation)은 직접적으로 DNA 손상을 유발한다. 세포분열이 활발한 세포이거나 미분화세포일수록 이러한 손상에 더욱 취약하기 때문에 생식샘세포는 방사선 손상에 특히 취약한 세포군에 속한다. 방사선요법이 생식기에 미치는 영향은 방사선의 총 조사량, 방사선을 분획(fractionation)하여 조사하는 양, 조사 시간 및 간격 등을 포함한 방사선요법 투여 계획에 의해 영향을 받게 되며, 생식기 주변의 기관, 조직의 특성 등에 의해서도 영향을 받게 된다. 추가적으로 중추신경계로의 방사선 조사로 인해 뇌하수체-시상하부가 손상을 받게 되면 사춘기 발달에 영향을 미치거나 생식샘자극호르몬 결핍을 유발할 수 있다[18]. 분획 조사를 통해 총 방사선 조사량은 그대로 유지하면서 생식기에 미치는 영향은 감소시킬 수 있으나, 반대로 분획 조사로 인해 너무 오랜 기간 방사선에 노출되는 것이 오히려 생식기에 미치는 손상을 증가시킬 수도 있다는 점을 함께 고려해야 한다[19].

남성에 있어서 정소에 조사되는 방사선은 저용량으로도 생식샘세포들에 영향을 미칠 수 있다. 예를 들어, 0.35 Gy 이상의 방사선 조사량은 정소의 정자발생 상피세포(spermatogenic epithelium)를 손상시켜서 일시적인 무정자증을 유발할 수 있으며, 이렇게 손상된 정자 생성 능력이 회복되는 데까지 걸리는 시간은 방사선 조사량과 연관 관계가 있다. 일반적으로 정자 생성 능력에 손상이 가해지면 약 6개월 후에 생성되는 정자의 수가 최대로 감소하게 되고, 그 이후부터 서서히 정자 생성 능력이 회복되게 된다[20]. 일시적인 무정자증이 발생하였을 때 그 유지 기간은 방사선 조사량에 영향을 받게 되며 4-6 Gy의 조사량에서는 무정자증 지속기간이 4-5년에 이를 수도 있다. 소아에서는 6 Gy, 성인에서는 2.5 Gy 이상의 정소 방사선 조사는 영구적인 무정자증을 유발할 수 있다[6]. 고환암 등에서 투여되는 15-20 Gy 이상의 높은 조사량은 생식세포뿐만 아니라 라이디히 세포의 기능 또한 손상시키게 되며, 라이디히 세포가 완전히 손상된 경우에는 남성 호르몬의 보충이 필요하게 된다. 이러한 손상의 정도는 사춘기 발달 여부 및 환자의 나이도 관계가 있다.

여성에서 방사선 조사로 인한 난소의 손상 역시 조사량과 여성의 나이와 관계가 있다. 4 Gy 이상의 방사선 조사는 젊은 여성에서는 약 30%에서 난임을 유발하고, 40세 이상의 여성에서는 거의 대부분에서 난소기능이 소실되게 된다[21]. 나이에 따라 97.5%의 여성에서 난소기능 부전이 일어날 수 있는 방사선 조사량을 계산한 연구 결과에 따르면, 신생아에서 20.3 Gy, 10

세에서 18.4 Gy, 20세에서 16.5 Gy, 30세에서는 14.3 Gy로 보고되었다[22]. 이는 계산에 따른 이론적인 결과 값이나 방사선요법을 앞둔 여성 암환자의 상담에 있어 참고 자료로 활용할 수 있다. 이러한 영향은 다른 챕터에서 다루게 될 난소고정술(oophoropexy)을 통해서 난소로 조사되는 방사선의 양을 최소화할 수 있다. 골반 방사선 조사를 하면 자궁에도 영향을 미치게 되며, 사춘기 이전의 여아에서는 자궁 발육 부전을 유발할 수 있고, 가임기 여성에서는 태반 발달 저해 및 임신 기간동안 자궁의 크기가 임신 주수에 맞게 성장하는 것을 방해하여 유산이나 조산, 태아 체중 감소 등을 유발할 수 있다[23, 24].

소아시기에 전신 방사선요법과 항암화학요법을 받은 암환자는 성인이 되었을 때 암환자가 아닌 여성과 비교하여 자궁의 크기가 64%가량 감소하였다는 보고가 있으며, 자궁동맥 박동지수(pulsatility index)가 증가된 소견을 보였다[25]. 자궁동맥 박동지수의 증가는 자궁 동맥의 발달 부전으로 인해 혈류에 있어서 저항이 증가하였음을 시사한다. 또한 소아 시기의 방사선 조사로 자궁의 크기가 감소한 암환자에서는 여성 호르몬을 공급하여도 자궁내막이 자라지 않거나, 자궁 동맥으로 가는 혈류가 한쪽 또는 양쪽 모두 관찰되지 않는 여성들도 관찰되었다[26]. 이러한 연구들에서 방사선요법과 항암화학요법 중 어느 요인이 자궁에 더 심한 악영향을 미치는지를 정확히 구분하기는 쉽지 않다. 또한 난소 손상으로 인한 여성호르몬의 결핍이 자궁의 성장에 함께 영향을 미쳤을 가능성도 존재한다. 방사선 치료로 난소기능이 손상된 여성에서 호르몬 보충요법을 시행하였을 때, 자궁의 크기가 증가하기는 하지만, 건강한 여성의 자궁보다는 여전히 작다는 연구도 있고[27], 이러한 호르몬 보충요법에 자궁의 반응이 없었다는 보고도 있다[28]. 이러한 연구 결과들은 방사선요법이 자궁으로 가는 혈관에 손상을 유발하여 혈관이 제대로 발달하지 못하고, 이로 인해 장기적으로 자궁의 성장이 저해될 수 있다는 것을 시사한다. 청소년기에 방사선 치료를 받은 여성들의 임신 결과를 살펴본 연구에서 절박유산, 임신성 당뇨, 전자간증, 산후출혈, 조산, 저체중아 출산 등의 위험이 유의하게 증가하였으며, 제왕절개를 통한 분만의 필요성도 유의하게 증가하는 경향을 보였다. 이러한 결과들은 방사선 조사가 유발한 자궁의 이상으로 태반의 정상적인 착상 및 발달이 제대로 이루어지지 않았고, 정상 분만에 적합하게 자궁이 변화하지 못하였다는 것을 시사한다[29, 30]. 실제로 이러한 여성에서 분만 이후의 조직학적인 결과를 살펴보면 얇은 자궁 근층, 섬유화된 자궁 조직, 태반의 발달 저하, 태반 유착 등이 관찰되었다[31].

방사선요법이 태아의 선천적 기형을 증가시키는지에 대한 연구에서는 출생아의 선천적 기형 발생 비율은 통계적으로 유의한 차이가 없었으며, 이렇게 태어난 아이들을 추적관찰 했을 때에도 기형 발생 빈도에는 차이가 없었다[29, 32]. 따라서 현재까지 누적된 근거로는 암치료를 위해서 투여하는 방사선은 암환자의 후손에서 기형의 발생을 증가시키지는 않는 것으로 보인다.

2) 항암화학요법이 가임력에 미치는 영향

항암화학요법 약제들에 따라 난소와 자궁 및 정소에 미치는 영향은 다양하며, 완전한 기능 소실을 유발하는 약제도 있고 거의 영향을 주지 않는 약제도 있다. 난소 및 정소 기능 저하를 유발하는 약제는 표 2-1과 같이 정리할 수 있다. 항암치료 시 여러가지 약제들을 다양한 조합으로 투여하기 때문에 특정 항암제가 가임력에 미치는 영향을 정확히 파악하는 것은 쉽지 않다

표 2-1. **항암화학요법 약제가 성선에 미치는 독성의 강도(여성에서는 무월경, 남성에서 무정자증 유발 확률)**

위험도	약제	약제의 계열
고위험	Cyclophosphamide Ifosfamide Melphalan Nitrogen mustard Busulfan Chlorambucil Procabazine	Chloroethylamine Mechlorethamine Alkylalkane sulfonate Chloroethylamine Substituted hydrazine
중등도위험	Cisplatin Carboplatin Doxorubicin Vinblastine VP-16(etoposide)	Heavy metal Anthracycline Vinca alkaloid Podophyllotoxin
저위험	Bleomycin Actinomycin D Mitomycin Vincristine Methotrexate 5-Fluorouracil	Cytotoxic antibiotics Vinca alkaloid Antimetabolite
불분명	Paclitaxel Docetaxel Irinotecan Majority of targeted therapies and immunotherapeutic agents	Taxane Topoisomerase I inhibitor Monoclonal antibodies, tyrosine kinase inhibitors, etc.

는 것을 염두에 두어야 한다. 방사선요법과 마찬가지로 분할 투여를 통해 한 번에 노출되는 항암제의 양을 줄임으로써 가임력 손상을 줄일 수 있다[33]. 항암화학요법은 여성의 난소에 직간접적으로 영향을 미치며, 약제 자체가 난소를 구성하는 세포들에 직접적으로 손상을 일으키게 되고, 항암제로 인해 유발되는 혈관 손상, 염증 반응 및 활성화 산소 등이 간접적으로 난소의 기능을 저하시킨다[23]. 항암제는 주로 성장하는 난포에 영향을 미치지만, 휴지기에 있는 원시난포에도 영향을 미칠 수 있다. 난자 자체가 직접적인 손상을 받을 수도 있고, 난자를 둘러싸고 있는 과립막세포(granulosa cell) 및 난포막세포(theca cell)는 난포 성장과정에 활발한 대사활동을 하므로 이들 모두 항암제에 쉽게 손상을 받을 수 있어, 이들 난포세포의 손상이 난자에 간접적으로 손상을 일으킬 수 있다. 이 외에도, 정상적인 배란 주기에서는 성장하는 난포에서 만들어지는 생심샘호르몬으로 인한 음성되먹임(negative feedback) 기전으로 인해 휴지기에 있는 원시난포들의 성장이 억제되는데, 항암제 투여로 인하여 성장하는 난포들이 지속적으로 손상을 받아 소실되게 되면 난소에서 원시난포의 성장을 지속적으로 자극하게 되고, 이로 인해 원시난포군(pool)이 급격하게 감소하게 된다[34]. 이에 따라 난소의 전체 원시난포군의 감소가 가속화되어 모두 소실되면 조기난소부전이 유발되고 생리가 중단된다. 이 외에도 항암제로 인해 난소 피질(cortex)의 혈관 손상 및 섬유화가 유발되어 난포의 성장과 배란이 방해받을 수 있고, 이러한 기전을 통해서 간접적인 난포의 손상도 가능하다는 연구도 있다[35].

다양한 항암화학요법 약제 계열 중 알킬화제(alkylating agent)는 난소기능 저하를 유발할 수 있는 대표적인 항암제이다[36]. 난소 손상을 유발하는 대표적인 약제인 사이클로포스퍼마이드(cyclophosphamide)는 DNA의 염기 서열에 변화를 일으켜 DNA 교차를 유발함으로써 단일가닥 DNA 손상을 유발할 수 있다[37]. 이러한 기전은 분열 중인 세포뿐만 아니라 휴지기에 있는 세포에도 영향을 미칠 수 있다. 또 다른 기전으로는 미토콘드리아의 막전위(transmembrane potential)를 감소시키고 사이토크롬 C (cytochrome C)를 쌓이게 하여 미토콘드리아의 사멸을 유발한다[38]. 이러한 기전을 통해 생합성 기능이 활발한 과립막세포 등에도 손상을 줄 수 있을 것으로 유추하고 있다. 사이클로포스퍼마이드의 경우 20세 여성에서는 20,400 mg 이상 투여 시 무월경이 유발되고, 30세에서는 9,300 mg, 40세 이상에서는 5,200 mg 이상에서 무월경이 유발되는 양상을 보여, 투여 시점의 나이가 증가함에 따라 더 적은 항암제로도 무월경이 유발될 수 있다는 것을 알 수 있다[39, 40]. 이렇게 난소의 기능 저하를 유발하는 약제도 약제의 용량 및 환자의 나이, 항암치료 전 난소예비능에 따라 그 영향이 달라지게 된다. 일반적으로 사춘기 이전의 어린 여성의 경우 항암치료로 인한 난소기능 손상이 상대적으로 덜하나, 나이가 많거나 항암치료 전의 난소예비능 검사 수치가 낮은 여성의 경우 손상의 정도가 더 크다.

방사선요법과 마찬가지로 항암화학요법도 자궁에 영향을 미치는 것으로 보인다. 소아 시기에 항암화학요법을 받은 암환자는 그렇지 않은 여성에 비해서 자궁의 크기가 작다는 결과가 보고되었다[25, 30]. 또한 항암화학요법을 받은 이력이 있는 여성에서 임신율이 낮아지고 출산아의 체중이 감소하는 경향이 보고되었으며, 이는 기증난자 또는 미리 동결보존하였던 난자 또는 배아 및 난소 조직을 이용한 임신에서도 같은 경향을 보였기 때문에 항암화학요법으로 인해 자궁 자체도 영향을 받았을 수 있다는 가능성을 시사한다고 할 수 있다[41, 42].

남성에서도 마찬가지로 투여한 항암화학요법 약제와 용량에 따라 가임력에 미치는 영향이 다르며, 특히 알킬화제는 DNA 교차를 통한 단일가닥 손상을 유발하여 DNA 파편화를 유발할 수 있다. 항암치료가 끝난 이후에도 약 24개월까지 정자의 염색체 이상 비율이 증가한다는 보고가 있으며, 이는 항암제로 인한 직접적인 손상뿐만 아니라 항암치료로 인한 환자의 전신적인 상태나 면역학적 요인 등도 함께 작용한 결과인 것으로 보인다[43].

3 각종 암치료가 가임력에 미치는 영향

암치료가 가임력에 영향을 미치는 요인은 위에서 살펴본 바와 같이 매우 다양하다. 암이 발생한 장기 및 병기, 나이를 포함한 환자의 특성, 수술적 치료를 포함한 암치료 방법의 조합, 조사된 방사선 량, 투여한 항암화학요법 용량, 치료 전 가임력을 판단하기 위한 방법 등을 종합적으로 고려해야 하는 과정이다. 이렇게 다양한 요인들이 복합적으로 영향을 미치기 때문에 암치료가 가임력에 미치는 영향을 일반화하여 판단하는 것은 쉽지 않으며, 이러한 상황에서 각 암종에 따라 암치료가 가임력에 미치는 영향을 살펴보는 것은 이러한 판단에 있어서 도움을 줄 수 있을 것이다.

1) 유방암

젊은 여성에서 유방암은 전세계적으로 가장 많이 발생하는 암종이다. 초기 유방암치료를 위해 시행하는 보조항암화학요법은 암치료 성적을 높이는데 기여하였으나 무월경이나 난소예비능의 감소를 포함한 조기난소부전을 유발할 수 있다. 암이 발생한 나이, 암치료 전의 난소기능,

투여하는 항암제의 종류나 양 등이 환자마다 다양하기 때문에 가임력이 저하되는 정도는 연구마다 편차가 크며 무월경이 유발되는 비율도 이에 따라 30–70%로 다양하게 보고되고 있다[44]. 일반적으로는 치료 시작 당시의 나이가 증가할수록 가임력 저하의 가능성이 커지며, 같은 용량의 항암제를 투여하더라도 나이가 많을수록 무월경이 발생할 확률이 높다[45]. 항암치료 시작 전의 AMH 수치가 높을수록 치료 완료 이후 생리가 유지될 가능성이나, 생리가 중단었다가 치료 완료 이후 생리가 재개될 확률이 높지만, 지금까지의 임상 데이터로는 AMH를 난소기능 회복의 표준화된 지표로 이용하기에는 부족하며[46], AFC와 같은 다른 난소예비능 지표를 이용한 연구도 아직 많지 않다. 생식샘에 대한 손상 가능성이 강한 항암화학요법을 시행할 경우, 항암치료 직후의 AMH 수치는 측정되지 않을 정도까지 급격하게 감소되며, AFC와 난소의 크기도 함께 감소하는 경향을 보였다. 무월경이 발생한 후 다시 생리가 시작될 때까지 걸리는 기간은 환자마다 편차가 컸지만 생리가 돌아올 가능성을 예측하는 지표로써 AMH는 환자의 나이를 보정하였을 때도 유의한 결과를 보였다[47, 48].

초기 유방암에서 대표적으로 사용되는 항암화학요법은 안트라사이클린(anthracycline)과 사이클로포스퍼마이드 병합요법 이후 탁산(taxane) 단독 또는 탁산과 사이클로포스퍼마이드를 병합요법을 이어서 투여하는 방법이다. 이렇게 보조항암화학요법이나 선행보조항암화학요법으로 사용되는, 사이클로포스퍼마이드를 기반으로 하여 안트라사이클린 또는 탁산을 병행하는 요법은 난소 손상의 위험성이 가장 큰 항암제군에 속한다. 사이클로포스퍼마이드를 포함하는 요법과 포함하지 않은 요법을 비교한 메타분석에서, 사이클로포스퍼마이드를 포함하는 항암화학요법의 경우 무월경이 유발될 위험성이 2배 이상으로 유의하게 상승하였다(OR 2.25, 95% CI 1.26 – 4.03, P = 0.006)[49]. 탁산의 추가는 난소 손상의 위험성이 높은 사이클로포스퍼마이드의 투여를 줄일 수 있다는 장점이 있지만 탁산의 추가 여부가 실제 월경 회복 여부에 유의한 도움이 되지는 않는 것으로 분석되었으며, 연구마다 결과에 차이는 있지만 전체적으로는 탁산을 추가한 경우 생리가 회복되는 비율이 감소하였다(OR 0.488, 95% CI 0.299 – 0.796, P = 0.004)[45, 49]. 표준요법 상으로는 3주 간격으로 투여되는 에피루비신(epirubicin)과 사이클로포스퍼마이드(EC) 2제요법 또는 5–플루오로우라실(5–fluorouracil)과 에피루비신, 사이클로포스퍼마이드(FEC) 3제 요법은 고위험 환자에서는 2주 간격으로 용량 밀도를 높여 투여(dose–dense regimen)할 수 있다. 두가지 투여방법 간에 무월경이 발생하는 위험성을 비교하였을 때에는 양 군간 유의한 차이가 관찰되지 않았다[50]. 유방암으로 항암화학요법을 시행하는 환자에서 치료를 시행하기 전 난소 보호의 목적으로 생식샘자극호르몬방출호르몬작용제

(gonadotrophin–releasing hormone agonist, GnRHa)를 투여하는 것은 치료 후 월경이 다시 돌아오는 비율이나 배란이 회복될 가능성이 유의하게 높아지는 것으로 보고한 연구들이 있으므로 치료 전 투여를 고려할 수 있다[51]. 하지만 유방암을 제외한 다른 암종에서는 이러한 효과가 불분명하다는 것을 염두에 두어야 한다.

유방암 조직 검사 후 치료 방침을 결정하는데 있어서 에스트로겐 수용체(estrogen receptor, ER), 프로게스테론 수용체(progesterone receptor, PR), 사람 표피성장인자 수용체 2 (human epidermal growth factor receptor 2, HER2)의 상태에 따라 호르몬 치료제나 표적 치료제를 추가할 수 있다. 호르몬 치료제로는 타목시펜(tamoxifen)과 방향화효소억제제(aromatase inhibitor)가 있으며 GnRHa와 병행하여 사용할 수 있다. 항암화학요법 이후 호르몬 수용체 양성 환자에서 타목시펜을 투여하는 것은 무월경 발생 빈도를 증가시키는 것으로 보고되었다[49]. 하지만 타목시펜을 투여한 경우와 그렇지 않은 경우를 비교하였을 때 AMH 수치에는 차이가 없다는 보고들이 있으므로 타목시펜의 투여가 난소기능의 감소를 유발하지는 않는 것으로 보인다[52]. 항암화학요법 없이 타목시펜과 GnRHa를 같이 사용하였을 때에는 AMH 수치가 서서히 감소되는 양상을 보였으며, 이는 장기간의 GnRHa 투여에 따른 난포 성장의 억제가 그 원인 중 하나일 것으로 보이며 따라서 가임력 자체에 영향을 주지는 않는 소견으로 보인다[53]. 항암치료 후 무월경이 유발된 암환자에서는 보조적으로 방향화효소억제제를 투여할 수 있다. 이 경우 45세 이상에서도 난소기능이 회복되는 보고가 있는데, 이렇게 난소기능이 다시 회복되는 경우에도 방향화효소억제제 투여를 유지하는 것은 낮아진 생식샘호르몬으로 인해 높아진 난포자극호르몬이 난소를 자극하여 오히려 유방암 재발 방지 목적을 저해할 수 있다는 것을 고려해야 한다[54]. HER2가 양성인 유방암환자에게 표적 치료제로 트라스주맙(trastuzumab) 또는 라파니팁(lapatinib)을 단독 또는 병합하여 추가적으로 투여할 수 있다. 이러한 표적 치료제의 추가가 가임력에 미치는 영향에 대한 연구는 많지 않으나, 현재까지의 연구들을 종합하면 가임력에 유의한 영향을 미치지는 않는 것으로 보인다[55, 56]. 유방암을 유발할 수 있는 유전자 변이로 알려진 BRCA 1/2 변이는 항암치료로 인한 무월경의 발생이나 AMH 수치의 감소와는 연관이 없는 것으로 보인다[57].

2) 혈액암

(1) 호지킨(Hodgkin), 비호지킨(non-Hodgkin) 림프종

호지킨림프종(Hodgkin's lymphoma)은 비교적 젊은 30대 전후 연령층에 흔히 발병하며 치료 성적이 좋기 때문에 이들 환자에서 가임력의 저하는 치료 과정에서 고려해야 할 중요한 요인이 된다. 비호지킨림프종은 일반적으로 호지킨림프종보다 더 높은 연령층에서 발생하나 이 혈액암 역시 젊은 시기에도 발생할 수 있다는 것을 염두에 두어야 한다.

호지킨림프종은 남성에서 그 존재 자체로 정자 수 감소와 가임력의 저하를 유발할 수 있으며, 여성에서도 AMH와 AFC의 유의한 감소가 관찰되었다. 동결보존을 위해 난자를 채취할 때에도 건강한 군에 비해서 채취되는 난자의 수가 유의하게 낮았다[58, 59]. 호지킨림프종의 치료를 위해 사용되는 항암화학요법은 알킬화제를 포함되지 않는 ABVD (doxorubicin, bleomycin, vinblastine, dacarbazine), EBVP (epirubicin, bleomycin, vinblastine, prednisone) 요법 등이 있고, 알킬화제가 포함된 요법으로는 MOPP (mechlorethamine, vincristine, procarbazine, prednisone), MOPP/ABV (MOPP/doxorubicin, bleomycin, vinblastine), BEACOPP (cyclophosphamide, doxorubicin, vincristine, bleomycin, etoposide, procarbazine, prednisone) 등을 사용할 수 있다. 알킬화제의 포함 여부가 항암치료로 인한 가임력 저하에 영향을 미치는 주요 요인으로 작용할 수 있기 때문에 치료를 결정함에 있어서 이러한 점들을 고려해야 한다.

남성에서 ABVD의 투여는 약 1/3가량의 환자에서 일시적인 정자감소증이나 무정자증을 유발할 수 있으나, 2–4년 내에 대부분에서 정상 범위로 회복되었다[59]. 진행된 병기에서 투여하는 BEACOPP, MOPP 용법은 여러 번 투여할 경우 90% 내외의 높은 비율로 무정자증을 유발할 수 있다. 이러한 남성에서는 무정자증이나 정자감소증이 회복된다 하더라도 알킬화제를 사용하지 않은 경우보다 회복에 더 오랜 기간이 걸리게 되며 이들 중 일부에서는 영구적인 무정자증이 발생하게 된다. 이러한 결과는 모두 남성 환자의 나이와 상관 관계가 있다. 테스토스테론 수치는 ABVD와 BEACOPP를 투여한 그룹 모두 치료 후에도 정상 범위에 머물며 두 용법 간에 차이가 없었다는 보고가 있다[60]. 이는 라이디히 세포가 상대적으로 항암제로 인한 손상에 저항성을 가지고 있다는 사실을 반영한다. 하지만 BEACOPP를 투여하였을 때 젊은 남성일수록 치료 후 높은 테스토스테론 수치를 보였다.

알킬화제가 포함된 항암화학요법을 적용한 여성에서 누적 조기난소부전의 비율이 60%에 이르는 반면, 알킬화제가 포함되지 않은 용법을 적용한 치료군에서는 3%에 불과했다는 보고가 있다[61]. 이 보고에서 알킬화제가 조기난소부전에 미치는 영향은 약물의 투여 용량과 비례하였고, 치료를 시작하는 여성의 나이가 많을수록 조기난소부전의 확률도 증가하였다. 알킬화제가 포함되지 않은 용법을 사용한 경우에도 역시 나이가 많을수록 조기난소부전의 비율은 증가하였다. 나이에 따라 치료 후 조기난소부전 발생이 증가하는 빈도는 알킬화제가 포함되지 않은 항암화학용법을 사용한 경우 더 뚜렷하였으며 이는 항암제에 의한 영향이 상대적으로 적기 때문인 것으로 보인다. 초기 호지킨림프종 여성 환자에서는 상대적으로 항암제 투여 용량이 적기 때문에 생존자 중 90% 이상에서 월경이 회복되었으며, 대부분 1년 이내에 월경이 다시 시작되었다[60]. 이러한 여성에서 ABVD 요법을 사용한 경우 알킬화제가 포함된 항암화학요법에 비해 항암치료 후 높은 AMH 수치가 관찰되었다. 높은 병기의 환자에서 BEACOPP 요법을 적용한 경우, 30세 이전에서는 82%에서 월경이 회복되었지만, 30세 이후 여성에서는 45%만이 월경이 회복되었다. 진행된 호지킨림프종에서 ABVD 또는 AVD 용법과 BEACOPP 용법(ABVD에서 변경한 경우를 포함)을 비교한 연구에서도 비슷한 결과를 보고하였다[62]. 두가지 용법 모두 항암치료 중에는 AMH의 수치가 감소하였으나, 치료 완료 직후에는 ABVD 또는 AVD 용법을 사용한 경우에 유의하게 더 높은 AMH 수치가 관찰되었다. 치료 완료 1년 후에는 ABVD 또는 AVD 그룹에서는 AMH 수치가 치료 전 수치까지 회복되었지만, BEACOPP 용법에서는 이러한 회복이 관찰되지 않았다. 나이에 따른 영향을 살펴보면, ABVD 또는 AVD 투여군 중 35에 이상에서는 치료 전 AMH 수치의 37% 수준으로 회복되었지만, 35세 미만의 여성에서는 치료 전과 대등한 AMH 수치로 회복되었다.

비호지킨림프종 여성 환자에서 CHOP (cyclophosphamide, doxorubicin, vincristine, prednisone) 또는 CHOPE (CHOP, etoposide) 복합항암화학요법을 사용한 결과를 살펴보면, 40세 이하의 여성을 대상으로 한 연구에서 치료 중 약 50%에서 무월경이 유발되었으나 이 중 11%만이 무월경이 지속되었고, 치료 종료 약 3개월 후부터 월경 회복이 관찰되었다[63]. 이러한 항암치료를 받은 여성을 추적관찰 한 결과 폐경 시점은 일반 인구에 비해서 유의하게 빨랐다[64]. 남성의 경우에도 정자감소증이나 무정자증이 유발될 수 있으며, 치료 후 회복되는 경우가 많으나, 일부에서는 영구적인 무정자증이 발생하게 된다[65].

림프종에서의 타겟 치료제가 가임력에 미치는 영향은 아직까지 해당 연구도 많지 않으며, 미치는 영향도 불분명하다[66].

(2) 급성 백혈병

소아기 급성 림프모구 백혈병(acute lymphoblastic leukemia)의 치료로 사이클로포스퍼마이드를 고용량으로 투여하는 경우를 제외하고는 정소 기능이나 난소기능은 크게 손상되지 않으며,

방사선 요법의 경우에도 고용량을 조사하는 경우를 제외하고는 장기적으로 가임력을 손상시키지는 않는 것으로 보인다[67]. 소아 급성 골수성 백혈병(acute myeloid leukemia)의 치료에는 일반적으로 고용량의 항암화학요법이 필요하다. 이 경우 완치된 환자에서 사춘기 발달은 대부분 정상 소견을 보였으나, 여성의 경우 사춘기 이후에 약 13%에서 AMH가 감소된 소견을 보였다[68].

(3) 조혈모세포이식(stem cell transplantation)

조혈모세포이식이 필요한 환자는 이를 위해서 알킬화제가 포함된 고용량의 화학요법을 투여하는 선처치가 필요하며, 이 과정에서 방사선요법을 병행할 수도 있다. 따라서 조혈모세포이식 후에 무정자증이나 조기난소부전이 발생할 확률은 80% 이상으로 비교적 높다. 과거에는 조혈모세포이식 후 여성은 약 16%, 남성은 약 25% 가량에서 생식샘 기능이 회복되었다고 보고하였지만[69], 최근 40세 이하, 평균 25세의 비교적 젊은 여성군을 대상으로 한 연구에서는 호지킨, 비호지킨림프종에서 자가 조혈모세포이식을 시행한 경우 월경 주기가 63%의 비교적 높은 비율에서 회복되었다고 보고하였다[70]. 남성에서는 동종 조혈모세포이식 치료를 받은 경우, 25세 미만에 치료를 시행한 경우에는 치료 후 56%에서 정자 생성 기능이 회복되었다고 보고되었다[71]. 이렇게 정소나 난소의 기능이 회복되는데 영향을 미치는 요인으로는 치료 당시의 나이가 중요한 요인으로 작용하며, 그 외에도 투여 약제의 종류 및 용량 등이 함께 영향을 미치는 것으로 보인다[70]. 자가 조혈모세포이식에 비해서 동종 조혈모세포이식의 경우에는 골수 이식 후에도 면역조절(immunomodulation)을 통한 이식편대숙주병(graft–versus–host disease)을 억제하는 치료 등이 지속되어야 하므로 이러한 과정이 추가적으로 생식샘 기능 및 가임력을 저해하는 요인으로 작용할 수 있다.

3) 고환암

고환암은 30세 전후의 비교적 젊은 남성에서 호발하는 암종으로 완치율이 높기 때문에 가임력과 생식샘 기능을 포함한 성기능의 보존을 고려하는 것이 중요하다. 고환암은 그 존재 자체로도 가임력과 남성 호르몬 저하의 원인으로 작용하며, 고환절제술, 방사선요법, 항암화학요법 등의 치료 또한 악화 요인으로 작용하게 된다[72]. 방사선 요법은 주로 초기 고환종(seminoma)이나 제자리암종(carcinoma in situ)에 국한해서 사용된다. 이 경우, 대동맥 주변 방사선 조사는 생식샘에 유의한 영향을 주지 않으며, 도그렉(dog−leg) 구역으로의 방사선 조사는 일시적인 정자 수 감소를 유발할 수도 있다[73]. 제자리암종에 대해 고환 방사선 조사를 시행할 경우에는 무정자증 및 지속적인 테스토스테론 감소를 유발할 수 있다는 것을 고려해야 한다[74]. 항암화학요법은 카보플라틴(carboplatin) 단독요법이나 BEP (bleomycin, etoposide, platinum) 요법 등이 사용된다. 이러한 항암화학요법 제제들은 대부분의 경우 장기적인 난임을 유발하지는 않는다[72, 75]. 정자 수의 회복은 항암치료를 완료한 뒤 1−5년 이후에 이루어지는 것이 일반적이나, 치료 전 정액검사 소견이 좋지 않았던 환자나 고용량의 항암화학요법을 받은 환자의 경우에는 회복까지 더 오랜 시일이 소요될 수 있다.

4) 부인암

부인과 암치료는 일반적으로 자궁절제술과 난소 및 부속기 절제술을 포함하는 수술적 치료와 방사선요법, 항암화학요법으로 구성되며, 이러한 요인들이 복합적으로 가임력에 영향을 미치게 된다[76]. 골반 방사선요법은 직간접적으로 난소 손상을 유발하며 이는 환자의 나이, 방사선의 총량, 분획 조사 방법 등에 영향을 받게 된다. 난소로 조사되는 방사선량을 줄이기 위해서 난소 전위술을 고려할 수 있다. 또한 골반 방사선 조사는 앞서 살펴본 바와 같이 자궁에도 영향을 미쳐 임신의 유지나 분만에 영향을 미칠 수 있다는 사실도 염두에 두어야 한다.

부인암치료에 흔히 사용되는 항암화학요법 제제는 백금 제제와 탁산 제제의 조합이다. 현재까지 보고된 연구 결과, 상피성 난소암(epithelial ovarian cancer)의 치료에 있어서 이러한 제제의 사용이 가임력을 유의하게 저하시키지는 않는 것으로 보인다. 하지만 비상피성 난소암의 치료 시에는 상대적으로 무월경의 발생이나 조기난소부전의 위험성이 증가하는 것으로 관찰되었다[77].

5) 육종암

육종암은 드문 암종으로 이 중 골육종이나 유잉 육종(Ewing's sarcoma)은 청소년과 젊은 성인에서 호발한다. 연부조직 육종은 주로 50대 이후에서 발생하지만, 젊은 층에서도 발생할 수 있다. 육종암은 넓은 음성 절제연(excision margin)을 확보하는 수술적 치료와 고용량의 방사선요법 및 항암화학요법을 병행하여 치료하게 된다. 유잉 육종이나 연부조직 육종에서는 알킬화제가 포함된 항암화학요법을 사용하게 되므로 남성과 여성 모두에서 가임력 저하를 유발할 수 있다[78]. 골반부위나 허벅지 위쪽에 발생한 육종암의 치료 시에는 해당 부위로의 방사선 조사가 직간접적으로 생식샘과 자궁에 영향을 미칠 수 있다는 점을 고려해야 한다.

6) 갑상샘암

분화된 갑상샘암(differentiated thyroid carcinoma)의 치료에 있어서 방사성 요오드(131I)는 남아 있을 수 있는 병변을 치료하거나, 보조요법의 목적으로 투여하게 된다. 남성 환자에서 방사성 요오드 투여 후 정자 감소증의 발생이 20–73%로 다양하게 보고되었으며, 테스토스테론 수치는 대부분의 연구에서 변화가 없는 것으로 보고되었다[79]. 여성 환자에서의 방사성 요오드 투여는 일부 여성에서 일시적인 무월경을 유발하였지만, 치료 1년 후에는 대부분의 여성이 정상 월경 주기를 회복하였다[79, 80]. 방사성 요오드를 투여한 여성의 AMH를 추적관찰한 연구에서, 1회 투여한 그룹에서는 1년까지 AMH가 감소하다가 이후에는 안정화되는 소견을 보인 반면, 여러 번 투여한 그룹에서는 1년 이후로도 꾸준한 AMH의 감소가 관찰되었다. 이러한 감소 경향은 35세 이상의 여성에서 더 심해지는 경향을 보였으므로 방사성 요오드의 투여 용량과 환자의 나이가 모두 영향을 미치는 것으로 보인다[81]. 메타 분석에 따르면 방사성 요오드를 투여받은 여성의 폐경 연령은 평균 49.5세로 투여 받지 않은 여성의 51세에 비해 유의하게 빠른 것으로 분석되었지만, 대부분의 기존 연구에서 방사성 요오드를 투여 받은 여성의 임신율 저하는 관찰되지 않았다[80].

7) 임신영양막종양

임신영약막종양(gestational trophoblastic tumor)은 태반에서 기원하는 드문 암종으로 기본적으로 항암화학요법을 통해 치료하게 된다. 저위험군은 메토트렉세이트(methotrexate) 또는 액티노마이신 D (actinomycin D) 단독 요법을 사용하게 되고, 고위험군에서는 EMA–CO (etoposide, actinomycin D, methotrexate 투여 후 cyclophosphamide, vincristine 투여) 요법을 사용하게 된다. 이러한 치료에 저항성을 보이는 경우에는 platinum–etoposide 기반의 약제들을 투여할 수 있다. 저위험군과 고위험군에서 투여한 약제가 가임력에 미치는 영향을 조사한 연구를 살펴보면, 저위험군에서 단일 제제 투여 시 일시적 무월경이 발생한 빈도는 33%였고, 고위험군에서 복합 제제 투여 시 일시적 무월경이 발생한 빈도는 66.7%로 유의하게 더 높았다[82]. 조기난소부전이 발생하는 비율 또한 복합 제제 투여 시 유의하게 높았으며, 폐경 또한 3년 정도 빠른 것으로 보고되었다[83]. 치료 후 임신에 성공한 비율도 단일 제제에서는 57.1%, 복합 제제에서는 36.4%로 차이를 보였기 때문에, 임신영양막종양의 고위험군은 치료 이후에 가임력이 저하될 가능성이 있다는 것을 시사한다. 면역요법에 대한 결과는 많지 않지만, 현재까지의 결과로는 고용량의 항암화학요법이나 복합 제제 투여에 비해 더 나은 임신 결과를 보일 것으로 예상된다[83].

8) 대장직장암

대장직장암의 치료는 수술적 치료와 방사선요법, 항암화학요법으로 구성된다. 수술적 치료 자체는 가임력에 직접적인 영향을 미치지는 않는 것으로 보인다. 대장직장암에 대한 방사선요법의 조사 범위는 남성에서는 전립선과 고환, 여성에서는 자궁과 난소에 영향을 미칠 수 있으며, 여성에서는 난소고정술을 고려할 수 있다[84]. 대장암에 대한 보조항암화학요법이나 선행보조항암화학요법으로는 플루오로피리미딘 계열 약물인 5-플루오로우라실이나 카페시타빈(capecitabine)을 기반으로 한 요법을 기본적으로 사용한다. 이러한 약제들이 생식샘에 미치는 독성은 낮은 것으로 알려져 있으나, 옥살리플라틴(oxaliplatin)과 병합하는 경우에는 독성이 증가하는 것으로 보인다[85]. 여성에서 FOLFOX (5-fluoruracil, oxaliplatin) 또는 XELOX (capecitabine, oxaliplatin) 요법을 시행하였을 때 치료 1년 후 무월경이 발생하는 비율은 4-16%로 보고되었으며, 여성의 나이가 많을수록 그 비율이 높다[86, 87]. 진행된 직장암환자에서 항암화학요법과 방사선요법을 모두 시행하는 경우 무월경이 94.1%에서 발생하였다는 보고도 있으므로 이러한 경우 치료 전 가임력보존을 필수적으로 고려해야 할 것이다[87].

9) 폐암

최근 폐암치료를 위해 50세 미만의 여성에서 백금염(platinum salts)을 포함한 항암화학요법을 시행한 소규모 코호트 연구에서 64%의 여성이 치료 1년 이내에 무월경을 호소하였다. 이러한 결과는 폐암치료 시에도 가임력의 저하를 고려해야 함을 시사하지만 좀 더 명확한 결론을 위해서는 해당 주제에 대한 연구 결과들이 진행되어야 할 것으로 보인다[88].

4 소결

앞에서 살펴본 바와 같이 소아암환자, 청소년 또는 젊은 가임기 암환자에서 시행하는 항암치료는 남성과 여성 모두에서 가임력 저하를 유발할 수 있다. 암치료가 가임력에 미치는 영향에는 환자의 나이가 주요한 요인으로 작용하며, 이에 더해서 방사선요법에서는 조사 부위, 조사량, 조사 주기, 조사 기간이, 항암화학요법에서는 투여한 항암제의 종류, 투여량, 투여 주기, 투여 기간 등의 요인이 복합적으로 작용하게 된다. 암치료법의 지속적인 개선과 발전을 통해 그 성적이 꾸준히 향상되고 장기 생존율이 지속적으로 높아지는 현 상황에서, 암치료로 인해 유발될 수 있는 가임력의 저하를 미리 파악하고 대비하는 것은 힘든 암치료에 대한 환자의 의지를 높이고, 완치 이후에 가정을 꾸리고 삶의 질을 높이는 데에도 중요한 요인으로 작용한다. 따라서 항암치료를 앞둔 환자들과 치료 계획을 상담하는 단계에서부터 각 암종 및 환자의 상황에 맞추어 암치료 과정이 환자의 가임력에 미칠 수 있는 영향에 대한 정보를 종합적이고 체계적으로 제공해야 한다. 이와 함께 환자에게 적합한 가임력을 보존할 수 있는 방법을 자세히 설명하여 환자와 보호자가 선택할 수 있는 기회를 제공하는 것은 이제는 암치료 과정의 필수적인 요소임을 알 수 있다. 이러한 과정을 진행하는 데 있어서 암치료 전후의 가임력을 평가하고 예측하기 위한 적절한 검사를 시행해야 하며, 암 완치 후에는 적정 시점에 임신을 돕기 위한 상담 및 필요한 경우 환자의 상황에 적합한 보조생식술을 제공해야 할 것이다.

References

1. Patterson P, McDonald FE, Zebrack B, Medlow S. Emerging issues among adolescent and young adult cancer survivors. Semin Oncol Nurs 2015;31:53-9.
2. Woodruff TK. Oncofertility: a grand collaboration between reproductive medicine and oncology. Reproduction 2015;150:S1-10.
3. Tomao F, Peccatori F, Del Pup L, Franchi D, Zanagnolo V, Panici PB, et al. Special issues in fertility preservation for gynecologic malignancies. Crit Rev Oncol Hematol 2016;97:206-19.
4. Winship AL, Stringer JM, Liew SH, Hutt KJ. The importance of DNA repair for maintaining oocyte quality in response to anti-cancer treatments, environmental toxins and maternal ageing. Hum Reprod Update 2018;24:119-34.
5. López Andreu JA, Fernández PJ, Ferrís i Tortajada J, Navarro I, Rodríguez-Ineba A, Antonio P, Muro MD, et al. Persistent altered spermatogenesis in long-term childhood cancer survivors. Pediatr Hematol Oncol 2000;17:21-30.
6. Green DM, Kawashima T, Stovall M, Leisenring W, Sklar CA, Mertens AC, et al. Fertility of male survivors of childhood cancer: a report from the Childhood Cancer Survivor Study. J Clin Oncol 2010;28:332-9.
7. Ehmcke J, Wistuba J, Schlatt S. Spermatogonial stem cells: questions, models and perspectives. Hum Reprod Update 2006;12:275-82.
8. Webber L, Davies M, Anderson R, Bartlett J, Braat D, Cartwright B, et al. ESHRE Guideline: management of women with premature ovarian insufficiency. Hum Reprod 2016;31:926-37.
9. Nicosia SV, Matus-Ridley M, Meadows AT. Gonadal effects of cancer therapy in girls. Cancer 1985;55:2364-72.
10. Hershlag A, Schuster MW. Return of fertility after autologous stem cell transplantation. Fertil Steril 2002;77:419-21.
11. Sukumvanich P, Case LD, Van Zee K, Singletary SE, Paskett ED, Petrek JA, et al. Incidence and time course of bleeding after long-term amenorrhea after breast cancer treatment: A prospective study. Cancer 2010;116:3102-11.
12. Jacobson MH, Mertens AC, Spencer JB, Manatunga AK, Howards PP. Menses resumption after cancer treatment-induced amenorrhea occurs early or not at all. Fertil Steril 2016;105:765-72.
13. Letourneau JM, Ebbel EE, Katz PP, Oktay KH, McCulloch CE, Ai WZ, et al. Acute ovarian failure underestimates age-specific reproductive impairment for young women undergoing chemotherapy for cancer. Cancer 2012;118:1933-9.
14. Dunlop CE, Anderson RA. Uses of anti-Müllerian hormone (AMH) measurement before and after cancer treatment in women. Maturitas 2015;80:245-50.
15. Fujimoto A, Ichinose M, Harada M, Hirata T, Osuga Y, Fujii T. The outcome of infertility treatment in patients undergoing assisted reproductive technology after conservative therapy for endometrial cancer. J Assist Reprod Genet 2014;31:1189-94.
16. Chiarelli AM, Marrett LD, Darlington GA. Pregnancy outcomes in females after treatment for childhood cancer. Epidemiology 2000;11:161-6.
17. Black KZ, Nichols HB, Eng E, Rowley DL. Prevalence of preterm, low birthweight, and small for gestational age delivery after breast cancer diagnosis: a population-based study. Breast Cancer Res 2017;19:1-8.
18. Ogilvy-Stuart AL, Shalet SM. Effect of radiation on the human reproductive system. Environ Health Perspect 1993;101 Suppl 2:109-16.
19. Centola GM, Keller JW, Henzler M, Rubin P. Effect of low-dose testicular irradiation on sperm count and fertility in patients with testicular seminoma. J Androl 1994;15:608-13.
20. Hart R. Preservation of fertility in adults and children diagnosed with cancer. BMJ 2008;337:a2045.

21. Ash P. The influence of radiation on fertility in man. Br J Radiol 1980;53:271-8.
22. Wallace WH, Thomson AB, Saran F, Kelsey TW. Predicting age of ovarian failure after radiation to a field that includes the ovaries. Int J Radiat Oncol Biol Phys 2005;62:738-44.
23. Meirow D, Biederman H, Anderson RA, Wallace WH. Toxicity of chemotherapy and radiation on female reproduction. Clin Obstet Gynecol 2010;53:727-39.
24. Green DM, Sklar CA, Boice JD Jr, Mulvihill JJ, Whitton JA, Stovall M, et al. Ovarian failure and reproductive outcomes after childhood cancer treatment: results from the Childhood Cancer Survivor Study. J Clin Oncol 2009;27:2374-81.
25. Beneventi F, Locatelli E, Giorgiani G, Zecca M, Mina T, Simonetta M, et al. Adolescent and adult uterine volume and uterine artery Doppler blood flow among subjects treated with bone marrow transplantation or chemotherapy in pediatric age: a case-control study. Fertil Steril 2015;103:455-61.
26. Critchley HO, Wallace WH, Shalet SM, Mamtora H, Higginson J, Anderson DC. Abdominal irradiation in childhood; the potential for pregnancy. Br J Obstet Gynaecol 1992;99:392-4.
27. Bath LE, Critchley HO, Chambers SE, Anderson RA, Kelnar CJ, Wallace WH. Ovarian and uterine characteristics after total body irradiation in childhood and adolescence: response to sex steroid replacement. Br J Obstet Gynaecol 1999;106:1265-72.
28. Critchley HO, Wallace WH. Impact of cancer treatment on uterine function. J Natl Cancer Inst Monogr 2005;(34):64-8.
29. Haggar FA, Pereira G, Preen D, Holman CD, Einarsdottir K. Adverse obstetric and perinatal outcomes following treatment of adolescent and young adult cancer: a population-based cohort study. PLoS One 2014;9:e113292.
30. van de Loo LEXM, van den Berg MH, Overbeek A, van Dijk M, Damen L, Lambalk CB, et al. Uterine function, pregnancy complications, and pregnancy outcomes among female childhood cancer survivors. Fertil Steril 2019;111:372-80.
31. Nezhat F, Falik R. Cancer and uterine preservation: a first step toward preserving fertility after pelvic radiation. Fertil Steril 2017;108:240-1.
32. Winther JF, Boice JD Jr, Frederiksen K, Bautz A, Mulvihill JJ, Stovall M, et al. Radiotherapy for childhood cancer and risk for congenital malformations in offspring: a population-based cohort study. Clin Genet 2009;75:50-6.
33. Nurmio M, Keros V, Lähteenmäki P, Salmi T, Kallajoki M, Jahnukainen K. Effect of childhood acute lymphoblastic leukemia therapy on spermatogonia populations and future fertility. J Clin Endocrinol Metab 2009;94:2119-22.
34. Morgan S, Anderson RA, Gourley C, Wallace WH, Spears N. How do chemotherapeutic agents damage the ovary? Hum Reprod Update 2012;18:525-35.
35. Meirow D, Dor J, Kaufman B, Shrim A, Rabinovici J, Schiff E, et al. Cortical fibrosis and blood-vessels damage in human ovaries exposed to chemotherapy. Potential mechanisms of ovarian injury. Hum Reprod 2007;22:1626-33.
36. Nguyen QN, Zerafa N, Liew SH, Findlay JK, Hickey M, Hutt KJ. Cisplatin-and cyclophosphamide-induced primordial follicle depletion is caused by direct damage to oocytes. Mol Hum Reprod 2019;25:433-44.
37. Epstein RJ. Drug-induced DNA damage and tumor chemosensitivity. J Clin Oncol 1990;8:2062-84.
38. Zhao XJ, Huang YH, Yu YC, Xin XY. GnRH antagonist cetrorelix inhibits mitochondria-dependent apoptosis triggered by chemotherapy in granulosa cells of rats. Gynecol Oncol 2010;118:69-75.
39. Woodruff TK. The emergence of a new interdiscipline: oncofertility. Cancer Treat Res 2007;138:3-11.
40. Koyama H, Wada T, Nishizawa Y, Iwanaga T, Aoki Y. Cyclophosphamide-induced ovarian failure and its therapeutic significance in patients with breast cancer. Cancer 1977;39:1403-9.

41. Muñoz E, Fernandez I, Martinez M, Tocino A, Portela S, Pellicer A, et al. Oocyte donation outcome after oncological treatment in cancer survivors. Fertil Steril 2015;103:205-13.
42. Van der Ven H, Liebenthron J, Beckmann M, Toth B, Korell M, Krüssel J, et al. Ninety-five orthotopic transplantations in 74 women of ovarian tissue after cytotoxic treatment in a fertility preservation network: tissue activity, pregnancy and delivery rates. Hum Reprod 2016;31:2031-41.
43. Tempest HG, Ko E, Chan P, Robaire B, Rademaker A, Martin RH. Sperm aneuploidy frequencies analysed before and after chemotherapy in testicular cancer and Hodgkin's lymphoma patients. Hum Reprod 2008;23:251-8.
44. Kasum M, Beketić-Orešković L, Peddi PF, Orešković S, Johnson RH. Fertility after breast cancer treatment. Eur J Obstet Gynecol Reprod Biol 2014;173:13-8.
45. Silva C, Caramelo O, Almeida-Santos T, Ribeiro Rama AC. Factors associated with ovarian function recovery after chemotherapy for breast cancer: a systematic review and meta-analysis. Hum Reprod 2016;31:2737-49.
46. Henry NL, Xia R, Schott AF, McConnell D, Banerjee M, Hayes DF. Prediction of postchemotherapy ovarian function using markers of ovarian reserve. Oncologist 2014;19:68-74.
47. Su HCI, Haunschild C, Chung K, Komrokian S, Boles S, Sammel MD, et al. Prechemotherapy antimullerian hormone, age, and body size predict timing of return of ovarian function in young breast cancer patients. Cancer 2014;120:3691-8.
48. Fréour T, Barrière P, Masson D. Anti-müllerian hormone levels and evolution in women of reproductive age with breast cancer treated with chemotherapy. Eur J Cancer 2017;74:1-8.
49. Zhao J, Liu J, Chen K, Li S, Wang Y, Yang Y, et al. What lies behind chemotherapy-induced amenorrhea for breast cancer patients: a meta-analysis. Breast Cancer Res Treat. 2014;145:113-28.
50. Lambertini M, Ceppi M, Cognetti F, Cavazzini G, De Laurentiis M, De Placido S, et al. Dose-dense adjuvant chemotherapy in premenopausal breast cancer patients: a pooled analysis of the MIG1 and GIM2 phase III studies. Eur J Cancer 2017;71:34-42.
51. Anderson RA, Amant F, Braat D, D'Angelo A, Chuva de Sousa Lopes SM, Demeestere I, et al. ESHRE guideline: female fertility preservation. Hum Reprod Open 2020;2020:hoaa052.
52. Anderson RA, Mansi J, Coleman RE, Adamson DJA, Leonard RCF. The utility of anti-Mullerian hormone in the diagnosis and prediction of loss of ovarian function following chemotherapy for early breast cancer. Eur J Cancer 2017;87:58-64.
53. Anderson RA, Themmen AP, AI-Qahtani A, Groome NP, Cameron DA. The effects of chemotherapy and long-term gonadotrophin suppression on the ovarian reserve in premenopausal women with breast cancer. Hum Reprod 2006;21:2583-92.
54. van Hellemond IEG, Vriens IJH, Peer PGM, Swinkels ACP, Smorenburg CH, Seynaeve CM, et al. Ovarian Function Recovery During Anastrozole in Breast Cancer Patients With Chemotherapy-Induced Ovarian Function Failure. J Natl Cancer Inst 2017;109. doi: 10.1093/jnci/djx074.
55. Ruddy KJ, Guo H, Barry W, Dang CT, Yardley DA, Moy B, et al. Chemotherapy-related amenorrhea after adjuvant paclitaxeltrastuzumab (APT trial). Breast Cancer Res Treat 2015;151:589-96.
56. Lambertini M, Martel S, Campbell C, Guillaume S, Hilbers FS, Schuehly U, et al. Pregnancies during and after trastuzumab and/or lapatinib in patients with human epidermal growth factor receptor 2-positive early breast cancer: Analysis from the NeoALTTO (BIG 1-06) and ALTTO (BIG 2-06) trials. Cancer 2019;125:307-16.
57. Valentini A, Finch A, Lubinski J, Byrski T, Ghadirian P, Kim-Sing C, et al. Chemotherapy-induced amenorrhea in patients with breast cancer with a BRCA1 or BRCA2 mutation. J Clin Oncol 2013;31:3914-9.

58. Lekovich J, Lobel ALS, Stewart JD, Pereira N, Kligman I, Rosenwaks Z. Female patients with lymphoma demonstrate diminished ovarian reserve even before initiation of chemotherapy when compared with healthy controls and patients with other malignancies. J Assist Reprod Genet 2016;33:657-62.
59. van der Kaaij MA, van Echten-Arends J, Simons AH, Kluin-Nelemans HC. Fertility preservation after chemotherapy for Hodgkin lymphoma. Hematol Oncol 2010;28:168-79.
60. Behringer K, Mueller H, Goergen H, Thielen I, Eibl AD, Stumpf V, et al. Gonadal Function and Fertility in Survivors After Hodgkin Lymphoma Treatment Within the German Hodgkin Study Group HD13 to HD15 Trials. J Clin Oncol 2013;31:231-9.
61. van der Kaaij MA, Heutte N, Meijnders P, Abeilard-Lemoisson E, Spina M, Moser EC, et al. Premature Ovarian Failure and Fertility in Long-Term Survivors of Hodgkin's Lymphoma: A European Organisation for Research and Treatment of Cancer Lymphoma Group and Groupe d'Etude des Lymphomes de l'Adulte Cohort Study. J Clin Oncol 2012;30:291-9.
62. Anderson RA, Remedios R, Kirkwood AA, Patrick P, Stevens L, Clifton-Hadley L, et al. Determinants of ovarian function after response-adapted therapy in patients with advanced Hodgkin's lymphoma (RATHL): a secondary analysis of a randomised phase 3 trial. Lancet Oncol 2018;19:1328-37.
63. Elis A, Tevet A, Yerushalmi R, Blickstein D, Bairy O, Dann EJ, et al. Fertility status among women treated for aggressive non-Hodgkin's lymphoma. Leuk Lymphoma 2006;47:623-7.
64. Meissner J, Tichy D, Katzke V, Kühn T, Dietrich S, Schmitt T, et al. Long-term ovarian function in women treated with CHOP or CHOP plus etoposide for aggressive lymphoma. Ann Oncol 2015;26:1771-6.
65. Bahadur G, Ozturk O, Muneer A, Wafa R, Ashraf A, Jaman N, et al. Semen quality before and after gonadotoxic treatment. Hum Reprod 2005;20:774-81.
66. Gharwan H, Lai C, Grant C, Dunleavy K, Steinberg SM, Shovlin M, et al. Female fertility following dose-adjusted EPOCH-R chemotherapy in primary mediastinal B-cell lymphomas. Leuk Lymphoma 2016;57:1616-24.
67. Rytting ME, Jabbour EJ, O'Brien SM, Kantarjian HM. Acute lymphoblastic leukemia in adolescents and young adults. Cancer 2017;123:2398-403.
68. Molgaard-Hansen L, Skou AS, Juul A, Glosli H, Jahnukainen K, Jarfelt M, et al. Pubertal development and fertility in survivors of childhood acute myeloid leukemia treated with chemotherapy only: A NOPHO-AML study. Pediatr Blood Cancer 2013;60:1988-95.
69. Sanders JE, Hawley J, Levy W, Gooley T, Buckner CD, Deeg HJ, et al. Pregnancies following high-dose cyclophosphamide with or without high-dose busulfan or total-body irradiation and bone marrow transplantation. Blood 1996;87:3045-52.
70. Akhtar S, Youssef I, Soudy H, Elhassan TA, Rauf SM, Maghfoor I. Prevalence of menstrual cycles and outcome of 50 pregnancies after high-dose chemotherapy and auto-SCT in non-Hodgkin and Hodgkin lymphoma patients younger than 40 years. Bone Marrow Transplant 2015;50:1551-6.
71. Rovó A, Tichelli A, Passweg JR, Heim D, Meyer-Monard S, Holzgreve W, et al. Spermatogenesis in long-term survivors after allogeneic hematopoietic stem cell transplantation is associated with age, time interval since transplantation, and apparently absence of chronic GvHD. Blood 2006;108:1100-5.
72. Huddart RA, Norman A, Moynihan C, Horwich A, Parker C, Nicholls E, et al. Fertility, gonadal and sexual function in survivors of testicular cancer. Br J Cancer 2005;93:200-7.
73. Fosså SD, Horwich A, Russell JM, Roberts JT, Cullen MH, Hodson NJ, et al. Optimal planning target volume for stage I testicular seminoma: a Medical Research Council randomized trial. J Clin Oncol 1999;17:1146.

74. Petersen PM, Giwercman A, Daugaard G, Rørth M, Petersen JH, Skakkeaek NE, et al. Effect of graded testicular doses of radiotherapy in patients treated for carcinoma-in-situ in the testis. J Clin Oncol 2002;20:1537-43.
75. Oliver RT, Mason MD, Mead GM, von der Maase H, Rustin GJ, Joffe JK, et al. Radiotherapy versus single-dose carboplatin in adjuvant treatment of stage I seminoma: a randomised trial. Lancet 2005;366:293-300.
76. Chan JL, Wang ET. Oncofertility for women with gynecologic malignancies. Gynecol Oncol 2017;144(3):631-6.
77. Ceppi L, Galli F, Lamanna M, Magni S, Dell'Orto F, Verri D, et al. Ovarian function, fertility, and menopause occurrence after fertility-sparing surgery and chemotherapy for ovarian neoplasms. Gynecol Oncol 2019;152:346-52.
78. Longhi A, Ferrari S, Tamburini A, Luksch R, Fagioli F, Bacci G, et al. Late effects of chemotherapy and radiotherapy in osteosarcoma and Ewing sarcoma patients: the Italian Sarcoma Group Experience (1983-2006). Cancer 2012;118:5050-9.
79. Clement SC, Peeters RP, Ronckers CM, Links TP, van den Heuvel-Eibrink MM, van Dijkum EJ, et al. Intermediate and long-term adverse effects of radioiodine therapy for differentiated thyroid carcinoma-a systematic review. Cancer Treat Review 2015;41:925-34.
80. Piek MW, Postma EL, van Leeuwaarde R, de Boer JP, Bos AME, Lok C, et al. The Effect of Radioactive Iodine Therapy on Ovarian Function and Fertility in Female Thyroid Cancer Patients: A Systematic Review and Meta-Analysis. Thyroid Epub 2020 Nov 2.
81. van Velsen EFS, Visser WE, van den Berg SAA, Kam BLR, van Ginhoven TM, Massolt ET, et al. Longitudinal analysis of the effect of radioiodine therapy on ovarian reserve in females with differentiated thyroid cancer. Thyroid 2020;30:580-7.
82. Cioffi R, Bergamini A, Gadducci A, Cormio G, Giorgione V, Petrone M, et al. Reproductive outcomes after gestational trophoblastic neoplasia. A comparison between single-agent and multiagent chemotherapy: retrospective analysis from the MITO-9 group. Int J Gynecol Cancer 2018;28:332-7.
83. Joneborg U, Coopmans L, van Trommel N, Seckl M, Lok CAR. Fertility and pregnancy outcome in gestational trophoblastic disease. Int J Gynecol Cancer 2021;31:399-411.
84. Lee SJ, Schover LR, Partridge AH, Patrizio P, Wallace WH, Hagerty K, et al. American Society of Clinical Oncology recommendations on fertility preservation in cancer patients. J Clin Oncol 2006;24:2917-31.
85. Spanos CP, Mamopoulos A, Tsapas A, Syrakos T, Kiskinis D. Female fertility and colorectal cancer. Int J Colorectal Dis 2008;23:735-43.
86. Cercek A, Siegel CL, Capanu M, Reidy-Lagunes D, Saltz LB. Incidence of chemotherapy-induced amenorrhea in premenopausal women treated with adjuvant FOLFOX for colorectal cancer. Clin Colorectal Cancer 2013;12:163-7.
87. Wan J, Gai Y, Li G, Tao Z, Zhang Z. Incidence of chemotherapy-and chemoradiotherapy-induced amenorrhea in premenopausal women with stage II/III colorectal cancer. Clin Colorectal Cancer 2015;14:31-4.
88. Cathcart-Rake EJ, Ruddy KJ, Gupta R, Kremers W, Gast K, Su HI, et al. Amenorrhea after lung cancer treatment. Menopause 2019;26:306-10.

Chapter 03

양성 질환에서의 가임력보존

(Fertility preservation in non-cancer patients)

고려의대 **김 탁**
고려의대 **이경욱**

1 나이와 가임력

난자의 수는 태아 시기(제태연령 20주)에 6–7백만 개로 가장 높으며 이후 감소하여 출생 시에는 약 1–2백만 개, 사춘기에는 약 30만 개의 난자가 남는다. 사춘기가 오고 난소에서 난포생성(folliculogenesis) 및 배란 활동이 시작되며 가임기 동안 생식기능을 유지하게 되는데 폐경까지 약 400–500개의 난자가 배란된다. 여성의 생식기능은 나이와 매우 밀접한 연관성이 있는데, 약 30–35세 이후부터는 가임력(fetility)이 감소하기 시작하며 임신율의 변화도 유사한 경향을 보이는 것으로 알려져 있다(그림 3-1).

가임력보존(fertility preservation)은 난소기능의 저하로 생식능력이 떨어질 것으로 예상되는 의학적인 이유가 있는 경우에 시행되며, 생식세포(정자, 난자) 또는 배아의 동결보존, 난소 조직 동결보존 등이 있다. 악성 종양으로 진단된 환자에서 생식세포에 독성이 있는 항암약물이나 방사선 치료 등을 시작하기 전에 생식세포를 채취 또는 수술을 통해 난소 조직을 채취하여 동결하는 과정을 거치며, 유방암 및 혈액암(림프종, 호지킨/비호지킨림프종, 백혈병)은 발생 시기와 빈도 등에 있어 가임력보존이 시행되고 있는 주요 원인 질환이다.

한편, 오늘날에는 가임 인구층의 활발한 사회활동, 결혼과 출산에 대한 인식 변화 등으로 임신을 시도하는 연령이 높아지고 있으며, 이는 나이 증가에 따른 난소기능 저하, 난자의 질(quality)적 저하로 인한 난임의 증가 요인이 될 수 있다. 따라서, 특별한 의학적 이유가 없더라

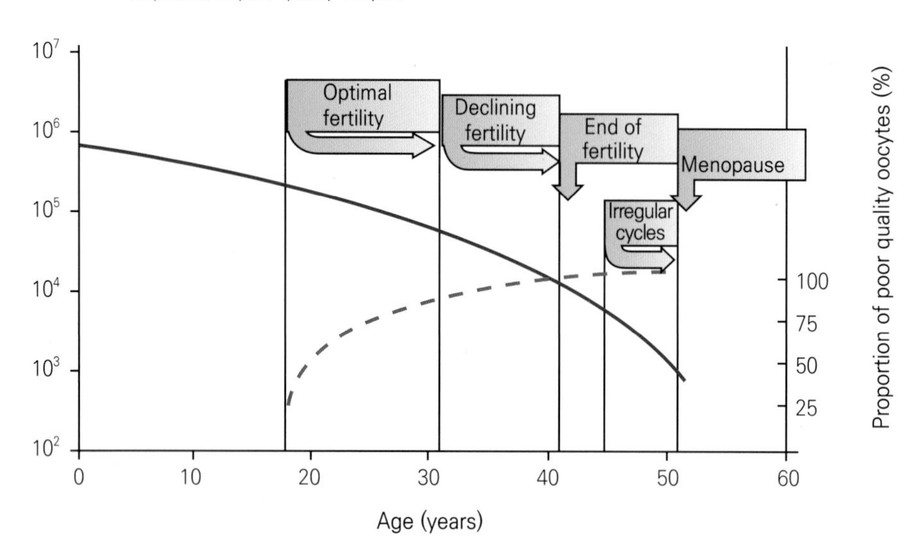

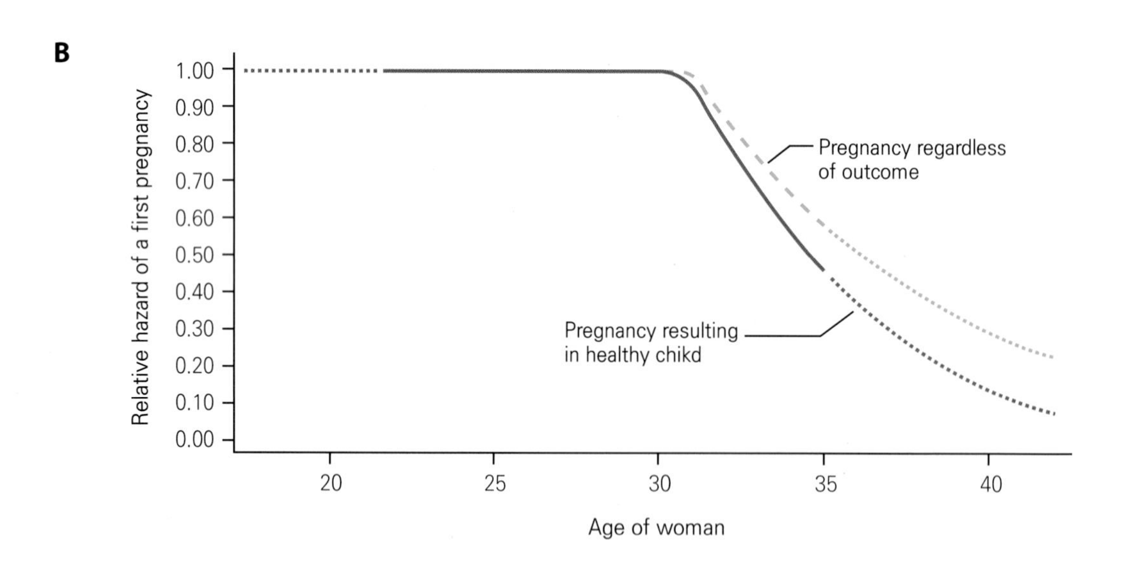

그림 3-1. **(A) 여성의 나이와 난자수 및 가임력** 출처: Broekmans FJ 등, Endocr Rev 2009(1).
(B) 여성의 나이에 따른 임신율 출처: van Noord-Zaadstra 등, BMJ 1991(2).

도 나이-연관성 가임력 저하(age-related fertility loss)의 우려로 현재 배우자가 없거나 임신 계획이 없더라도 난자를 채취하여 보관하는 계획적 난자 동결(planned oocyte cryopreservation)은 여러 국가에서 「social egg freezing」, 또는 「elective egg cryopreservation」 등으로 시행되고 있으며 우리나라에서도 최근 많은 관심이 높아지고 있다. 2010년에 Cobo 등은 무작위 연구로 난자 동결을 시행한 600명의 여성에서 신선 또는 냉동 공여난자(vitrified donor)를 이용해 임신율을 비교한 결과 통계적 차이가 없었다고 보고하였다[3]. 2013년에 American Society of Reproductive Medicine에서는 정규난자 동결(elective oocyte preservation)은 방법론적으로 더 이상 실험적이 아니라고 언급하였다[4]. 하지만, 비-의학적 목적의 난자 동결보존에 대해서는 이점과 효용성, 최종 효과, 윤리적 측면, 비용적 측면 등에서 적절한 평가나 분석이 아직은 충분하지 않은 상태이며, 향후 증례가 축적되고 실제 동결보존된 난자를 이용한 다양한 임상 결과와 자료들이 필요할 것으로 생각된다.

2 가임력보존을 고려할 수 있는 양성 질환

가임력보존이 필요한 의학적 상황으로는 학동기, 사춘기 및 가임기 여성에서 발생하는 악성 종양 및 혈액암 등이 많은 빈도를 차지하는데, 치료를 위해 항암 약물이나 방사선 치료가 필요한 경우 적응증이 된다. 하지만, 가임력보존에 대한 이해가 높아지고 개념이 확대됨에 따라 반드시 악성 종양의 치료를 위한 항암 약물 및 방사선 치료가 아니더라도 난소기능의 손상이나 생식기능을 저하시킬 수 있는 다양한 비-종양성 질환, 자가면역질환 등에서도 가임력보존의 적용이 확대되고 있다. 생식세포에 독성이 있는 항암약물이나 방사선 치료, 골수 이식을 필요로 하는 비-종양성 전신 질환이나 난소 자체에 발생하여 난소기능에 영향을 주는 양성종양, 질환의 경과나 치료 약물이 난소기능 저하와 조기난소부전을 유발하는 여러 자가면역질환 등이 해당한다(표 3-1).

표 3-1. **가임력보존이 필요한 양성 또는 비-종양성 질환**

	Pathologies	Causes and risk of POI	Fertility preservation strategies	Specific issues and limitations
Hematological diseases	Thalassemia Sickle cell disease Fanconi anemia Aplastic/ myelodysplastic anemia	Low risk: Hydroxyurea Multiple blood transfusion (hemochromatosis) High risk: Conditioning for HSCT (alkylating agents/RIC/ TBI)	Low risk: Fertility counseling and follow up High risk: Oocyte cryopreservation (adolescent when feasible/ adults) Ovarian tissue cryopreservation (prepubertal and pubertal patients)	Risk of thrombotic or hemorrhagic complications Genetic counseling (PGD) Obstetrical risk: Pulmonary hypertension Chronic renal failure Alloimmunization Uterine dysfunction (TBI)
GAuto-immune diseases	SLE CREST syndrome Multiple sclerosis Behçet disease Takayasu arteritis ANCA-associated vasculitis Polyarteritis nodosa APS-1	Moderate/high risk: Alkylating agents Mitoxantrone Autoimmune oophoritis	Oocyte cryopreservation with COS when feasible or IVM (experimental) Ovarian tissue cryopreservation (prepubertal and pubertal patients or after immunosuppressive treatment started or autoimmune oophoritis) GnRH agonists	Risk of thrombotic/ vascular complications Risk of disease aggravation (COS) Obstetrical risk: Thrombotic and obstetrical complications (miscarriages, preeclampsia)
Gynecological diseases	Endometriosis Ovarian cysts Borderline tumors	Low risk: Unique ovarian surgery (kystectomy) Deleterious inflammatory environment (endometriosis) Moderate/high risk: Multiple surgeries	Endometriosis/cyst: Oocyte cryopreservation Ovarian tissue cryopreservation (if radical oophorectomy) EBorderline tumor: A Oocyte/embryo cryopreservation after surgery with COS + letrozole	Poor ovarian response (COS) Increased risk of bleeding and infection during puncture in COS

	Pathologies	Causes and risk of POI	Fertility preservation strategies	Specific issues and limitations
Genetic diseases	Fragile X Turner syndrome BPES Galactosemia	High risk: Accelerated ovarian senescence	Oocyte cryopreservation (postpubertal patients, if persistent ovarian function) Ovarian tissue cryopreservation (for children or adolescent with spontaneous puberty, normal FSH, and AMH)	Efficacy of fertility preservation not proved Genetic counseling Obstetrical risk: Potential genetic transmission Maternal risks (Turner)
	BRCA carriers	Low risk: Possible accelerated ovarian senescence High risk: Bilateral oophorectomy between 35 and 40 years	Oocytes/embryo cryopreservation	Safety of COS unknown Genetic counseling (PGD)
	POI family history	Moderate/high risk: Possible accelerated ovarian senescence	Oocytes/embryo cryopreservation	
	Hurler syndrome	High risk: Conditioning for HSCT (alkylating agents)	Ovarian tissue cryopreservation in children	Complications due to multiple organ damage Genetic counseling (PGD)

출처: Condorelli M et al. Challenges of fertility preservation in non-oncological diseases(5)

1) 자궁내막증

자궁내막증은 난소, 천골인대, 복막 등을 포함하여 복강 내에 여러 부위에서 자궁내막세포가 부착되어 자라나는 질환으로 가임기 여성에서 약 10-15%의 유병율을 보인다. 자궁내막증의 주요 증상은 월경통, 성교통, 만성 골반통 등이 있으며 난임과도 연관성이 높은 질환이다. 자궁내막증의 병태기전은 아직 확실하지 않지만, 난관을 통해 월경혈과 함께 역류된 자궁내막세포가 복강의 여러 장기에 부착되어 자라나는 설이 가장 널리 받아들여지고 있으며, 이 과정에 다양한 복강 내 성장인자, 염증인자, 혈관생성인자 등이 복합적으로 작용하여 자궁내막증 병변을 형성하고 성장시키는 것으로 제시된다.

자궁내막증은 난소에 흔히 발생하며 낭종을 형성하는 자궁내막종으로 존재하는데 임상적으로 자궁내막종은 난소기능과 연관성이 높으며 가임력보존에 있어 중요한 부인과 질환이다. 우선, 자궁내막증의 존재 자체가 난소기능에 좋지 않은 영향이 있다고 알려지고 있는데 자궁내막종이 난소기능을 저하시킨다는 가설로는 자궁내막종이 발생되는 과정에서 난소피질(cortex)의 미세혈관 손상 및 간질섬유화(interstitial fibrosis)에 의해 원시난포가 감소하거나 자궁내막종이 있는 경우 동반되는 조직의 염증 반응, 산화스트레스(oxidative stress), 활성산소(reactive oxygen species) 등으로 인해 난소기능이 손상된다고 제시된다[6, 7]. 17개의 연구를 메타 분석한 연구에서는 수술을 시행하지 않은 자궁내막종에서 자궁내막증이 없는 경우보다 혈청 항뮬러관호르몬(anti−Müllerian hormone, AMH) 수치가 유의하게 낮았으며 다른 종류의 양성 난소 종양과 비교 시에도 자궁내막종이 있는 경우 AMH 수치가 유의하게 낮은 것으로 관찰되어 자궁내막종 자체가 난소기능을 감소시킨다는 가설을 뒷받침하고 있다[8].

자궁내막종의 중요한 치료로 수술적 제거와 약물 치료가 있으며, 낭종 절제술을 시행하는 경우 난소기능의 상당한 손상을 유발할 수 있다. 최근 연구에 의하면 자궁내막종의 낭종절제술 이후 6개월 후에 혈청 AMH는 59% 감소하고, 손상 정도는 자궁내막증의 진행도와 비례하며, 양측 난소의 자궁내막종으로 수술하는 경우 난소예비능의 감소가 더욱 큰 것으로 보고된다[9]. 수술 후 저하된 AMH 수치는 이후 다소 회복되기도 하지만 수술 전 수치로 회복되기는 어렵다. 따라서, 자궁내막종의 수술 시 난소기능 손상을 최대한 줄이는 방법들에 대해서도 다양한 연구들이 진행되고 있다. 환자의 나이, 낭종 크기, 일측성 또는 양측성, 수술 전 AMH 수치 등이 자궁내막종 수술 시 난소예비능 감소와 연관이 있을 것으로 제시되는데, 연구결과는 다양하지만 양측 난소에서 발생한 자궁내막종, 낭종 크기가 큰 경우, 수술 전 AMH가 낮은 경우 등에서 낭종절제술 후 난소기능 손상 정도가 더 큰 것으로 보고된다[10-15].

또한, 자궁내막종의 수술 방법이나 지혈 방법(봉합, 전기소작, 지혈제)에 따른 난소기능 손상에 대한 연구들도 진행되었다[16-18]. 낭종절제술(enucleation 또는 stripping), 전기 소작(ablation), 낭종 흡입술(aspiration) 후 난소기능의 변화를 비교한 결과, 낭종절제술이 상대적으로 난소기능을 더 감소시키는 것으로 보고된다. 하지만, 수술의 치료적 효과나 수술 후 재발 위험 등의 측면에서는 낭종절제술이 이점이 있으므로 다양한 임상적 요인을 고려하여 수술 방법을 결정하는 것이 필요하다. 낭종절제술 후 지혈을 위해 전기소작 또는 봉합이 난소기능에 미치는 영향을 비교한 여러 연구에서는 봉합 방법이 소작보다 난소기능 손상 예방에 이점이 있을 것으로 보고하고 있으며 메타 분석에서도 유사한 결과를 보였다. 그밖에, 자궁내막종 낭종절제술 시 희석한 vasopressin (0.1−1 unit/mL)을 낭종 벽 아래 주변에 주입하는 방법, 난소 문

(hilum)의 주요 혈관을 손상을 피하고, 지혈을 위해 전기 소작 시에 최대한 짧은 시간 내 소작하는 방법이 난소 손상을 줄일 수 있다고 제시된다.

과거에는 자궁내막종이 의심되는 경우 수술적 제거를 통해 조직검사로 진단 후 약물 치료를 시행하는 방법이 주로 사용되었으나, 최근 가임력보존에 대한 이해와 난소기능 보존의 중요성이 대두되면서 자궁내막종 환자에서 일괄적으로 수술적 치료 방법을 우선으로 선택하기보다는 환자의 증상, 임신계획, 난소기능 등 여러 임상적 요인을 고려하여 치료를 결정하며 치료 계획 단계에서 가임력보존에 대한 면밀한 상담이 중요하다.

Cobo 등은, 485명의 자궁내막증 환자(평균 나이 35.7세) 및 정규 가임력보존(elective fertility preservation)을 위해 난자 동결을 시행한 예들을 분석하였는데, 자궁내막증이 있는 환자에서 난자 생존률, 착상률, 임신률이 정규 가임력보존군보다 유의하게 낮음(61.9% vs. 68.8%)을 관찰하였다[19]. 따라서, 이러한 결과는 자궁내막증이 있는 여성에서 난자의 질이 낮기 때문으로 생각되며, 나이가 35세 보다 많은 자궁내막증 여성에서는 누적 생존출생률도 28.4%로 낮아 나이 요인이 매우 중요할 것으로 제시하였다. Dolmans 등은 자궁내막증이 있는 경우에는 나이, 양측성, 난소예비능 등 여러 임상적 요인을 고려하여 가임력보존을 결정할 것으로 제시하고 있다(그림 3-2)[20, 21].

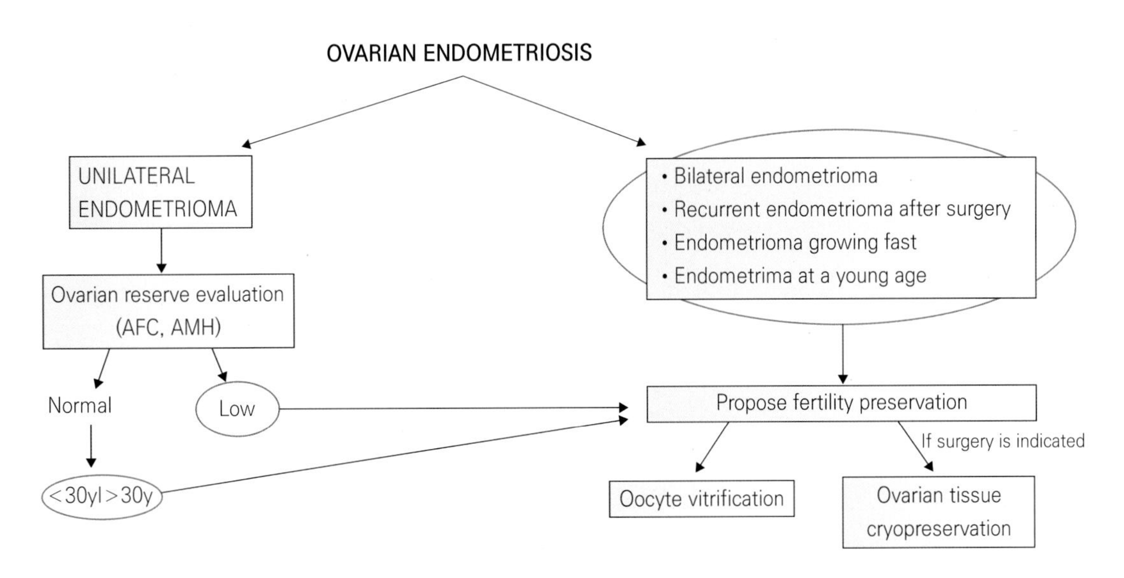

그림 3-2. 자궁내막종이 있는 여성에서 가임력보존 알고리즘 출처: Dolmans et al. Fertility preservation in women for medical and social reasons: Oocytes vs ovarian tissue. Best Pract Res Clin Obstet Gynaecol. 2021[21]

2) 양성 난소 종양

난소에는 자궁내막종 이외에도 다양한 양성 종양이 발생한다. 난소 종양과 가임기능의 직접적인 연관성은 명확하지 않지만 수술적 제거를 고려하는 경우에는 환자의 나이, 임신 계획, 난소기능의 평가 등을 통해 가임력보존 측면을 고려해야 한다. 특히, 양쪽 난소에 발생한 양성 종양에서는 수술 후 난소기능 감소에 대한 고려와 환자와의 충분한 상담이 필요하다. 자궁부속기 꼬임(torsion)은 난소에 종양이 있는 경우, 또는 종양 병변 없이 난소 자체가 꼬일 수 있으며, 난소지지 인대의 과다한 이완이나 난관 경련(spasm), 복압의 변화 등에 의해 발생하는 것으로 생각된다[22]. 급성 복부 통증을 동반하는 흔한 부인과적 응급 질환으로, 자궁부속기 꼬임이 의심되는 경우에는 수술을 통해 꼬임을 풀어주고 난소종양이 존재하는 경우 종양절제술을 시행한다. 과거에는 꼬임에 의해 난소의 허혈성 변화가 의심되는 경우에 괴사의 위험을 고려하여 이환된 측의 자궁부속기 절제술을 시행하기도 했으나 수술 시 육안적으로 난소피질의 색이 변하는 소견이 있더라도 꼬임풀기를 시행하면 괴사로 진행하는 경우는 매우 드물다고 보고되어 수술 시 난소는 보존하는 것을 우선적으로 고려한다. 꼬임의 재발 방지를 위해 난소고정술(oophoropexy)을 같이 시행하기도 하지만 효과에 대해서는 아직 논란이 있다.

난소의 경계성 종양(borderline tumor)은 약 1/3에서 40세 미만에서 발생하고 80%에서 초기(병기 I) 상태로 진단되는 것으로 알려져 있다. 경계성 종양은 수술 후 병리조직검사를 통해 진단되는데, 수술 전 평가에서 경계성 종양이 의심되는 경우에는 난자 채취를 위한 과배란 유도 시 종양 경과에 있어 잠재적 호르몬 영향이 있을 수 있으므로 수술 전 과배란 유도를 통한 난자 채취는 권장되지 않는다[23]. 또한, 수술 후 가임력보존을 위한 과배란 유도 시 난포호르몬의 높은 상승은 질환의 경과 및 재발 위험 증가 등, 잠재적 영향을 미칠 수 있으므로 난포호르몬의 억제를 위해 방향화효소억제제(aromatase inhibitor)를 같이 투여하도록 권고되기도 한다[24]. 경계성 난소종양에서 난소 조직 동결 방법은 향후 자가이식 시 악성 세포의 잠재적 이환 가능성의 위험이 있다.

3) 조기난소부전 및 터너증후군

조기난소부전은 40세 이전에 난소기능이 폐경수치로 감소하는 질환으로 약 1%의 유병율을 보인다. 조기난소부전의 원인은 매우 다양하며, 난소기능 저하 및 부전이 예상되는 경우(자가면역질환, 항암약물 치료, 방사선 치료 등)에는 임상적 상황에 따라 난자, 배아, 난소 조직 동결 등 여러 가임력보존 방법을 고려할 수 있다.

터너증후군은 난소부전을 유발하는 가장 흔한 염색체 이상으로, 일차성 무월경 및 사춘기 발달 장애를 보이며 이 시기에 난소부전으로 진단되는 경우가 많다. 염색체섞임증(mosaicism)은 임상 양상도 경하며, 난소기능은 저하되어 있으나 배란이 유지되는 경우도 있어 난자 동결 보존을 고려할 수 있다. 하지만, 향후 난자를 이용 시 염색체 이상의 유전 전파(transmission) 위험이 있으며 착상 전 유전진단이 반드시 필요하다. 사춘기 이전 아동기(childhood)에서는 난소 조직동결을 고려할 수도 있지만 터너증후군에서 임상적으로 효용성은 입증되지 않고 있다.

조기난소부전의 가족력이 있는 경우에서는 가임력보존에 대한 명확한 기준은 없지만 British Menopause Society에서는 조기난소부전의 강한 가족력이 있는 경우 난자 동결을 시행하도록 권고하고 있다[25]. BRCA 유전자 변이는 직접적으로 조기난소부전을 유발하지는 않지만 질환의 경과에서 난소암 및 유방암 위험이 높아 치료 목적의 수술 또는 약물치료로 생식능력의 소실이 일찍 올 수 있다. American College of Obstetricians and Gynecologists에서는 BRCA1 변이 보인자(carrier)에서 출산이 완료된 경우 35–40세에 양측 난소절제술을 시행하도록 권고하고 있으며, BRCA2 변이의 경우 5년 연기할 수 있다[26]. 따라서, 이러한 임상적 특성 및 경과를 고려하여 BRCA 변이를 갖는 젊은 여성에서 향후 임신에 있어 기회를 위해 난자 또는 배아 동결을 시행할 수 있다.

4) 자가면역질환

전신자가면역질환은 만성적인 면역체계에 의한 질환으로 전신홍반성루푸스(systemic lupus erythematous, SLE), 항인지질항체증후군(antiphopholipid antibody syndrome), 류마티스 관절염, 쇼그렌증후군(Sjogren's syndrome) 등이 포함된다. 여러 자가면역질환은 가임기 또는 젊은 시기에 주로 발생하며 질환 자체의 경과에 의하거나 또는 생식세포에 대해 독성이 있는 치료약제 투여로 인해 난소기능 손상의 우려가 있어 가임력보존이 필요한 비-종양성 질환이다[27].

류마티스 관절염은 초기 상태에서 질환이 없는 건강한 대조군과 비교 시 혈청 AMH 수치의 차이는 없지만 질환이 진행된 후에는 감소한다는 연구결과가 있다[28]. 또한, 건강한 군에 비해 폐경이 일찍 발생한다는 관찰연구들로 볼 때 류마티스 관절염의 경과가 난소기능에 영향이 있을 것으로 생각된다. 류마티스 관절염 환자에서 사용되는 methorexate는 많은 연구에서 난소기능의 저하를 유발하지 않는 것으로 보고된다[29].

SLE는 자가항체(autoantibody)를 생성하여 주요 장기들에 침착되어 염증 반응 및 조직 손상을 유발하는 질환이다. 임상적으로 흔히 월경불순이나 무월경 및 난소기능 감소와 함께, 조기난소부전을 유발하는 것으로 알려져 있다[30, 31]. 사이클로포스퍼마이드(cyclophosphamide)는 알킬화제로 루푸스 신염이나 혈관염 등 심한 증상이 동반된 활성화(flare-up)시 사용되는데, 난소 내 건강한 난자와 체성과립막세포(somatic granulosa cell)의 자멸을 유도하여 난소부전을 유발하는 것으로 알려져 있다. 약물의 용량, 노출된 나이, 투여 기간에 비례하여 난소세포에 독성을 보이므로 최소 효과 용량으로 투여하도록 권고된다[32]. 따라서, 질환의 경과나 치료 약물의 영향을 고려할 때 향후 임신 계획이 있는 SLE 환자에서는 가임력보존을 위해 난자 또는 배아 동결보존을 고려할 수 있다. 사이클로포스퍼마이드를 투여 중인 경우, 생식샘호르몬방출호르몬 작용제(gonadotropin-releasing hormone agonist)를 같이 투여하는 것이 난소기능 손상 예방에 도움이 된다는 연구들도 보고된다[33-36]. 다른 문제로는, 난자 채취를 위해 생식샘호르몬을 이용한 과배란 유도 시 난포호르몬이 높게 상승되어 SLE의 주요 합병증인 혈전증의 위험을 증가시킬 수 있으므로 주의가 요구된다. 자가면역 혈관염(autoimmune vasculitis)이 있는 여성에서 난자 동결보존을 위해 과배란 유도 이후 다발성 장기 부전이 발생하였는데 난포호르몬의 과다한 상승이 원인으로 제시되었다[37]. 따라서, 자가면역질환이 있는 여성에서 가임력보존을 고려하는 경우 질환에 따른 합병증의 위험도 및 질환의 활성 상태에 따라 시행 시기를 결정하는 것이 중요하다. 일부 연구들에서는 과배란 유도 없이 미성숙난자를 채취하는 체외성숙(in vitro maturation, IVM)을 이용하는 방법도 제시하고 있으나 자가면역질환이 있는 환자에서 안정성이나 효용성에 대해서는 아직 명확하지 않다.

여러 자가면역질환에 사용되는 약물 중 흔히 사용되는 비스테로이드성 소염진통제(non-steroidal anti-inflammatory drugs)는 프로스타글랜딘(prostaglandin) 합성을 억제함으로써 배란 작용 및 자궁내막 환경에 영향을 줄 수 있으나 이러한 작용은 약물중단 시 회복되는 현상이며, 난소기능 자체에 독성은 없는 것으로 생각되다. 설파살라진(sulfasalazine)도 가임력에 대한 직접적인 영향은 없는 것으로 알려져 있다. 글루코코티코이드(glucocorticoid)는 다양한 면역질환에서 증상 조절 및 치료로 사용되는데 월경장애 또는 무월경을 흔히 유발하고, 시상하부-뇌하수체-난소 축의 기능 이상을 초래하여 생식샘자극호르몬의 방출을 억제하고 난소 세포의 자멸을 유도하는 것으로 알려져 있다[38, 39].

References

1. Broekmans FJ, Soules MR, Fauser BC. Ovarian aging: mechanisms and clinical consequences. Endocr Rev 2009;30(5):465-93.
2. van Noord-Zaadstra BM, Looman CW, Alsbach H, Habbema JD, te Velde ER, Karbaat J. Delaying childbearing: effect of age on fecundity and outcome of pregnancy. BMJ 1991;302(6789):1361-5.
3. Cobo A, Meseguer M, Remohi J, Pellicer A. Use of cryo-banked oocytes in an ovum donation programme: a prospective, randomized, controlled, clinical trial. Hum Reprod 2010;25(9):2239–46.3.
4. Hodes-Wertz B, Druckenmiller S, Smith M, Noyes N. What do reproductive age women who undergo oocyte cryopreservation think about the process as a means to preserve fertility? Fertil Steril 2013;100:1343–9.
5. Condorelli M, Demeestere I. Challenges of fertility preservation in non-oncological diseases. Acta Obstet Gynecol Scand 2019;98(5):638-46.
6. Kitajima M, Defrre S, Dolmans MM, Colette S, Squifflet J, Van Langendonckt A, et al. Endometriomas as a possible cause of reduced ovarian reserve in women with endometriosis. Fertil Steril 2011;96(3):685-91.
7. Skinner MK. Regulation of primordial follicle assembly and development. Hum Reprod Update 2005;11(5):461-71.
8. Muzii L, Di Tucci C, Di Feliciantonio M, Galati G, Di Donato V, Musella A, Palaia I, Panici PB. Antimüllerian hormone is reduced in the presence of ovarian endometriomas: a systematic review and meta-analysis. Fertil Steril 2018;110(5):932-40.
9. Muzil L, Tucci C, Di Feliciantonio M, Galati G, Pecorella I, Radicioni A, Anzuini A, Piccioni MG, Patacchiola F. Ovarian Reserve Reduction With Surgery Is Not Correlated With the Amount of Ovarian Tissue Inadvertently Excised at Laparoscopic Surgery for Endometriomas. Reprod Sci 2019;26(11):1493-98.
10. Kasapoglu I, Ata B, Uyaniklar O, Seyhan A, Orhan A, Oguz SY, Uncu G. Endometrioma-related reduction in ovarian reserve(ERROR): a prospective longitudinal study. Fertil Steril 2018;110(1):122-7.
11. Uncu G, Kasapoglu I, Ozerkan K, Seyhan A, Oral Yilmaztepe A, Ata B. Prospective assessment of the impact of endometriomas and their removal on ovarian reserve and determinants of the rate of decline in ovarian reserve. Hum Reprod 2013;28(8):2140-5.
12. Kwon SK, Kim SH, Yun SC, Kim DY, Chae HD, Kim CH, Kang BM. Decline of serum antimullerian hormone levels after laparoscopic ovarian cystectomy in endometrioma and other benign cysts: a prospective cohort study. Fertil Steril 2014 ;101(2):435-41.
13. Kovačević VM, Anđelić LM, Mitrović Jovanović A. Changes in serum antimüllerian hormone levels in patients 6 and 12 months after endometrioma stripping surgery. Fertil Steril 2018;110(6):1173-80.
14. Younis JS, Shapso N, Fleming R, Ben-Shlomo I, Izhaki I. Impact of unilateral versus bilateral ovarian endometriotic cystectomy on ovarian reserve: a systematic review and meta-analysis. Hum Reprod Update 2019;25(3):375-91.
15. Lantsberg D, Fernando S, Cohen Y, Rombauts L. The Role of Fertility Preservation in Women with Endometriosis: A Systematic Review. J Minim Invasive Gynecol 2020;27(2):362-72.
16. Song T, Kim WY, Lee KW, Kim KH. Effect on ovarian reserve of hemostasis by bipolar coagulation versus suture during laparoendoscopic single-site cystectomy for ovarian endometriomas. J Minim Invasive Gynecol 2015;22(3):415-20.
17. Ata B, Turkgeldi E, Seyhan A, Urman B. Effect of hemostatic method on ovarian reserve following laparoscopic endometrioma excision; comparison of suture, hemostatic sealant, and bipolar dessication. A systematic review and meta-analysis. J Minim Invasive Gynecol 2015;22(3):363-72.
18. Working group of ESGE, ESHRE and WES, Saridogan E, Becker CM, Feki A, Grimbizis GF, Hummelshoj L, Keck-

stein J, Nisolle M, Tanos V, Ulrich UA, Vermeulen N, De Wilde RL. Recommendations for the Surgical Treatment of Endometriosis. Part 1: Ovarian Endometrioma. Hum Reprod Open 2017;113(4):836-44.

19. Cobo A, Giles J, Paolelli S, Pellicer A, Remohí J, García-Velasco JA. Oocyte vitrification for fertility preservation in women with endometriosis: an observational study. Fertil Steril 2020;113:836-44.
20. Donnez J, Squifflet J, Jadoul P, Lousse JC, Dolmans MM, Donnez O. Fertility preservation in women with ovarian endometriosis. Front Biosci 2012;4:1654-62.
21. Dolmans MM, Donnez J. Fertility preservation in women for medical and social reasons: Oocytes vs ovarian tissue. Best Pract Res Clin Obstet Gynaecol 2021;70:63-80.
22. Nur Azurah AG, Zainol ZW, Zainuddin AA, Lim PS, Sulaiman AS, Ng BK. Update on the management of ovarian torsion in children and adolescents. World J Pediatr 2014;11(1):35-40.
23. Daraï E, Fauvet R, Uzan C, et al. Fertility and borderline ovarian tumor: a systematic review of conservative management, risk of recurrence and alternative options. Hum Reprod Update 2013;19:151-66.
24. Mangili G, Somigliana E, Giorgione V, et al. Fertility preservation in women with borderline ovarian tumours. Cancer Treat Rev 2016;49:13-24.
25. Hamoda H, British Menopause Society and Women's Health Concern. The British Menopause Society and Women's Health Concern recommendations on the management of women with premature ovarian insufficiency. Post Reprod Health 2017;23:22-35.
26. American College of Obstetrician and Gynecologists' Committee on Practice Bulletins–Gynecology and Committee on Genetics in collaboration with Modesitt SC and Karen Lu K, and by the Society of Gynecologic Oncology in collaboration. Practice Bulletin No. 182 Summary: Hereditary Breast and Ovarian Cancer Syndrome. Obstet Gynecol 2017;130:657-9.
27. Vanni VS, De Lorenzo R, Privitera L, Canti V, Viganò P, Rovere-Querini P. Safety of fertility treatments in women with systemic autoimmune diseases (SADs). Expert Opin Drug Saf 2019;18(9):841-52.
28. Brouwer J, Laven JS, Hazes JM, et al. Levels of serum anti-Mullerian hormone, a marker for ovarian reserve, in women with rheumatoid arthritis. Arthritis Care Res (Hoboken) 2013;65(9):1534–8.
29. Brouwer J, Hazes JM, Laven JS, et al. Fertility in women with rheumatoid arthritis: influence of disease activity and medication. Ann Rheum Dis 2015;74(10):1836–41.
30. Medeiros PB, Febronio MV, Bonfa E, et al. Menstrual and hormonal alterations in juvenile systemic lupus erythematosus. Lupus 2009;18(1):38–43.
31. Pasoto SG, Mendonca BB, Bonfa E. Menstrual disturbances in patients with systemic lupus erythematosus without alkylating therapy: clinical, hormonal and therapeutic associations. Lupus 2002;11(3):175–80.
32. Hickman RA, Gordon C. Causes and management of infertility in systemic lupus erythematosus. Rheumatology(Oxford) 2011;50(9):1551–8.
33. Blumenfeld Z, Mischari O, Schultz N, Boulman N, Balbir-Gurman A. Gonadotropin releasing hormone agonists may minimize cyclophosphamide associated gonadotoxicity in SLE and autoimmune diseases. Semin Arthritis Rheum 2011;41:346–52.
34. Brunner HI, Silva CA, Reiff A, Higgins GC, Imundo L, Williams CB, et al. Randomized, double-blind, dose-escalation trial of triptorelin for ovary protection in childhood-onset systemic lupus erythematosus. Arthritis Rheumatol 2015;67:1377–85.
35. Koga T, Umeda M, Endo Y, Ishida M, Fujita Y, Tsuji S, et al. Effect of a gonadotropin-releasing hormone analog for ovarian function preservation after intravenous cyclophosphamide therapy in systemic lupus erythematosus

patients: a retrospective inception cohort study. Int J Rheum Dis 2018;21:1287–92.

36. Somers EC, Marder W, Christman GM, Ognenovski V, McCune WJ. Use of a gonadotropin-releasing hormone analog for protection against premature ovarian failure during cyclophosphamide therapy in women with severe lupus. Arthritis Rheum 2005;52:2761–7.
37. Pagnoux C, Le Guern V, Goffnet F, Diot E, Limal N, Pannier E, et al. Pregnancies in systemic necrotizing vasculitides: report on 12 women and their 20 pregnancies. Rheumatology(Oxford) 2011;50:953–61.
38. Yuan HJ, Han X, He N, et al. Glucocorticoids impair oocyte developmental potential by triggering apoptosis of ovarian cells viaactivating the Fas system. Sci Rep 2016;6:24036.
39. Whirledge S, Cidlowski JA. A role for glucocorticoids in stress-impaired reproduction: beyond the hypothalamus and pituitary. Endocrinology 2013;154(12):4450–68.

Chapter 04

가임력보존을 위한 난소기능 평가

(Ovarian reserve test for fertility preservation)

연세의대 **이병석**
연세의대 **박주현**

난소기능의 평가는 가임력 그리고 보조생식술의 성공여부를 예측하는 가장 중요한 요소라고 할 수 있으며, 적절한 난소기능 평가를 통해, 가임력보존을 모색하는 환자에게 향후 계획수립과 카운슬링의 기반이 된다. 환자의 나이, 기왕력 그리고 복용 약물 등에 대한 정보가 예후 평가에 있어 중요하며, 가장 보편적으로 난포자극호르몬(follicle stimulating hormone, FSH), 항뮬러관호르몬(anti-Mullerian hormone, AMH), 에스트라다이올(estradiol), 인히빈 B (inhibin B) 등의 생화학적인 분석방법 그리고 초음파를 통한 antral follicle count 및 난소부피 측정이 대표적인 검사 지표들이다. 난소예비능은 주로 30대 중반부터 임상적으로 저하가 관찰이 되며, 난포의 양적 그리고 그 안에 존재하는 난자의 질적인 감소 현상을 반영한다[1]. 보통 난포의 감소는 그 양이 특정 역치 이하로 떨어지면 가속도가 붙어 감소하는 것으로 알려져 있어, 약 37세 중반부터 이러한 현상이 나타나는 것으로 알려져 있으나 환자 개인별 차이가 있으며, 이를 적절히 평가를 하는 것이 중요한 목표이다[2]. 아울러 난소기능이 양호한 여성에서 과배란 및 난자 채취를 하게 될 경우 불필요한 과자극을 피하는데 있어서도 중요한 예측지표로 삼을 수 있어야 한다[3]. 현재까지 임상적으로 난포의 양과 질을 간접적으로 평가하는 이상적인 단독 지표는 없으며, 복합적으로 시행 후 평가하는 것이 바람직하다. 본 단원에서는 이러한 난소기능평가 지표들을 살펴보도록 하겠다.

1 이학적 내분비 검사 및 유발검사 (Laboratory endocrine assessment and dynamic testing)

기저 난포자극호르몬 수치(Basal follicle stimulating hormone)

기저 난포자극호르몬 수치는 월경주기 초기 난포기인, 주로 3일(2–4일)째에 측정하게 되며, 난소예비능을 평가하는데 가장 오래 사용된 지표 중 하나이다[4]. 난포의 양이 적어짐에 따라, 난포자극호르몬 수치는 증가하는 양상을 보이게 되며, 그 측정이 용이하고 경제적이어서 널리 이용이 되고 있다. 난포자극호르몬은 그러나 월경주기에 따라 그리고 한 월경주기 내에서도 그 변이가 다소 크고, 임신의 성공 여부를 예측하는데 있어 특이도와 민감도가 정확히 규명 되어있지 않다는 단점이 있다. 월경주기 초기 난포자극호르몬의 상승이 실제로 나타나기 전부터 난포의 양적인 저하의 시작은 이미 시작되는 것으로 알려져, 난포자극호르몬이 정상범위를 나타내는 경우라도 가임력보존을 위한 충분한 난자의 확보를 보장할 수는 없다. 난소 과배란에 대한 반응을 예측할 수 있는 월경주기 초기 난포자극호르몬의 기준치에 대해서도 통일된 역치가 있지 아니하나 그 수치가 상대적으로 높을 경우에 반응이 저하될 것을 예측하는데 신뢰도가 높다 할 수 있다. 초기 난포기의 난포자극호르몬이 10IU/L (10–20IU/L) 이상일 경우에 비교적 높은 특이도로 난소자극에 대한 반응이 떨어질 것에 대한 지표로 사용이 되고 있다. 그러나 젊은 여성에서 규칙적인 주기를 보일 경우 과자극의 실패를 예측하는 지표로서의 그 유용성이 불분명한 측면이 있어 일회성으로 상승을 보일 때에 저반응군으로 분류하지 말아야 한다. 비교적 젊은 여성에서 월경주기가 규칙적이나 경미한 난포자극의 상승이 관찰을 보조생식의 실패군으로 규정하는 데에 사용하지 않도록 주의를 요한다[5].

기저 에스트라다이올(Basal estradiol)

기저 에스트라다이올(estradiol, E2) 수치는 보통 난포자극호르몬을 채혈하는 시기에 함께 평가를 하게 되는데 기저 에스트라다이올 수치의 상승이 과자극에 있어 좋지 않은 예후지표로 활용되기도 한다. 기저 에스트라다이올의 수치가 20 pg/mL 이하 이거나 아니면 80 pg/mL 이상일 때에 저반응군일 것을 예측하는데에 사용하나, 임신율과의 뚜렷한 상관관계에 대한 근거가 없다. 임상적으로 과자극에 대한 반응을 예측하는데 있어 뇌하수체호르몬과 동시에 활용이 되나, 그 역할이 뚜렷하지 않아 보조적인 지표로 해석을 하는 것이 바람직하다[6-10].

항뮬러관호르몬(Anti-Mullerian hormone)

항뮬러관호르몬은 난포자극호르몬에 비해서 월경주기 내 혹은 월경주기간 변이가 적은 것으로 알려져 있으며, 일차성 혹은 이차성 난포 그리고 작은 크기의 antral follicle에서 분비하는 당단백이다. 나이에 따라, antral follicle의 개수가 감소함에 따라, 항뮬러관호르몬의 분비도 감소하여 폐경 나이에 도달하게 되면 검출이 되지 않게 된다[11-14]. 난소의 기능을 평가할 때에 단독지표를 사용하기보다는 다양한 지표를 동시에 측정을 하게 되는데, 이 때에 항뮬러관호르몬 수치는 초음파로 측정하게 되는 antral follicle의 개수와 양의 상관관계를 보인다. 또한 항뮬러관호르몬은 월경주기 내 혹은 월경주기간 변이가 적어 월경주기 내 수시로 측정이 가능하다는 장점이 있다. 분석법에 따라 민감도는 약 80−85% 정도 그리고 특이도는 65−95% 정도로 보고된 바 있다[15-17]. 항뮬러관호르몬 수치가 임신성공률을 예측하는 지표로서의 근거는 미약하나, 임신의 시기를 늦추고자 하는 여성에서 나이 대비 수치를 추적관찰하여 향후 계획에 활용하기에 적절하다. 나이에 따라 항뮬러관호르몬이 감소한다는 사실은 명백하며, 수치가 1 ng/mL미만에서 몇 년 이내에 폐경 이행기로 전환된다는 근거들이 있으며 0.2−0.7 ng/mL에서 보조생식술에 의한 저반응군(난포 3개 이하 혹은 난자 2−4개 이하)을 예측하는 임상적 역치로 활용을 하기도 한다[18].

적절한 연구에 근거한 혈청내 총 항뮬러관호르몬 수치에 따라 보조생식술을 예측할 수 있는 모델이 따로 있지는 않으나, 난포 내의 항뮬러관호르몬의 농도에 비례하여 각 난포의 수정능이 차이가 난다는 연구결과가 있다[19-22].

인히빈 B (Inhibin B)

인히빈 B는 과립막세포에서 분비하는 당단백이며, 월경주기 3일째에 분비되는 양에 따라 과배란의 성공을 예측하는 지표로 활용되기도 한다. 인히빈 B가 감소하는 현상은 앞서 언급된 난포자극호르몬의 증가를 선행하는 것으로 생각되며 약 40 pg/mL 이하의 낮은 농도가 과배란의 저반응군을 예측하는 요소로 활용되기도 한다[23-24]. 또한 외인성 난포자극호르몬에 의한 인히빈 B의 과다한 증가는 과자극이 될 수 있는 예측지표로 활용되기도 한다[25]. 그러나 전반적으로 인히빈 B의 측정을 병행하는 것이 난소의 기능과 보조생식술의 성공을 예측하는 지표로 큰 활용도를 갖지는 못해, 가임력보존 전 난소기능의 보편적 예측지표로 활용하고 있지는 않다[26-29].

2 유발검사(Dynamic tests of ovarian reserve)

클로미펜 자극검사(Clomiphene citrate challenge test)

클로미펜 자극검사(Clomiphene citrate challenge test, CCCT)는 난소의 기능을 자극할 수 있는 외인성 약물을 투여하여 난소예비능을 평가할 수 있는 대표적 지표이며, 월경주기 5일째부터 5일간 클로미펜을 100 mg 투여한 후 3일째 측정한 난포자극호르몬과 자극 후 월경주기 10일째에 나타내는 수치의 역치로써 과자극의 저반응군을 예측하는 검사이다. 그러나, 이는 다른 보조생식술에 대한 결과를 예측하고자 하는 검사와 병행을 할 때에 시간과 노력을 더 투자해야 하는 반면에, 기저 난포자극호르몬 단독을 보는 것에 비해 배가되는 이점은 뚜렷하지 않아, 보편적으로 활용하고 있지 않다[30-31].

외인성 난포자극호르몬 유발검사 (Exogenous follicle stimulating hormone ovarian reserve test)

기저 난포자극호르몬과 월경주기 3일째에 300 IU를 투여 후에 24시간 후에 에스트라다이올 수치를 측정하는 유발검사이다. 저반응군을 예측하는 지표로 활용하기 보다는 과자극군을 예측하는 데에 있어 활용을 하기도 하나, 위양성율이 높은 이유로 과자극의 성패를 예측하는 단독지표로서는 한계가 있다[3].

생식샘자극호르몬방출호르몬 자극검사 (Gonadotrophin releasing hormone agonist stimulation test, GAST)

월경주기 2-3일째 생식샘자극호르몬방출호르몬 효현제를 피하 주사하여, 만 24시간 후에 에스트라다이올 혈중농도를 측정하는 유발검사이다. 역치 이상으로 에스트라다이올이 상승했을 때에 양호한 난소예비능을 의미하며 저하 혹은 반응의 지연은 보조생식술을 했을 때에 상태적으로 과자극에 대해 반응이 떨어지고, 체외수정술에 좋지 않은 예후지표로 참조할 수 있다. 그러나 마찬가지로, 보편적으로 활용을 하지 않는 이유는 단순히 항뮬러관호르몬이나 초음파 상 난소에서 보이는 지표들에 비해 추가적인 우월성을 나타내지는 못하기 때문이다[32].

3 초음파 지표(Ultrasound parameters)

질식초음파를 이용하여 난소기능의 간접평가를 하는 것이 가장 보편적이며 다른 영상학적인 방법이 초음파 보다 더 우월하다는 근거는 현재까지는 없다.

난소 부피 및 혈류(Ovarian volume and blood flow)

난소 부피는 난소의 세 직각 방향 길이를 측정하여 D1 × D2 × D3 × π/6의 수식으로 구할 수 있고, 양측 난소의 부피를 합산하여 총 난소부피를 계산하게 된다. 이 난소의 부피는 나이에 비례하여 감소하는 것으로 알려져 있지만, 폐경 이행기까지는 전동난포수(antral follicle count, AFC)에 비해 유의미한 감소를 보이지 않는 경우가 있어 AFC에 비해 추가적인 가치가 있다고 보기 어렵다. 이 난소부피의 감소는 40세 이상의 나이에서 더 확연한 감소현상을 볼 수가 있다[33-35]. 과자극 중에 난소로의 혈류의 증가가 관찰되는지를 성공지표로 보고자 하는 시도도 있으나, 이 또한 AFC에 비해 우월성이 있다고 보기 어렵다.

전동난포수(Antral follicle count)

무엇보다도 AFC는 임상적으로 비교적 비침습적이고 빠르고 경제적인 난소기능 평가의 간접 지표이다. 난포기 초기에 서로 직각인 두 면의 AFC를 하여 총 AFC를 얻게 된다. 약 8–10개 정도의 개수를 보일 때 비교적 양호하게 난소의 과자극이 이루어질 것으로 예측해 볼 수 있다. 약 2–10 mm 사이의 난포 개수를 측정을 하며, 2–6 mm 그리고 7–10 mm로 그 크기를 분류해서 정의하고자 하는 시도도 있다. 나이에 따라, 2–6 mm의 난포 개수가 더 먼저 고갈되고, 7–10 mm의 난포는 유의미한 난소기능 부전이 있기까지 큰 차이가 나지 않는다는 보고가 있어, 전자가 난소예비능을 평가하는 데 더 의미있는 지표로 여겨지기도 한다. 그러나 이는 검사자의 역량에 따른 변이가 있을 수 있다는 점이 주의사항이며 또한 임신 성공률을 예측하는 지표로서는 충분하지 않다는 단점이 있다. 그럼에도 불구하고, 월경주기 2–3일째 기저 난포자극호르몬, 에스트라다이올과 인히빈 B에 비해서 난소자극에 대한 반응평가를 예측하는 지표로서는 더 유용한 측면이 있고 또한 이 수치들이 감소하기 전에 정기적인 AFC를 측정했을 때 이 개수의 감소가 더 선행된다는 보고도 있다. AFC가 14–15개 이상일 때에 과자극이 될 수 있는 지표로 사용을 할 수 있다[33-34]. 현재로서는 2D 초음파에 비해, 고사양의 3D 초음파가 더 나은 AFC에 대한 정보를 제공한다는 근거는 없다.

난소 생검(Ovarian biopsy)

난소 생검은 아주 제한적으로 시행하게 되며, 성공적인 가임력보존을 예측하는 지표 보다는 설명되지 않는 난소기능 부전을 확인하는 용도로 그 의미가 더 크다. 난관요소의 난임에 비해, 원인 미상의 난임 환자에서 그리고 35세 이상의 여성에서 난포의 밀도가 낮다는 것이 알려져 있는 것 외에, 난소 생검이 다른 지표에 비해 추가적이 정보를 제공하지 않으며 침습적이고 시술 자체가 난소기능에 영향을 줄 수 있다는 이유로 이를 예외적인 상황 이외에는 권고하지 않는다[35].

4 나이(Age)

나이의 증가에 따라 난소기능의 저하가 관찰된다는 사실은 잘 규명된 바이다. 수태율의 나이에 따른 감소는 비교적 조기에 시작되어 20대 후반부터 시작되며, 30대 후반에 가속화 되는 것으로 잘 알려져 있다. 동일한 나이대에서도 변이는 있으나, 이는 역학적 조사와 보조생식술 환자 대상 모두에서 관찰되는 현상이라고 할 수 있다[36-38]. 그러나 가임력보존을 모색하는 여성에서는 늦은 결혼과 출산의 사회적인 요소를 둘 다 가지는 경우가 많아 결국은, 나이에 따른 변이를 감별하는 것이 중요하기에 다양한 이학적 그리고 영상학적 간접지표를 평가하고 향후 더 나은 지표를 개발하는 것이 중요한 목표이다[39-42]. 이러한 다양한 변수에도 불구하고 실체 첫 보조생식술의 결과가 가임력 평가의 중요한 예후인자로서 의미를 갖기 때문에 시술 전 단정적인 판단은 보류를 하기도 한다[24].

References

1. Scott RT, Hofmann GE. Prognostic assessment of ovarian reserve. Fertil Steril 1995;63:1–11.
2. Faddy MJ, Gosden RG, Gougeon A, Richardson SJ, Nelson JF. Accelerated disappearance of ovarian follicles in mid-life: implications for forecasting menopause. Hum Reprod 1992;7:1342–6.
3. Kwee J, Schats R, McDonnell J, Schoemaker J, Lambalk CB. The clomiphene citrate challenge test versus the exogenous follicle-stimulating hormone ovarian reserve test as a single test for identification of low responders and hyper-responders to in vitro fertilization. Fertil Steril 2006;85:1714–22.
4. Scott RT, Toner JP, Muasher SJ, Oehninger S, Robinson S, Rosenwaks Z. Follicle-stimulating hormone levels on cycle day 3 are predictive of in vitro fertilization outcome. Fertil Steril 1989;51:651–4.
5. Esposito MA, Coutifaris C, Barnhart KT. A moderately elevated day 3 FSH concentration has limited predictive value, especially in younger women. Hum Reprod 2002;17:118–23.
6. Licciardi FL, Liu HC, Rosenwaks Z. Day 3 estradiol serum concentrations as prognosticators of ovarian stimulation response and pregnancy outcome in patients undergoing in vitro fertilization Fertil Steril. 1995;64:991–4.
7. Smotrich DB, Widra EA, Gindoff PR, Levy MJ, Hall JL, Stillman RJ. Prognostic value of day 3 estradiol on in vitro fertilization outcome. Fertil Steril 1995;64:1136–40.
8. Evers JL, Slaats P, Land JA, Dumoulin JC, Dunselman GA. Elevated levels of basal estradiol-17β predict poor response in patients with normal basal levels of follicle-stimulating hormone undergoing in vitro fertilization. Fertil Steril 1998;69:1010–4.
9. Frattarelli JL, Paul A, Bergh PA, Drews MR, Sharara FI, Scott RT., Jr Evaluation of basal estradiol levels in assisted reproductive technology cycles. Fertil Steril 2000;74:518–24.

10. Broekmans FJ, Kwee J, Hendriks DJ, Mol BW, Lambalk CB. A systematic review of tests predicting ovarian reserve and IVF outcome. Hum Reprod Update 2006;12:685–718.
11. Durlinger AL, Visser JA, Themmen AP. Regulation of ovarian function: The role of anti-Mullerian hormone. Reproduction 2002;124:601–9.
12. van Rooij IA, Broekmans FJ, teVelde ER, Fauser BC, Bancsi LF, de Jong FH, et al. Serum anti-Müllerian hormone levels: Anovel measure of ovarian reserve. Hum Reprod 2002;17:3065–71.
13. Weenen C, Laven JS, Von Bergh AR, Cranfield M, Groome NP, Visser JA, et al. anti-Müllerian hormone expression pattern in the human ovary: Potential implications for initial and cyclic follicle recruitment. Mol Hum Reprod 2004;10:77–83.
14. de Vet A, Laven JS, de Jong FH, Themmen AP, Fauser BC. anti-Müllerian hormone serum levels: Aputative marker for ovarian aging. Fertil Steril 2002;77:357–62.
15. Muttukrishna S, McGarrigle H, Wakim R, Khadum I, Ranieri DM, Serhal P. Antral follicle count, anti-Mullerian hormone and inhibin B: Predictors of ovarian response in assisted reproductive technology? BJOG 2005;112:1384–90.
16. Tremellen KP, Kolo M, Gilmore A, Lekamge DN. anti-Mullerian hormone as a marker of ovarian reserve. Aust N Z J Obstet Gynaecol 2005;45:20–4.
17. La Marca A, Giulini S, Tirelli A, Bertucci E, Marsella T, Xella S, et al. anti-Müllerian hormone measurement on any day of the menstrual cycle strongly predicts ovarian response in assisted reproductive technology. Hum Reprod 2007;22:766–71.
18. Gnoth C, Schuring AN, Friol K, Tigges J, Mallmann P, Godehardt E. Relevance of anti-Mullerian hormone measurement in a routine IVF program. Hum Reprod 2005;23:1359–65.
19. Peñarrubia J, Fábregues F, Manau D, Creus M, Casals G, Casamitjana R, et al. Basal and stimulation day 5 anti-Mullerian hormone serum concentrations as predictors of ovarian response and pregnancy in assisted reproductive technology cycles stimulated with gonadotropin-releasing hormone agonist–gonadotropin treatment. Hum Reprod 2005;20:915–22.
20. Fanchin R, Mendez Lozano DH, Frydman N, Gougeon A, di Clemente N, Frydman R, et al. anti-Müllerian hormone concentrations in the follicular fluid of the preovulatory follicle are predictive of the implantation potential of the ensuing embryo obtained by in vitro fertilization. J Clin Endocrinol Metab 2007;92:1796–802.
21. Van Rooij IA, Tonkelaar I, Broekmans FJ, Looman CW, Scheffer GJ, de Jong FH, et al. anti-Mullerian hormone is a promising predictor for the occurrence of the menopausal transition. Menopause 2004;11:601–6.
22. 22. van Rooij IA, Broekmans FJ, Scheffer GJ, Looman CW, Habbema JD, de Jong FH, et al. Serum anti-Müllerian hormone levels best reflect the reproductive decline with age in normal women with proven fertility: A longitudinal study. Fertil Steril 2005;83:979–87.
23. Seifer DB, Lambert-Messerlian G, Hogan JW, Gardiner AC, Blazar AS, Berk CA, et al. Day 3 serum inhibin-B is predictive of assisted reproductive technologies outcome. Fertil Steril 1997;67:110–4.
24. Seifer DB, Scott RT, Jr, Bergh PA, Abrogast LK, Friedman CI, Mack CK, et al. Women with declining ovarian reserve may demonstrate a decrease in day 3 serum inhibin B before a rise in day 3 follicle-stimulating hormone. Fertil Steril 1999;72:63–5.
25. Kwee J, Schats R, McDonnell J, Lambalk CB, Schoemaker J. Intercycle variability of ovarian reserve tests: Results of a prospective randomized study. Hum Reprod 2004;19:590–5.
26. Corson SL, Gutmann J, Batzer FR, Wallace H, Klein N, Soules MR. Inhibin-B as a test of ovarian reserve for infertile

women. Hum Reprod 1999;14:2818–21.

27. Hall JE, Welt CK, Cramer DW. Inhibin A and inhibin B reflect ovarian function in assisted reproduction but are less useful at predicting outcome. Hum Reprod 1999;14:409–15.
28. Dzik A, Lambert-Messerlian G, Izzo VM, Soares JB, Pinotti JA, Seifer DB. Inhibin B response to EFORT is associated with the outcome of oocyte retrieval in the subsequent in vitro fertilization cycle. Fertil Steril 2000;74:1114–7.
29. Jain T, Soules MR, Collins JA. Comparison of basal follicle-stimulating hormone versus the clomiphene citrate challenge test for ovarian reserve screening. Fertil Steril 2004;82:180–5.
30. Maheshwari A, Fowler P, Bhattacharya S. Assessment of ovarian reserve-should we perform tests of ovarian reserve routinely? Hum Reprod 2006;21:2729–35.
31. Hendriks DJ, Broekmans FJ, Bancsi LF, Looman CW, de Jong FH, teVelde ER. Single and repeated GnRH agonist stimulation tests compared with basal markers of ovarian reserve in the prediction of outcome in IVF. J Assist Reprod Genet 2005;22:65–73.
32. Hendriks DJ, Kwee J, Mol BW, teVelde ER, Broekmans FJ. Ultrasonography as a tool for the prediction of outcome in IVF patients: Acomparative meta-analysis of ovarian volume and antral follicle count. Fertil Steril 2007;87:764–75.
33. Kwee J, Elting ME, Schats R, McDonnell J, Lambalk CB. Ovarian volume and antral follicle count for the prediction of low and hyper responders with in vitro fertilization. Reprod Biol Endocrinol 2007;5:9.
34. Higgins RV, van Nagell JR, Woods CH, Thompson EA, Kryscio RJ. Interobserver variation in ovarian measurements using transvaginalsonography. Gynecol Oncol 1990;39:69–71.
35. Sharara FI, Scott RT. Assessment of ovarian reserve.Is there still a role for ovarian biopsy? First do no harm! Hum Reprod 2004;19:470–1.
36. de Bruin JP, teVelde ER. Female reproductive ageing: Concepts and consequences. In: Tulandi T, Gosden RG, editors. Preservation of Fertility. London UK: Taylor and Francis; 2004. p3.
37. Wood JW. Fecundity and natural fertility in humans. Oxf Rev Reprod Biol 1989;11:61–109.
38. Piette C, de Mouzon J, Bachelot A, Spira A. In-vitro fertilization: influence of woman's age on pregnancy rates Hum Reprod 1990;5:56–9.
39. Scott RT, Toner JP, Muasher SJ, Oehninger S, Robinson S, Rosenwaks Z. Follicle-stimulating hormone levels on cycle day 3 are predictive of in vitro fertilization outcome. Fertil Steril 1989;51:651–4.
40. Toner JP, Philput CB, Jones GS, Muasher SJ. Basal follicle stimulating hormone level is a better predictor of in vitro fertilization performance than age. Fertil Steril 1991;55:784–91.
41. Sharif K, Elgendy M, Lashen H, Afnan M. Age and basal follicle stimulating hormone as predictors of in vitro fertilization outcome. Br J Obstet Gynaecol 1998;105:107–12.
42. Erdem M, Erdem A, Gursoy R, Biberoglu K. Comparison of basal and clomiphene citrate induced FSH and inhibin B, ovarian volume and antral follicle counts as ovarian reserve tests and predictors of poor ovarian response in IVF. J Assist Reprod Genet 2004;21:37–45.

Chapter

05

동결생물학

(Cryobiology)

차의과학대 **이동율**
함춘여성의원 **김충현**

가임력보존(Fertility preservation) 영역에서 배아(embryo)와 정자(sperm), 난자(oocyte), 그리고 이들이 포함된 조직(tissue)과 나아가서 생식 기관(reproductive organ)을 기능적 손실 없이 보존하기 위해서 동결보존(cryopreservation)은 필수적이라 할 수 있다. 그동안 보조생식술(assisted reproductive technology)의 발전을 통해 얻어진 배아 및 생식세포의 동결보존에 관한 경험적 지식만으로는 더 복잡하고 다양한 세포들로 이루어진 정소(testis)와 난소(ovary) 조직과 기관의 동결보존을 성공적으로 수행하기는 어려우며 기초적인 동결생물학의 지식과 경험적 지식을 아우르는 적절한 동결보존법을 개발, 확립하여야 할 것이다.

이에 이번 장에서는 물의 동결과 동결로 인한 손상 기전, 완만동결(slow freezing), 유리화동결(vitrification) 과정, 그리고 동결보호제(cryoprotectant, CPA) 등 동결생물학의 기초 지식들과 가임력보존을 위하여 사용하고 있는 동결보존법의 효율에 미치는 다양한 요인들에 대하여 살펴보고자 한다. 실제로 보존하려는 난자(정자)와 배아, 난소(정소)조직은 크기와 형태, 구조, 그리고 수분함유량 등의 차이가 매우 크다. 따라서 동결-해동 프로토콜과 CPA, 동결용기 및 보관용기에 따라 해동 후 생존과 기능회복의 효율이 달라질 수 있으며, 이 차이를 극복하여 동결프로그램을 최적화하려는 노력들을 소개하고자 한다.

1 물의 동결

세포를 냉동한다는 상황은 배양액이나 완충액(buffer)에 있는 세포들을 얼리는 것이다. 이 배양액을 단순화해 보면 물이라는 용매(solvent)에 염(salt) 등의 용질(solute)이 녹아 있는 용액(solution)이며, 세포질(cytoplasm) 또한 물과 그 외의 용질로 단순화할 수 있다(그림 5-1). 따라서 용매인 물의 동결 즉, 얼음의 형성에 대해 알아보는 것이 동결과정을 이해하고 개선하는 데 도움이 될 것으로 사료된다.

동결보존은 물이 액체에서 고체(결빙 : freezing)로, 다시 고체에서 액체(융해 : melting)로 상전이(phase transition) 과정을 거치게 된다. 일반적으로 상전이는 온도와 기압의 변화로 도식화(그림 5-2) 하는데, 순수한 물의 경우 1기압일 때 어는점(freezing point, T_f)과 녹는점(melting point, T_m)은 0℃이고, 끓는점(boiling point)은 100℃이다. 기압을 높이면 어는점은 낮아지고, 끓는점은 올라가는데, 1기압을 높이면 어는점은 0.01℃가 낮아진다. 그림 5-2의 a–d 선은 기압에 따른 어는점의 변화를 나타내는 선으로 이 선상의 조건에서는 고체와 액체 상태의 물이 평형을 이루며 같이 존재하고 있다는 것을 의미한다[1].

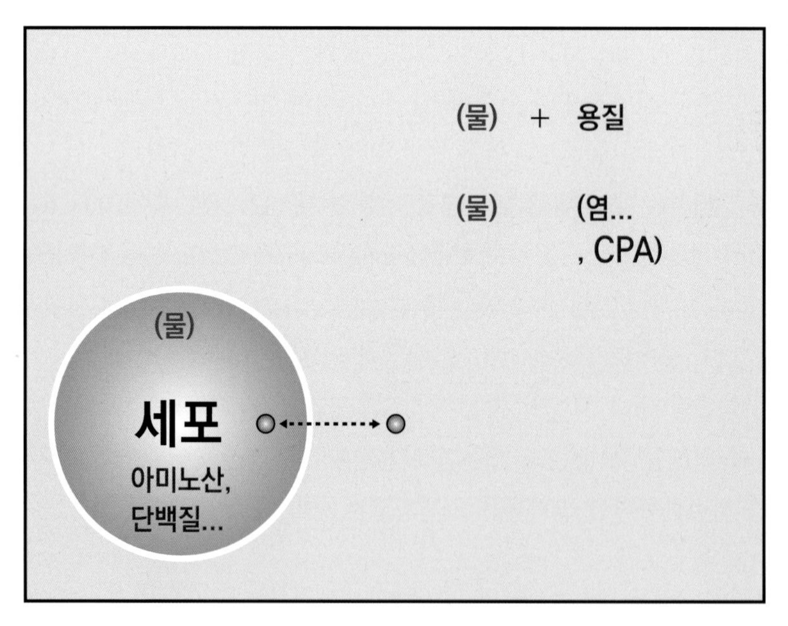

그림 5-1. 단순화한 동결계(cryo system) 배양액 혹은 완충액은 물에 다양한 염(salt)과 에너지원(당, 아미노산 등등)이 용해되어있는 용액이다. 따라서 물은 용매, 나머지는 용질로 단순화할 수 있고, 세포질도 용매인 물과 용질로 단순화할 수 있다.

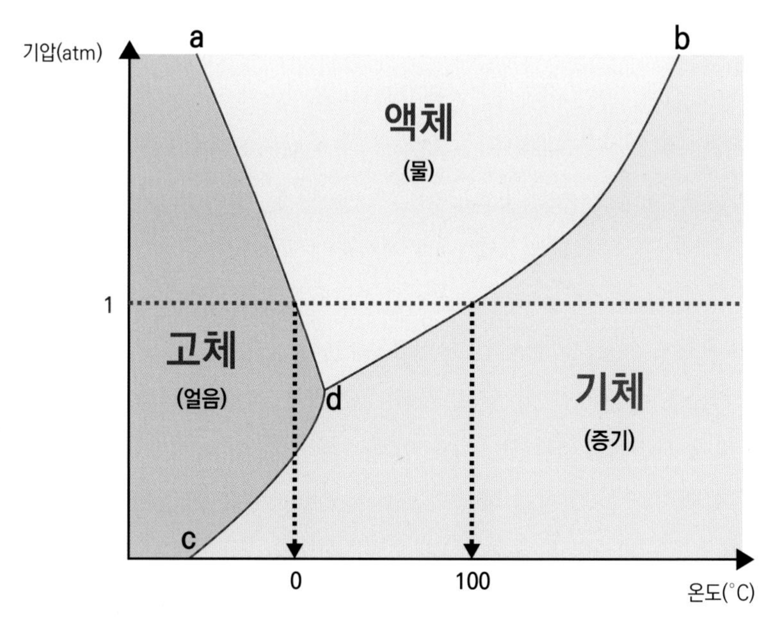

그림 5-2. 물의 상전이 곡선 온도와 기압의 변화로 도식화한 물의 상전이 곡선으로 붉은 점선이 1기압으로 a-d곡선과의 교차점이 어는점(=녹는점)이고, b-d곡선과의 교차점이 끓는점이다.

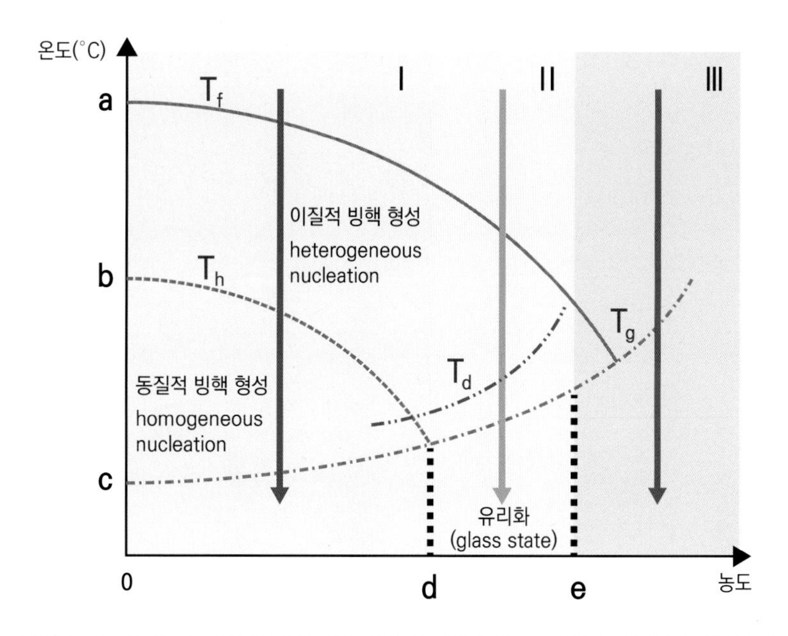

그림 5-3. 동결 시 상전이 곡선 일반적인 상황에서 동결은 기압이 일정하기 때문에 온도와 농도의 관계로 도식화된다. Y축은 농도가 0%이므로 순수한 물에서의 상전이가 일어나는 온도를 나타낸다. T_f와 T_h 사이에서 이질적 빙핵이 형성되고, T_h 아래에서 동질적 빙핵이 형성된다. a. 어는점(=0℃), b. 동질빙핵 시작점(=~40℃), c. 유리화전환온도(= -137℃), d. 유리화요구농도, e. 비유리화가 사라지는 농도, T_f 어는점 곡선, T_h 동질빙핵 시작 곡선, T_g 유리화전환 곡선, T_d 비유리화 곡선, 영역 I. 실제적으로 유리화가 불가능한 조건, 영역 II. 준안정 유리화, 영역 III. 안정적 유리화

일반적으로 동결은 1기압 하에서 시행하는 경우가 대부분이기 때문에 동결과 관련한 상전이 곡선(phase diagram)은 그림 5-3과 같이 용질의 농도(w/w)와 온도의 변화로 그려진다. 농도가 0%인 순수한 물의 어는점을 나타내는 그림 5-3의 점a는 0℃이고, 농도가 증가하면 어는점이 내려가는데 이를 나타내는 곡선이 T_f (=T_m)이며, 평형 동결 곡선(equilibrium freezing curve)이라고도 부른다[2]. 농도가 1 오스몰(osmolal) 높아지면 어는점은 1.86℃ 낮아지는 것으로 알려져 있다[3].

어는점 이하로 온도가 내려가 액체인 물이 고체인 얼음이 되기 위해서 열(잠열 : latent heat of fusion, 334 J/g)을 방출하면 이 열로 인하여 고체와 액체가 혼합되어 있는 물은 다시 어는점 가까이로 온도가 상승하게 된다[1]. 이로 인하여 온도가 어는점(T_f)이하로 내려가더라도 즉각 얼음 결정이 형성되지 않는 현상을 과냉각(supercooling)이라 한다[4].

물 분자는 전기음성도(electronegativity)가 강한 산소(oxygen, O)원자로 인하여 분자를 구성하는 공유결합 이외에 부분적으로 음전하(partial negative)를 띄는 산소와 부분적 양전하(partial positive)를 띄는 다른 분자의 수소(hydrogen, H)원자 사이에 정전기적 인력이 생기는데 이를 수소결합(hydrogen bond)이라 한다(그림 5-4A, B). 이 수소결합으로 인하여 상대적으로 큰 표면장력을 가져 둥근 모양의 물방울을 형성하거나 모세관현상 등 다양한 물의 성질이 나타나는데, 물이 얼음 분자로 바뀔 때 중앙이 비어 있는 육각형(hexagonal)의 분자구조(그림 5-4C)로 수소결합을 형성하여 액체인 물보다 얼음의 비중이 더 낮아지기도 한다. 이 육각형의

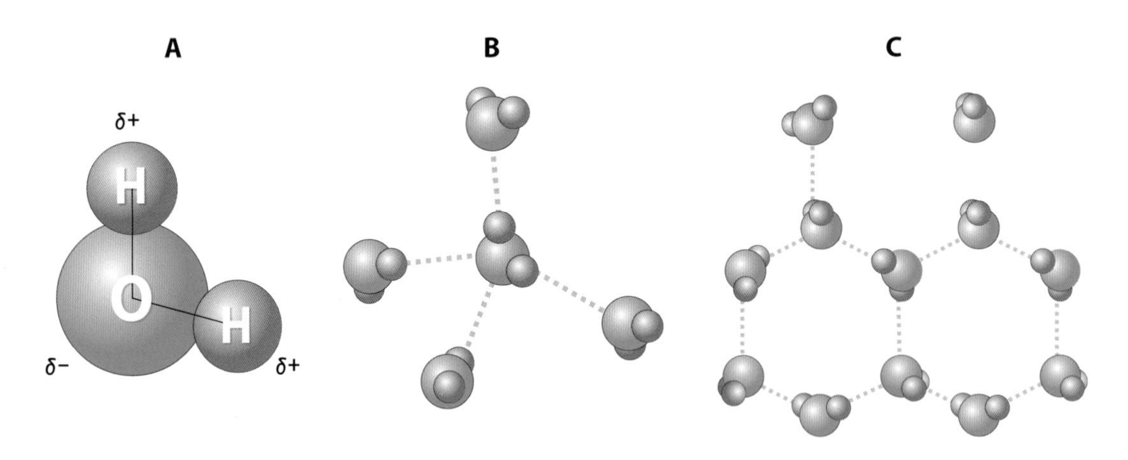

그림 5-4. 물의 분자 구조와 수소결합, 얼음의 구조 **(A)** 물의 분자 구조. 산소원자가 약한 음전하를 가지며, 수소원자는 약한 양전하를 가진다. **(B)** 산소원자와 다른 분자의 수소원자 사이에 수소결합이 생성되는데, 하나의 물 분자는 최대 4개의 다른 분자와 수소결합을 할 수 있다. **(C)** 얼음의 분자구조. 수소결합이 중간이 비어있는 육각형 구조를 형성하는데, 이렇게 구성되는 평면을 기초평면(basal plane)이라 한다.

구조에 또 다른 물 분자들이 수소결합으로 연결되어 얼음의 평면(basal plane)을 만들고 이들 평면들이 넓어지고 층층이 쌓여 얼음 결정(ice crystal)으로 자라난다[5]. 이는 17종에 다다르는 다양한 형태의 얼음 구조 중 하나로 자연 상태나 실험실에서 나타나는 가장 일반적인 구조로, 얼음을 연구하는 물리학자들은 1h 얼음이라고 부른다[6].

실제 얼음 결정이 형성되는 것은, 빙핵(ice nuclear = ice embryo = ice germ)으로 불리는 물 분자들의 집합체가 특정 크기(critical size) 이상이 되어 잠열의 영향을 벗어날 수 있어야 가능하다[1]. 그 크기나 필요한 분자 수에 대하여 명확히 밝혀지진 않았으나, 각 온도가 요구하는 특정한 크기보다 작은 얼음 분자들은 얼음 결정으로 성장하지 않고 그 반대의 경우에만 얼음 표면에 물 분자들이 쉽게 결합하여 결정이 성장한다. 온도가 내려갈수록 얼음 결정으로 성장하기 위해 요구되는 크기가 작아져, 보다 작은 크기의 얼음 결정을 생성할 수 있게 된다[1].

순수한 물의 경우 －40℃ 근처(그림 5-3. 점b)까지만 과냉각이 가능하고 그 이하에서는 얼음 결정이 형성되는데[6], 다른 물질이나 인위적인 유도 없이 얼음 결정을 형성하는 이 현상을 동질적 빙핵 현상(homogeneous ice nucleation)이라고 하며 그림 5-3의 T_h 선은 이 현상이 나타나기 시작하는 온도와 농도를 나타낸다[6, 7].

용액 내에 존재하는 아주 작은 먼지나, 인위적으로 빙핵을 만들어주는 식빙(seeding)을 통하여 동질적 빙핵 현상이 나타나기 전(그림 5-3의 T_f와 T_h사이)에 얼음 결정을 형성하는 것을 이질적(heterogeneous) 빙핵 현상이라 한다. 규산염(silicate), 세균의 표면, 콜레스테롤(cholesterol)과 같은 화합물의 결정(crystalline form), 특수한 단백질 구조 등도 이질적 빙핵 현상을 유도하기 때문에 생체계(biological system)에서는 이렇게 빙핵이 형성되는 경우가 더 빈번하며, －5 ~ －30℃에서 발생한다[6].

유리전이온도(glass transition temperature, T_g)는 냉각과정 중 액체 상태에서 유리 상태로 전이하는 온도, 즉 유리화(vitrification)가 시작되는 온도이다. 그림 5-3에서 T_g곡선은 유리화에 필요한 농도와 온도 곡선을 나타내는 것으로 농도가 증가할수록 유리화되는 온도는 높아진다[2, 7]. 순수한 물의 T_g는 －137℃ (그림 5-3. 점c)로 알려져 있다[8, 9].

비유리화(devitrification, 실투)는 유리화의 가역 반응이 아니며, 유리화된 대상을 녹이는 과정동안 얼음이 형성되는 현상이다[7, 10]. 수는 많지만 크기가 작아 상대적으로 덜 위험한 얼음 결정들이 적은 수의 큰 얼음 결정으로 합쳐져 손상을 유발할 수 있다[7]. 따라서 가온(warming) 때는 더 빠른 속도가 요구된다. 가온 시 －120℃ 근처에서 얼음의 재결정화가 일어난다[11].

얼음이 형성되는 속도보다 냉각 혹은 가온 속도가 충분히 빠르면 얼음의 형성을 막을 수 있는데, 이를 임계 냉각속도(critical cooling rate)와 임계 가온속도(critical warming rate)라 한다. 용질의 화학적 성질뿐만 아니라 전체 용질의 양에 따라 임계 속도가 영향을 받게 된다[7]. 하지만 단일 세포가 아닌 조직이나 기관을 동결보존하기 위해서는 온도가 전달되는 속도를 고려하여야 하기 때문에 상대적으로 느린 속도로 냉각 혹은 가온할 수밖에 없다. 상대적으로 용액의 농도가 낮은 경우(그림 5-3. I 영역) 유리화를 위해서는 동질적 빙핵현상이 일어나는 구간을 통과하여야 하기 때문에 일반적인 속도로는 유리화가 어려우며, 유리화가 된다 하더라도 많은 빙핵을 포함한 상태로 유리화가 되기 때문에 가온 시 비유리화 현상으로 얼음 결정이 재생성된다. 용액의 농도가 높아져 T_h를 T_g와 같아지거나 더 낮게 내릴 수 있으면, 동질적 빙핵형성을 피할 수 있어 유리화가 용이해진다. 그러나 가온속도가 너무 느린 경우 빙핵이 재생성될 수 있기 때문에 준안정 유리화(metastable vitrification)이라 한다(그림 5-3. II 영역). T_h와 T_g가 같아지는 농도(그림 5-3. 점d)를 유리화 요구 농도(concentration needed to vitrify, CNV, C_v)라 한다. 그림 5-3의 III 영역에서 일어나는 유리화를 안정적 유리화(stable vitrification) 혹은 평형 유리화(equilibrium vitrification)라 하는데, 용액의 농도가 너무 높아 얼음이 생성될 수 없는 상태이다. 느린 속도로 가온하여도 비유리화가 되지 않는 (비유리화 곡선이 사라지는) 농도(그림 5-3. 점e)보다 높은 농도에서 일어난다[2, 7].

2 동결손상(cryodamage) 기전

동결은 물 분자가 얼음 결정으로 재배열되는 과정으로, 용액으로부터 용매인 물 분자만을 추출하여 형성되기 때문에 얼음 자체는 거의 순수한 물질이다. 그 결과 남아 있는 용액에서 용매가 감소하여 용질의 농도는 증가하게 된다[6]. 세포가 있는 수용액에서 세포 바깥에 얼음이 형성된 경우 세포 외 용액의 농도가 높아져, 삼투압에 의하여 세포에서 물이 빠져나오게 된다(그림 5-5). 적절한 속도로 온도가 내려가면서 이러한 과정이 반복되면 세포 내외의 농도가 높아짐에 따라 어는점은 더 내려가 세포 내는 얼음이 형성되지 않은 상태로 유지된다[12].

세포 외부에 얼음의 생성이 시작되고, 냉각 속도가 너무 빠른 경우, 세포 내의 물이 채 빠져 나가기 전에 세포 외부의 얼음 형성이 더 빨리 이루어진다(그림 5-6 오른쪽). 이로 인하여 세포 내에 물이 남게 되고, 외부에 비하여 세포 내부가 보다 희석된 상태로 남게 된다. 세포 내에 남아 있는 물은 과냉각된 상태로 존재하게 되는데, 온도가 내려가면 갈수록 과냉각이 심해

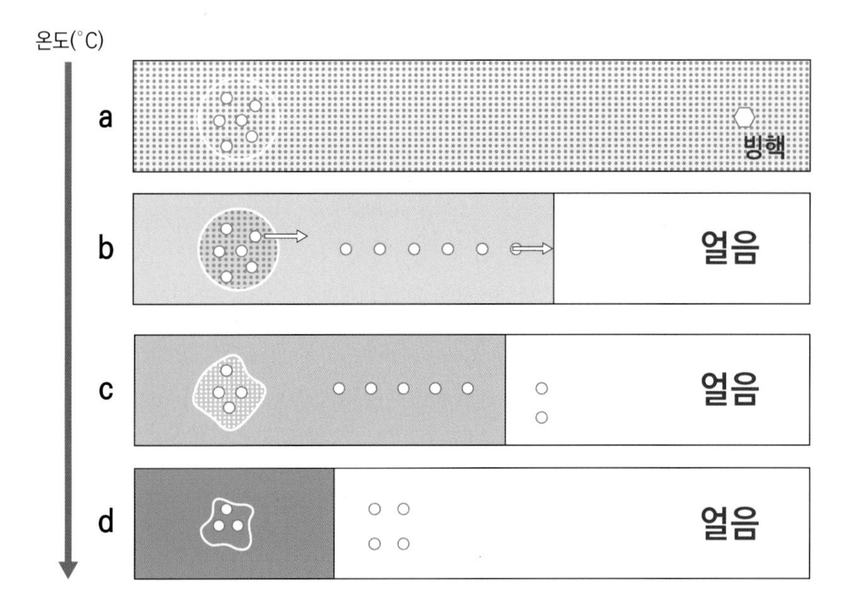

그림 5-5. 얼음의 성장에 따른 얼지 않은 용액과 세포질의 농도 상승 (a) 용액에 있는 세포는 세포 바깥과 삼투압 평형을 이룬 상태이다. 빙핵이 형성되면, (b) 용액 내의 물 분자가 빙핵으로 모여 얼음 결정이 자라난다. 용액으로부터 물 분자가 빠져나가기 때문에 용액의 농도가 높아진다. 삼투압 평형을 맞추기 위하여 상대적으로 농도가 낮은 세포질로부터 물이 빠져 나온다. (c) 온도가 내려가면서 보다 많은 얼음이 형성되면 얼지 않은 용액과 세포의 농도는 더 높아지고, 물이 빠져나간 세포는 수축된다. (d) 얼지 않은 부분의 농도와 온도가 유리화 전환점에 다다르면 해당 부분은 유리화된다.

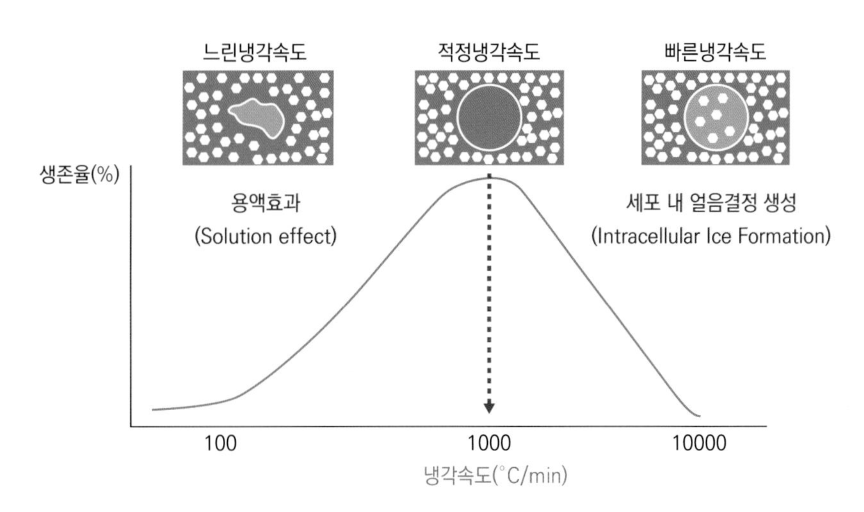

그림 5-6. 동결손상에 관한 가설 세포로부터 물이 빠져나가는 속도와 세포 바깥에서 얼음이 성장하는 속도가 동일한 적정냉각속도에서 동결-융해 후 생존율이 가장 높다. 아래 생존율 그래프는 적혈구에서의 자료이며, 분당 -1000℃가 적정냉각속도이다. 냉각속도가 더 빠른 경우에는 세포로부터 물이 충분히 빠져나오기 전에 세포바깥이 동결되어, 세포 내에 얼음이 형성되고 이로 인하여 세포가 손상을 받는다. 적정냉각속도보다 느린 경우에는 세포로부터 물이 더 빠져나와 세포가 수축하고 세포 내의 농도가 높아져 손상을 받게 되는데, 이를 용액효과라 한다.

지고 세포 내에 얼음이 형성(intracellular ice formation, IIF)될 위험성이 높아진다[7, 13]. 일단 세포 내에 얼음이 형성되면 세포 외부로 물이 빠져 나가지 않고 세포 내 얼음을 성장시킴으로서 세포 내외의 삼투압평형을 이루는 것으로 알려져 있다[12, 14]. 대부분의 IIF는 세포에 치명적인데, 생성된 얼음이 세포막을 비롯하여 여러 세포소기관에 물리적 손상을 유발하기 때문인 것으로 생각하고 있다[14]. 서로 다른 물 투과성을 가지는 세 유형의 세포(생쥐 난자, 헬라세포(HeLa cell), 적혈구)에서 IIF의 발생과 생존율을 비교한 결과 역상관관계를 나타내는 것으로 알려져 있다[15, 16]. 세포와 세포의 접촉여부, 세포의 부착 상태 등에 따라 IIF의 발생 정도가 달라지는데, 세포 부유액(cell suspension)보다 군락(colony)을 이루거나 세포가 모여 구체(spheroid)를 형성한 경우 IIF가 보다 쉽게 발생하였다[17].

얼음의 크기가 작은 경우 세포의 생존과 관계없는 것으로 밝혀지고 있는데, 헬라세포에서 0.05 ㎛ 이하의 얼음은 무해하다고 하였고[15], 림프모구(lymphoblast)를 이용한 연구에서는 생존한 세포의 경우 느린 속도로 냉각하여 0.5 ㎛보다 작은 얼음이 생성되었고, 빠른 속도로 냉각한 경우 2–3 ㎛이상의 얼음이 생성되고 모두 생존하지 못하였다[18]. 적정 속도로 냉각하지 못하여 세포 내에 물이 남아있어 IIF가 발생하더라도 비교적 느린 속도로 냉각하면 대부분 작은 크기의 얼음이 형성되어 치명적인 손상을 피할 수 있는 것으로 알려져 있다[19, 20]. 세포손상이 IIF의 결과가 아니라 원인일 수도 있다는 연구들도 있다[12, 14].

세포로부터 물이 빠져나오는 속도보다 얼음이 성장하는 속도가 느린 경우 세포는 수축된다(그림 5-6 왼쪽). 수축된 세포가 용질이 농축된 상태로 오래 지속되는 경우 고농도의 용질에 의한 독성이 나타나게 되며, 이를 용액효과(solution effect)라 한다[4, 21, 22]. 기전은 정확하지 않지만 높아진 용질의 농도와 수소이온농도(pH)의 변화로 인하여 세포막에 비가역적인 손상이 야기되고, 융해(thawing) 시에 세포가 용해(lysis)되는 것으로 설명하고 있다[4, 6, 21]. 자유롭게 확산하지 않고 세포에 고정된 물(cell bound water)은 세포막과 세포소기관의 구조와 연관이 되어있는데, 과도한 탈수로 인하여 이들 고정된 물까지 빠져나와 세포에 손상을 입힐 수 있다는 또 다른 가설도 있다[6].

적정한 냉각속도는 세포의 탈수 속도와 연관하여 결정되는데, 이는 다음과 같은 수식으로 정리될 수 있다.

$$\text{탈수속도} = (\text{세포의 표면적} / \text{세포의 부피}) \times L_p \times dH$$

L_p는 세포막의 투과성으로 일반적인 포유동물 세포의 경우 0.43 $m^3/m^2 \cdot min \cdot atm$으로

알려져 있으며, 세포에 따라 차이가 있는데, 적혈구나 정자의 경우 일반적인 포유류 세포에 비하여 매우 큰 것으로 알려져 있다. dH는 열에너지의 변화인데, 10℃ 낮아질 때 마다 1/2씩 감소한다. 또한 세포의 표면적이 넓고, 세포의 부피가 작을수록 탈수 속도는 빨라진다[22]. 이런 차이들로 인하여 적혈구의 경우 적정 냉각속도가 1,000℃/min인데 비하여 인간의 림프구(lymphocyte)는 10℃/min, 생쥐 난자는 0.1−0.3℃/min으로 서로 다르다[15, 21].

가온 혹은 융해 과정 동안에도 손상이 발생할 수 있는데, 이는 동결 시 IIF가 발생하였는지 혹은 세포가 탈수(dehydration)되었는지에 따라 다르다. IIF가 발생한 경우 빠른 속도로 융해하면 많은 경우 손상을 피할 수 있는데, 작은 얼음 결정이 위험한 큰 얼음 결정으로 성장하는 재결정화(recrystallization)을 막을 수 있기 때문이다. Mazur의 리뷰에 의하면 다양한 세포들(CHO, 인간과 생쥐의 줄기세포, 적혈구, 생쥐 배아, Yeast, 백합의 꽃가루 등)에서 빠른 가온이 느린 가온에 비하여 생존율이 높았다[15].

냉해(Chilling injury)는 생리적 온도이하, 0℃ 이상에서 나타나는 손상으로 냉각하는 동안 세포막의 구조와 기능을 변화시키는 세포막 지질(membrane lipid)의 상전이로 인하여 발생한다[23, 24, 25]. 냉각하는 동안 열에너지가 손실되어 지질 이중막(lipid bilayer)의 분자운동이 감소하고 이에 따른 유동성(fluidity) 변화로 기능이 손상 받는 것으로 이해되고 있다[24]. 또한 세포 내 지질과립(cytoplasmic lipid droplets)과 감수분열 방추체(meiotic spindle)를 포함한 미세소관(microtubule)의 손상으로도 일어난다[26]. 냉해는 냉각과정에서 일어나는 손상으로 주로 완만동결 시에 관찰되며, 빠른 속도로 냉각하면 냉해를 방지할 수 있다[7].

3 완만동결

완만동결은 세포의 탈수 속도에 맞추어 외부의 얼음이 성장하도록 냉각속도를 조절하여 세포로부터 물을 충분히 빼내고, 세포 내외의 얼지 않은 부분의 농도와 온도가 어는점 곡선(그림 5-3. T_f)을 따라 움직여 최종적으로 유리화 전환 온도에 이르러 유리화되게 하는 방법으로, 세포로부터 탈수 속도와 세포 외부 얼음의 성장 속도가 평형을 이루기 때문에 평형 동결법(equilibrium freezing)으로 불리기도 한다[27].

CPA가 포함된 용액에 세포를 넣으면(그림 5-7. a), 삼투압에 의해 투과성이 높은 물이 세포로부터 먼저 빠져나와 수축되었다가(그림 5-7. b), 투과성(permeable) CPA가 세포로 들어가면서

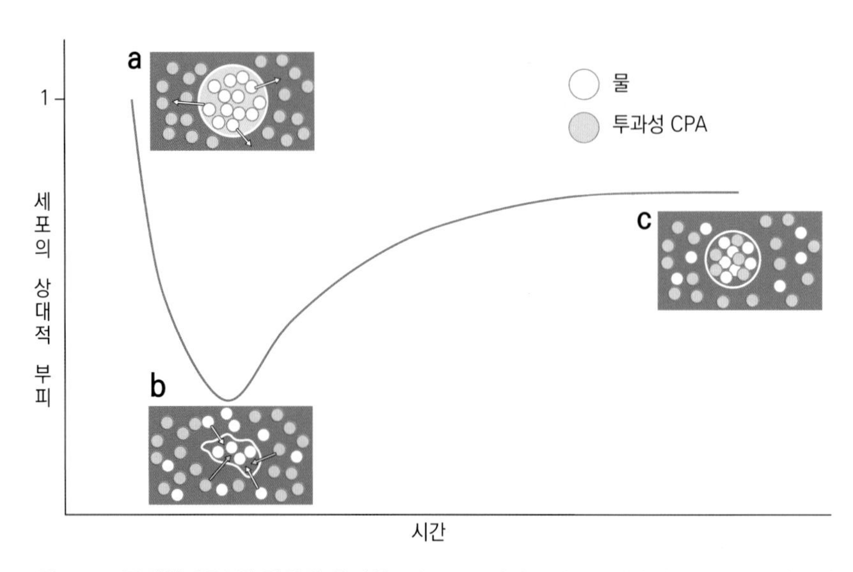

그림 5-7. 투과성 CPA의 적용과 투과성 세포를 투과성 동결보호제가 있는 동결보존액에 넣으면**(a)**, 세포 내의 농도가 낮기 때문에 투과성이 높은 물이 세포에서 먼저 빠져나가서 세포가 수축하게 된다**(b)** . 그후 투과성 CPA가 세포 내로 들어가면서 일부 물도 확산되어 들어가 세포의 부피가 회복된다**(c)** . 회복되는 속도와 정도는 CPA의 투과성에 따라 달라진다.

일부 물도 들어가 부피를 회복하고, 삼투압 평형을 이루게 된다(그림 5-7. c) [7, 22].

등장액(삼투압 약 300 mOsm/Kg)의 경우 얼음 결정은 일반적으로 －5℃에서 －15℃ 사이에서 생성된다. 동결과정에서는 세포 외부에 얼음을 형성시키기 위하여 －5℃ 근처에서 식빙을 한다[22]. 이렇게 얼음의 형성을 조절하지 않으면 50%이상의 경우에 －10℃이하에서 이질적 빙핵이 형성되고, 잠열로 인하여 용액의 어는점 가까이 온도가 상승한 후 다시 주변 온도와 같아지는데, 이 과정이 급격히 진행된다[28].

포유류 난자와 배아에서 －9℃ 이하에서 식빙하는 것보다는 동결보존액의 어는점과 차이가 크게 나지 않는 －5℃에서 －7.5℃ 사이에 식빙하는 것이 보다 높은 생존율을 보이는데[29], 서로 다른 종(species)과 발달단계, 사용하는 CPA에 따라 조금씩 온도의 차이는 있지만 식빙을 시행하는 온도와 어는점과의 차이가 커지면 생존율이 떨어지는 것으로 알려져 있기 때문이다[30, 31]. 뿐만 아니라 다양한 줄기세포들(stem cell), 간세포(hepatocyte), 말초혈액에 존재하는 단핵세포(mononuclear cell)와 T세포(T cell)에서도 식빙의 유용성이 확인되었다[28].

이후 생성된 얼음 결정이 온도를 낮춤에 따라 성장하는데, 세포 내의 물이 충분히 빠져나올 수 있는 적정 속도로 냉각하면, 세포 내 용액에서 CPA의 농도가 상승하고 점성이 높아져 계속 냉각을 하더라도 더이상 얼음이 형성되지 않은 상태가 되면 냉동되지 않은 용액은 궁극적으로 유리화되고 동결이 종료된다. 비교적 낮은 농도의 CPA를 이용하지만 실제 동결이 종료된 상태에서 세포 내 CPA의 농도는 유리화동결에 비하여 더 높아진다[2, 11]. 10%(v/v)의 glycerol 용액을 −38℃까지 천천히 냉각하였을 때 약 67%까지 농축되는 것으로 보고된 바 있다[9].

4 유리화동결

유리화는 냉각과정 동안 용액의 점성이 극단적으로 증가하여 얼음 결정의 형성 없이 저온에서 용액이 유리처럼 비정형(amorphous) 상태로 고체화되는 현상으로, 동결(freezing)을 피하여 전체 시스템 내에 얼음을 형성하지 않도록 하는 것이 목적이다[2].

얼지 않은 액체 부분의 점성이 -10^{13} Poise (P)로 상승하는데, 20℃ 물의 점성이 1.002 cP (1cP = 0.01P)인 것을 고려하면 거의 1,000조(10^{15})배 높아지는 것이다[7, 15, 32]. 10^{7}℃/sec의 냉각속도면 순수한 물도 유리화 가능하지만 일반적인 실험실 상황에서는 불가능한 속도이다[26]. 유리화를 위해서는 빠른 냉각속도와 점성을 높이기 위한 고농도의 CPA가 필요로 한다. 또한 열 전도를 고려하여 부피가 작을수록 유리하다. 이런 관계에 따라 일반적으로 유리화의 가능성(확률)은 아래와 같은 수식으로 표현된다[25].

$$\text{유리화 가능성(확률)} = \frac{\text{냉각(가온)속도} \times \text{점성}(\textit{CPA}\text{농도})}{\text{부피}}$$

유리화동결은 다음과 같은 여러 장점이 있다[7]. 첫째, 완만동결을 위하여 필수적으로 인지하여야 하는 적정 냉각속도(optimal cooling rate)는 세포에 따라 달라 실험적으로 확인해야 하기 때문에 편의성이 떨어지고, 특히나 여러 세포들로 이루어진 조직의 경우에는 더욱 더 어려운 일이다. 또한 첨가한 CPA로 인하여 적정 냉각속도가 변화할 수도 있다. 하지만 유리화동결은 이를 확인할 필요가 없다. 둘째, 비록 높은 농도의 CPA를 사용하지만, 실제 세포 내에 유입되는 투과성 CPA의 농도는 완만동결 시 최종적으로 도달하는 세포 내 농도보다 낮다[11]. 셋째, 유리화동결은 냉해가 진행되는 속도보다 냉각속도가 빨라 냉해를 입지 않도록 한다. 넷째,

완만동결 시 생성된 세포 외부의 얼음이 성장하면서 세포나 조직을 손상시킬 가능성이 있으며 세포 내외에서 발생하는 재결정화 또한 세포를 손상시킬 수 있다. 유리화는 동결대상을 포함하여 용액 전체에서 얼음이 생성되지 않기 때문에 이런 가능성은 없다.

그러나 유리화는 매우 높은 농도의 CPA를 사용하기 때문에 이를 견디기 위하여 CPA의 첨가와 제거에 정교하고 복잡한 방법이 필요하다. 또한 유리화가 보장되는 CPA의 농도와 노출 시간, 해동 과정에서 얼음이 없는(ice-free) 상태를 유지하기 위한 조건들이 항상 명확하게 정해져 있지 않아 연구가 필요한 상황이며, T_g 이하로의 빠른 냉각과 가온이 세포 등 생체물질이 박혀있는(embedded) 유리(glass)의 균열을 야기하여 이로 인한 세포의 손상이 발생할 수도 있다. 이러한 균열을 방지하기 위하여 T_g 보다는 낮지만 액체질소의 끓는점(-196℃) 보다는 높은 -130 ~ -160℃(intermediate temperature)에 보관하는 경우가 있는데, 장기 보관 시 이의 안정성에 대한 검증이 필요하다. 마지막으로 밀봉되지 않은 동결용기(carrier)의 사용으로 인한 오염의 위험성 또한 고려하여야 한다[7].

고농도의 CPA가 독성을 야기할 수 있어 CPA의 량을 줄이거나 독성을 줄이기 위하여 다양한 노력이 있어왔다. 용액의 정수압(hydrostatic pressure)을 증가시키면 빙핵 형성 온도(T_h)는 낮추면서 T_g는 높일 수 있어 CPA의 농도를 낮출 수 있고, 보다 유리화되기 쉬운 CPA를 이용하여 CPA의 량을 상대적으로 줄일 수 있다[2, 33]. 또한 CPA의 독성 감소를 위하여, 삼투압에 의한 손상을 피하기, 두 종류 이상의 CPA 조합, 하나 혹은 그 이상의 비투과성(non-permeable) CPA 사용, 가능한 낮은 온도 유지, CPA에 노출되는 시간의 최소화, CPA의 독성을 중화시킬 수 있는 물질의 사용 등이 제시되었다[2, 7].

두 종류 이상의 CPA를 조합하면 각각의 CPA 농도를 감소시켜 각 CPA의 독성으로 인한 손상을 줄일 수 있고, 비투과성 CPA의 사용으로 점성을 증가시킬 수 있어 투과성 CPA의 농도를 감소시킬 수 있는 것으로 알려져 있다[34, 35]. 실제 유리화동결에서는 투과성 CPA와 비투과성 CPA를 조합하여 사용한다.

고농도인 유리화용액(vitrification solution)에 노출되는 시간을 줄기기 위하여 처음에는 낮은 농도의 CPA(평형용액: equilibration solution)에 노출시킨 후, 유리화용액에는 짧은 시간 동안만 노출시키는 2단계 평형법을 많이 이용하고 있다[36]. 가능한 낮은 온도를 유지하기 위하여 동결보존액을 미리 차갑게 해두기도 한다[37].

최근에는 동결 차단제(ice blocker)의 사용, 메틸화된 CPA (methoxylated CPA)의 사용, CPA의 적용과 제거 시에 보다 정교한 방법 이용, 유리화 능력이 약한 CPA의 사용 등, 독성을 줄이는 방법이 추가적으로 제시되기도 하였다[7].

생쥐 접합자(zygote)의 유리화동결에서 투과성 CPA의 농도가 6.4 M인 유리화동결보존액을 사용하였음에도 불구하고, 실제 세포 내로 유입되는 투과성 CPA의 농도는 약 2.14 M로 1/3 수준 밖에 되지 않았다는 보고가 있었다[11]. 세포 내 CPA의 농도가 낮음에도 불구하고 성공적으로 유리화가 된 이유를 세포질에 존재하는 단백질, 아미노산, 중합체(polymer), 핵산 등 다양한 고분자화합물들과 세포소기관들이 투과성 CPA와 세포 내 물을 대체하는 탈수과정에서 농축되어 세포 내 고분자화합물의 농도가 증가하는 세포 내 고분자화합물 군집(macromolecule crowding) 현상으로 인하여 세포 내에서 얼음의 형성이 저해되고, 군집된 고분자화합물들과 CPA들로 인하여 점성이 점점 증가하여 콜로이드성 유리(colloidal glass)를 형성하기 때문이라고 하였다. 따라서 세포 내외에서 일어나는 유리화에 영향을 주는 요소는 차이가 있으며, 세포 내에서 일어나는 유리화에는 앞서 제시한 냉각속도, CPA의 농도(점성) 그리고 부피와의 상관관계에 더하여 새로운 요인인 세포 내 군집화(intracellular crowding, IC crowding)를 추가하여 아래와 같은 관계식을 제시하였다[9].

$$\text{세포 내 유리화 가능성(확률)} = \frac{\text{냉각(가온)속도} \times \text{점성}(\mathit{CPA}\text{농도}) \times \text{세포 내 군집화}}{\text{부피}}$$

세포 내 군집화의 정도는 세포 내로 들어오는 CPA의 수와 노출시간 등에 영향을 받는 것으로 알려져 있어[9], 2단계 평형법 시행 시 1차 동결액(평형용액)에 노출시키는 시간에 대한 연구가 필요할 것으로 사료된다.

5 동결보호제

CPA는 동해(freezing injury)를 완화하거나 방지하는 물질들을 총칭으로, 동결하기 전에 적용하여 융해 후 생존율을 첨가하지 않았을 때 보다 높이는 모든 첨가물을 의미한다[38]. 초기에는 융해 후 40% 이상의 생존율을 기준으로 50여종 이상의 화합물이 제시된 바 있으나 표 5-1은 여러 검증을 통하여 현재 진핵생물의 동결에 사용하고 있는 CPA들의 목록이다[6].

표 5-1. **동결보호제**

막투과성	분류	CPA
투과성 (Permeable)	Sulfoxides & amides	Dimethyl sulfoxide (DMSO)[1] Acetamide Formamide
	Alcohol & Derivatives	Methanol Glycerol[2] Propylene glycol (PrOH)[3] Ethylene glycol (EG)[3]
	Amino acid	Proline[3] Glutamine Betaine
비투과성 (Non-permeable)	Sugars & sugar alcohols	Glucose Galactose Sucrose[3] Trehalose[3] Raffinose[3] Mannitol
	Polymers	Polyethylene glycol (PEG)[3] Polyvinylpyrrolidone (PVP)[3] Dextrans[3] Ficoll[3] Hydroxyethyl starch[3] Serum proteins (complex mix)[3] Milk proteins (complex mix)

- CPA의 효율성 : 1>2>3>무표시

CPA가 물 분자와 수소결합을 하여 물의 성질을 바꿔 효과를 얻는 것으로 생각하고 있는데[38], 용질과 결합된 물 분자는 삼투압적으로 불활성화되어 얼음 결정형성에 쉽게 참여할 수 없기 때문이다[6]. 따라서 일반적으로 수소결합을 할 수 있는 위치가 많은 CPA가 효율이 더 좋은 것으로 알려져 있다[39]. CPA의 농도를 높이면 유리화에는 유리하지만 삼투압과 화학독성에 의한 손상이 일어날 가능성이 높다. CPA가 보호하는 정도는 세포 내외의 내재되어 있는 용질들과의 몰비에 의해 결정되는데, 각 물질의 성질이 아니라 농도에만 의존하는 이러한 특성을 총괄성(colligative property)라 한다[38].

일반적으로 세포는 삼투압 농도 4배 증가, 2배 감소 정도를 견딜 수 있다. 동결 전 CPA

를 첨가할 때나, 해동 후 제거할 때 세포의 과도한 수축이나 팽창으로 인하여 손상 받을 수 있으므로 세포의 삼투압 허용치(osmotically tolerable limit)를 초과하지 않도록 하여야 한다[7]. 동결과정 동안 세포 내 CPA의 농도가 상당한 수준으로 높아지기 때문에 CPA의 제거를 위하여 융해 후 등장액으로 바로 희석을 하는 경우 상당량의 물이 세포 내로 유입되면서 세포막의 특성을 비롯하여 항상성 기전의 손상을 야기할 수 있다. 이를 방지하기 위하여 삼투압 완충제(osmotic buffer)로 비투과성 CPA를 이용하거나 점진적인 희석법을 이용하고 있다. 최근에는 정교한 수학적 모델링을 적용하여 인간난자와 조직에서 점진적 희석법에 비하여 독성이 적은 방법을 제시하기도 하였다[6, 40-43].

1) 투과성 동결보호제

효과적인 투과성 CPA는 고농도에서도 물과 쉽게 혼합되거나 용해되어야 하며, 독성이 작고, 아주 낮은 온도에서도 용액으로 유지되어야 한다. 무엇보다도 세포막을 투과할 수 있어야 한다[7].

모두 분자량이 작으며, glycerol의 분자량이 92.09로 상한에 가깝다. 세포막을 투과하여야 하기 때문에 고정된 순전하(fixed net charge)를 가지지 않는데, 일시적으로 전하를 띄는 경우에는 투과성 CPA로 이용될 수도 있다[7]. 이들 투과성 CPA는 세포에 대한 투과성과 그들 자체의 독성에 따라 효율성이 정해진다. 대부분 1M 정도의 농도에서는 상대적으로 독성이 없다[4].

투과성 CPA로는 dimethyl sulfoxide (DMSO; 분자량 78.13), ethylene glycol (1,2-ethandiol, EG; 분자량 62.07), glycerol, propylene glycol (1,2-propanediol, PrOH; 분자량 76.09) 등이 가장 보편적으로 이용된다.

세포를 투과성 CPA 용액에 넣으면 삼투압으로 인하여 물이 빠르게 빠져나가 세포의 부피가 줄어들게 된다. 삼투압 평형에 다다르면 투과성 CPA가 물과 함께 세포로 들어오게 되어 원래 세포의 부피에 가까워진다(그림 5-7)[7, 22]. CPA의 투과성 정도에 따라 세포의 부피가 회복되는 시간과 정도는 다른데 PrOH의 투과성이 생쥐 난자에서 비교적 높은 것으로 알려져 있다(표 5-2). 투과성이 높은 경우 CPA의 적용과 제거를 빠르게 할 수 있어 세포가 CPA에 노출되는 시간을 줄일 수 있어 유리하다[27]. 그러나 세포의 종류나 발달단계에 따라 투과성은 다르기 때문에 CPA의 선정 시 유의하여야 한다[44].

보편적으로 사용하는 투과성 CPA 중 EG의 독성이 가장 낮으며, 표 5-2에 독성의 정도를

표 5-2. **난자와 배아에 흔히 사용되는 투과성 동결보호제의 특성비교**

	Toxicity[1]	Glass former[2]	Permeability[3]
Low	EG	Acetamide	Glycerol
	PrOH	EG	EG
↓	Glycerol	PrOH	Acetamide
	DMSO	Glycerol	DMSO
High	Acetamide	DMSO	PrOH

1. 참고문헌[36]
2. 참고문헌[10]의 자료
3. 참고문헌[40]의 생쥐 난자 자료

나타내었다. 독성의 정도는 투과성의 경우와 유사하게 배아의 종, 발달단계, 배양조건에 따라 달라지는데, 생쥐 배아의 경우 EG보다 PrOH에서 더 높은 생존율을 보인다[36]. 또 다른 특성 중 하나인 유리형성능력(glass-forming properties)은 DMSO가 가장 높았다[10]. 각 CPA의 조합에 대한 다양한 시도들이 있었으며, EG과 DMSO 혼합액이 가장 널리 사용되고 있고[33], 일부 연구에 따르면 혼합액의 투과성이 각각의 투과성보다 높다고 한다[26].

2) 비투과성 동결보호제

당(Sugar)과 고분자화합물들로 투과성 CPA와 유사한 요구조건들이 있지만 더 낮은 농도로 이용되고 정의처럼 세포막을 통과하지 못하여 세포 외부에 존재하게 된다[45]. 대부분 독성이 적고 투과성 CPA가 없을 경우 보호효과를 나타내지 못하는 것으로 알려져 있다[6]. 세포 외부의 삼투압을 높여 세포의 탈수를 도우며[46], 투과성 CPA의 효율을 높여주거나 전체 CPA의 농도는 유지하면서 투과성 CPA의 양을 줄일 수 있어 투과성 CPA의 독성효과를 줄일 수 있다[6]. 또한 세포 외부의 T_g를 상승시켜 유리화를 용이하게 한다[7]. 단백질과 세포막을 안정화시키면서 얼음의 성장을 막는 것으로 알려져 있다[4].

(1) 당

비투과성 CPA로 sucrose, trehalose, glucose, galactose, mannitol, raffinose 등의 당을 들 수 있다. 이들 당들은 세포의 구조적 안정성을 유지하면서도 삼투압을 높여 세포의 탈수를 돕는다.

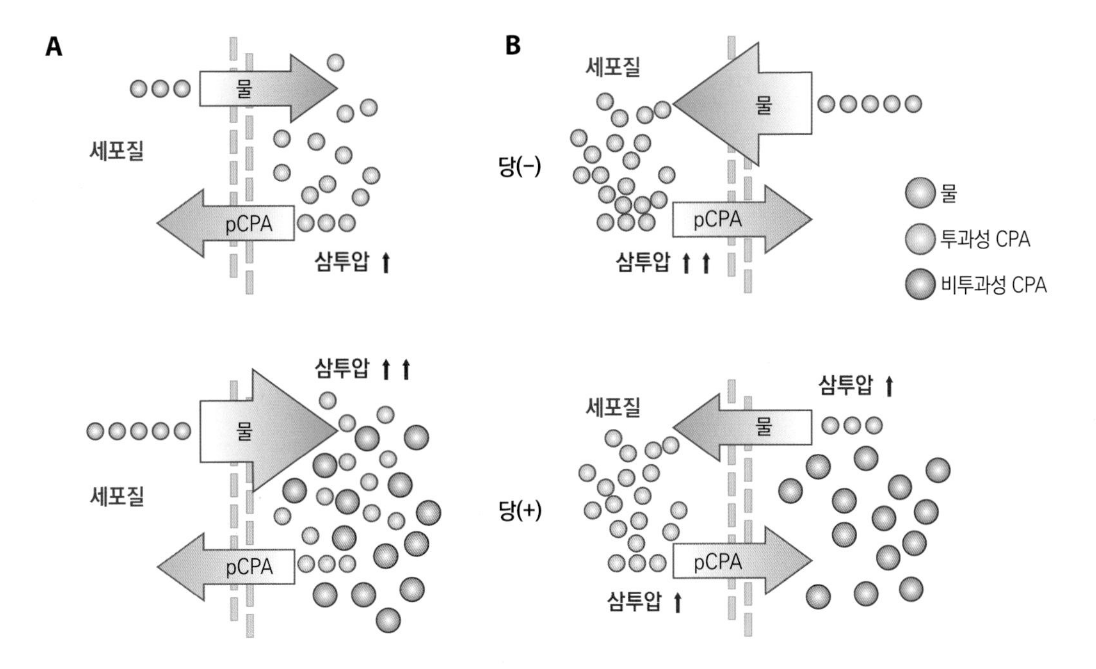

그림 5-8. 투과성 CPA 적용과 제거에서 당의 역할 **(A)** 동결 전 투과성 CPA 적용(전 평형 과정). 삼투압의 효과로 물이 세포로부터 제거되고 투과성 CPA가 세포 내로 들어가지만, 동결용액에 당을 추가하면 삼투압이 커져 물이 제거되는 속도가 빨라져서 빠르게 CPA를 적용할 수 있다. **(B)** 융해 후 투과성 CPA의 제거. 융해 후 세포 내의 투과성 CPA의 농도는 최초 동결보존액에서 보다 높은 상태로, 세포 외부로부터 많은 양의 물이 빠르게 유입되어 세포가 견딜 수 있는 한계를 넘어설 수 있다. 외부 용액에 당을 첨가하여 삼투압 차를 줄여 이로 인한 손상을 막을 수 있다.

당에 전평형(pre-equilibrium)을 시키면 보다 많은 물을 제거할 수 있어 투과성 CPA에 노출되는 시간을 줄일 수 있으며, 유리화에 필요한 CPA의 양 또한 줄일 수 있다(그림 5-8A). 융해 혹은 가온 후 CPA를 제거하는 과정에서는 삼투압 완충효과를 나타내어 너무 빠른 속도로 물이 세포 내로 들어가 세포가 팽창하는 것을 막을 수 있다(그림 5-8B)[6, 34, 35, 46].

단당(monosaccharide)이 이당(disaccharide)에 비하여 저온에서 더 잘 용해되어 유리하지만 단당은 비효소적인 글라이코실화(glycosylation)가 쉽게 일어나기 때문에 이당 혹은 다당(polysaccharide)이 더 많이 이용된다[46].

Sucrose가 유리화냉각 시 표준 구성물질로 자리 잡고 있는데, trehalose가 그 역할을 꾸준히 도전하고 있다. 여러 비교 연구에서는 trehalose가 보다 좋은 효과를 나타내는 것으로 보고되었음에도 불구하고 보편적으로 사용되지는 못하고 있다[26].

(2) 고분자화합물

일부에서는 polyethylene glycol (PEG), Ficoll, polyvinylpyrrolidone (PVP), dextran과 같은 고분자화합물들을 첨가하기도 한다. 이들 물질들은 다른 CPA에 비하여 그 독성이 낮고, 상당량의 투과성 CPA를 대체할 수 있어 전체적인 독성을 줄일 수 있다. 이들 화합물이 가지고 있는 친수성 곁사슬(hydrophilic side chain)들이 수소결합을 할 가능성이 높아 용액의 점성을 높여주며, 빙핵의 형성을 억제하거나 불활성화시킨다[38]. 또한 투명대가 깨지는 것을 보호하는 것으로 알려져 있다[36].

Ficoll이 가장 널리 사용되는데, 특히 EG, sucrose와 함께 사용된다(EFS solution). 그러나 이들 고분자화합물들은 유리화 전환 자체에는 거의 영향을 미치지 않는 것으로 알려져 있다[35].

3) 다른 개념의 동결보호제들

얼음이나 얼음 핵과 반응하여 얼음 핵의 형성, 성장을 감소시키거나 방지하는 분자들을 동결 차단제라 하는데, 얼음 결정에 흡착하여 얼음의 성장 방지하는 항동결단백질(antifreezing protein, AFP)과 얼음의 재결정화를 방지하는 재결정방지제(ice recrystallization inhibitor, IRI)도 동결 차단제의 한 종류로 볼 수 있다[7].

AFP나 항동결 당펩타이드(antifreeze glycopeptide)가 존재하는 경우 녹는점은 변화하지 않지만 어는점이 내려가는 온도 이격(thermal hysteresis)현상이 발생한다. 이들 물질이 용액에서 전체적인 용질의 농도를 높여 어는점을 낮추는 총괄성 어는점 강하(colligative freezing point depression)를 야기하여 발생할 수도 있으나, 자라나는 얼음 표면(surface of propagating ice plane)에 이들 물질이 흡착하여 더이상 얼음 결정이 성장하지 않도록 한다[38]. AFP 펩타이드 상에 극성을 띄는 잔기(polar resiudes)와 얼음 표면의 산소 원자 사이에 수소 결합으로 인하여 나타나는 것으로 일부 어류에서 보고된 바 있으나 아직은 많은 연구가 필요한 분야이다[6].

AFP가 동결보존용액의 첨가제로 연구되고 있지만, AFP와 CPA의 농도와 유형에 따라 이격된 어는점 이하로 내려가는 경우 AFP가 포함된 용액은 종종 일반적인 육각 얼음보다 더 치명적인 구조를 가진 얼음 결정을 형성할 수도 있다[6].

합성된 유사 항동결 단백질 분자(synthetic AFP-like molecules)들의 라이브러리(library)가 개발되어 그 기능성에 대한 점검들(screening)이 활발히 이루어지고 있는데, 얼음과의 결합 혹은 얼음의 형태와 연관된 온도 이격에 대한 연구와 얼음과의 결합과는 관련이 없는 얼음 재결정화 방지에 관한 연구로 나누어 볼 수 있다. 일반적으로 온도 이격과 재결정화 방지는 AFP에서 같이 일어나는 현상이지만, 구조-특성 연구를 통하여 이 두 현상은 서로 연관이 없는 것으로 알려져 있다. IRI로의 활성은 있지만 온도 이격 효과는 없는 경우도 있다. 다른 부위는 모두 동일한 분자라 할지라도 탄화수소 부분(carbohydrate moieties)의 수산화기(hydroxyl groups) 위치가 아주 미세하게 변화하면 IRI로의 효과에 영향을 받는 것으로 알려져 있다. 이러한 구조적 미세 변화가 얼음 결정 주변에 위치한 물과 이들 분자의 상호작용 영향을 준다. 이들 분자와 인접한 물 분자의 유동성(mobility)을 감소시켜 작은 얼음 결정에서 큰 얼음 결정으로 물 분자가 확산하는데 영향을 주어 재결정화를 막는다[6].

빙핵형성제(ice nucleating agent, INA)를 이용하여 얼음 형성을 유도하는 과정을 통하여 극한 상황에서 생존하는 기전을 가진 생명체들이 있으며, 이는 세포 외부에 얼음을 형성시켜 세포 내 얼음의 형성을 방지하는 얼음 형성의 조절이라는(regulated ice formation) 개념과 유사하다. 많은 경우 세포에 존재하는 세균과 같은 외부 물질들과 연관되어 있으나, 빙핵 활성화 단백질(ice nucleation protein, INP)로 알려져 있는 특수한 단백질이나 지질단백질들과도 연관이 있다[6, 38].

6 동결-해동 프로그램의 생식의학분야 적용과 고려 요인

1) 동결-해동 프로그램의 보조생식술과 가임력보존에 적용

보조생식술 분야에서 동결-해동 프로그램은 생식세포나 배아의 보존을 목적으로 우선적으로 도입되었다. 구체적으로 생식세포를 공여할 때 시간과 공간의 불일치 극복을 위해, 또한 잉여 생식세포와 배아의 동결보관 후 필요할 때 사용을 목표로 하였다. 지난 수십 년 동안 수행된 많은 연구의 결과를 통해 동결보존 된 생식세포와 배아를 이용한 보조생식술의 임상결과가 동결하지 않은 것을 사용한 시술프로그램과 유사할 정도의 만족할 만한 성과를 얻게 되었다. 이러한 결과들을 바탕으로 동결-해동프로그램은 항암치료를 받거나, 질환 치료와는 상관없이 임신능력만을 보존하기 위한 여성의 가임력보존의 영역으로 그 적응증을 넓혀가고 있다. 또한 항암치료의 경우 가임기 여성 이외에도 미성년의 여성도 가임력보존의 필요성이 있어 난자와 배아 이외에도, 난소 또는 난소 조직이 동결보존의 대상으로 여겨지고 있다. 남성의 경우에서도 동일한 목적으로 정자나 정소 내 남성생식세포, 정소조직이 동결보존의 대상이 되고 있다.

2) 완만동결과 유리화동결의 적용

크기가 크고 내부에 많은 수분을 함유하여 세포동결 등에 사용되는 단순한 급속 동결-해동프로그램의 적용이 어려웠던 난자와 배아의 경우, 수분제거를 동반한 동결-해동 프로그램이 연구되었고 도입되었다. 이들 중 완만동결과 유리화동결이 사용되었을 때 상대적으로 우수한 생존율과 안정적인 임상결과를 얻을 수 있었고, 현재 많은 클리닉에서 임상적용을 위해 주로 사용하고 있다. 그러나 동결-해동을 담당하는 기관의 설비와 담당자의 동결-해동프로그램 숙련도와 경험에 따라 임상결과는 차이가 매우 큰 점도 잘 알려져 있는 사실이다. 따라서 연구결과의 분석을 통해 난자와 배아, 조직의 동결프로그램의 효율에 미치는 중요 요인들을 정리해 보고자 한다.

3) 완만동결을 이용한 난자/배아 동결프로그램에 영향을 미치는 요인

완만동결은 1983년 동결 배아를 이용한 임신 및 출산의 성공 이후, 2000년대 중반까지 난자와 배아의 동결보존에 널리 사용되었다. 이 방법은 전술한 바와 같이 CPA를 이용하여 세포내에서 일차적으로 완만한 탈수과정을 유도하고, 냉각속도(cooling speed) 조절이 가능한 동결기(cryo-machine)를 이용하여 완만하게 동결하면서 이차적으로 최대한 수분을 제거하여 얼음결정의 형성(ice-crystal formation)을 최소화하여 세포의 상해를 줄여주는 동결방법이다.

완만동결을 사용하였을 때 동결의 대상이 되는 배아나 난자의 크기와 같은 형태학적인 특성이 해동 후 생존율에 영향을 미치는 중요한 요인으로 여겨져 왔다. 하지만 실제 임상시술 단계에서는 형태적 이상이 동결-해동 후 임상결과에 나쁜 영향을 줄 것으로 예상되어 사전에 배제되는 경우가 대부분이라, 실제적으로 형태와 임상결과의 비교연구는 대부분 진행되지 않았고, 정확한 상관관계는 결론을 내릴 수 없었다.

동결대상의 특성뿐만 아니라 동결 프로토콜의 세심한 조정도 동결-해동 후 생존율과 임상결과에 많은 영향을 미치는 것으로 알려져 있다. 우선적으로 동결 프로토콜 중에 가장 영향을 많이 미치는 요인으로는 CPA의 종류와 농도, 노출시간이 매우 중요하다. CPA의 경우 앞에서 설명한 바와 같이 투과성과 비투과성으로 나눌 수 있다. 동결 프로토콜에서 투과성 CPA의 경우 세포내로의 투과율에 차이가 있어 동결대상에 따라 선택적으로 사용되고 있으며, 그 농도와 노출시간이 세포 내외의 얼음결정의 형성에 직접적인 영향을 주어 세포의 생존에 중요한 역할을 하게 되므로, 이를 최적화하고자 하는 특정 프로토콜이 확립되게 되었다. 또한 CPA 자체의 독성에도 정도의 차이가 있어 종류에 따라 농도와 노출시간의 조정과 같은 프로토콜의 최적화를 위한 많은 연구가 진행된 바 있다.

동결과정에서 난자와 배아의 생존율에 영향을 주는 또 다른 요인으로 동결액 내 비투과성 CPA의 종류 및 농도를 들 수 있다. 비투과성 CPA 중에서는 sucrose와 trehalose가 난자와 배아의 동결 프로토콜에 많이 이용되고 있다. 이들의 종류 이외에도 농도 또한 많은 연구의 대상이 되었다. 실제로 다른 세포들에 비해 크기가 크고 수분의 함량이 높은 난자의 동결을 위해서 일반적으로 사용되던 0.1/0.2 M sucrose에 비해 높은 0.3 M sucrose의 사용이 제안된 바 있었다. 0.3 M sucrose의 사용은 냉각(cooling) 이전에 수분의 제거를 증진시켜 해동 후 생존율을 증가시킨 바 있었으나, 과도한 삼투압에 기인한 기계적인 상해의 증가로 임상결과에는 좋은 영향을 주지 못했다[47-49]. 하지만 일부연구자들은 동결액에는 0.2 M의 sucrose를 사용하고, 해동액에 0.3 M의 sucrose를 사용하여 보다 나은 생존율과 임상결과를 보고한 바 있다[50]. 이러한 결과는 동결대상의 크기와 형태에 따른 동결액의 조절이 동결-해동 후 생존율과 임상결과에 영향을 미친다는 점을 다시 한번 강조하는 데 그 의미가 있다.

난자 동결의 경우 채취된 난자의 동결시간과 해동 이후 체외노출시간과 임상결과의 상관관계 역시 많은 관심으로 여겨진 바 있다. 난자 동결이 난자 채취 후 2시간 이내에 수행되었을 때 배아의 발생율이 높고 임상결과가 개선된다는 연구가 보고된 바 있다[51]. 하지만 또 다른 연구에서는 난자 채취 후 시간보다는 해동 후 배양시간이 보다 중요하며[52], 이는 난자의 체외배양과정에서 일어나는 노화의 방지가 발생능력의 유지에 중요하다는 점을 제안하고 있다.

4) 유리화동결을 이용한 난자/배아 동결프로그램에 영향을 미치는 요인

난자와 수정란, 4-8-세포기 배아, 포배기 배아를 완만동결과 유리화동결을 이용하여 생존율과 임상결과를 비교한 다양한 연구가 진행된 바 있다. 유리화동결이 도입된 초기의 연구와 임상시술에서는 완만동결을 이용한 프로그램과 비교하였을 때 동결대상에 따라 일부 차이들이 보고된 경우가 많이 있었다. 최근 메타연구와 대규모 임상프로그램의 비교연구들을 종합하면,

유리화동결을 이용하였을 때 할구단계의 배아에서는 유사한 임상결과를 보여주나, 특히 난자와 포배기 배아에서는 월등한 생존율과 임상결과를 얻고 있다. 더욱이 최근 연구에 의하면 유리화동결법은 착상전유전자검사를 위해 생검(biopsy)을 시행한 포배기 배아의 동결보존에서도 보다 성공적인 임상결과에 기여하는 것으로 보고되고 있다.

상대적으로 고농도의 CPA를 사용하는 유리화동결은 탈수와 재수화과정에서 급격한 형태적 변화를 동반하게 된다. 따라서 평형용액과 유리화용액(vitrification solution) 속에 동결대상을 도입되는 과정에서 기계적 상해를 최소화하면서 탈수하는 과정이 매우 중요하며, 해동용액(warming solution)에서 이 상해를 줄이기 위한 단계적인 재수화과정의 도입이 더욱더 중요한 요인이 되는 것으로 제안되고 있다. 실제로 유리화 과정 중에 형태변화를 관찰하면 해동 후의 상태를 예측할 수도 있다는 보고도 있다[53]. 유리화와 해동 후 원래의 크기를 회복하는 정도가 해동 후 발생율을 예측할 수 있는 표지가 될 수 있으며, 만일 그 크기가 회복되지 않으면 해동과정을 늘려주는 것이 도움이 된다고 제안된 바도 있다.

5) 난자의 동결프로그램에 영향을 미치는 요인

세포질의 크기가 크고 수분 함유량이 많은 난자의 경우 일반세포와는 다른 또 다른 특성을 가지고 있다. 인간을 포함한 포유류 난자는 성장과정을 마친 후 성숙과정에서 염색체가 세포질 내에 직접 노출된 상태로 수정과정을 기다리는 제2감수분열 중기(metaphase II, MII) 단계를 거치게 된다. 특히 과배란유도 후 채취된 난자는 대부분 MII 단계이며, 난자 동결 과정에서 염색체는 CPA에 직접 노출되고 또한 저온환경에 노출되게 된다. 따라서 난자 동결 과정에서 CPA의 독성 감소와 저온에 노출되어 일어나는 냉해의 방지가 매우 중요하다. 실제로 연구들에 의하면 냉해는 세포막과 세포내 골격, 투명대 등의 구조를 변화시킬 뿐만 아니라 염색체의 분리에 관여하는 미세소관(microtuble)으로 구성된 감수분열 방추체(meiotic spindle)의 안정성에 영향을 미쳐 염색체 이상(chromosome abnormality)을 야기할 수 있다[54-59]. 이를 방지하기위해 저온에 노출시간을 최소화하는 동결방법을 도입하고[60], 세포막 안정화에 기여하는 알부민(albumin)이나 당류(sucrose 또는 trehalose)를 CPA에 포함시킨 바 있다[61-62]. 또한 감수분열 방추체와 같은 염색체 분열기구의 안정성을 증진시키는 choline 이나 고농도의 sucrose를 첨가하기도 한다[61, 63].

6) 난소 조직의 동결프로그램에 영향을 미치는 요인

난소 조직의 동결을 위해서 원시난포(primordial follicles)가 많이 분포되어 있는 난소피질(cortex) 조직을 이용하며, 난자나 배아 동결을 수행하기가 용이하지 않은 여성들의 가임력보존법으로 최근 많이 연구되고 있다. 이 방법은 특히 항암치료 등에 의해 조기난소부전(premature ovarian failure)의 위험성을 가진 환자들을 대상으로 적용한다.

난소 조직의 동결-해동과정 중에 일어나는 상해도 역시 IIF와 CPA의 독성에 의해 주로 유도된다. 따라서 다른 세포의 동결과정과 마찬가지로 이들을 피하기 위한 다양한 CPA가 도입되고 있으며, 완만동결과 유리화동결이 각각 사용되고 있다. 이 두 방법을 사용한 연구에서 각각의 생존율과 임상결과가 보고되고 있으나, 그 결과에 대한 직접적인 비교 연구는 부족하여 방법에 따른 장단점을 가리고 결론 내리기는 어려운 상황이다.

동결보존된 난소 조직은 해동 후 성공적인 재이식을 위해서는 동결상해로부터 원시난포의 보존과 이식 후 혈관연결이 일어나기까지의 허혈성 상해(ischemic damage)를 피하는 것이 중요하다[64]. 실제로 동결-해동과정에서 생존한 많은 난포들이 이식 후 신생혈관의 재형성 과정 중에 허혈성으로 인해 소실되며[65], 이식 장소에 혈관형성의 증진을 통해 생존율을 증진시킬 수 있다는 보고가 있다[66]. 실제로 동결-해동한 난소 조직을 환자에게 동소(orthotropic) 혹은 이소(heterotropic) 이식하여 성공적인 배아생성이나 출산에 성공한 바 있으나[67-68], 그 효율의 비교를 위해서는 많은 추가의 연구가 필요하다.

7 동결-해동 프로그램의 잠재적 위험성 고찰

1) 난소동결보존의 잠재적 위험성과 고려방안

항암치료환자의 난소 조직 동결보존 후 이식과정은 암세포 전이 위험성을 항상 내포하고 있다. 암세포의 위치와 성격에 따라 전이의 위험성이 다르지만, 이를 확인하기위해 분자유전학적인 방법으로 암세포를 확인하거나 면역결핍생쥐에 이식하여 암세포의 재발현을 검증할 수 있다[69].

가임력보존의 수단으로서 난소 조직의 동결을 이용한 경우, 암세포 전이의 잠재적 위험성을 회피하기위해 동결-해동조직 내의 미성숙난자를 이용하려는 연구도 많이 진행되고 있다. 동결-해동된 조직을 체외배양 하거나, 조직에서 분리된 난포를 체외성장/성숙을 통해 성숙한 난자를 회수하려는 연구가 진행되고 있으나, 아직은 초기단계라 임상적 적용까지는 보다 많은 연구가 필요하다.

2) 유리화동결보존의 잠재적 오염위험성과 고려방안

유리화동결보존법의 성공적인 도입을 위해서는 고농도의 CPA를 이용한 최소한의 수분유지를 위한 탈수과정과 얼음결정의 형성을 피할 수 있는 초급속 냉각 속도(cooling speed)의 도입이 필수적이다. 특히 -1,000℃/min 이상의 냉각 속도를 위해서 일반적으로 액체질소에 시료를 직접 노출시키는 open vitrification system을 많이 사용하고 있다. 만일 액체질소가 병원체(pathogen)에 의해 오염되어 있다면, 유리화동결과 보존과정에서 시료 간의 병원체 오염의 잠재적 위험성을 무시할 수 없다[70-71]. 실제상황에서 액체질소를 통한 병원체의 오염사례는 보고된 바 없으나 잠재적인 위험성을 무시할 수 없기 때문에, 많은 연구자들이 이를 극복하기위한 closed vitrification system을 개발하고 이용하고 있다. 여러 연구자들에 의해 closed vitrification system을 이용한 성공적인 배아 동결 결과들이 보고되고 있으나[72-74], 상대적으로 낮은 냉각 속도에 의한 낮은 생존율을 극복하기 위한 다양한 동결용기(carrier)를 개발해야 하는 과제도 여전히 남아있는 것이 현실이다. 직접적인 해결방법은 아니지만 일부 연구자들은 open vitrification system의 교차오염(cross-contamination)을 막기 위해 자외선으로 멸균된 액체질소를 사용하거나[75], 액체질소증기(liquid nitrogen vapor)를 사용하는 보관용기[76-78] 등과 같은 새로운 시스템을 도입하여 간접적으로 오염위험성을 극복하려는 방안도 그 적용을 넓혀가고 있다.

3) 동결샘플의 보관용기 정기 점검의 필요성

동결보존은 장기보존을 목표로 함으로, 보관용기 내에 적절한 양의 액체질소 유지가 필수적이다. 적절한 양의 액체질소를 유지하지 못하게 되면 보관 중인 동결대상은 되돌릴 수 없는 심각한 상해를 입거나 망실된다. 따라서 안정적인 동결보존을 위해서 액체질소 용기의 정기적인 점검을 통해 망실의 위험성을 줄여야 하며, 이를 인지할 수 있는 모니터링 시스템과 알람 시스템의 설치는 필수적인 요구사항이다.

References

1. Karow AM. Cryobiology 2001 for mammalian embryologist. In: Embryology Pre-congress Course(Laser and Infertility/Freezing in Reproduction). Georgia, p.1-37.
2. Fahy GM, MacFarlane DR, Angell CA, Meryman HT. Vitrification as an approach to cryopreservation. Cryobiology 1984;21:407-26.
3. Petrunkina AM. Fundamental aspects of gamete cryobiology. J Reprod Endo 2007;4:78-91.
4. Gao D, Critser JK. Mechanisms of cryoinjury in living cells. ILAR J 2000;41:187-96.
5. Luyet B. On various phase transitions occurring in aqueous solutions at low temperatures. Ann New York Acad Sci 1960;85:549-69.
6. Elliot GD, Wang S, Fuller BJ. Cryoprotectants: a review of the actions and applications of cryoprotective solutes that modulate cell recovery from ultra-low temperatures. Cryobiology 2017;76:74-91.
7. Fahy GM, Wowk B. Principles of ice-free cryopreservation by vitrification. In: Wolkers WF, Oldenhof H, editors. Cryopreservation and Freeze-Drying Protocols, Methods in Molecular Biology. New York: Springer; 2021. 2180:27-97.
8. Angell CA. Liquid fragility and the Glass Transition in Water and Aqueous Solutions. Chem Rev 2002;102:2627-50.
9. Vanderzwalmen P, Ecotrs F, Panagiotidis Y, Schuff M, Murtinger M, Wirleitner B. The evolution of the cryopreservation techniques in reproductive medicine – exploring the character of the vitrified state intra- and extracellularly to better understand cell survival after cryopreservation. Reprod Med 2020;1:142-57.
10. Shaw JM, Jones GM. Terminology associated with vitrification and other cryopreservation procedures for oocytes and embryos. Hum Reprod Update 2003;9:583-605.
11. Vanderzwalmen P, Connan D, Grobet L, Wirleitner B, Remy B, Vanderzwalmen S, et al. Lower intracellular concentration of cryoprotectants after vitrification than after slow freezing despite exposure to higher concentration of cryoprotectant solutions. Hum Reprod 2013;28:2101-10.
12. Muldrew K, McGann LE. Mechanisms of intracellular ice formation. Biophys J 1990;57:525-32.
13. Mazur P. Kinetics of water loss from cells at subzero temperatures and the likelihood of intracellular freezing. J Gen Physiol 1963;47:347-69.
14. Acker JP, McGann LE. Membrane damage occurs during the formation of intracellular ice. Cryo Lett 2001;22:241-54.
15. Mazur P. Freezing of living cells: mechanisms and implications. Am J Physiol 1984;247:C125-42.
16. Pegg DE. The role of vitrification techniques of cryopreservation in reproductive medicine. Hum Fertil 2005;8:231-9.
17. Acker JP, Larese A, Yang H, Petrenko A, McGann LE. Intracellular ice formation is affected by cell interactions. Cryobiology 1999;38:363-71.
18. Yu G, Yap YR, Pollock K, Hubel A. Characterizing intracellular ice formation of lymphoblasts using low-temperature

Raman spectroscopy. Biophys J 2017;112:2653-63.

19. Fuller B, Paynter S. Fundamentals of cryobiology in reproductive medicine. Reprod Biomed Online 2004;9:680-91.
20. Mazur P, Seki S, Pinn IL, Kleinhans FW, Edashig K. Extra- and intracellular ice formation in mouse oocytes. Cryobiology 2005;51:29-53.
21. Mazur P. Cryobiology: the freezing of biological systems. Science 1970;168:939-49.
22. Wetzels AMM. Cryopreservation/theory. In: Bras M, Lens JW, Piederiet MH, Rijnders PM, Verveld M, Zeilmarker GH, editors. Laboratory aspects of in-vitro fertilization. New Jersey: N.V. Organon; 1996. p.229-46.
23. Arav A, Zeron Y, Leslie SB, Behboodi E, Anderson GB, Crowe JH. Phase transition temperature and chilling sensitivity of bovine oocytes. Cryobiology 1996;33:589-99.
24. Ghetler Y, Yavin S, Shalgi R, Arav A. The effect of chilling on membrane lipid phase transition in human oocytes and zygotes. Hum Reprod 2005;20:3385-9.
25. Yavin S, Arav A. Measurement of essential physical properties of vitrification solutions. Theriogenology 2007;67:81-9.
26. Vajta G, Nagy ZP. Are programmable freezers still needed in the embryo laboratory? Review on vitrification. Reprod Biomed Online online 2006;12:779-96.
27. Kasai M, Mukaida T. Cryopreservation of animal and human embryos by vitrification. Reprod BioMed online 2004;9:164-70.
28. Morris GJ, Acton E. Controlled ice nucleation in cryopreservation – A review. Cryobiology 2013;66:85-92.
29. Konc J, Cseh S, Varga E, Kriston R, Kanyo K. Cryopreservation of oocytes and embryos in human assisted reproduction. J Reprod Endo 2005;2:251-8.
30. Trad FS, Toner M, Biggers JD. Effects of cryoprotectants and iceseeding temperature on intracellular freezing and survival of human oocytes. Hum Reprod 1998;14:1569–77.
31. Shaw JM, Oranratnachai A, Trounson AO. Cryopreservation of oocytes and embryos. In: Trounson AO, Gardner DK, editors. Handbook of in vitro fertilization. 2nd ed. London: CRC press; 2000. p.373-412.
32. Wowk B. Thermodynamic aspects of vitrification. Cryobiology 2010;60:11-22.
33. Quinn, P. Suppression of ice in aqueous solutions and its application to vitrification. In: Chian C, Quinn P, editors. Fertility Cryopreservation. UK: Cambridge University Press; 2010. p.10-15.
34. Liebermann J, Nawroth F, Isachenko V, Isachenko E, Rahimi G, Tucker MJ. Potential Importance of Vitrification in Reproductive Medicine. Biol Reprod 2002;67:1671-80.
35. Liebermann J, Dietl J, Vanderzwalmen P, Tucker MJ. Recent developments in human oocyte, embryo and blastocyst vitrification : where are we now? Reprod Biomed Online 2003;7:623-33.
36. Moore K, Bonilla AQ. Cryopreservation of Mammalian Embryos : The State of the Art. ARBS Ann Rev Biomed Sci 2006;8:19-32.
37. Vanderzwalmen P, Delval A, Lejeune B, Puissant F, Zech H. Vitrification: a promising method for the cryopreservation of human embryos. In: Proceedings of symposium. Cryobiology and cryopreservation on human gametes and embryos. Brussels, Belgium: ESHRE Campus; 2004. p.46-55.
38. Fuller BJ. Cyroprotectants: the essential antifreezes to protect life in the frozen state. Cryo Lett 2004;25:275-88.
39. Doebbler GF. Cryoprotectant compounds. Review and discussion of structure and function. Cryobiology 1966;3:2-11.
40. Benson JD, Kearsley A, Higgins AZ. Mathematical optimization of procedures for cryoprotectant equilibration using a toxicity cost function. Cryobiology 2012;64:144-51.
41. Davidson AF, Benson JD, Higgins AZ. Mathematically optimized cryoprotectant equilibration procedures for cryopreservation of human oocytes. Theor Biol Med Model 2014;11:13.

42. Davidson AF, Glasscock G, McClanahan DR, Benson JD, Higgins AZ. Toxicity minimized cryoprotectant addition and removal procedures for adherent endothelial cells. PLoS One 2015;10:e0142828.
43. Benson JD, Higgins AZ, Desai K, Eroglu A. A toxicity cost function approach to optimal CPA equilibration in tissues. Cryobiology 2018;80:144-55.
44. Pedro PB, Yokoyama E, Zhu SE, Yoshida N, Valdez Jr DM, Tanaka M, et al. Permeability of mouse oocytes and embryos at various developmental stages to five cryoprotectants. J Reprod Dev 2005;51:235-46.
45. Fahy GM, Wowk B. Principles of cyropreservation by vitrification. In: Wolkers WF, Oldenhof H, editors. Cryopreservation and Freeze-Drying Protocols, Methods in Molecular Biology. New York; Springer: 2015. 1257:21-82.
46. Swain JE, Smith GD. Cryoprotectants. In: Chian RC, Quinn P. editors. Fertility cryopreservation. UK: Cambridge University Press; 2010. p.24-38.
47. Fabbri R, Porcu E, Marsella T, Rocchetta G, Venturoli S, Flamigni C. Human oocyte cryopreservation: new perspectives regarding oocyte survival. Hum Reprod 2001;16(3):411-6.
48. Borini A, Sciajno R, Bianchi V, Sereni E, Flamigni C, Coticchio G. Clinical outcome of oocyte cryopreservation after slow cooling with a protocol utilizing a high sucrose concentration. Hum Reprod 2006;21(2):512-7.
49. De Santis L, Cino I, Rabellotti E, Papaleo E, Calzi F, Fusi FM, Brigante C, Ferrari A. Oocyte cryopreservation: clinical outcome of slow-cooling protocols differing in sucrose concentration. Reprod Biomed Online 2007;14(1):57-63.
50. Bianchi V, Coticchio G, Distratis V, Di Giusto N, Flamigni C, Borini A. Differential sucrose concentration during dehydration (0.2 mol/L) and rehydration (0.3 mol/L) increases the implantation rate of frozen human oocytes. Reprod Biomed Online 2007;14(1):64-71.
51. Parmegiani L, Cognigni GE, Bernardi S, Ciampaglia W, Infante F, Pocognoli P, Tabarelli de Fatis C, Troilo E, Filicori M. Freezing within 2 h from oocyte retrieval increases the efficiency of human oocyte cryopreservation when using a slow freezing/rapid thawing protocol with high sucrose concentration. Hum Reprod 2008;23(8):1771-7.
52. Bianchi V, Lappi M, Bonu MA, Borini A. Elapsing time: a variable to consider in oocyte cryopreservation. Hum Reprod 2011;26 Suppl 1:i197.
53. Kuwayama M, Vajta G, Kato O,P Leibo SP. Highly efficient vitrification method for cryopreservation of human oocytes. Reprod Biomed Online 2005;11:300-8.
54. Albertini DF. The cytoskeleton as a target for chilling injury in mammalian cumulus oocytes complexes. Cryobiology 1995;32;551-2.
55. Hotamisligil S, Toner M, Powers RD. Changes in membrane integrity, cytoskeletal structure, and developmental potential of murine oocytes after vitrification in ethylene glycol. Biol Reprod 1996;55:161-8.
56. Vajta G, Holm P, Kuwayama M, Booth PJ, Jacobsen H, Greve T, et al. Open Pulled Straw (OPS) vitrification: a new way to reduce cryoinjuries of bovine ova and embryos. Mol Reprod Dev 1998;51:53-8.
57. Gleinster PH, Wood MJ, Kirby C, Whittingham DG. Incidence of chromosome abnormalities in first-cleavage mouse embryos obtained from frozen-thawed oocyte fertilized in vitro. Gamete Res 1987;16:205-16.
58. Shaw JM, Kola I, MacFarlane DR, Trounson AO. An association between chromosomal abnormalities in rapidly frozen 2-cell mouse embryos and the ice-forming properties of the cryoprotective solution. J Reprod Fertil 1991;91:9-18.
59. Shaw JM, Oranratnachai A, Trounson AO. Fundamental cryobiology of mammalian oocytes and ovarian tissue. Theriogenology 2000;53:59-72.
60. Arav A, Yavin S, Zeron Y, Natan D, Dekel I, Gacitua H. New trends in gamete's cryopreservation. Mol Cell Endocrinol 2002;187:77-81.
61. Coticchio G, De Santis L, Rossi G, Borini A, Albertini D, Scaravelli G, et al. Sucrose concentration influences the rate

of human oocytes with normal spindle and chromosome configurations after slow-cooling cryopreservation. Hum Reprod 2006;21:1771-6.

62. Rayos AA, Takahashi Y, Hishinuma M, Kanagawa H.Quick freezing of unfertilized mouse oocytes using ethylene glycol with sucrose or trehalose. J Reprod Fertil 1994;100:123-9.
63. Huang JY, Chen HY, Tan SL, Chian RC. Effect of choline-supplemented sodium-depleted slow freezing versus vitrification on mouse oocyte meiotic spindles and chromosome abnormalities. Fertil Steril 2007;88 Suppl 4:1093-100.
64. Liu J, Van der Elst J, Van den Broecke R, Dhont M. Early massive follicle loss and apoptosis in heterotopically grafted newborn mouse ovaries. Hum Reprod 2002;17:605-11.
65. Nisolle M, Casanas-Roux F, Qu J, Motta P, Donnez J. Histologic and ultrastructural evaluation of fresh and frozen-thawed human ovarian xenografts in nude mice. Fertil Steril 2000;74:122-9.
66. Cha SK, Shin DH, Kim BY, Yoon SY, Yoon TK, Lee WS, et al. Effect of Human Endothelial Progenitor Cell (EPC)- or Mouse Vascular Endothelial Growth Factor-Derived Vessel Formation on the Survival of Vitrified/Warmed Mouse Ovarian Grafts. Reprod Sci 2014;21:859-68.
67. Donnez J, Dolmans MM, Demylle D, Jadoul P, Pirard C, Squifflet J, et al. Livebirth after orthotopic transplantation of cryopreserved ovarian tissue. Lancet 2004;364:1405-10.
68. Oktay K, Buyuk E, Veeck L, Zaninovic N, Xu K, Takeuchi T, Opsahl M, Rosenwaks Z. Embryo development after heterotopic transplantation of cryopreserved ovarian tissue. Lancet 2004;363:837-40.
69. Kim SS, Radford J, Harris M, Varley J, Rutherford AJ, Lieberman B, et al. Ovarian tissue harvested from lymphoma patients to preserve fertility may be safe for autotransplantation. Hum Reprod 2001;16:2056-60.
70. Bielanski A, Nadin-Davis S, Sapp T, Lutze-Wallace C. Viral contamination of embryos cryopreserved in liquid nitrogen. Cryobiology 2000;40:110-6.
71. Bielanski A. A review of the risk of contamination of semen and embryos during cryopreservation and measures to limit cross-contamination during banking to prevent disease transmission in ET practices. Theriogenology 2012;77:467-82.
72. Chen Y, Zheng X, Yan J, Qiao J, Liu P. Neonatal outcomes after the transfer of vitrified blastocysts: closed versus open vitrification system. Reprod Biol Endocrinol 2013;11:107.
73. Sciorio R, Thong KJ, Pickering SJ. Single blastocyst transfer (SET) and pregnancy outcome of day 5 and day 6 human blastocysts vitrified using a closed device. Cryobiology 2018;84:40-5.
74. Vanderzwalmen P, Zech N, Prapas Y, Panagiotidis Y, Papatheodorou A, Lejeune B, et al. Closed carrier device: a reality to vitrify oocytes and embryos in aseptic conditions. Gynecol Obstet Fertil 2010;38:541-6.
75. Parmegiani L, Accorsi A, Cognigni GE, Bernardi S, Troilo E, Filicori M. Sterilization of liquid nitrogen with ultraviolet irradiation for safe vitrification of human oocytes or embryos. Fertil Steril 2010;94:1525-28.
76. Eum JH, Park JK, Lee WS, Cha KR, Yoon TK, Lee DR. Long-term liquid nitrogen vapor storage of mouse embryos cryopreserved using vitrification or slow cooling. Fertil Steril 2009;91:1928-32.
77. Cobo A, Romero JL, Pérez S, de los Santos MJ, Meseguer M, Remohí J. Storage of human oocytes in the vapor phase of nitrogen. Fertil Steril 2010;94:1903-7.
78. Lim JJ, Shin TE, Song SH, Bak CW, Yoon TK, Lee DR. Effect of liquid nitrogen vapor storage on the motility, viability, morphology, deoxyribonucleic acid integrity, and mitochondrial potential of frozen-thawed human spermatozoa. Fertil Steril 2010;94:2736-41.

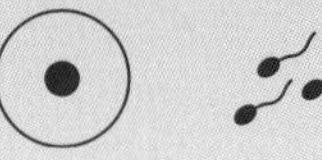
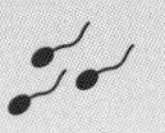
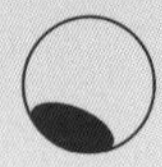
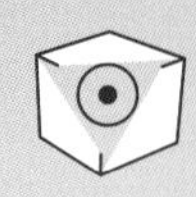

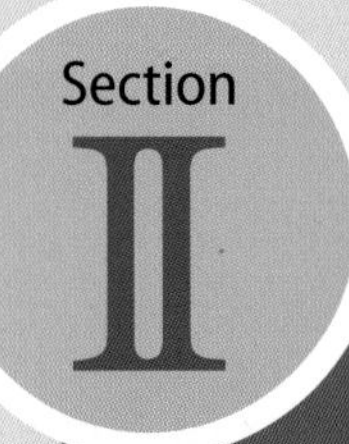

가임력보존 치료 (Fertility Preservation Treatments)

Chapter 06

가임력보존을 위한 과배란유도

(Ovarian stimulation protocol for fertility preservation)

서울의대 **서창석**
서울의대 **김슬기**

1 서론

아직까지도 종양 치료 시 가임력보존 상담(카운셀링)의 필요성에 대한 전문가들의 입장은 천차만별이다. 일부 전문가들은 필요성은 인정하나 질환 치료가 우선이며, 대부분의 환자가 종양으로 진단받아 혼란스럽고 두려운데 난임에 대한 상담까지 받으라 하면 "두 배의 부담을 지우는 것이므로 가임력보존까지 책임지는 것은 사치이다"라는 극단적인 보고도 있다[1]. 그럼에도 불구하고 가임력보존의 필요성은 ASCO (American Society of Clinical Oncology) 임상 치료 가이드라인 업데이트[2]에서 기술된 바와 같이 환자가 가임력보존에 소극적인 관심을 보이더라도 가능한 빨리 가임력보존 클리닉에 의뢰하는 것을 권장하고 있다.

현재 가임력보존의 필요성에 대하여는 종양 치료에 관여하는 대부분의 전문가가 인정을 하고 있는 추세이다. 이에따라 난임클리닉을 운영하는 전세계 기관의 86.6%에서 가임력보존 클리닉을 운영하고 있으며, 이중 74.8% 정도는 종양 치료 의사가 클리닉으로 상담을 의뢰하고 있으나 아직도 환자의 18.4%는 종양 치료 의사에 의하여 의뢰되는 것이 아니라 환자의 개인 정보력에 의해 자발적으로 클리닉을 방문하고 있다[3].

종양 치료 의사의 가임력보존에 대한 입장에 따라 항상 최단시간 내에 클리닉으로 의뢰되는 것이 아니므로, 가임력보존을 위해서 난소자극을 시작하기 전에는 다음과 같은 사항을 먼저 확인하는 것이 필요하다. 즉 환자의 기저질환(악성, 양성, 면역질환 등)에 따라 클리닉에 의뢰된 시점부터 기저질환 치료 시작 시점까지 남아있는 "실제 난소자극이 가능한 시간"이 얼마인지 계산해 보아야 한다. 이에 따라 가임력보존을 위해 어떤 방법을 택할지, 즉 난자, 배아, 난소보존 또는 난자/배아, 난자/난소, 배아/난소보존과 같은 복합 방법을 시행할지 여부, 기타 GnRH agonist (GnRHa) 치료만 시행할지, 난소자극 없이 미성숙난자 채취 후 체외성숙(in vitro maturation, IVM) 동결을 시도할지 결정하게 된다. 참고로 유방암 환자의 경우 유방암 수술 전 가임력보존 클리닉에 의뢰되어 상담-유방암수술-난소자극-난자 채취-항암치료를 시도한 경우(그림 6-1A, B)에는 수술 후 클리닉에 의뢰되어 유방암수술-상담-난소자극-난자 채취-항암치료(그림 6-1C)를 시작한 경우와 비교하였을 때 3주 정도 빨리 항암치료를 시작할 수 있는 장점이 있다[4].

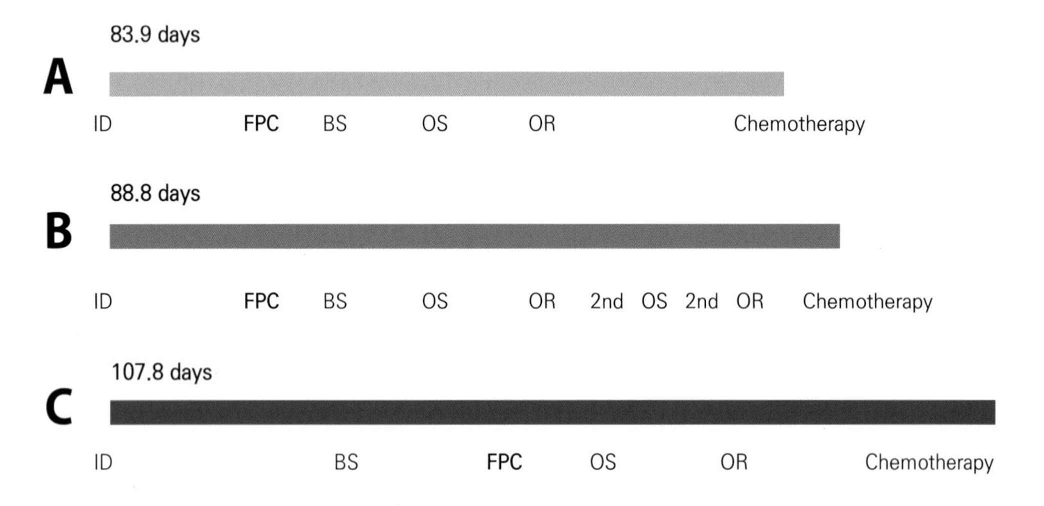

그림 6-1. 클리닉 의뢰 시기에 따라 항암치료 시작 시점 비교 ID: initial diagnosis, FPC: first fertility preservation consultation, BS: breast surgery, OS: initiation of ovarian stimulation, OR: oocyte retrieval (J Clin Oncol, Lee et al, 2010)

본 책자의 다른 장에서 다루는 청소년 가임력보존, 체외성숙, GnRHa 사용법, 난소동결을 제외하고 본 장에서는 가임력보존 클리닉에 의뢰되는 젊은 종양 환자의 대부분을 차지하는 유방암 환자를 중심으로 설명하고자 한다. 환자가 의뢰되었을 때 질병 형태 즉 호르몬수용체 양성 여부, 삼중수용체 음성(triple negative, estrogen receptor: ER, progesterone receptor: PR, human epidermal growth factor receptor type 2: HER2) 여부, 초기 병기(early stage)인지에 따라 수술, 항암치료, 수술/항암치료 계획이 다르며, 항암치료에 사용되는 약제의 내용도 달라질 수 있으므로 적어도 가임력보존 클리닉의 난임전문의는 이에 대한 기본적인 지식이 필요하다.

난소자극 전략은 종양 치료 계획에 준하여 주어진 시간 내 원하는 다수의 난자를 획득하는 것이 목표이며, 가임력보존을 위한 난소자극 방법으로 흔히 사용되는 수시난소자극(random start ovulation induction) 또는 이중수시난소자극(back to back random start ovulation induction or duo stimulation ovulation induction)을 시행하는 방법과 이것이 가능하다고 인정되게 한 난포생성(folliculogenesis)의 이론적 근거와 수시난소자극의 임상 결과에 대하여 기술하고자 한다.

2 젊은 여성 유방암 환자의 유전학적, 임상적 양상

일반적으로 40세 이하에 진단된 경우 젊은 여성 유방암으로 정의되며, 전체 유방암 환자의 7–10%를 차지한다. 40세 이하의 여성은 가임기 여성으로서 항암치료 후 향후 임신 여부에 민감할 수밖에 없다. 다행히 유방암치료 후 임신을 한 여성과 임신을 하지 않은 여성을 비교했을 때 임신한 여성에서 사망율이 41% 감소(PRR: 0.59) 하므로 유방암 환자에게 향후 가임력보존에 대하여 정보를 제공하는 것은 정당성이 있다고 판단된다[5]. 다만 임신으로 인한 질병의 재발 가능성을 고려할 때 유방암치료 종료 2년 후에 임신을 시도하는 것을 권장하고 있다[6].

젊은 여성 유방암 환자는 높은 조직학적 분화도(higher histological grade), 높은 Ki67, 임파혈관 침윤, 삼중수용체 음성으로 인해 국소 재발 확률이 높고, 예후가 좋지 않다. 따라서 수술 후 경과만 관찰하는 경우보다 국소방사선치료, 항암치료를 병행해야 하거나 호르몬수용체 양성인 경우 타목시펜(tamoxifen)과 같은 내분비학적 억제(endocrine suppression)를 병행해야 하는 경우가 많아 가임력보존을 치료 시작 전에 시행하지 않으면 난소의 기능이 현저히 저하되어 무월경, 난임, 조기난소부전이 되기 쉽다.

젊은 여성 유방암 환자 관련 유전자로서는 BRCA1/2가 유명하며 드물기는 하나 TP53도 관련이 있다. 35세 이하에서 유방암이 발견된 경우 일반인에 비해 BRCA1/2 유전자 변이 확률이 높게 보고되고 있다(9.4% vs 0.2%)[7]. BRCA1 유전자 변이는 삼중수용체 음성과 밀접한 관련이 있으며, 35세 이하, 삼중수용체 음성인 환자에서 BRCA1 유전자 변이가 발견될 확률은 26.5% 이며, 이에 반해 35세 이하, 삼중수용체 음성이 아닌 것으로 판명된 유방암 환자에서 BRCA1 유전자 변이 발견 확률은 5%에 불과하다[8]. BRCA1유전자 변이가 있는 여성에서 평생 난소암의 발생 확률은 40-50%, BRCA2 유전자 변이가 있는 여성에서 난소암의 확률은 10-20%로 보고되고 있다[9]. 따라서 BRCA1/2 유전자 변이가 있는 여성은 예방적 양측난관난소절제술(prophylactic bilateral salpingo-oophorectomy)을 시행하더라도 난소암의 발생 가능성으로 인하여 난소 조직 보존보다는 난자/배아 보존이 유리하며, 치료 종료 후 임신을 시도할 경우에도 착상전유전자검사(preimplantation genetic test: PGT)를 고려하여야 한다. 한국에서는 BRCA유전자 검사는 적응증에 해당되는 경우에 급여 적용이 되지만, 아직까지 착상전유전자검사 대상에는 해당되지 않는다. 캐나다에서 보고된 BRCA1/2 유전자 변이의 후세대 전달을 막기 위한 IVF/PGT 검사는 비용효과(cost effectiveness)가 있다고 보고되고 있다[10].

항암치료제 중 유방암에 흔히 사용되는 요법 중 Adriamycin-Cyclophosphamide (AC)는 DNA 이중 나선구조의 파괴(double stranded DNA breaks)를 유도하므로 결국 원시난포(primordial follicle)의 세포고사를 유발하여 난소 내 난포의 소실을 초래하므로 폐경 또는 난임을 유발한다. 이중 adriamycin은 난소에서 난소 내 간질세포 손상뿐 아니라 매우 빠르게 혈류의 감소를 유발하여 산화스트레스를 유도하고 결국 전체 난포의 손상을 유발한다. Taxane도 전체 난포의 숫자 감소를 유발하지만 혈관 손상을 유발하지는 않으므로 adriamycin처럼 광범위하고 빠른 손상을 유도하지는 않는다. 40세 이하 유방암 환자에서 AC 항암치료제 사용은 조기난소부전의 low risk (<20%), cyclophosphamide, methotrexate, 5-fluouracil (CMF)은 low to intermediate risk (<60%), AC 후 taxane은 intermediate risk (40-60%)로 구분되었다[11-12]. 그러나 이러한 분류는 가임력보존 클리닉에서 난소자극을 시행하는데 있어 임상적으로 절대적인 기준이 될 수 없으며, 오히려 환자의 연령이 더 중요한 고려 사항이다.

한가지 흥미로운 사실은 항암치료 종류에 따라 무월경의 발생 패턴이 다르다. 즉 CMF 용법 시행 시 50%에서 무월경이 발생하며, 항암치료 후에도 월경이 회복되지 않고, 치료 3년 후에는 약 80%에서 무월경에 이르게 된다. AC 용법은 항암치료 시 거의 모든 환자에서 무월경에 이르게 되나 치료 종료 9개월 내에 대부분 환자에서 난소의 기능이 서서히 회복된다[13]. 또한 Tomoxifen and Exemestane Trial (TEXT)와 Suppression of Ovarian Function Trial (SOFT) 보고에 의하면 난소기능억압(ovarian function suppression, OFS) 방법을 항암치료 종료 후 8-9년까지 지속적으로 시도하였을 경우에 disease free survival (DFS) (86.8% versus 82.8%, absolute benefit 4%), distant recurrence free interval (91.8% versus 89.7%, absolute benefit 2.1%)의 향상으로 난소기능억압을 통한 치료 기간이 장기화하는 경향이 있다[14]. 위의 결과는 특히 35세 이하 여성에서 더욱 뚜렷한 결과를 보이므로, 결국 젊은 여성 유방암 환자는 항암치료 후 5년 이상 장기간 난소기능억압 치료를 병행하게 되므로 무월경 여부로 난소기능을 평가하는데는 문제가 있다. 그러므로 가임력보존 클리닉에 의뢰된 환자의 난소기능은 난포자극호르몬(follicle stimulating hormone, FSH)/항뮬러관호르몬(anti-Müllerian hormone, AMH)와 같은 호르몬을 기준으로 평가하는 것이 현실적인 방법이다.

3 가임력보존을 위한 난소자극: "Going beyond physiological standards"

1) 수시난소자극방법(random start ovarian stimulation)

가임력보존 클리닉에서 맞닥뜨리는 가장 큰 딜레마는 의뢰된 환자의 종양 치료 계획을 고려할 때 난소자극에 필요한 충분한 시간이 주어지지 않는다는 점이다. 이는 종양 치료 의사의 문제로 늦게 의뢰되는 문제도 있을 수 있지만 최근에는 대부분 환자의 월경주기와 관련이 있는 경우가 많다. 즉 체외수정시술 시 난소자극은 전통적으로 일종의 도그마처럼 난포기 초기에 시작하는데 의뢰된 환자의 월경주기가 난포기가 아니고 배란기 또는 황체기인 경우에는 인위적으로 월경을 유도하여 난포기를 만들더라도 1-2주 이상을 허비하여 종양 치료의 지연을 초래할 수 있다. 이렇게 난포기 초기에 난소자극을 시작해야한다고 집착하게 된 가장 큰 이유는 정상 생리주기에서 소위 난포생성 시 난포 동원(recruitment)-우성난포 선택(selection)과 이때 수반되는 난포내 환경(intrafollicular milieu)-뇌하수체 호르몬에 의한 난소기능제어(ovarian regulation by pituitary hormone)에 대한 이해를 기반으로 난소자극 방법이 정립되었기 때문이다. 간단히 설명하면 인간 난소에서는 일차난포(primary follicle)의 소위 "growing pool"로 이행하기 위해 원시난포에서 초기 난포 동원(initial recruitment)이 시작된다. 일차난포에서 이차난포(secondary follicle)로 이행하는데 120일 정도 소요되며, 이차난포가 초기동난포기(early antral stage)로 이행하는데 85일 정도가 추가로 소요된다. 초기동난포에 도달하기 전 까지는 과립막세포(granulosa cell)의 분화능력이 적고, 스테로이드 효소 발현이 적고, FSH 수용체의 하향조절(downregulation)로 인해 생식샘자극호르몬 농도와 무관하게 성장한다(gonadotropin independent growth). 동난포의 직경이 2 mm 정도에 도달하게 되면 생식샘자극호르몬 농도에 민감하게 반응하여 성장(gonadotropin dependent growth)하며, 정상 여성에서는 많은 수의 동난포 (2–5 mm) 코호트 중 FSH에 가장 민감하게 반응하여 우성난포(dominant)에 도달하는 난포 외에는 모두 세포고사(apoptosis or atresia)에 이르게 된다[15-16]. 그러므로 정상 월경주기에서는 단 한개의 우성난포가 생성되어 한개의 난자가 배란되는 정도의 FSH 분비가 이루어지지만, 체외수정시술을 위한 난소자극 시에는 정상 월경주기에서 분비되는 농도보다 많은 양의 생식샘자극호르몬을 체외 주사하여 세포고사에 이르는 난포를 구제(rescue)함으로써 다수의 난포를 자라게 하는 방법이다. 따라서 체외수정시술을 위한 난소자극 시 소위 우성난포가 선택(dominant follicle selection)되는 시기인 월경주기 제7–9일 이전의 초기 난포기 시기에 생식샘자극호르몬을 주사해야 한다고 생각한 이유는 이 시기에 생식샘자극호르몬이 투여되어야 세포고사되는 난포를 구제하여 다수의 난포를 얻을 수 있다고 믿었기 때문이다. 또한 체외 투여 생식샘자극호르몬의 시작 날짜가 우성난포 선택 이후의 후기 난포기 또는 배란시기에 가까이 갈수록 LH surge에 의한 난자 조기 황체화(early luteinization)으로 난자의 질 저하를 초래하여 임신율에 영향을 준다고 인식하고 있었기 때문이다. 한편 체외수정시술의 발달과 함께 FSH dependent 난포 성장 관련 연구와 달리 FSH independent 난포 성장 관련 연구 실적은 저조한 편이었다. 2000년대 들어서면서 발표된 괄목할 만한 성과는 FSH independent 시기의 전동난포(preantral follicle) 시기의 난소 내 난자 인자(intraovarian factor)에 의한 동난포(antral follicle)로의 이행 조절 관련 연구이다. 원시난포는 AKT, mTOR 시그날링에 의해 일차난포로 발달되도록 자극되어 초기 난포 동원(initial recruitment)이 시작되고, dormancy factor에 의하여 억제된다. 일단 난포의 성장이 시작되면 fluid가 차 있는 방을 가진 동난포로 진행하기 위해 FSH, 측분비인자(paracrine factor), 과립막세포 유래 측분비 인자(granulosa cell derived paracrine factor: for example granulosa cell derived C–type natriuretic factor: CNP)의 작용으로 동난포로 성장하게 된다[17] (그림 6-2, Hsueh et al, endocr rev, 2015). 전동난포에서 동난포로 진행할 때 작용하는 억제인자로는 HIPPO 시그널링이 있으며, HIPPO 시그널링을 억제하면 동난포로 진행하는 억제인자가 억제되는 결과이므로 결국 동난포로의 진행을 촉진하는 결과를 유발하므로 이를 이용하여 조기난소부전증(primary ovarian insufficiency, POI) 환자에 적용하여 건강한 아이를 분만하였다고 보고하고 있다[18].

현재 가임력보존 클리닉에서 사용하고 있는 난소자극방법은 난포기, 배란기, 황체기와 같이 월경주기에 상관없이 바로 난소자극을 시작하는 수시난소자극방법(random start ovarian stimulation)을 사용하고 있다. 이러한 난소자극방법은 기존 난임클리닉에서 권장되던 표준 난소자극방법과 다른데, 이는 단태임신 동물인 어린 암소(heifer) 가축농장의 동물에서 관찰되는 소위 “wave theory”에 근거하여 난소자극을 시작하였기 때문이다[19-20]. 이때 관찰되는 wave는 두 종류인데 첫째, 한개의 우성난포가 형성되어 성장하여 배란되는 wave와 고사(atresia)되는 난포 두 종류의 wave 패턴과 둘째, 우성난포가 형성되지 않아 배란이 되지 않고, 나머지는 고사되는 두가지 종류의 wave 패턴으로 관찰된다.

다중 난포파의 이론적인 배경과 함께, 암환자에서는 신선 배아 이식을 하지 않으므로 난소와 자궁 내막 사이의 동기화가 필요하지 않기 때문에 수시난소자극 방법이 가능해졌다[21]. 월경주기의 여러 단계에 있는 여러 환자에서 기존의 고식적인 방법을 사용한 군, 후기 난포기군, 황체기군에 난소과자극을 시행하였을 때 채취된 평균 성숙난자의 수에는 유의한 차이가 없었고 (5.7 ± 3.6, 5.2 ± 3.7 and 5.2 ± 3.9) 임신율(41.5%, 45.5% 및 38.9%)과 착상률(30.7%, 30.2% 및 27.1%)은 세 군에서 유사한 것으로 나타났다[22].

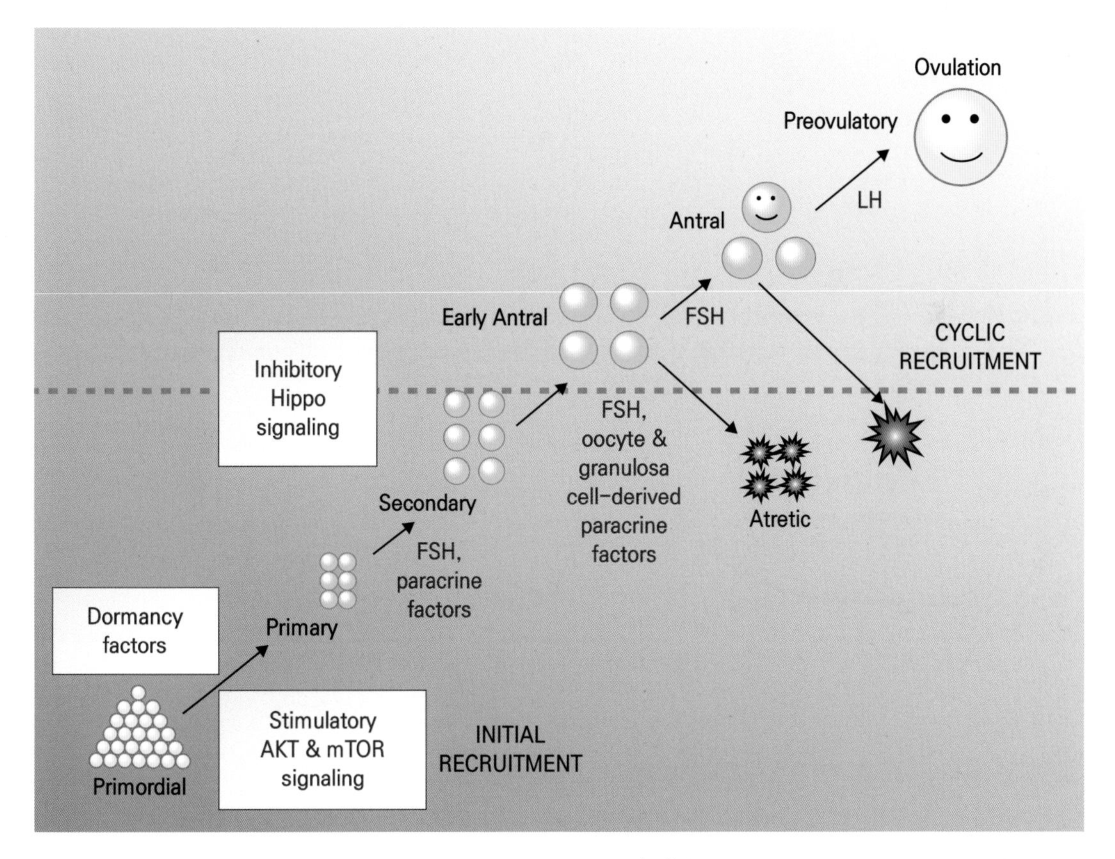

그림 6-2. Hormonal regulation of preantral follicle growth [17] (Hsueh et al, 2015, Endocr Rev)

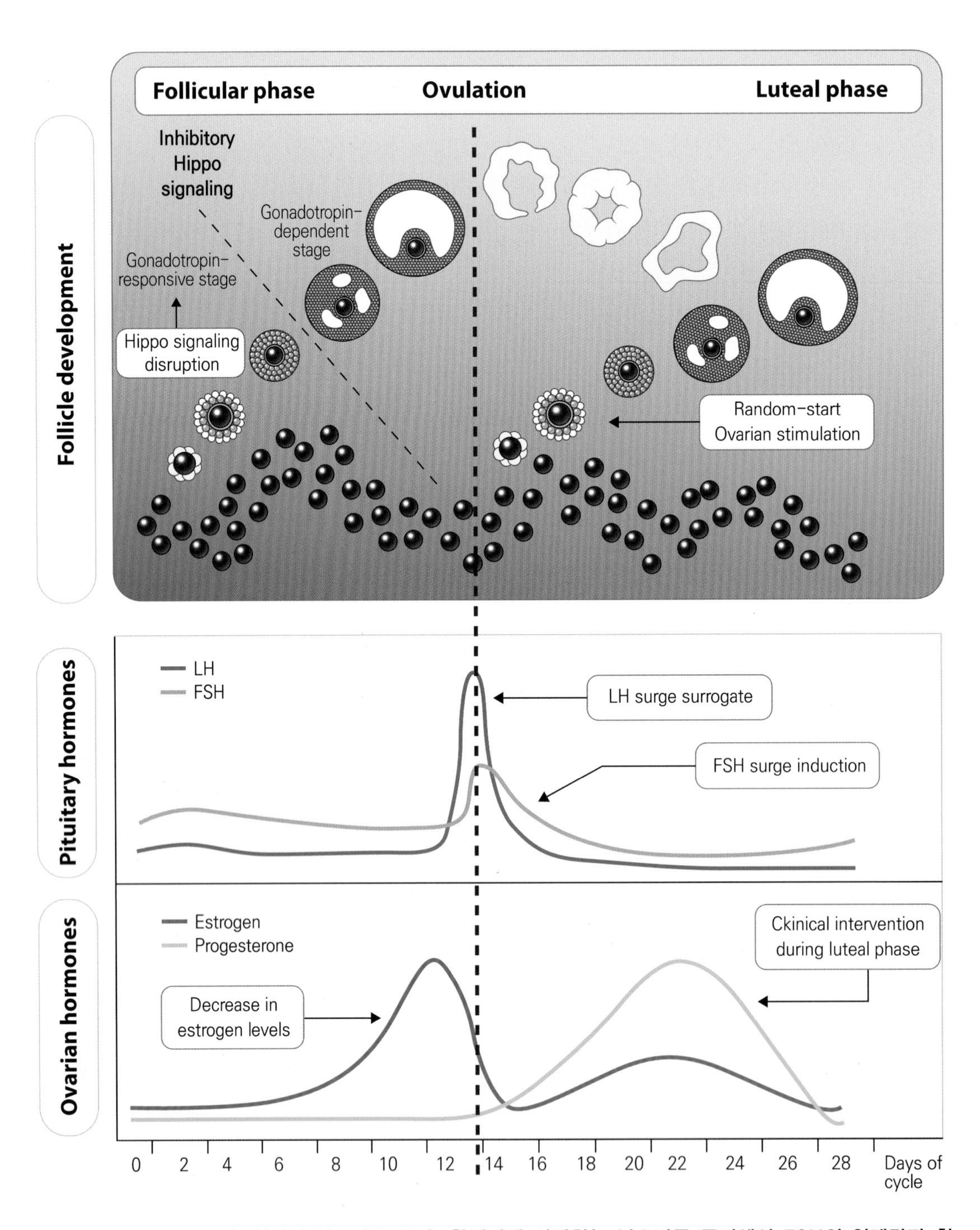

그림 6-3-A. 자연주기, 일반적 난소자극 주기, 황체기에 시작하는 난소자극 주기에서 FSH의 임계값과 창
황체기 동안의 긴 FSH 창은 다중 난포 성장을 가능하게 한다[21] (Sighinolfi et al., 2018).

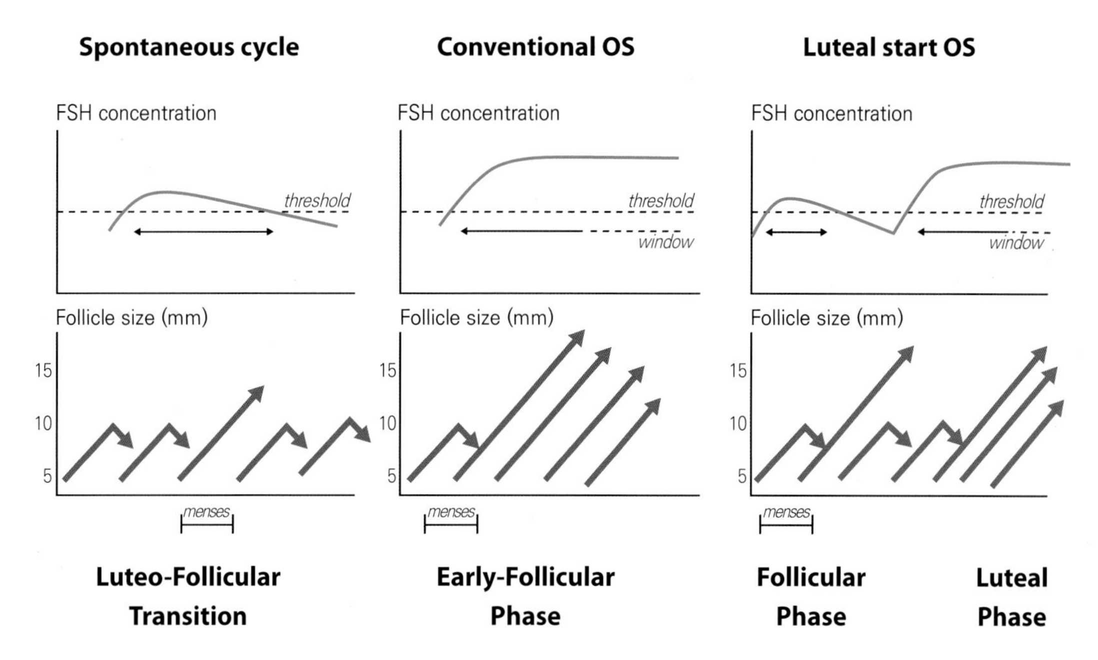

그림 6-3-B. 자연주기, 일반적 난소자극 주기, 황체기에 시작하는 난소자극 주기에서 FSH의 임계값과 창
황체기 동안의 긴 FSH 창은 다중 난포 성장을 가능하게 한다[21] (Sighinolfi et al., 2018).

2) 이중수시난소자극(back to back random start stimulation or double stimulation in the same ovarian cycle)

수시난소자극방법의 “wave theory”는 또한 이중수시난소자극의 이론적 바탕이 되기도 하였다. 즉, 최근의 연구들에서는 난소의 순환 동안 파동형 모델에서는 최대 3개 코호트의 난포를 모집하여 발달이 가능한 것으로 나타났다. 따라서 시험관 시술에서는 월경 주기의 어느 단계에서나 생식샘자극호르몬의 사용으로 난포 성장 촉진이 가능하다는 것을 바탕으로 난소자극에 대한 새로운 프로토콜이 나타나고 있다.

Double Stimulation in the Same Ovarian Cycle (DuoStim)은 동일한 난소 주기의 난포기와 황체기에 두 번의 연속적인 난소자극을 통해 짧은 시간 내 채취하는 난자의 수와 배아의 수를 최대로 증가시키는 것이 목적이다. 이 방법은 종양 환자나 여성환자의 나이가 많은 저반응군 등에서 난소예비능의 최대, 시급하게 채취가 필요한 모든 환자군의 치료에 제안될 수 있다[23]. 2014년 Kuang 등에 의해 최초로 보고된 이후 여러 연구들에서 DuoStim의 효과에 대한 결과들이 보고되어 왔다. Kuang 등이 제안한 Sanghai protocol은 월경 주기 3일째 초음파와 혈청 FSH 검사를 시행하고 클로미펜 25 mg/day와 레트로졸 2.5 mg/day를 월경주기 3일째부터 함께 투여하는 방법이다. 레트로졸은 4일간 투여하고 클로미펜은 트리거 전까지 지속적으로 사용한다. 주기 6일째부터 환자는 hMG 150 IU를 격일로 총 4번 투여한다. 난포 감시는 주기 10일째부터 2일에서 4일 간격으로 질초음파 검사로 난포의 개수와 발달을 확인하고 혈청 FSH, LH, estradiol, progesterone 농도를 측정한다. 하나 또는 두개의 난포가 직경 18 mm의 크기에 도달하면 최종 난자 성숙을 유도하기 위해 triptoreline 100 μg과 0.6 g ibuprofen을 각각 트리거링 날과 그 다음날 사용한다. GnRH 투여 32-36시간 뒤 질초음파 유도 하 난자 채취를 시행한다. 직경이 10 mm 미만인 난포들은 황체기에 두번째 자극을 위해 남겨둔다. 두번째 자극은 2-8 mm의 동난포가 적어도 2개 이상 존재할 때 계속한다. 225 IU의 hMG와 2.5 mg의 레트로졸을 난자 채취 후 다음날부터 매일 투여한다. 두번째 자극 주기의 첫 난포 감시는 5-7일 뒤에 매 2-4일 간격으로 질초음파 검사 및 호르몬 검사로 시행한다. 레트로졸은 우성 난포가 12 mm의 크기에 도달하면 중단한다. 배란 후 난포의 크기가 14 mm 이하라 여러 날 동안 자극의 지속이 필요한 경우 자극 12일째부터는 medroxyprogesterone acetate 10 mg을 추가로 매일 투여하여 월경을 연기하게 되는데 이는 난자 채취 시 월경을 피하도록 하여 감염의 위험을 예방하기 위한 것이다. 3개의 우성 난포가 18 mm 크기에 도달하거나 한 개의 성숙 우성 난포가 20 mm에 도달하게 되면 난자의 최종 성숙을 위하여 triptorelin 100 μg과 ibuprofen 0.6 g을 투여한다. GnRH 투여 36-38시간 뒤에 난자를 채취한다. 프로토콜의 도식도는 그림 6-4와 같다. 첫번째 자극과 두번째 자극 모두에서 난자와 배아의 수는 비슷한 것으로 나타났고 DuoStim을 통해 환자의 절반 이상이 1-6개의 생존 가능한 배아를 획득할 수 있었다. 2017년 발표된 코크란 리뷰에서는 클로미펜과 레트로졸 사용을 지지

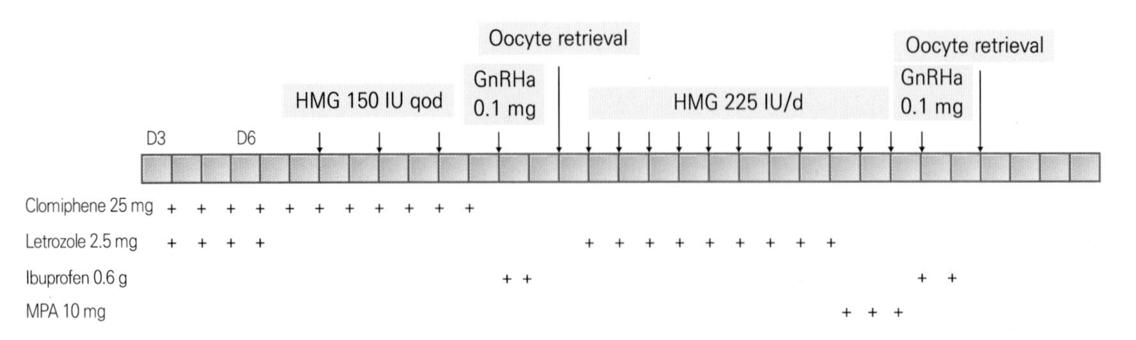

그림 6-4. 저난소 반응군에서 최초로 제안된 난포기와 황체기의 double stimulation protocol [25] (Kuang et al., 2014)

하지 않았고 채취된 난자의 수가 적어 주기 취소의 위험이 증가한 것으로 보고되었다[24].

이후 Moffat 등은 duostim에서 첫번째, 두번째 난소자극 시에 모두 하루에 300 IU의 FSH 사용 및 난소자극 6일째부터 cetrorelix 0.25 mg, 난포 성숙 시 triptoreline 0.2 mg의 GnRH 트리거를 사용하는 antagonist protocol을 사용하여 기존의 단일 난소자극 주기와 비교하여 최종 배반포률을 두배로 늘렸다고 보고했다[26].

또 다른 최근 연구에서는 난소예비능이 감소된 환자에서 생리주기 2일 째에 rFSH와 75 IU의 rLH로 난포자극을 시작하고 우성난포가 13−14 mm의 크기에 도달하면 GnRH antagonist를 매일 투여하기 시작하여 배란을 트리거 할 때까지 사용하였다. 2개 이상의 난포가 17−18 mm 크기에 도달하면 배란이 유도되었다. 첫번째 난자 채취 후 5일 뒤에 두번째 자극을 같은 자극 방법으로 시행한다. 두 자극 주기 모두에서 배란은 buserelin으로 유도되었고 난자 채취는 트리거 후 35시간 뒤에 시행되었다. 두 자극 주기에서 채취된 난자수, 성숙난자수, 배반포 수 또는 정배수성 배반포의 수는 통계적으로 차이가 없었다[27]. 정배수성 배반포의 비율은 첫 자극에서는 41.9% 였고 두 자극 모두를 합하였을 때는 69.8%로 증가하는 것으로 나타났다.

또 다른 연구들에서는 같은 달에 두 번의 난소자극이 획득한 난자의 수를 최대화할 수 있다는 결과를 나타내고 있다[28-30]. 이 중에서 Liu 등의 연구에서는 38세 이상의 여성 116명에서 난소자극 주기에 따라 GnRH agonist short protocol, GnRH antagonist protocol, mild stimulation protocol, Progestin pituitary down−regulation procotol의 4군으로 나누어 결과를 비교하였다. 난자 채취 후 1−3일 내에 225 IU HMG를 매일 투여하여 두번째 황체기에서 난소자극을 시행하였다. 그 결과 표준 난포기 자극과 비교하였을 때 이중 자극 주기에서 채취된 난자의 수(5.83 ± 4.60), 성숙난자의 수(4.73 ± 4.01), 분열배아의 수(4.00 ± 3.42)가 통계적으로 유의하게 증가하였고, 주기 취소비율, 이식가능한 배아가 없는 경우는 감소하였다(37.07% versus 18.10%)[29].

암환자를 대상으로 시행한 연구에서는 무작위 시작 antagonist 프로토콜을 사용하였고 초기 생식샘자극호르몬의 용량은 hMG 150−450 IU이었으며 난자의 최종 성숙은 5000 IU의 hCG로 시행하였다. 난자 채취 후 1일에서 5일 뒤 두번째 자극 주기가 시작되었고 생식샘자극호르몬의 용량은 첫번째 자극 주기의 난소 반응에 따라 같거나 증가되었다[30]. 이 연구의 결과에 따르면 암치료는 지연시키지 않으면서 채취된 성숙난자의 수를 증가시킬 수 있는 것으로 나타났다.

이중난소자극 동안의 r−LH 보충은 안드로겐 생성을 증가시키고, 난포 성장 초기 단계를 자극하며 전동난포와 동난포의 모집을 증가시키며 과립막세포에서 FSH 수용체 발현을 증가시키는 것으로 보고되어 한 가지 선택지가 될 수 있다[31]. LH 측정과 적절한 치료 창에 대한 합의는 없으나 도움이 될 것으로 보이며 여전히 논쟁의 여지가 있다. 여러 RCT와 메타분석에서는 hMG

에 비해 r-FSH를 사용한 난소자극 후 난자 채취에서 더 효과가 좋은 것으로 보고하였고 사용된 총 생식샘자극호르몬의 양은 hMG와 비교하여 r-FSH를 사용였을 때 더 낮은 것으로 보고되고 있다[32-37].

난자 동결보존은 항암 또는 방사선 치료 전 환자에게 단시간 내 난소자극을 시행하고 동결보존하는 난자의 수를 최대화하여 미래의 임신 가능성을 높이는 것이 중요하다[38]. 이러한 점에서 동결보존에 이상적인 난자의 수는 적어도 10개-15개라고 볼 수 있으며 주로 여성의 나이에 의해 결정된다[39]. 암치료에 대한 지연을 최소화하고 난소와 자궁 내막의 동기화가 필요하지 않기 때문에 무작위 시작 프로토콜이 가능할 뿐만 아니라 시간이 제한되고 한 번의 자극에서 채취한 난자가 불충분할 때 이중자극 수시 배란 유도 방법을 사용한다면 암환자에 있어 가임력보존을 위한 중요한 선택지가 될 것이다[23].

3) Letrozole 투여

유방암 환자들의 경우 난소를 자극할 때 발생하는 고에스트로겐 혈증이 질병의 진행과정에 미치는 잠재적인 영향에 대한 우려 때문에 가임력보존을 주저하게 되기도 한다. 이러한 경우 임상의는 가임력보존에 대한 상담을 철저하게 시행하고 혈중 에스트로겐 수치를 감소시키기 위해 방향화효소억제제를 병용 투여하거나 에스트로겐 수용체 차단제로서 타목시펜을 사용할 수 있다는 사실을 제시해야 한다[40, 41].

레트로졸은 에스트로겐 수용체 양성 유방암 환자에서 난소자극을 할 때 함께 사용되는 방향화효소억제제(Aromatase inhibitor)이다. 레트로졸은 안드로겐에서 에스트로겐의 전환을 억제하여 난소자극 동안의 에스트로겐 수치가 지나치게 높아지는 것을 예방한다[42]. 유방암 환자들에서 난소과자극을 할 때 레트로졸은 일반적으로 하루 5 mg을 생식샘자극호르몬을 투여하기 시작하는 날부터 함께 트리거를 하는 날까지 투여하고 난자 채취 후 다시 투여를 시작하여 혈중 에스트라다이올 농도가 50 pg/mL 이하가 될 때까지 사용을 유지하는 방법으로 사용한다[42]. 유방암 환자가 가임력보존을 위해 난소자극을 할 때 생식샘자극호르몬과 함께 레트로졸을 사용하면 에스트라다이올의 노출은 줄어들고 보존된 배아의 수는 대조군과 비슷하다는 결과가 있다[40, 43, 44].

4) Triggering with hCG versus GnRHa

일반적으로 난임치료를 위한 배란 유도와 체외수정 시에는 난자의 최종 성숙을 위해 hCG 또는 GnRHa을 사용하게 되고 최근 hCG와 GnRHa를 함께 사용하는 dual trigger와 이 두 가지를 시간 간격을 두고 함께 사용하는 double trigger 방법 또한 제안되고 있다.

가임력보존을 위한 배란 유도시에도 난자의 최종 성숙을 위해서는 난임치료 때와 마찬가지로 표준 hCG 또는 GnRHa, 이 둘을 함께 사용하는 방법이 있다. Reddy 등의 연구에서는 유방암 환자에서 가임력보존을 위해 배란 유도를 할 때 난자 최종 성숙에 GnRHa와 hCG를 사용한 경우를 비교하였다. 45세 미만의 Stage 3 이하로 진단받은 정상 난소예비능을 가진 총 129명의 환자를 후향적으로 비교하였을 때 GnRHa 군과 hCG 군에서 혈청 AMH 수치는 두 군에서 비슷하였다(2.7±1.9 vs. 2.1±1.8 ng/mL, p=0.327) [45]. 경도 또는 중등도의 난소과자극 증후군은 GnRHa 군에서 1건, hCG 군에서 12건 발생하였다고 보고되었다 group (2.1% vs. 14.4%, respectively; p=0.032). 난자 성숙률, 수정률, 그리고 동결된 배아의 수는 통계적으로 유의하게 GnRHa 군에서 더 높게 나타났다. 따라서 연구자들은 유방암 환자에서 가임력보존을 시행할 때 GnRHa 트리거가 임상 결과는 향상시키면서 난소과자극증후군의 위험은 감소시키는 것으로 보고하였다. 최근의 후향적 연구에서는 427 주기의 GnRHa-downregulated IVF 와 신선 배아 이식을 시행하였을 때 난자 최종 성숙에서 GnRHa와 표준용량의 hCG를 함께 사용한 dual triggering을 시행하였을 때 난소예비능이 저하된 여성에서 출생률, 임상 임신율, 수정률이 통계적으로 유의하게 증가하였다고 보고하였다[46].

그러나 Asada 등은 일반적인 GnRHa의 용량이 난자의 최종 성숙을 트리거 하는데 실패하였다고 보고하기도 하였다[47]. 이는 심각한 시상하부-뇌하수체 축의 downregulation 때문에 내인적인 LH surge가 최적화되지 못했기 때문으로 생각된다. Chen 등이 발표한 체계적 문헌고찰과 메타분석에서는 최종 난자의 성숙을 트리거링하기 위해 hCG 단독 사용에 비해 hCG에 GnRHa를 함께 사용하는 것이 현저하게 임상 결과를 향상시킬 수 있는 것으로 발표하였다[48].

결론적으로 가임력보존 환자군에서는 표준적인 hCG 또는 GnRHa 트리거의 방법을 사용할 수 있으나 난소예비능이 저하된 경우 등 일부 환자들에서는 hCG와 GnRHa를 함께 사용하는 방법도 고려할 수 있을 것이다.

4 결론

유방암 환자의 가임력보존 치료에 대한 요청이 점점 더 보편화되고 있다. 이제 암환자의 가임력 보존은 암환자 치료 과정에 있어 하나의 선택 사항이 아니라 반드시 상담을 해주어야 할 필수적인 요소가 되었다.

암환자의 가임력보존을 위한 난소과자극에서는 현재까지의 문헌들에 따르면 레트로졸 병용투여와 난소과자극이 암 예후에 현저한 단기적인 악화를 일으키지 않으며 전체 또는 성숙난자율을 실질적으로 감소시키지 않으면서 에스트라다이올 농도를 감소시킨다는 것이다. 레트로졸의 공동 투여와 임의 시작 및 이중 난소 배란 유도는 난자 또는 배아의 효율적인 획득과 가임력보존 치료의 총 기간의 감소를 위해 가능하며, 이러한 방법은 최대 에스트라다이올 농도를 높이거나 유방암 위험을 증가시키지 않는 것으로 알려져 있다. 가임력보존 치료를 하는 유방암 환자의 일부 경우에는 hCG와 GnRHa를 함께 투여하여 triggering 하는 것이 임상적 결과를 향상시킬 수 있다. 향후 더 효과적인 프로토콜의 개발을 위해 지속적인 연구가 필요할 것으로 생각된다.

References

1. Covelli A, Facey M, Kennedy E, Brezden-Masley C, Gupta AA, Greenblatt E, et al. Clinicians' Perspectives on Barriers to Discussing Infertility and Fertility Preservation With Young Women With Cancer. JAMA Netw Open 2019;2:e1914511.
2. Oktay K, Harvey BE, Partridge AH, Quinn GP, Reinecke J, Taylor HS, et al. Fertility preservation in patients with cancer: ASCO clinical practice guideline update. J Clin Oncol 2018;36:1994-2001.
3. Shoham G, Levy-Toledano R, Leong M, Weissman A, Yaron Y, Shoham Z. Oncofertility: insights from IVF specialists-a worldwide web-based survey analysis. J Assist Reprod Genet 2019;36:1013-21.
4. Lee S, Ozkavukcu S, Heytens E, Moy F, Oktay K. Value of Early Referral to Fertility Preservation in Young Women With Breast Cancer. J Clin Oncol 2010;28:4683-6.
5. Kasum M, Wolff M von, Franulic D, Cehic E, Klepac-Pulanic T, Oreskovic S, et al. Fertility preservation options in breast cancer patients. Gynecol Endocrinol 2015;31:846-51.
6. Valachis A, Tsali L, Pesce LL, Polyzos NP, Dimitriadis C, Tsalis K, et al. Safety of pregnancy after primary breast carcinoma in young women: a meta-analysis to overcome bias of healthy mother effect studies. Obstet Gynecol Surv 2010;65:786-93.
7. Malone KE, Daling JR, Neal C, Suter NM, O'Brien C, Cushing-Haugen K, et al. Frequency of BRCA1/BRCA2 mutations in a population-based sample of young breast carcinoma cases. Cancer 2000;88:1393-402.

8. Lakhani SR, Van De Vijver MJ, Jacquemier J, Anderson TJ, Osin PP, McGuffog L, et al. The pathology of familial breast cancer: predictive value of immunohistochemical markers estrogen receptor, progesterone receptor, HER-2, and p53 in patients with BRCA1and BRCA2. J Clin Oncol 2002;20:2310-8.
9. Antoniou A, Pharoah PDP, Narod S, Risch HA, Eyfjord JE, Hopper JL, et al. Average Risks of Breast and Ovarian Cancer Associated with BRCA1 or BRCA2 Mutations Detected in Case Series Unselected for Family History: A Combined Analysis of 22 Studies. Am J Hum Genet 2003;72:1117-30.
10. Lipton JH, Zargar M, Warner E, Greenblatt EE, Lee E, Chan KKW, et al. Cost effectiveness of in vitro fertilisation and preimplantation genetic testing to prevent transmission of BRCA1/2 mutations. Hum Reprod 2020;35:2:434-45.
11. Lee SJ, Schover LR, Partridge AH, Patrizio P, Wallace WH, Hagerty K, et al. American Society of Clinical Oncology Recommendations on Fertility Preservation in Cancer Patients. J Clinic Oncol 2006;24:2917-31.
12. Lambertini M, Mastro LD, Pescio MC, Andersen, Azim Jr. HA, Peccatori FA, et al. Cancer and fertility preservation: international recommendations from an expert meeting. BMC Med 2016:14:1.
13. Petrek JA, Naughton MJ, Case LD, Passkett ED, Naftalis EZ, Singletary SE, et al. Incidence, Time Course, and Determinants of Menstrual Bleeding After Breast Cancer Treatment: A Prospective Study. J Clin Oncol 2008:24:1045-51.
14. Francis PA, Pagani O, Fleming GF, Walley BA, Colleoni M, Colleoni M, et al. Tailoring Adjuvant Endocrine Therapy for Premenopausal Breast Cancer. N Engl J Med 2018;379:122-37.
15. Hodgen GD. The dominant ovarian follicle. Fertil Steril 1982;38:640-7
16. Gougeon A. Regulation of Ovarian Follicular Development in Primates: Facts and Hypotheses. Endoc Rev 1996;17:121-55.
17. Hsueh AJ, Kawamura K, Cheng K, Fauser BCJM. Intraovarian Control of Early Follicuolgenesis. Endocr Rev 2015;36:1-24.
18. Kawamura K, Cheng Y, Suzuki N, Deguchi M, Sato Y, Takae S, et al. Hippo signaling disruption and AKt stimulation of ovarian follicles for infertility treatment. Proc Natl Acad Sci 2013;110:17474-9.
19. Driancourt MA. Regulation of ovarian follicular dynamics in farm animals. Implications for manipulation of reproduction. Theriogenology 2001;55:1211-39.
20. Sirois J, Fortune JE. Ovarian Follicular Dynamics during the Estrous Cycle in Heifers Monitored by Real-Time Ultrasonography. Biol Reprod 1988;39:308-17.
21. Sighinolfi G, Sunkara SK, Marca A La. New strategies of ovarian stimulation based on the concept of ovarian follicular waves: From conventional to random and double stimulation. Reprod Biomed Online 2018;37:489-97.
22. Qin N, Chen Q, Hong Q, Cai R, Gao H, Wang Y, Sun L, Zhang S, Guo H, Fu Y, et al. Flexibility in starting ovarian stimulation at different phases of the menstrual cycle for treatment of infertile women with the use of in vitro fertilization or intracytoplasmic sperm injection. Fertil Steril 2016;106:334-41.
23. Vaiarelli A, Cimadomo D, Petriglia C, Conforti A, Alviggi C, Ubaldi N, et al. DuoStim - a reproducible strategy to obtain more oocytes and competent embryos in a short time-frame aimed at fertility preservation and IVF purposes. A systematic review. Upsala J of Med Sci 2020;125:121-30.
24. Kamath MS, Maheshwari A, Bhattacharya S, Lor KY, Gibreel A. Oral medications including clomiphene citrate or aromatase inhibitors with gonadotropins for controlled ovarian stimulation in women undergoing in vitro fertilization. Cochrane Database Syst Rev 2017;11:CD008528.
25. Kuang Y, Chen Q, Hong Q, Lyu Q, Ai A, Fu Y, et al. Double stimulations during the follicular and luteal phases of poor responders in IVF/ICSI programmes (Shanghai protocol). Reprod Bio Med Online 2014;29:684-91.

26. Moffat R, Pirtea P, Gayet V, Wolf JP, Chapron C, de Ziegler D. Dual ovarian stimulation is a new viable option for enhancing the oocyte yield when the time for assisted reproductive technology is limited. Reprod Biomed Online 2014;29:659-61.
27. Ubaldi FM, Capalbo A, Vaiarelli A, Cimadomo D, Colamaria S, Alviggi C, et al. Follicular versus luteal phase ovarian stimulation during the same menstrual cycle (DuoStim) in a reduced ovarian reserve population results in a similar euploid blastocyst formation rate: new insight in ovarian reserve exploitation. Fertil Steril 2016;105:1488-95.
28. Cardoso MCA, Evangelista A, Sartorio C, Vaz G, Werneck CLV, Guimaraes FM, et al. Can ovarian double-stimulation in the same menstrual cycle improve IVF outcomes? JBRA Assist Reprod 2017;21:217-21.
29. Liu C, Jiang H, Zhang W, Yin H. Double ovarian stimulation during the follicular and luteal phase in women ≥ 38 years: a retrospective case-control study. Reprod Biomed Online 2017;35:678-84.
30. Tsampras N, Gould D, Fitzgerald CT. Double ovarian stimulation (DuoStim) protocol for fertility preservation in female oncology patients. Hum Fertil (Camb) 2017;20:248-53.
31. Mochtar MH, Danhof NA, Ayeleke RO, Van der Veen F, van Wely M. Recombinant luteinizing hormone (rLH) and recombinant follicle stimulating hormone (rFSH) for ovarian stimulation in IVF/ICSI cycles. Cochrane Database Syst Rev 2017;5:CD005070
32. Bosch E, Vidal C, Labarta E, Simon C, Remohi J, Pellicer A. Highly purified hMG versus recombinant FSH in ovarian hyperstimulation with GnRH antagonists - a randomized study. Hum Reprod 2008;23:2346-51.
33. Hompes PG, Broekmans FJ, Hoozemans DA, Schats R, FIRM group. Effectiveness of highly purified human menopausal gonadotropin vs. recombinant follicle-stimulating hormone in first-cycle in vitro fertilization-intracytoplasmic sperm injection patients. Fertil Steril 2008;89:1685-93.
34. Devroey P, Pellicer A, Nyboe Andersen A, Arce JC. Menopur in GnRH Antagonist Cycles with Single Embryo Transfer Trial Group. A randomized assessor-blind trial comparing highly purified hMG and recombinant FSH in a GnRH antagonist cycle with compulsory single-blastocyst transfer. Fertil Steril 2012;97:561-71.
35. Lehert P, Kolibianakis EM, Venetis CA, Schertz J, Saunders H, Arriagada P, et al. Recombinant human follicle-stimulating hormone (r-hFSH) plus recombinant luteinizing hormone versus r-hFSH alone for ovarian stimulation during assisted reproductive technology: systematic review and meta-analysis. Reprod Biol Endocrinol 2014;12:17.
36. Levi Setti PE, Alviggi C, Colombo GL, Pisanelli C, Ripellino C, Longobardi S, et al. Human recombinant follicle stimulating hormone (rFSH) compared to urinary human menopausal gonadotropin (HMG) for ovarian stimulation in assisted reproduction: a literature review and cost evaluation. J Endocrinol Invest 2015;38:497-503.
37. Santi D, Casarini L, Alviggi C, Simoni M. Efficacy of follicle-stimulating hormone (FSH) alone, FSHþluteinizing hormone, human menopausal gonadotropin or FSH+human chorionic gonadotropin on assisted reproductive technology outcomes in the "Personalized; Medicine Era: A Meta-analysis". Front Endocrinol (Lausanne) 2017;8:114.
38. Practice Committee of the American Society for Reproductive Medicine Fertility preservation in patients undergoing gonadotoxic therapy or gonadectomy: a committee opinion. Fertil Steril 2019;112:1022-33.
39. Cobo A, Garcia-Velasco JA, Coello A, Domingo J, Pellicer A, Remohi J. Oocyte vitrification as an efficient option for elective fertility preservation. Fertil Steril 2016;105:755-64.e8.
40. Kim J, Turan V, Oktay K. Long-term safety of letrozole and gonadotropin stimulation for fertility preservation in women with breast cancer. J Clin Endocrinol Metab 2016;101:1364-71.
41. Meirow D, Raanani H, Maman E, Paluch-Shimon S, Shapira M, Cohen Y, et al. Tamoxifen co-administration during controlled ovarian hyperstimulation for in vitro fertilization in breast cancer patients increases the safety of fertility-preservation treatment strategies. Fertil Steril 2014;102:488-95.e3.

42. Rodgers RJ, Reid GD, Koch J, Deans R, Ledger WL, Friedlander M, et al. The safety and efficacy of controlled ovarian hyperstimulation for fertility preservation in women with early breast cancer: a systematic review. Hum Reprod 2017;32:1033-45.
43. Oktay K, Hourvitz A, Sahin G, Oktem O, Safro B, Cil A, et al. Letrozole reduces estrogen and gonadotropin exposure in women with breast cancer undergoing ovarian stimulation before chemotherapy. J Clin Endocrinol Metab 2006;91:3885-90.
44. Azim AA, Costantini-Ferrando M, Oktay K. Safety of fertility preservation by ovarian stimulation with letrozole and gonadotropins in patients with breast cancer: a prospective controlled study. J Clin Oncol 2008;26:2630-5.
45. Reddy J, Turan V, Bedoschi G, Moy F, Oktay K. Triggering final oocyte maturation with gonadotropin-releasing hormone agonist (GnRHa) versus human chorionic gonadotropin (hCG) in breast cancer patients undergoing fertility preservation: an extended experience. J Assist Reprod Genet 2014;31:927-32.
46. Lin MH, Wu FS, Hwu YM, Lee RK, Li RS, Li SH, Dual trigger with gonadotropin releasing hormone agonist and human chorionic gonadotropin significantly improves live birth rate for women with diminished ovarian reserve. Reprod Biol Endocrinol 2019;17:7.
47. Asada Y, Itoi F, Honnma H, Takiguchi S, Fukunaga N, Hashiba Y, et al. Failure of GnRH agonist-triggered oocyte maturation: its cause and management. J Assist Reprod Genet 2013;30:581-5.
48. Chen CH, Tzeng CR, Wang PH, Liu WM, Chang HY, Chen HH, et al. Dual triggering with GnRH agonist plus hCG versus triggering with hCG alone for IVF/ICSI outcome in GnRH antagonist cycles: a systematic review and meta-analysis. Arch Gynecol Obstet 2018;298:17-26.

Chapter 07

난자와 배아 동결보존

(Cryopreservation of oocyte and embryo)

연세의대 **최영식**
연세의대 **이재훈**

최근 치료 기술의 비약적 발전으로 암환자들의 생존율이 현저히 향상됨에 따라, 가임력보존은 가임기에 있는 여성 암환자들의 치료 과정에서 필수적인 부분으로 자리잡았다. 따라서, 가임기 여성 암환자에게는 암치료 전 생식 내분비 또는 난임을 전문으로 하는 산부인과 의사와 가임력 보존에 대해 상담할 기회를 제공해야 한다. 본 단원에서 다룰 배아 동결보존은 가임기의 여성 암환자가 항암화학요법을 받기 전 가임력보존을 위해 선택할 수 있는 방법 중 가장 기술적으로 안정되고 치료 후 높은 임신율을 기대할 수 있는 방법이며, 파트너가 없는 여성에서는 그 대안으로 난자 동결보존도 고려해 볼 수 있다. 배아 또는 난자 동결보존을 위해서는 생식샘자극호르몬(gonadotropin) 등을 이용한 난소과자극(controlled ovarian hyperstimulation, COH) 및 난자 채취 과정을 거쳐야 하며, 전체 과정을 완료하는 데에 약 12–14일이 소요된다. 이러한 과정은 항암화학요법이 시작하기 전에 완료되어야 하므로, 가임력보존 상담은 종양 치료를 시작하기 '전'에 시행해야 하며, 가임력보존에 소요되는 시간이 암의 치료 및 예후에 중대한 영향을 미치는지 여부를 종양 전문의와 신중하게 상의해야 한다.

근래에 들어서는 암환자에서 주로 시행하던 가임력보존 치료의 대상이 확대되고 있다. 여성의 사회 진출이 활발해짐에 따라, 여성의 초혼 및 초출산 연령이 증가하고, 가임력이 저하되기 전에 난자를 동결보존하려는 여성들이 증가하고 있다. 이 외에도, 가임기 여성들이 양성 난소 종양의 치료를 앞두고, 또는 남성 성전환자(출생 성별: 여성)에서 배아 또는 난자 동결보존의 가임력보존치료를 선택하는 등 가임력보존 치료 적응증이 확대되고 있다.

1 서론(Introduction)

최근 암치료 기술의 비약적 발전으로 암환자들의 생존율이 현저히 향상되고 생존 기간 또한 길어지게 되었다. 그에 따라, 암환자들의 치료 후 삶의 질에 대한 관심이 커지고 있으며, 가임기 여성 암환자들에서는 치료 후의 삶의 질을 결정하는 요인으로서 가임력의 보존 여부가 중요하게 여겨지고 있다. 특히, 2006년 미국임상종양학회(American Society Of Clinical Oncology, ASCO)의 가임력보존 가이드라인이 발표된 이후로 암치료 전에 가임력보존의 기회를 갖는 것에 대한 환자들의 요구가 증대되고 있으며[1], 실제로 암치료 이전에 가임력보존 치료를 시행한 환자들은 가임력보존 치료가 암치료 이후 삶의 질에 긍정적인 영향을 주었다고 응답했다[2]. 보조생식기술 및 생식 의학의 발전에 따라, 가임력보존 치료는 환자들이 암치료 종료 후에 임신에 성공할 가능성을 향상시켰다[1, 3, 4].

항암치료 전에 선택할 수 있는 가장 기술적으로 안정되고 높은 임신율을 기대할 수 있는 방법은 배아 동결보존이지만, 최근 동결 기술의 발전으로 난자의 동결보존 또한 해동 후 생존율, 수정률, 임신율이 비약적으로 향상되고 있다. 특히, 윤리적 또는 종교적인 이유로 배아의 생성과 동결보존이 어려운 경우, 또는 파트너가 없어 배아 동결보존이 어려운 경우, 난자의 동결보존은 가임력보존을 위한 매우 중요한 수단이다. 환자는 환자 개인이 처한 상황에 적용될 수 있는 모든 가임력보존 치료 방법에 대한 상담을 제공받아야 하며[5, 6], 이 상담은 암환자에서의 가임력보존 치료 경험이 있는 생식내분비 또는 난임 전문 산부인과 의사가 수행하는 것이 이상적이다. 이 단원에서는 가임력보존을 위한 배아 동결보존 및 난자 동결보존에 대해 알아보겠다.

2 가임력보존 치료의 적응증(Candidates for fertility preservation)

가임력의 저하를 초래할 수 있는 치료가 예정되어 있는 모든 가임기 여성은 난자 또는 배아 동결보존을 포함한 가임력보존 치료의 필요성과 옵션에 대한 상담을 제공받을 수 있어야 한다[3, 7]. 여기에는 항암화학 요법 또는 방사선 치료와 같은 암치료뿐만 아니라, 양성 난소 종양에 대한 수술, 자가면역질환 여성에서의 항암화학 요법, BRCA 유전자 변이가 있는 여성에서의 예방적 난소난관절제술(risk-reducing salpingo-oophorectomy, RRSO), 남성 성전환자에서의 난소절제술 등이 모두 포함된다. 아울러, 초경을 시작한 터너증후군 여성에서 조기난소부전이 나타나기 전,

또는 파트너가 없는 여성에서 나이에 따른 가임력의 감소가 오기 전에 미리 난자를 동결보존하는 계획된 가임력보존(planned fertility preservation, or social FP, elective FP)도 점점 증가하고 있다[7]. 가임력보존 치료에 앞서, 환자가 가임력보존 치료의 적절한 대상이 되는지 확인하기 위한 선별 검사가 수행되어야 한다. 이 선별 검사에는 경질식 초음파에서 관찰되는 난소 내 전동난포수(antral follicle count, AFC), 항뮬러관호르몬(anti-Müllerian Hormone, AMH) 및 월경 제 3일째 난포자극호르몬(follicle stimulating hormone, FSH) 등 환자의 난소예비능(ovarian reserve)을 반영하는 항목들이 포함되어야 한다.

특히 암환자에서는, 가임력보존 치료에 앞서, 적절한 상담을 통해 암의 종류 및 병기, 항암화학요법의 시기 및 생식기 독성(gonadotoxicity)의 정도, 환자의 전반적인 건강 상태 등에 대한 충분한 정보를 수집해야 한다. 이렇게 수집한 정보를 바탕으로 과배란유도에 필요한 적절한 생식샘자극호르몬 용량을 선택하고, 가임력보존 치료의 성공률을 예측하며, 가임력보존 치료가 암 치료를 방해하는 상황을 예방할 수 있다. 배아 또는 난자 동결보존을 위해서는 생식샘자극호르몬 등을 이용한 과배란유도 및 난자 채취 시술의 과정을 거쳐야 하며, 전체 과정을 완료하는 데에 약 12–14일이 소요된다. 환자는 가임력보존에 소요되는 시간이 암의 치료 및 예후에 중대한 영향을 미치는지 여부를 종양 전문의와 신중하게 상의해야 한다. 만약 항암화학 요법을 2주가량 후에 시작하는 것이 환자의 예후를 악화시킬 가능성이 있다면, 다른 가임력보존 치료 방법을 고려해야 한다.

3 배아 동결보존(Embryo cryopreservation)

1983년 동결보존 배아를 이용한 첫 생아출산이 보고된 이후, 체외수정시술(in vitro fertilization and embryo transfer, IVF–ET) 과정에서 이식하고 남은 배아를 동결보존하는 것은 표준 치료가 되었다. 가임력 저하를 일으킬 수 있는 치료를 앞두고 있는 여성에서, 남성 파트너가 있거나 정자 공여를 받을 계획이 있는 경우, 배아 동결보존(embryo cryopreservation)이 기술적으로 가장 안정된 가임력보존 방법이다[8, 9]. 배아 동결보존은 과배란유도 후 난자를 채취한 뒤 정자와 수정시켜 배아를 생성한 다음, 배아를 동결하는 과정을 통해 이루어진다. 최근에는 난자 동결보존 기술의 성공율이 향상되고 생식의 자율성에 대한 요구가 증대됨에 따라, 채취한 난자들의 일부는 정자와 수정시켜 배아를 생성하여 동결하고, 나머지 난자들은 그대로 동결보존하는 경우도 증가하고 있다.

1) 배아 동결보존의 과정(Procedure of embryo cryopreservation)

배아 동결보존을 위해서는 우선 생식샘자극호르몬을 이용하여 과배란유도를 시행하여 동시에 여러 개의 난포들을 성장시킨다. 일반적으로, 과배란유도는 월경 2–3일째에 시작하나, 월경 주기의 모든 단계에서 과배란유도를 통해 여러 개의 난포들을 동시에 성장시키는 것도 가능하다[10-12]. 배아 동결보존을 위한 과배란유도에서 자주 사용되는 프로토콜은 생식샘자극호르몬분비호르몬길항제 요법(GnRH antagonist protocol)이며, 기간이 짧고 난소과자극증후군(ovarian hyperstimulation syndrome, OHSS)의 위험이 낮다는 장점이 있다[13]. 통상적인 절차는 다음과 같다:

- 생식샘자극호르몬 주사는 월경 2–3일째에 시작하여 평균 10–12일 동안 매일 투여한다.
- GnRH antagonist는 우성난포(dominant follicle)의 크기가 질초음파에서 12–14 mm 정도로 측정될 때에 조기 배란을 억제하기 위하여 추가된다.
- 우성난포의 크기가 17–18 mm 이상으로 성장하면 인간융모생식샘자극호르몬(human chorionic gonadotropin, hCG)를 투여하여 난자의 최종성숙을 유도한다.
- 난자 채취 시술은 hCG 투여 34–36 시간 후에 시행한다.
- 회수한 난자와 채취된 정액을 처리하여 얻어진 정자들을 수정시킨다. 정액 검사 결과가 나쁘거나, 정액 검사 결과가 정상이라도 수정 실패의 위험을 줄이기 위해, 난자세포질내 정자주입술(intracytoplasmic sperm injection, ICSI)을 이용하여 수정시킬 수 있다[14].
- 회수한 난자가 성공적으로 수정되었는지 여부는 수정 16–18시간 후 평가하며 배아는 동결보존 시점까지 모니터링한다.
- 배아는 수정 직후 2전핵구(pronuclei, PN) 단계, 2–3일 배양 후 또는 5일 배양 후 다양한 배아 발달단계에서 동결보존 할 수 있고 동결보존 시기는 각 환자의 상황에 맞춰 개별화하여 결정한다.

난포기 초기인 월경 제2–4일째 난소과자극을 시작할 수 없을 때에는, GnRH antagonist 프로토콜을 수정한 무작위 시작 프로토콜(random start protocol)을 이용하여 월경 주기의 모든 단계에서 난포들을 성장시키는 것도 가능하다[10-12].

- 프로토콜을 생리주기의 어느 즈음에 시작하는지에 따라 생식샘자극호르몬과 GnRH antagonist를 동시에 시작하여 난소과자극 주기 내내 병용 투여가 필요할 수도 있고, 생식샘자극호르몬을 투여하다가 가장 큰 난포(leading follicle)가 12–14 mm에 도달하면 GnRH antagonist를 추가할 수도 있다.
- 난소과자극증후군의 위험을 줄이기 위해 hCG 대신 GnRH agonist를 사용하여 난자의 최종성숙을 유도할 수도 있다[15]. GnRH agonist로 배란을 유도하였을 때, 회수된 성숙난자의 수, 수정률, 생성된 배아의 수에 차이가 없었다는 보고들이 있다[16, 17].

2) 치료일정(Timeline)

과배란유도부터 난자 채취까지는 약 12–14일 소요된다. 항암화학요법은 난자 회수 1–2일 후에 시작할 수 있다. 한 연구에 따르면, 난자 채취 후 난소가 완전히 회복되기 전에 항암화학 요법을 시작했다고 하더라도 항암화학요법에 의한 난소예비능의 저하 정도가 증가하지는 않았다[18].

3) 합병증(Risks)

과배란유도 및 난자 채취는 합병증의 위험성이 높은 시술은 아니다. 그러나 일부 환자 (약 5%)는 경도–중등도의 난소과자극 증후군 또는 복강내 출혈과 같은 합병증을 경험하고, 0.4–2.0%에서는 심한 난소과자극 증후군이 발생하기도 한다[19]. 이러한 합병증이 환자의 현재 건강 상태 및 암치료의 진행에 미치는 잠재적인 영향은 상당할 수 있다[20].

과배란유도에 따른 일시적으로 상승된 에스트로겐은 혈전 색전증의 위험을 증가시킬 수 있다. 유방암 또는 자궁내막암과 같이 에스트로겐에 반응하는 종양에서는 질병의 경과에 영향을 미칠 수 있다는 우려도 있었으나[21], 통상적으로 항암화학요법 전 단 한번의 과배란유도 주기가 가능하며[22], 과배란유도 시 레트로졸(letrozole) 등을 추가하여 에스트로겐의 상승을 억제하였을 때 과배란유도가 질병의 예후에 영향을 끼치지 않았다는 보고들이 있다[23-25].

장기적으로는, 가임력보존 치료를 시행했음에도 난자를 채취하지 못하거나, 수정에 실패하여 배아가 생성되지 않기도 하며, 배아를 이식했더라도 임신에 실패하기도 한다.

4) 성공률(Success rates)

암환자에서 치료 종료 후 동결보존한 배아를 이용했을 때의 임신율, 생아출산율에 대한 연구 결과는 매우 제한적이다. 한 연구에서는, 가임력보존 치료를 시행했던 63명의 여성(57명 배아 동결보존, 6명 난자 동결보존)이 암치료 후에 동결보존했던 배아 또는 난자를 이용하여 임신을 시도했을 때, 대조군으로 설정한 비슷한 연령의 난관 요인 난임 여성들과 비교하여 배아이식 시 임신율, 생아출산율(pregnancy rate, live birth rate per transfer)에 차이가 없었으며, 과배란유도 주기당 임신율, 생아출산율(pregnancy rate, live birth rate per IVF cycle)에도 유의미한 차이가 없었다[26]. 같은 연구에서, 가임력보존을 시행했던 암환자에서의 이식 시 생아출산율은 30%였으며, 과배란유도 주기 당 생아출산율은 46.9%로 나타났다 다른 연구에서는, 동결보존한 배아로 임신을 시도하는 경우, 남성요인 난임 때문에 체외수정시술을 받는 여성과 한 주기에 회수된 난자 수, 생성된 배아 수에 있어 유사한 결과를 기대할 수 있다는 보고도 있다[27].

한정된 데이터 때문에, 가임력보존 상담에서는 일반 난임 부부에서 동결배아로 임신 시도했을 때의 성공율을 참고하는 경우가 많다[22]. 최근 유리화동결법의 도입으로 난자에서뿐만 아니라, 배아에서도 해동 후 생존율, 과배란유도 주기당 이식 가능한 배아 수 증가, 그에 따른 누적 임신율의 증가가 보고되었다[28]. 단적인 예로, 미국질병통제예방센터 자료에 의하면, 신선 배아이식 시 생아출산율은 2001년 33.4%에서 2016년 36.3%로 증가하였고, 같은 기간 동안 동결 배아이식 시 생아출산율은 2001년 23.4%에서 2016년 45.9%로 증가하였다[28]. 최근에 발표된 코크란 리뷰의 보고에 의하면, 동결 배아이식은 신선 배아이식과 비교하였을 때 과배란주기당 누적 생아출산율과 환자 당 누적 생아출산율(cumulative live birth rate per woman)에 있어 유의미한 차이를 보이지 않았다[29]. 또한, 신선 배아이식과 비교하였을 때 뒤지지 않는, 오히려 과배란유도에 과반응을 보이는 환자군에서는 향상된, 배아이식 시 생아출산율과 누적 생아출산율이 보고되기도 했다[30].

해동 배아당 생아출산 효율성(vitrified-warmed oocyte to live born child efficiency)은 배아가 어떤 발달 단계에서 동결보존됐는지, 어떤 동결방법에 의해 보존되었는지에 따라 달라질 수 있다. 배반포(blastocyst) 단계의 배아를 유리화동결(vitrification)로 동결보존했던 845명의 여성을 대상으로 한 후향적 연구에서, 단일 배아이식(single embryo transfer, SET)을 시행했을 때 배아당 생아출산율은 38%였다[31].

배아 동결보존 후 미래의 임신 및 생아출산율을 결정짓는 요소는, 동결보존한 배아의 수, 배아의 질 등이 있으며, 이러한 요인들은 모두 배아 동결보존 당시의 환자의 나이와 연관이 있

표 7-1. **연령에 따른 동결보존 배아, 난자의 출생률**

	Age < 35	Age < 35	35-37	38-40	41-42
Embryo	No. of thawed procedures	14,756	7,733	5,342	1,693
	Live birth rate/ egg retrieval cycle	42.5%	39.5%	33.5%	27.8%
Oocyte	No. of thawed procedures	109	52	47	61
	Live birth rate/ egg retrieval cycle	34.9%	25.0%	17.0%	19.7

2014 SART (Society for Assisted Reproductive Technology) 데이터베이스 공개 자료 인용. (https://www. sartcorsonline.com/rptCSR_PublicMultYear.aspx)

다. 동결보존 배아의 이식 시 생아출산율은 동결 시 여성의 연령이 증가함에 따라 감소한다 (표 7-1).

4 난자 동결보존(Oocyte cryopreservation)

최근 10년간 난자 동결보존 기술이 발전함에 따라 가임력보존 치료의 대상이 확대되었다. 난자 동결보존은 정자와 수정시킬 필요가 없기 때문에 파트너가 없는 여성들도 가임력보존을 시도할 수 있게 되었고, 윤리적 또는 종교적 이유로 배아 동결보존을 시도하지 못하는 여성들에게도 가임력보존의 기회를 제공한다. 난자 동결보존은 생식의 자율성 측면에서 여성에게 미래의 임신에 대해 가장 넓은 가능성을 열어주었다.

난자 동결보존이 1980년대에 처음 도입되었을 때는, 해동된 난자의 생존율이 낮고 수정률도 낮아 임신 및 출생까지 이어지는 경우가 드물었다[32-34]. 그러나 난자의 도입으로 동결보존된 난자의 생존율 및 임신율, 생아출산율이 크게 향상되었다[35-37]. 2013년에 미국생식의학회(American Society for Reproductive Medicine, ASRM)와 보조생식술협회(Society for Assisted Reproductive Technology, SART)는 동결보존 난자를 사용한 임신 성적의 향상을 언급하면서, 난자 동결보존이 더이상 실험적인 기술로 간주되어서는 안된다고 하였고 또한 미국생식의학회 및 미국임상암학회 등 대부분의 국제 임상지침에서 생식기 독성을 가진 항암화학요법 등의 치료를 앞두고 있는 여성에서 적절한 상담과 함께 가임력보존의 한 방법으로써 난자 동결보존을 권유할 것을 권고하였다.

1) 난자 동결보존의 과정(Procedure of oocyte cryopreservation)

난자 동결보존의 과정은 앞서 설명한 배아 동결보존과 같은 과배란유도법을 이용한다. 배아 동결보존과 마찬가지로 월경 2일 또는 3일에 과배란유도를 시작하지만, 가임력보존이 시급한 경우 월경 주기 동안 언제든지 시작할 수 있다[10-12].

난자 채취 후, 난자들은 동결보존을 위한 여러 가지 처리 과정을 거친다. 난자를 동결 시키는 방법은 완만동결(slow-freezing)과 유리화동결의 두 가지 방법이 있다[37, 38]. 완만동결법은 난자를 저농도의 동결보호제(cryoprotectant, CPA)에 담그고, 냉동 속도가 프로그래밍된 냉동고에서 난자를 천천히 동결 시키는 방식이다. 동결방지제가 물 분자 간의 수소 결합을 방해하여 동결과정에서 결정이 만들어지는 것을 막는다. 반면, 유리화동결을 통해 난자를 동결 시킬 때는 난자를 고농도의 동결방지제에 넣은 다음, 액체 질소를 사용하여 빠르게 냉각한다. 해동 과정도 난자 내의 빙핵(ice nucleation) 형성을 피하기 위해 빠른 속도로 이루어진다.

현재까지의 임상데이터에서는 유리화동결이 완만동결보다 해동 후의 난자에서 더 높은 생존율, 수정률, 착상률(implantation rate) 및 임신율을 보였다[34, 37, 39, 40]. 따라서 현재 유리화동결이 난자 동결보존에 더 선호되는 냉동 방법이지만, 완만동결법의 역사가 더 오래된 만큼, 완만동결로 보존되었던 난자에서도 임신이 성공한 사례들이 다수 보고되었다[38, 39, 41, 42].

2) 치료 일정(Timeline)

과배란유도부터 난자 채취까지 약 12-14일 소요된다. 항암화학 요법은 난자 채취 1-2일 뒤에 시작할 수 있다. 한 연구에서, 난소과자극 이전 상태로 난소가 완전히 회복되기 전에 항암 화학 요법을 시작했을 때에도 항암화학 요법에 의한 난소기능 저하가 증가되지 않는다고 보고되었다[18].

3) 합병증(Risk)

난자 동결보존에 따른 의학적 위험은 배아 동결보존과 비슷하다. 난자가 해동 후 생존하지 못하거나, 수정되지 못하거나, 착상 및 임신으로 이어지지 않을 가능성도 존재한다. 현재까지의 데이터로는 동결보존된 난자로 수정되어 출생된 아이에서 염색체 수의 이상 및 선천성 기형의 증가가 보고되지는 않았으나, 아직 장기 데이터는 부족한 실정이다[21, 22, 43].

4) 성공률(Success rates)

암환자에서 동결보존된 난자를 이용해 임신을 시도했을 때의 임신율 및 생아출산율에 대한 데이터는 매우 적다. 따라서, 암환자에서 가임력보존을 시행했을 때, 계획된 가임력보존 또는 난자를 공여 받은 환자들에서와 비슷한 임신 성적을 가지는지에 대해서도 결론을 내리기 쉽지 않다[22, 44, 45]. 최근 냉동 및 해동 기술이 발전함에 따라, 동결보존된 난자에서의 임신율은 지속적으로 향상되고 있다[21, 46, 47]. 신선 배아와 비교했을 때, 동결보존된 난자에서의 착상률과 임신율이 비슷하다는 무작위 연구 결과들이 보고되었다[48-50]. 가임력보존을 위해 난자 동결보존을 시행한 80명의 암환자에서 35%의 출생률을 보였다는 보고도 있다[51]. 그러나 대규모 관찰 연구에서는 동결보존된 난자를 이용했을 때, 신선 배아 또는 동결보존된 배아를 이용했을 때 비해 착상률 및 임신율이 낮다고 보고된 바 있다[52]. 또한, 동결보존 배아에서와 마찬가지로 난자를 동결보존한 당시의 나이가 많을수록 임신율도 감소한다고 알려져 있다(표 6-1)[53]. 현재까지 가임력보존을 위한 난자 동결보존에 따른 생아출산율에 대한 연구는 많지 않고 암치료에 앞선 가임력보존 환자에서의 결과가 난자공여 또는 선택적 난자 동결보존 환자에서의 결과와 다를 수 있다. 선택적 또는 의학적 이유에서 가임력보존을 위한 완만동결법을 이용한 난자 동결보존 연구에서 완만동결 및 해동 난자당 생아출산 효율성(vitrified-warmed oocyte to live born child efficiency)은 6.4% 였고 38세 미만 여성에서 70-80% 확률로 최소 한 번의 생아출산을 위해서 필요한 성숙난자의 수는 15-20개, 38-40세 여성에서 65-75%의 확률로 최소 한 번의 생아출산을 위한 난자의 수는 25-30개의 난자를 냉동할 것을 권고하였다[54]. 정상 난소예비능을 가진 여성에서 남성요인 또는 난관요인의 난임 환자들의 난자세포질내정자주입술을 이용한 신선배아주기의 데이터를 분석하여 선택적 난자 동결보존 시 생아출산 가능성을 예측하기 위한 연구가 보고된 바 있다[55]. 연령에 따른 해동 난자의 생존율을 36세 미만에서 95%, 36세 이상에서 85%, 정배수체의 염색체를 가진 포배기 배아이식 시 생아출산율을 60%로 가정하였을 때 75%의 확률로 최소 한 번 이상의 생아 출산을 할 수 있는 난자의 개수는 34세에서 10개, 37세에서 20개, 42세에서 61개라고 하였고 20개의 난자를 동결하였을 때 34세에서 90%, 37세에서 75%, 42세에서 37%에서 최소 한 번 이상의 생아출산을 할 수 있다고 보고하였다.

그러나, 가임력보존을 위한 난자 동결보존시 일반화된 성공율을 제시하기보다는 클리닉 및 환자 개개인에 개별화된 상담을 제공하는 것이 필요하다[22].

5 세부적 고려사항(Specific considerations)

가임력보존 치료의 주 대상은 암으로 진단받은 가임기 여성이며, 암종의 종류에 따라 가임력보존 치료의 과정에서 주의할 부분들이 각각 다르다. 또한, 2020년 유럽생식의학회(ESHRE) 가임력보존 가이드라인에서는, 최근 수년간 가임력보존 치료의 대상이 확대되고 있으나, 청소년 및 트랜스젠더 남성과 같이 가임력보존 치료가 필요하지만 가임력보존 치료에서 소외된 특정 환자군에 대해 각별한 주의가 필요함을 강조하였다[7]. 따라서, 국내 현실에 비추어 이에 대한 부분들을 다루고자 한다.

1) 악성 종양(Malignancy)

(1) 유방암(Breast cancer)

유방암은 가임기 여성에서 가장 흔한 신생물이며, 전체 유방암 환자의 15% 이상이 40세 미만에서 발생한다(56, 57). 우리나라에서는 1999년부터 증가추세를 보이기 시작하였고, 2007년부터는 연평균 4% 이상씩 증가 추세로 세계 1위의 증가 속도를 보이고 있다. 2016년 이후에는 국내 여성암 발병률 1위이다. 침윤성 유방암의 치료를 위해서 생식기 독성을 가진 항암화학요법을 투여해야 하는 경우도 생기는데, 상당수의 환자들은 치료 후에 조기 난소기능 부전이 될 수 있다. 따라서 유방암으로 항암화학요법 예정인 여성에서는 가임력보존 상담 및 치료를 제공해야 한다.

난소과자극 중에 상승하게 되는 에스트라다이올 때문에 호르몬 수용체 양성 유방암 환자에서의 배아 또는 난자 동결보존을 이용한 가임력보존에 대한 우려가 있어 왔다. 그러나 호르몬 수용체 양성 유방암과 호르몬 수용체 음성 유방암 환자들 모두에서, 가임력보존 치료를 시행한 환자와 가임력보존 치료를 받지 않은 환자들을 비교하였을 때 무병 생존기간 및 전체 생존율에 차이가 없었다[23-25]. 또한, 과배란유도 시 선택적 에스트로겐수용체 조절제(selective estrogen receptor modulator, SERM)인 타목시펜 또는 방향화효소 억제제(aromatase Inhibitor)인 레트로졸 등을 추가하는 경우 이러한 문제점을 어느 정도 극복할 수 있다. 생식샘자극호르몬 투여 하루 전 또는 동시에, 그리고 난자 채취 후 7일까지 레트로졸(5 mg/일)을 투여함으로서 에스트라다이올 수치의 과다한 증가를 예방하면서 충분한 난소자극 효과를 얻을 수 있었고, 질병의 경과에도 영향을 주지 않았다[24, 58].

침윤성 유방암 환자에서 배아 또는 난자 동결보존을 위해 과배란유도를 시행하는 경우, 일반적으로 종양을 외과적으로 절제한 뒤에 시행하는 것이 선호된다. 특히 호르몬 수용체 양성 유방암에서는 과배란유도 시 상승하는 에스트라다이올에 의한 영향을 최소화하기 위해 종양을 제거한 뒤에 시행하는 것이 좋다. 외과적 수술 이후 항암화학요법을 하기로 결정되는 경우, 보통은 수술 4-6주 후 항암화학요법 치료가 시행되므로 난자 및 배아 동결보존을 위한 시간적 여유가 충분하다. 과거 과배란유도를 위해 소요되는 시간 때문에 항암화학요법이 늦어질 수 있다는 우려가 있었으나, 연구 결과들에 따르면 유방암 환자에서 수술과 항암화학요법 사이에 시행하는 가임력보존 치료 때문에 항암화학요법이 지체되는 경우는 거의 없었다[59, 60].

유방암 수술 전에 선행 항암화학요법이 시행되는 경우에는 난소과자극 및 난자 채취에 소요되는 12-14일의 시간 때문에 치료가 지연되는 것에 대한 우려가 있을 수 있으나, 무작위 시작 요법을 사용하면 선행 항암화학요법이 지연되는 것을 최소화할 수 있다[61].

(2) 혈액암(Hematologic malignancies)

혈액암의 치료를 위해 사용하는 항암 화학요법은 심각한 난소기능의 저하를 초래하는 경우가 많으며, 질환의 특성상 치료가 시급하기 때문에, 혈액암을 진단받은 가임기 여성에서는 가임력보존과 관련하여 신속한 상담과 치료를 제공하는 것이 중요하다[62, 63]. 즉각적인 암치료를 받아야 하는 혈액암 환자에서 배아 또는 난자 동결보존을 시행하는 것이 바람직하지 않을 때가 많으며, 다른 가임력보존 치료를 제공해야 한다. 암치료를 2주 정도 늦출 수 있는 환자의 경우, 배아 또는 난자 동결보존을 시행할 수 있다.

(3) 난소암(Ovarian cancer)

보건복지부의 암등록통계에 따르면 2018년 국내에서 발생한 난소암환자는 2,898명으로 10년 전인 2009년에 비해 56.6% 늘어난 수치다. 난소암은 50대 이상이 66%를 차지하지만, 최근에는 20대 여성의 난소암 발생도 늘고 있는 추세로, 10년 전에 비해 45% 증가한 112명이 20대에 난소암으로 진단받았다. 난소암은 70–80%가 3기 이후에 발견되고, 난소암의 치료를 위해 일반적으로 자궁 절제술 및 양측 난소난관절제술을 포함한 광범위한 수술이 필요하기 때문에, 과거에는 난소암환자들은 가임력보존 치료의 대상으로 간주되지 않았다. 그러나 최근에는 40세 미만의 여성에서 초기 난소암: 단측성 난소 종양, 조직학 등급(histology grade) 1 또는 2, FIGO 난소암 병기 1A 또는 1C의 상피성 난소암(점액성, 장액성, 자궁내막양 또는 혼합형)인 경우 일측 난소난관절제술, 림프절 절제술, 대망 절제술 등을 포함하는 보존적인 수술로 가임력을 보존하는 경우가 늘고 있다[64, 65]. 초기 난소암환자의 5년 생존율을 조사한 연구에서는 가임력보존 수술을 받은 여성과 표준치료를 받은 환자 간에 생존율의 차이가 없는 것으로 나타났다[66].

초기 난소암환자에서, 가임력보존을 위해 배아 또는 난자 동결보존을 시행할 수 있다. 난자 채취는 종양 반대쪽 난소에서 수술 도중 또는 수술 후에 시행할 수 있다. 수술 전의 난자 채취는 종양의 피막을 손상시켜 병기를 IA에서 IC로 상향시킬 가능성이 있다. 과배란유도가 난소암을 진행시키는지 여부는 알려져 있지 않으나, 과립막세포종(granulosa cell tumor)과 같이 호르몬에 반응하는 조직형의 난소암에서는 그 가능성을 완전히 배제할 수 없다[64, 67]. 한편, 배아 또는 난자 동결보존을 시행하기 어려운 경우라도, BRCA 유전자 변이가 있는 환자에서는, 악성화 가능성 때문에 난소 조직동결은 권고되지 않는다[64].

(4) 자궁내막암(Endometrial cancer)

가임기 여성에서 자궁내막암은 황체호르몬에 의한 길항작용이 없는 에스트로겐(unopposed estrogen)에 장기간 노출되는 것과 관련이 깊으며 비만이나 다낭성난소증후군과 같은 배란장애 등의 의학적 상황에서 흔히 나타나는데, 이들은 난임의 위험 인자들이기도 해서, 자궁내막암으로 새로 진단되는 여성들의 약 15%가 난임을 검사하기 위한 과정에서 우연히 발견된다는 보고가 있다[68].

자궁내막암치료를 위하여 일반적으로는 전자궁절제술과 양측 난소난관절제술이 필요하지만, 초기 자궁내막암: grade1 endometrial adenocarcinoma이면서 자궁근층으로의 침범이 없는 경우, 가임력보존 치료를 시행해 볼 수 있다[69]. 저등급 자궁내막암 여성에서는 수술이 아닌 경구 프로게스테론 제제 또는 레보노게스트렐 분비 자궁내장치(levonorgesterl releasing intrauterine device, LNG–IUD, LNG-IUS) 등의 호르몬 치료를 통해 자궁내막암을 치료할 수 있다[70-72]. 대리모를 통한 출산이 합법인 국가에서는 자궁만 절제하고 난소를 보존하는 보존적 수술을 선택하는 경우도 있으며, 가임력보존 치료가 불가능한 자궁내막암환자들에서는 수술 전에 난소과자극을 통해 배아 또는 난자 동결보존을 시행하기도 한다. 자궁내막암은 에스트로겐 의존성 암으로 과배란유도 시 에스트라다이올의 상승에 따른 질병의 진행을 막기 위해 LNG-IUS를 자궁 안에 삽입할 수 있다[72]. 자궁내막암에 대한 가임력보존 치료를 할 때에는 가임력보존 치료를 시행하는 동안 질병의 진행 또는 재발할 가능성이 있음에 유의해야 한다[73]. 자궁내막암환자에서 호르몬 치료를 통한 가임력보존은 경험이 풍부한 부인과 종양 전문의 및 난임 전문의에 의해서 이루어져야 한다.

(5) 자궁경부암(Cervical cancer)

자궁경부암은 국내에서 최근 10년간 발생이 감소하고 있으나, 아직도 국내 여성암 중 5번째로 높은 유병율을 보이고 있으며, 가임기에 진단되는 경우가 흔하다. 자궁경부암의 표준 치료는 병기에 따라 근치적 자궁절제술과 항암방사선 동시요법 등이 있으나, 초기 자궁경부암- squamous, adenosquamous, 또는 adenocarcinoma의 조직형이면서; 림프혈관침윤이 있는 병기 IA1, 병기 1A2, 림프절 전이가 없는 병기 IB1 and IB2 (종양크기 ≤2 cm, 또는 일부 선별된 환자에서는 >2 cm도 가능); 그리고 상부 자궁 경관 및 주변 조직으로의 침범이 없는 경우-으로 진단되는 여성에서는 근치적 자궁경부절제술(radical trachelectomy)과 같은 보존적 수술을 시행할 수 있으며, 근치적 자궁절제술을 시행한 경우와 비교하여 생존율에 큰 차이가 없다는 보고들이 있다[74-76].

자궁경부암환자에서 과배란유도는 근치적 자궁절제술 수술 전 또는 후에 시행될 수 있다. 자궁절제술 후에 배아 또는 난자 동결보존을 계획할 때는, 월경주기를 파악하기 어려우므로, 혈액검사를 통해 월경주기를 추측하거나 무작위 시작 과배란유도법을 이용할 수 있다. 또한 자궁절제술 시 난소고정술 또는 난소전위술(ovarian transposition)을 시행한 경우, 난포감시 및 난자 채취를 복부 초음파를 통해 시행해야 하는 경우가 많다. 자궁절제술의 영향으로 난소로의 혈류공급이 줄어들어, 과배란유도에 대한 난소의 반응이 저하될 가능성도 있다.

2) 청소년(Adolescents)

배아 및 난자 동결보존은 조기난소부전의 위험이 있는 초경 이후의 여자 청소년 환자에서 가임력보존을 위한 표준 치료로 간주된다[77]. 사춘기에 접어들었지만 초경 이전인 환아에서도 과배란유도를 시도해 볼 수 있다[78]. 국내에서는 정자은행 및 정자 공여가 활성화되어 있지 않고 파트너가 있어야 배아 생성이 가능하며 윤리적/문화적 이유로 여자 청소년 환자에서 난자 동결보존을 시도할 수 있다. 청소년에서도 난자 동결보존을 위한 과배란유도 시 생식샘자극호르몬방출호르몬길항제 과배란유도법 또는 무작위 시작 과배란유도법이 자주 사용되며, 동결보존의 구체적인 과정은 앞서 설명한 성인에서의 과정과 동일하다. 정자은행이 활성화된 외국의 경우, 해동 후의 생존율 등의 이유로 채취된 난자를 공여 받은 정자와 수정시켜 배아 상태로 동결보존을 시행하기도 한다.

청소년에서 난자 동결보존을 시행하는 환자의 다수는 암으로 진단받은 경우이며, 암환자들에서 동결보존한 난자를 사용했을 때의 임신 성적에 대한 데이터는 제한적이다. 난자 동결보존을 통해 가임력을 보존한 젊은 성인 암 생존자 16명에서 10건의 임신 사례 보고가 있으며, 냉동보존 당시 가장 어린 나이는 22세였다[79]. 청소년 암환자들에서 난자 동결보존을 시행했을 때의 효용성에 대한 충분한 데이터가 축적되기 위해서는 충분한 시간이 더 필요할 것이다.

현재 난자 동결보존 기술이 안정기에 접어들었음에도 불구하고, 청소년 환자에서는 아직 장애물들이 존재한다. 청소년기에 생식기 독성이 있는 치료를 앞두고 있는 여자 환자의 경우, 진단시 난임 전문가에게 의뢰되는 비율이 너무 낮다는 보고가 있다[22, 80]. 또한, 청소년에서는 혈액암 환자의 비중이 높은데, 월경주기와 상관 없이 바로 과배란유도를 시행한다고 하더라도 난자 채취 때까지 소요되는 시간 때문에 가임력보존이 어려울 수 있다[81]. 청소년 환자의 난자 동결보존 시 국민건강보험이 적용되지 않으므로, 비용적인 문제도 청소년 환자에서의 가임력보존 치료의 장애물로 작용한다.

3) 성전환자(Transgender)

트렌스젠더 남성에서 가능한 가임력보존 방법에는 배아 동결보존, 난자 동결보존, 난소 조직 동결보존이 있다[82, 83]. 그 중에서 과배란유도를 통한 배아 동결보존과 난자 동결보존이 표준 치료이다[21, 82]. 배아 동결보존이 가장 높은 임신율을 기대할 수 있지만, 정자를 공여받아야 하는 문제 때문에 윤리적, 법적 문제가 발생할 소지가 있다[84, 85]. 따라서 트렌스젠더 남성에서 난자 동결보존이 가장 선호되는 방법이다[86]. 난자당 생아출산 효율성을 고려했을 때, 미래의 임신을 기대하기 위해서는 충분한 수의 난자를 확보하는 것이 중요하며[87] 연령이 증가함에 따라 난자당 생아출산 효율성이 급격하게 감소하는 것을 고려하였을 때, 환자의 난소예비능이 낮은 경우 여러 차례의 과배란유도, 난자 채취 시술도 고려해야 할 것이다. 트렌스젠더 남성에서의 임신율에 대한 데이터는 매우 제한적이지만, 동결보존 난자에서 성공적으로 쌍둥이가 태어났다는 두

건의 보고가 있다[88].

트랜스젠더 남성에서 과배란유도를 시행할 때, 환자 편의성을 고려하여 생식샘자극호르몬방출호르몬길항제 요법을 먼저 고려해볼 수 있다. 테스토스테론 투여의 중단, 과배란유도 과정에서 상승하는 에스트라다이올, 질초음파 등의 산부인과 시술 때문에 환자는 성별 위화감(gender dysphoria)을 느낄 수 있으며, 우울증의 위험이 증가할 수 있다[7, 89]. 그와 같은 경우, 에스트로겐에 의한 증상들을 줄여 치료 순응도를 향상시킬 목적으로 레트로졸을 추가하거나 복부 초음파로 난포 감시를 진행할 수 있다[90]. 환자가 과배란유도 및 난자 채취의 과정을 받아들이지 못하는 경우, 난소 조직동결을 고려해 볼 수 있다[7].

6 결론(Conclusion)

배아 동결보존은 가장 높은 임신율을 기대할 수 있고 기술적으로 가장 안정된 가임력보존 치료 방법이다. 최근 난자 동결보존 기술이 급속도로 발전하면서 해동 후의 수정률과 임신율이 향상되고 있으며, 파트너가 없는 여성들과 청소년에서도 가임력보존의 기회를 가질 수 있게 되었다.

최근의 추세는 젊은 여성에서 가임력 저하를 일으킬 수 있는 모든 치료와 상황이 가임력보존 치료의 적응증이 된다. 항암화학요법을 앞둔 암환자뿐만 아니라, 가임력의 상실을 초래할 수 있는 치료가 필요한 양성 질환, 사회적인 이유로 가임력보존을 원하는 파트너가 없는 건강한 여성들도 가임력보존 치료의 대상이다. 적응증이 되는 여성들이 적절한 때에 치료의 기회를 제공받기 위해서는, 타과 의료진과 대중의 인식 개선이 필요하다. 또한, 청소년 환자 또는 트랜스젠더와 같이 가임력보존 치료가 필요하지만, 소외되기 쉬운 환자군에 대한 각별한 배려가 요구된다.

References

1. Lee SJ, Schover LR, Partridge AH, Patrizio P, Wallace WH, Hagerty K, et al. American Society of Clinical Oncology recommendations on fertility preservation in cancer patients. Journal of clinical oncology : official journal of the American Society of Clinical Oncology 2006;24(18):2917-31.
2. Assi J, Santos J, Bonetti T, Serafini PC, Motta ELA, Chehin MB. Psychosocial benefits of fertility preservation for young cancer patients. Journal of assisted reproduction and genetics. 2018;35(4):601-6.
3. Schüring AN, Fehm T, Behringer K, Goeckenjan M, Wimberger P, Henes M, et al. Practical recommendations for fertility preservation in women by the FertiPROTEKT network. Part I: Indications for fertility preservation. Archives of gynecology and obstetrics 2018;297(1):241-55.
4. Oktay K, Harvey BE, Partridge AH, Quinn GP, Reinecke J, Taylor HS, et al. Fertility Preservation in Patients With Cancer: ASCO Clinical Practice Guideline Update. Journal of clinical oncology : official journal of the American Society of Clinical Oncology 2018;36(19):1994-2001.
5. Kesic V, Rodolakis A, Denschlag D, Schneider A, Morice P, Amant F, et al. Fertility preserving management in gynecologic cancer patients: the need for centralization. International journal of gynecological cancer : official journal of the International Gynecological Cancer Society 2010;20(9):1613-9.
6. Patel A, Sreedevi M, Malapati R, Sutaria R, Schoenhage MB, Patel AR, et al. Reproductive health assessment for women with cancer: a pilot study. American journal of obstetrics and gynecology 2009;201(2):191.e1-4.
7. Anderson RA, Amant F, Braat D, D'Angelo A, Chuva de Sousa Lopes SM, Demeestere I, et al. ESHRE guideline: female fertility preservation. Human reproduction open 2020;2020(4):hoaa052.
8. Diedrich K, Fauser BC, Devroey P. Cancer and fertility: strategies to preserve fertility. Reproductive biomedicine online 2011;22(3):232-48.
9. Maltaris T, Seufert R, Fischl F, Schaffrath M, Pollow K, Koelbl H, et al. The effect of cancer treatment on female fertility and strategies for preserving fertility. European journal of obstetrics, gynecology, and reproductive biology 2007;130(2):148-55.
10. von Wolff M, Thaler CJ, Frambach T, Zeeb C, Lawrenz B, Popovici RM, et al. Ovarian stimulation to cryopreserve fertilized oocytes in cancer patients can be started in the luteal phase. Fertility and sterility 2009;92(4):1360-5.
11. Ozkaya E, San Roman G, Oktay K. Luteal phase GnRHa trigger in random start fertility preservation cycles. Journal of assisted reproduction and genetics 2012;29(6):503-5.
12. Cakmak H, Rosen MP. Random-start ovarian stimulation in patients with cancer. Current opinion in obstetrics & gynecology 2015;27(3):215-21.
13. Al-Inany HG, Abou-Setta AM, Aboulghar M. Gonadotrophin-releasing hormone antagonists for assisted conception: a Cochrane review. Reproductive biomedicine online 2007;14(5):640-9.
14. Mahutte NG, Arici A. Failed fertilization: is it predictable? Current opinion in obstetrics & gynecology 2003;15(3):211-8.
15. Bodri D, Guillén JJ, Galindo A, Mataró D, Pujol A, Coll O. Triggering with human chorionic gonadotropin or a gonadotropin-releasing hormone agonist in gonadotropin-releasing hormone antagonist-treated oocyte donor cycles: findings of a large retrospective cohort study. Fertility and sterility 2009;91(2):365-71.
16. Pereira N, Kelly AG, Stone LD, Witzke JD, Lekovich JP, Elias RT, et al. Gonadotropin-releasing hormone agonist trigger increases the number of oocytes and embryos available for cryopreservation in cancer patients undergoing ovarian stimulation for fertility preservation. Fertility and sterility 2017;108(3):532-8.
17. Yılmaz N, Ceran MU, Ugurlu EN, Gülerman HC, Engin Ustun Y. GnRH agonist versus HCG triggering in different

IVF/ICSI cycles of same patients: a retrospective study. Journal of obstetrics and gynaecology : the journal of the Institute of Obstetrics and Gynaecology 2020;40(6):837-42.

18. Maman E, Prokopis K, Levron J, Carmely A, Dor J, Meirow D. Does controlled ovarian stimulation prior to chemotherapy increase primordial follicle loss and diminish ovarian reserve? An animal study. Human reproduction 2009;24(1):206-10.
19. Prevention and treatment of moderate and severe ovarian hyperstimulation syndrome: a guideline. Fertility and sterility 2016;106(7):1634-47.
20. Humaidan P, Nelson SM, Devroey P, Coddington CC, Schwartz LB, Gordon K, et al. Ovarian hyperstimulation syndrome: review and new classification criteria for reporting in clinical trials. Human reproduction 2016;31(9):1997-2004.
21. Fertility preservation in patients undergoing gonadotoxic therapy or gonadectomy: a committee opinion. Fertility and sterility 2013;100(5):1214-23.
22. Fertility preservation in patients undergoing gonadotoxic therapy or gonadectomy: a committee opinion. Fertility and sterility 2019;112(6):1022-33.
23. Kim J, Turan V, Oktay K. Long-Term Safety of Letrozole and Gonadotropin Stimulation for Fertility Preservation in Women With Breast Cancer. The Journal of clinical endocrinology and metabolism 2016;101(4):1364-71.
24. Azim AA, Costantini-Ferrando M, Oktay K. Safety of fertility preservation by ovarian stimulation with letrozole and gonadotropins in patients with breast cancer: a prospective controlled study. Journal of clinical oncology : official journal of the American Society of Clinical Oncology 2008;26(16):2630-5.
25. Hashimoto T, Nakamura Y, Obata R, Doshida M, Toya M, Takeuchi T, et al. Effects of fertility preservation in patients with breast cancer: A retrospective two-centers study. Reproductive medicine and biology 2017;16(4):374-9.
26. Cardozo ER, Thomson AP, Karmon AE, Dickinson KA, Wright DL, Sabatini ME. Ovarian stimulation and in-vitro fertilization outcomes of cancer patients undergoing fertility preservation compared to age matched controls: a 17-year experience. Journal of assisted reproduction and genetics 2015;32(4):587-96.
27. Robertson AD, Missmer SA, Ginsburg ES. Embryo yield after in vitro fertilization in women undergoing embryo banking for fertility preservation before chemotherapy. Fertility and sterility 2011;95(2):588-91.
28. Nagy ZP, Shapiro D, Chang CC. Vitrification of the human embryo: a more efficient and safer in vitro fertilization treatment. Fertility and sterility 2020;113(2):241-7.
29. Wong KM, van Wely M, Mol F, Repping S, Mastenbroek S. Fresh versus frozen embryo transfers in assisted reproduction. The Cochrane database of systematic reviews 2017;3(3):Cd011184.
30. Roque M, Haahr T, Geber S, Esteves SC, Humaidan P. Fresh versus elective frozen embryo transfer in IVF/ICSI cycles: a systematic review and meta-analysis of reproductive outcomes. Human reproduction update 2019;25(1):2-14.
31. Devine K, Connell MT, Richter KS, Ramirez CI, Levens ED, DeCherney AH, et al. Single vitrified blastocyst transfer maximizes liveborn children per embryo while minimizing preterm birth. Fertility and sterility 2015;103(6):1454-60.e1.
32. Chen C. Pregnancy after human oocyte cryopreservation. Lancet 1986;1(8486):884-6.
33. Sonmezer M, Oktay K. Fertility preservation in female patients. Human reproduction update 2004;10(3):251-66.
34. Oktay K, Cil AP, Bang H. Efficiency of oocyte cryopreservation: a meta-analysis. Fertility and sterility 2006;86(1):70-80.
35. Grifo JA, Noyes N. Delivery rate using cryopreserved oocytes is comparable to conventional in vitro fertilization using fresh oocytes: potential fertility preservation for female cancer patients. Fertility and sterility 2010;93(2):391-6.
36. Barritt J, Luna M, Duke M, Grunfeld L, Mukherjee T, Sandler B, et al. Report of four donor-recipient oocyte cryopreservation cycles resulting in high pregnancy and implantation rates. Fertility and sterility 2007;87(1):189.e13-7.

37. Rienzi L, Gracia C, Maggiulli R, LaBarbera AR, Kaser DJ, Ubaldi FM, et al. Oocyte, embryo and blastocyst cryopreservation in ART: systematic review and meta-analysis comparing slow-freezing versus vitrification to produce evidence for the development of global guidance. Human reproduction update 2017;23(2):139-55.
38. Fadini R, Brambillasca F, Renzini MM, Merola M, Comi R, De Ponti E, et al. Human oocyte cryopreservation: comparison between slow and ultrarapid methods. Reproductive biomedicine online 2009;19(2):171-80.
39. Smith GD, Serafini PC, Fioravanti J, Yadid I, Coslovsky M, Hassun P, et al. Prospective randomized comparison of human oocyte cryopreservation with slow-rate freezing or vitrification. Fertility and sterility 2010;94(6):2088-95.
40. Gook DA, Edgar DH. Human oocyte cryopreservation. Human reproduction update 2007;13(6):591-605.
41. Cao YX, Xing Q, Li L, Cong L, Zhang ZG, Wei ZL, et al. Comparison of survival and embryonic development in human oocytes cryopreserved by slow-freezing and vitrification. Fertility and sterility 2009;92(4):1306-11.
42. Martínez-Burgos M, Herrero L, Megías D, Salvanes R, Montoya MC, Cobo AC, et al. Vitrification versus slow freezing of oocytes: effects on morphologic appearance, meiotic spindle configuration, and DNA damage. Fertility and sterility 2011;95(1):374-7.
43. Noyes N, Porcu E, Borini A. Over 900 oocyte cryopreservation babies born with no apparent increase in congenital anomalies. Reproductive biomedicine online 2009;18(6):769-76.
44. Mature oocyte cryopreservation: a guideline. Fertility and sterility 2013;99(1):37-43.
45. Cobo A, Garrido N, Pellicer A, Remohí J. Six years' experience in ovum donation using vitrified oocytes: report of cumulative outcomes, impact of storage time, and development of a predictive model for oocyte survival rate. Fertility and sterility 2015;104(6):1426-34.e1-8.
46. Noyes N, Labella PA, Grifo J, Knopman JM. Oocyte cryopreservation: a feasible fertility preservation option for reproductive age cancer survivors. Journal of assisted reproduction and genetics 2010;27(8):495-9.
47. Cobo A, Domingo J, Pérez S, Crespo J, Remohí J, Pellicer A. Vitrification: an effective new approach to oocyte banking and preserving fertility in cancer patients. Clinical & translational oncology : official publication of the Federation of Spanish Oncology Societies and of the National Cancer Institute of Mexico 2008;10(5):268-73.
48. Cobo A, Meseguer M, Remohí J, Pellicer A. Use of cryo-banked oocytes in an ovum donation programme: a prospective, randomized, controlled, clinical trial. Human reproduction 2010;25(9):2239-46.
49. Rienzi L, Romano S, Albricci L, Maggiulli R, Capalbo A, Baroni E, et al. Embryo development of fresh 'versus' vitrified metaphase II oocytes after ICSI: a prospective randomized sibling-oocyte study. Human reproduction 2010;25(1):66-73.
50. Parmegiani L, Cognigni GE, Bernardi S, Cuomo S, Ciampaglia W, Infante FE, et al. Efficiency of aseptic open vitrification and hermetical cryostorage of human oocytes. Reproductive biomedicine online 2011;23(4):505-12.
51. Cobo A, García-Velasco J, Domingo J, Pellicer A, Remohí J. Elective and Onco-fertility preservation: factors related to IVF outcomes. Human reproduction 2018;33(12):2222-31.
52. Levi-Setti PE, Borini A, Patrizio P, Bolli S, Vigiliano V, De Luca R, et al. ART results with frozen oocytes: data from the Italian ART registry (2005-2013). Journal of assisted reproduction and genetics 2016;33(1):123-8.
53. Borini A, Levi Setti PE, Anserini P, De Luca R, De Santis L, Porcu E, et al. Multicenter observational study on slow-cooling oocyte cryopreservation: clinical outcome. Fertility and sterility 2010;94(5):1662-8.
54. Doyle JO, Richter KS, Lim J, Stillman RJ, Graham JR, Tucker MJ. Successful elective and medically indicated oocyte vitrification and warming for autologous in vitro fertilization, with predicted birth probabilities for fertility preservation according to number of cryopreserved oocytes and age at retrieval. Fertility and sterility 2016;105(2):459-66.e2.
55. Goldman RH, Racowsky C, Farland LV, Munné S, Ribustello L, Fox JH. Predicting the likelihood of live birth for elective

oocyte cryopreservation: a counseling tool for physicians and patients. Human reproduction 2017;32(4):853-9.

56. Devesa SS, Blot WJ, Stone BJ, Miller BA, Tarone RE, Fraumeni JF, Jr. Recent cancer trends in the United States. Journal of the National Cancer Institute 1995;87(3):175-82.
57. Goodwin PJ, Ennis M, Pritchard KI, Trudeau M, Hood NJJoCO. Risk of menopause during the first year after breast cancer diagnosis 1999;17(8):2365.
58. Oktay K, Hourvitz A, Sahin G, Oktem O, Safro B, Cil A, et al. Letrozole reduces estrogen and gonadotropin exposure in women with breast cancer undergoing ovarian stimulation before chemotherapy. The Journal of clinical endocrinology and metabolism 2006;91(10):3885-90.
59. Baynosa J, Westphal LM, Madrigrano A, Wapnir I. Timing of breast cancer treatments with oocyte retrieval and embryo cryopreservation. Journal of the American College of Surgeons 2009;209(5):603-7.
60. Madrigrano A, Westphal L, Wapnir I. Egg retrieval with cryopreservation does not delay breast cancer treatment. American journal of surgery 2007;194(4):477-81.
61. Letourneau JM, Sinha N, Wald K, Harris E, Quinn M, Imbar T, et al. Random start ovarian stimulation for fertility preservation appears unlikely to delay initiation of neoadjuvant chemotherapy for breast cancer. Human reproduction 2017;32(10):2123-9.
62. Grigg AP, McLachlan R, Zaja J, Szer J. Reproductive status in long-term bone marrow transplant survivors receiving busulfan-cyclophosphamide (120 mg/kg). Bone marrow transplantation 2000;26(10):1089-95.
63. Meirow D, Hardan I, Dor J, Fridman E, Elizur S, Ra'anani H, et al. Searching for evidence of disease and malignant cell contamination in ovarian tissue stored from hematologic cancer patients. Human reproduction 2008;23(5):1007-13.
64. Pérez-Quintanilla M, Del Real-Ordoñez S, Gallardo-Alvarado L, Cantu-de Leon D. Fertility-sparing treatment for epithelial ovarian cancer: a literature review. Chinese clinical oncology 2020;9(4):48.
65. Morice P, Denschlag D, Rodolakis A, Reed N, Schneider A, Kesic V, et al. Recommendations of the Fertility Task Force of the European Society of Gynecologic Oncology about the conservative management of ovarian malignant tumors. International journal of gynecological cancer : official journal of the International Gynecological Cancer Society 2011;21(5):951-63.
66. Wright JD, Shah M, Mathew L, Burke WM, Culhane J, Goldman N, et al. Fertility preservation in young women with epithelial ovarian cancer. Cancer 2009;115(18):4118-26.
67. Kim SY, Lee JR. Fertility preservation option in young women with ovarian cancer. Future oncology 2016;12(14):1695-8.
68. Kempson RL, Pokorny GE. Adenocarcinoma of the endometrium in women aged forty and younger. Cancer 1968;21(4):650-62.
69. Knez J, Al Mahdawi L, Takač I, Sobočan M. The Perspectives of Fertility Preservation in Women with Endometrial Cancer. Cancers 2021;13(4):602.
70. Ramirez PT, Frumovitz M, Bodurka DC, Sun CC, Levenback C. Hormonal therapy for the management of grade 1 endometrial adenocarcinoma: a literature review. Gynecologic oncology 2004;95(1):133-8.
71. Randall TC, Kurman RJ. Progestin treatment of atypical hyperplasia and well-differentiated carcinoma of the endometrium in women under age 40. Obstetrics and gynecology 1997;90(3):434-40.
72. Juretzka MM, O'Hanlan KA, Katz SL, El-Danasouri I, Westphal LM. Embryo cryopreservation after diagnosis of stage IIB endometrial cancer and subsequent pregnancy in a gestational carrier. Fertility and sterility 2005;83(4):1041.
73. Chiva L, Lapuente F, González-Cortijo L, Carballo N, García JF, Rojo A, et al. Sparing fertility in young patients with

endometrial cancer. Gynecologic oncology 2008;111 Suppl 2:S101-4.

74. Diaz JP, Sonoda Y, Leitao MM, Zivanovic O, Brown CL, Chi DS, et al. Oncologic outcome of fertility-sparing radical trachelectomy versus radical hysterectomy for stage IB1 cervical carcinoma. Gynecologic oncology 2008;111(2):255-60.
75. Plante M, Renaud MC, François H, Roy M. Vaginal radical trachelectomy: an oncologically safe fertility-preserving surgery. An updated series of 72 cases and review of the literature. Gynecologic oncology 2004;94(3):614-23.
76. Segarra-Vidal B, Persson J, Falconer H. Radical trachelectomy. International journal of gynecological cancer 2021; doi: 10.1136/ijgc-2020-001782
77. Loren AW, Mangu PB, Beck LN, Brennan L, Magdalinski AJ, Partridge AH, et al. Fertility preservation for patients with cancer: American Society of Clinical Oncology clinical practice guideline update. Journal of clinical oncology : official journal of the American Society of Clinical Oncology 2013;31(19):2500-10.
78. Reichman DE, Davis OK, Zaninovic N, Rosenwaks Z, Goldschlag DE. Fertility preservation using controlled ovarian hyperstimulation and oocyte cryopreservation in a premenarcheal female with myelodysplastic syndrome. Fertility and sterility 2012;98(5):1225-8.
79. Massarotti C, Scaruffi P, Lambertini M, Remorgida V, Del Mastro L, Anserini P. State of the art on oocyte cryo-preservation in female cancer patients: A critical review of the literature. Cancer treatment reviews 2017;57:50-7.
80. Köhler TS, Kondapalli LA, Shah A, Chan S, Woodruff TK, Brannigan RE. Results from the survey for preservation of adolescent reproduction (SPARE) study: gender disparity in delivery of fertility preservation message to adolescents with cancer. Journal of assisted reproduction and genetics 2011;28(3):269-77.
81. Burns KC, Boudreau C, Panepinto JA. Attitudes regarding fertility preservation in female adolescent cancer patients. Journal of pediatric hematology/oncology 2006;28(6):350-4.
82. 82. Mattawanon N, Spencer JB, Schirmer DA, 3rd, Tangpricha V. Fertility preservation options in transgender people: A review. Reviews in endocrine&metabolic disorders 2018;19(3):231-42.
83. Donnez J, Dolmans MM. Fertility Preservation in Women. The New England journal of medicine 2017;377(17):1657-65.
84. Gong D, Liu YL, Zheng Z, Tian YF, Li Z. An overview on ethical issues about sperm donation. Asian journal of andrology 2009;11(6):645-52.
85. Ethics Committee of the American Society for Reproductive Medicine. Interests, obligations, and rights in gamete donation: a committee opinion. Fertility and sterility 2014;102(3):675-81.
86. Rienzi L, Ubaldi FM. Oocyte versus embryo cryopreservation for fertility preservation in cancer patients: guaranteeing a women's autonomy. Journal of assisted reproduction and genetics 2015;32(8):1195-6.
87. Cobo A, García-Velasco JA, Coello A, Domingo J, Pellicer A, Remohí J. Oocyte vitrification as an efficient option for elective fertility preservation. Fertility and sterility 2016;105(3):755-64.e8.
88. Maxwell S, Noyes N, Keefe D, Berkeley AS, Goldman KN. Pregnancy Outcomes After Fertility Preservation in Transgender Men. Obstetrics and gynecology 2017;129(6):1031-4.
89. Brandt JS, Patel AJ, Marshall I, Bachmann GA. Transgender men, pregnancy, and the "new" advanced paternal age: A review of the literature. Maturitas 2019;128:17-21.
90. Armuand G, Dhejne C, Olofsson JI, Rodriguez-Wallberg KA. Transgender men's experiences of fertility preservation: a qualitative study. Human reproduction 2017;32(2):383-90.

Chapter 08

난소 조직 동결보존과 이식

(Ovarian tissue cryopreservation and transplantation)

서울의대 **이정렬**
서울의대 **홍연희**

가임력보존(Fertility preservation)은 가임력을 위협하는 어떠한 원인으로 인해 가임력이 소실 되기 전, 미래의 가임력을 보장받기 위해 난자, 배아, 난소 조직 등을 보존하거나 또는 난소를 보호하는 약제를 투여하는 등의 일련의 모든 행위를 일컫는다. 최근 여성들의 만혼 및 노산이 심각한 저출산 사회 문제를 야기하고, 젊은 가임기 여성 암환자의 증가, 가임력 위협 부인과 질환의 증가로 가임력을 보존하기 위한 요구가 늘어남에 따라 가임력보존의 중요성은 더 커지게 되었다.

과거 수십 년 동안 가임력을 보존하기 위한 방법들이 개발되었고, 임상에 적용되어 왔다. 대표적인 것이 난자 또는 배아 동결이다. 난소과자극을 통해 성숙난자 또는 이와 함께 수정시킨 배아를 동결하여 미래의 임신을 도모하는 것이다. 그러나 이들 방법의 경우는 난소과자극을 위한 충분한 시간을 확보할 여유가 없는 암치료가 시급한 암환자, 초경을 시작하지 않은 청소년에서는 쓸 수가 없어 제한점이 있다. 반면, 이러한 시간적 여유와 환자의 나이에 구애받지 않는 난소 조직 동결보존(ovarian tissue cryopreservation, OTC) 및 난소 조직 이식(ovarian tissue transplantation, OTT) 방법이 가임력보존을 위한 또 하나의 방법으로 여겨지고 있으며 사람에서 성공적인 출생 결과들이 보고되어 왔다.

사람에서의 첫 난소 조직 이식은 1895년 Robert Morris가 자궁에 동결하지 않은 신선 난소 조직을 이식했던 케이스였고[1], 1906년에 다낭성 난소 증후군 여성에서 자궁광인대(broad ligament)에 난소 조직을 이식하여, 첫 생아(live birth)를 보고하였다. 이후 1948년 동결보호제(cryoprotective agents, CPAs)의 발견으로 살아있는 세포와 조직을 동결보존할 수 있게 됨으로써 동결해동 과학은 빠르게 발전하였다. 2004년 Donnez 등이 호지킨림프종(Hodgkin's lymphoma) 환자에서 동결-해동한 난소 조직을 같은자리 자가이식(orthotopic autotransplantation)한 이후에 첫 생아를 보고한 이래 2018년까지 약 130명의 아이들이 이 방법을 통해 출생하여[2-6], 난소 조직 동결-해동 및 이식의 가임력보존 치료 방법으로서의 임상적 결과를 확인하였다.

혈관문합(vascular anastomosis)을 통한 난소 전체 이식은 고양이에서 1906년에 처음 성공한 이래, 개, 쥐, 영장류 등 많은 동물에서 성공하였다[7-9]. 이후 사람에서는 1987년 다른자리이식(heterotopic transplantation)으로 처음 성공하였으며[10], 일란성 쌍둥이 간 온전한 난소를 혈관문합을 통해 이식 후 첫 생아 출생을 2009년에 보고하였다. 동결보존 후 혈관과 함께 난소 전체를 쥐(rat)에 이식 후 가임력을 보존한 케이스가 2002년에 처음 보고되었다[11]. 하지만 아직까지 사람에서 동결보존한 전체 난소 이식에 대한 성공적인 결과는 아직 보고된 바는 없다.

현재까지 가임력보존을 위한 난소 조직 동결-해동 및 이식 방법은 미국 생식의학회(American Society for Reproductive Medicine, ASRM)에서 2019년에 더이상 실험적인 방법이 아닌 임상적으로 사용가능한 가임력보존의 방법으로 인정을 받게 되었다. 하지만 아직은 동결, 해동 및 이식 시의 손상 방지를 위한 개선이 필요한 상태이며, 윤리적, 안전성의 문제까지 극복해야 할 과제들이 남아있다. 본 장에서는 난소동결-해동 및 이식에 있어서 기술적 방법에 대한 이해, 다른 가임력보존 방법과의 차이점, 동결-해동 시 수반되는 동결 해동 손상(cryoinjury), 이식 시의 허혈 손상(ischemic injury)과 이를 극복하기 위한 전략들, 그리고 난소 조직 재이식 시 암세포 재유입의 가능성(cancer cell retransmission) 등 윤리적 문제점과 이를 극복하고자 노력했던 결과들에 대해서 고찰해보고자 한다. 아울러 난소 조직 동결-해동 재이식 후 체외수정 시술에 성공한 한국의 첫 사례를 고찰하고, 마지막으로 난소 전체 이식에 대한 내용을 짧게 소개하고자 한다.

1 난소 조직 동결-해동 및 이식 시 가이드라인

난소 조직 동결-해동 및 이식은 가임력보존의 한 방법으로서, 원시난포(primordial follicle)가 들어있는 난소피질 일부 또는 전체를 수술적인 방법으로 얻어 동결보존한 뒤, 이후 재이식을 통하여 가임력을 회복시키는 방법이다. 난소 조직 동결-해동 및 이식 과정에 적합한 환자군을선택하고 이 환자들에게 전체적인 절차, 예상되는 결과 등에 대한 충분한 상담을 제공해주는 것이 필요하다. 이를 위해서는 생식내분비 전문의뿐 아닌 혈액종양분과 전문의, 정신과 전문의 등 여러 분야의 전문가들의 다학제적인 접근이 필요하다. 또한 이러한 시술을 시행함에 있어 필연적으로 수반되는 위험성, 예컨대 수술 및 마취의 위험성, 그리고 기술의 한계점에 대한 충분한 설명이 필요하다.

환자의 정신적 및 신체적 조건에 대해서 이식 전 반드시 평가가 필요한데, 특히 나이는 조직에 남아있는 난포의 수와 밀접한 관련이 있고 향후 이식 시 가임력 회복의 중요한 요소가 되므로 이 또한 고려하는 것이 필요하다. 현재 존재하는 난소 이식 가이드라인에서는 38세를 넘는 여성의 경우, 이식 후의 가임력 회복의 가능성이 낮기 때문에 좋은 후보자가 아님을 말하고 있기도 하다[12, 13]. 하지만 고령(advanced age)이라고 하여 항상 낮은 난소예비능을 가지는 것이 아니고 환자별 개인차가 있으므로 이에 대해서도 충분히 고려해야 하겠다.

난소 조직 동결 전, 초음파 검사(동난포수, antral follicle count, AFC)와 함께 혈액 검사를 통한 난소예비능 검사가 필요하다. 성인여성에서 난소 조직 동결 전 난소예비능 평가에 있어 가장 중요하게 사용되고 있는 지표는 혈청 항뮬러관호르몬(anti–Müllerian hormone, AMH)이다. AMH는 난포의 과립막세포(granulosa cell)에서 분비되므로 난소예비능의 직접적인 마커가 되고, 생리주기에 상관없이 어느 때나 측정이 가능하다는 장점이 있다. 이외에 혈청 난포자극호르몬(serum follicle–stimulating hormone, FSH)도 보조적으로 이용되나, 난소예비능의 간접적인 지표이고 생리주기에 따른 변이가 있어 생리초반기에 측정해야 하며, 높은 역치 값에서 낮은 난소예비능의 진단적 가치가 있어 일반적인 사용에 있어 제한적이다.

모든 암환자는, 항암치료 전 난소 조직 동결을 고려할 수 있다. 그러나 특정 암종의 경우, 난조 조직 해동 후 재 이식 시, 암세포의 재유입 가능성이 높기 때문에 이에 대한 고려가 필요하다. 암 종류, 치료 유형(항암제 종류), 치료 후 조기난소부전(primary ovarian insufficiency) 위험도(50% 이상), 5년 생존율 포함 예후 등 모든 요소가 난소 조직 동결보존에 적합한지를 따져봐야 한다. 현재까지 호지킨림프종 환자에서의 동결–해동 난소 조직의 자가이식(autotransplantation)은 안전한 것으로 보고되었다[12]. 현재는 난소 조직 동결–해동 및 이식은 암환자에서 가장 많이 적용이 되고 있으나, 비단 암환자뿐만이 아닌 루푸스, 류마티스 질환, 조혈모세포이식(hematopoietic cell transplantation)이 필요한 비암종성 질환(재생불량성 빈혈, 낫적혈구병(sickle cell disease) 등에서도 적용이 가능한 유용한 가임력보존 방법이다.

2 난자 또는 배아 동결법과의 차이점

현재 가임력보존을 위한 방법으로는 크게 난자 동결, 배아 동결, 난소 조직 동결이 있다. 난자 또는 배아 동결은 현재 임상적으로 확립된 가임력보존 방법으로 여겨지며, 오랜 기간 시도되어 온 결과 성공률 또한 높은 편이다. 여성 암환자에서 항암치료 전 난자 또는 배아 동결을 하는 경우의 난자 획득이나 배아 생성 등과 같은 난소과자극 유도 결과(outcomes)는 남성원인으로 체외수정시술을 하는 난임 환자의 것과 유사한 것으로 보고된 바 있다[14, 15]. 그러나 앞의 두 방법의 경우 초경을 시작한 환자에서만 가능하며, 현재는 생리 기간의 제한을 덜 받고 환자가 의뢰(referral)된 시점부터 과자극을 시작하게되는 무작위 시작(random start) 프로토콜 등의 다양한 방법이 모색되고 있으나 일반적으로 대략 12-14일 정도의 난소과자극을 위한 기간이 소요된다.

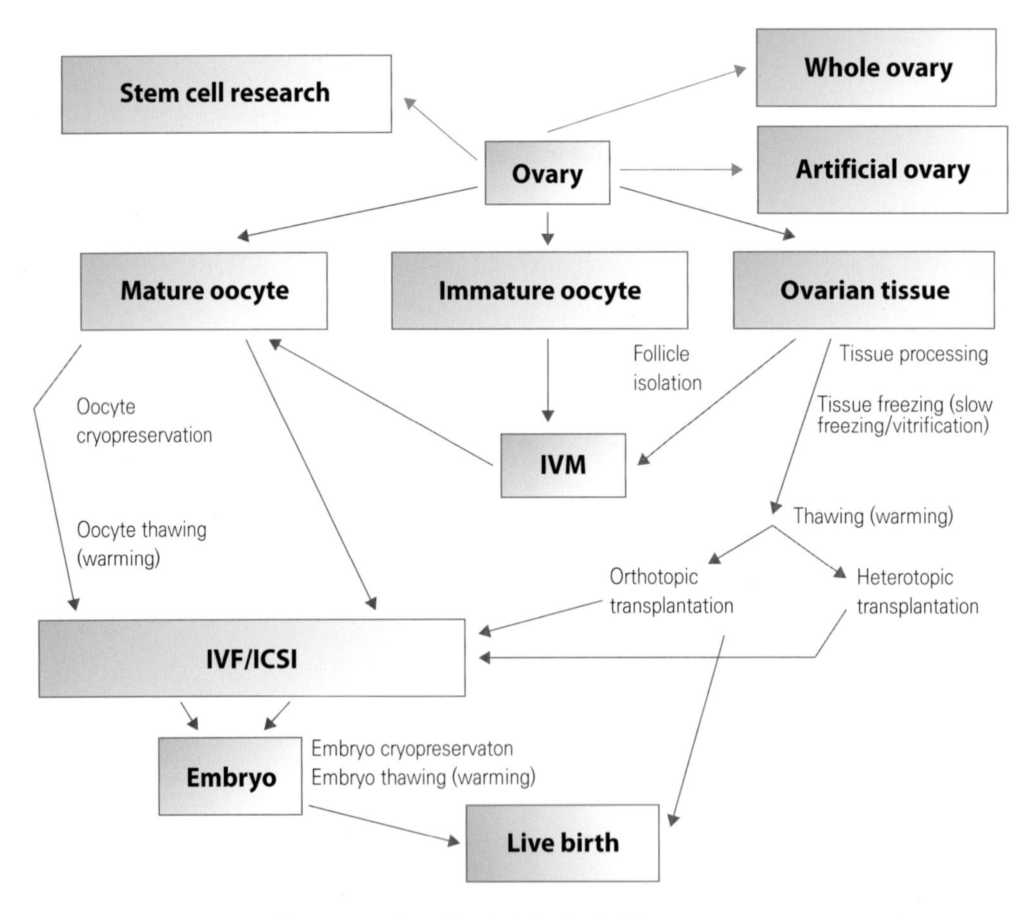

그림 8-1. **현재 확립된 또는 활발히 연구되고 있는 가임력보존 방법들**

또한 과자극 또는 난자 채취 시 수반될 수 있는 난소과자극 증후군, 복강내 출혈 등의 합병증이 있을 수 있다. 반면 난소 조직 동결-해동 및 이식에서는 난소과자극 기간이 특별히 필요치 않아, 항암치료가 급한 암종이 있는 환자들에게 적합하며 초경을 시작하지 않은 청소년기 여아에서도 시행할 수 있다는 장점이 있다. 특히 장기적으로는 난자 또는 배아 동결의 경우는 치료 이후 임신 시도의 가능성만 목표로 하지만, 난소 조직 이식의 경우 가임력뿐 아니라 호르몬 기능의 복구라는 측면의 기능도 기대할 수 있어 유망한 가임력보존 방법으로 여겨진다. 하지만 난소 조직을 채취하기 위해서는 전신마취를 통한 수술적 방법이 필요하고, 향후 이식 시에는 추가적인 수술이 필요하다는 점이 단점이 될 수 있다. 확립된 또는 현재 활발히 연구되고 있는 전체적인 가임력보존 방법에 대한 모식도를 그림 8-1에 제시하였다.

3 난소 조직의 획득, 동결, 이식 방법

1) 난소 조직의 획득 방법

난소 조직은 최소침습수술(minimally invasive surgery)을 통해 획득할 수 있다. 전체 난소를 얻을지 또는 일부분(ovarian cortex)을 절제할지에 대해서 확립된 기준은 없으며, 이는 센터와 수술자마다 다르고 환자군, 환자 연령 등에 따라 다르다. 난소 획득의 정도는 환자의 나이, 치료받는 항암제의 종류, 이후 조기난소부전의 위험도를 고려하는 것이 필요하겠다. 무엇보다 어떤 방식이든지 간에 동결할 난소는 이상적으로 손상되지 않은 난포를 보존하기 위해 생식 독성 치료 전에 획득하는 것이 바람직하다[16].

난소 조직의 획득 시에는 난소피질에 대한 최소한의 조작을 하는 것이 필요한데, 특히 이 부위에 지속적으로 열을 전달하는 것은 조직에 열손상을 주어 그 아래에 있는 원시난포를 손상시킬 수 있다. 난소 동맥의 경우, 난소 박리의 마지막까지 최대한 유지한 채 마지막 단계에서 절제를 시행한 뒤 바로 검체를 처리하는 것이 필요하다. 같은쪽 나팔관의 보존 및 난소 동맥의 적절한 분할은 난소 자체의 완전성(integrity) 및 부속기 구조를 최대한 원래대로 유지하여 추후 성공적인 이식을 도모할 수 있다[17]. 소아의 경우, 성인에 비해 난소 자체가 더 작고 조작이 어려우므로 섬세한 박리와 해부학적 구조에 대한 이해가 필요하다.

2) 난소 조직의 동결 및 해동

수술장에서 동결에 사용할 난소를 얻게 되면, HEPES–Ham's F10 medium (GIBCO Life Technologies, Scotland) (또는 L–15 medium)에 담아 배아연구실로 신속히 이동한다. 배아연구실에서 먼저 주사기를 통해 난포액(follicular fluid)을 흡인(aspiration)하여 난자를 획득하고, 이후 수질(medulla) 부위를 제거하고 피질(cortex)만을 남긴 뒤 난소동결을 위해 다듬는(trimming) 과정을 거친다(그림 8–2).

난소 조직 동결에 사용되는 두 가지 방법은 완만동결(slow freezing)과 유리화동결(vitrification)이다. 이때 기본 배양액으로는 20% synthetic serum substitute (SSS, Irvine Scientific, US)가 첨가된 Ham's F10 medium (GIBCO Life Technologies, Scotland)이 사용된다. 완만동결의 경우, 난소 조직 피질층을 1.0 × 0.5 × 0.1 mm 크기로 자른 뒤 1.5 M 1,2–propanediol (PROH), eth-

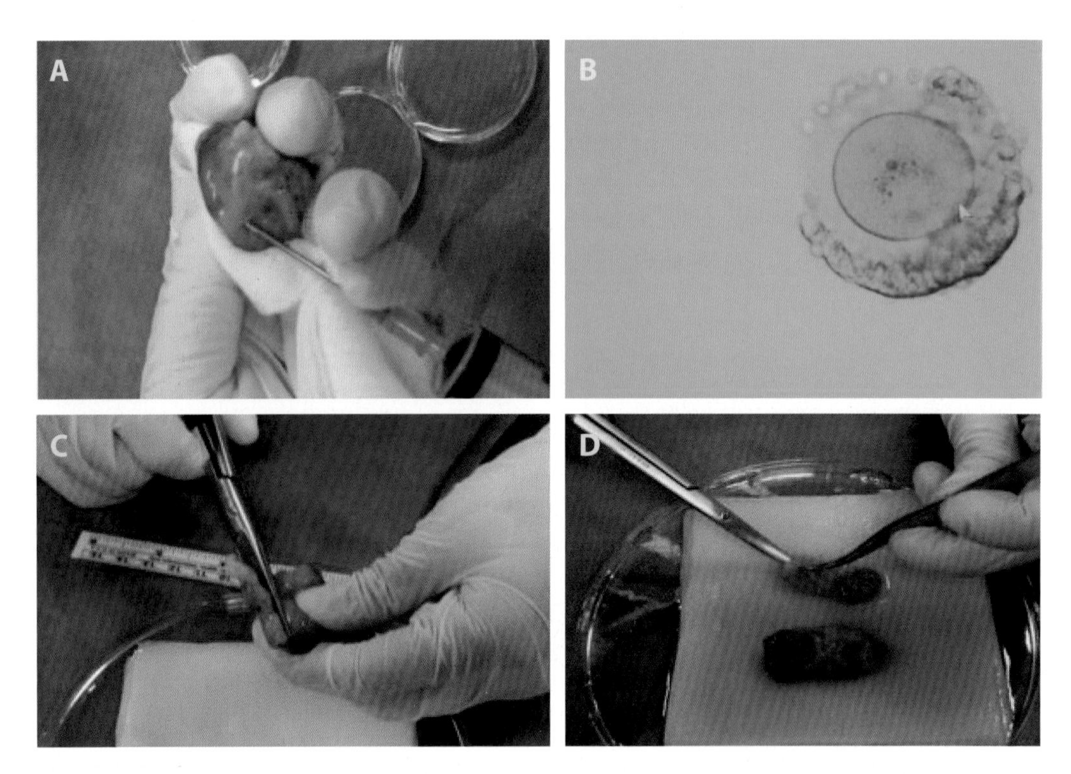

그림 8–2. 난소 조직에서 난자 채취 및 난소 준비 Seoul National University Bundang Hospital
(A) 사람 난소 조직에서 난자 채취: 배아연구실에서 주사기를 통해 난포액을 흡인하여 난자를 획득함. **(B)** 난소 조직에서 채취한 사람의 난자. **(C)**, **(D)** 사람 난소 조직 동결을 위한 준비: 수질을 제거하고 피질을 확보한 뒤 난소동결을 위해 다듬는 과정을 거침.

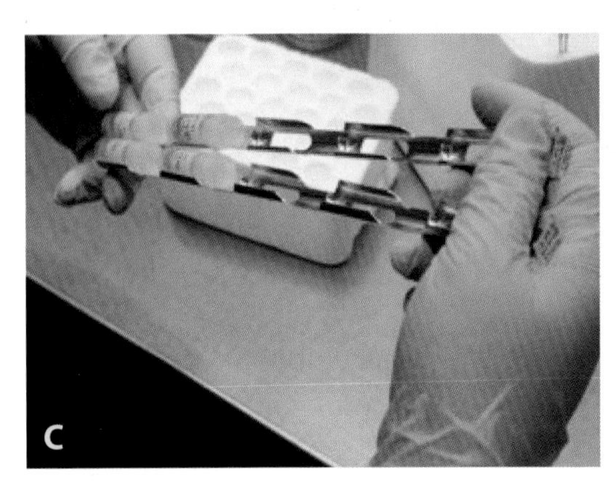

그림 8-3. 완만동결 Seoul National University Bundang Hospital
(A) 난소 조직의 준비 (preparation), **(B)** 프로그래밍된 동결기 (Programmed Freezer), **(C)** 난소 조직의 보관

ylene glycol (EG), 또는 dimethyl sulfoxide (DMSO)와 0.1 M sucrose (Sigma-Aldrich, US)를 첨가한 동결액에 37°C에서 30 분간 침지한다. 미리 동결액 500 uL를 넣어 둔 1.8 mL cryovial에 난소 조직 2조각씩을 넣은 후 뚜껑을 닫고 완만동결기에 넣는다. 완만동결기의 온도를 20℃에서 -7℃까지는 2℃/min 비율로 하강시키고, -7℃에서 10분간 정지시킨 뒤 냉각된 핀셋으로 식빙(seeding)을 시행한다. -7℃에서 -40℃까지는 0.3℃/min 비율로 냉각시킨 뒤 cryovial을 꺼내 액체 질소에 보관한다. 해동 시, 액체질소 탱크로부터 cryovial을 꺼내 상온에서 2분간 머무른 후, 37°C water bath에서 넣고 2분간 해동을 진행한다. 조직을 상온에서 0.5 M, 0.25 M, 0 M sucrose 용액에서 각각 5분간 처리하여 조직을 재수화한다. 이식 전 수술 현미경으로 조직을 다듬는 과정을 거친다[2, 18-21]. 현재까지 대부분의 난소 조직 동결-해동 및 이식 후 출생한 아이들은 완만

동결 방법에 의해 출생하였다. 완만동결 시에 사용하는 냉각기 및 cryovial을 그림 8-3에 제시하였다.

유리화동결법은 난소 조직에서 완만동결법에 비해 최근에 도입된 방법이지만 체외(in vitro) 및 동물 실험연구에서는 완만동결과 동등하거나 우월한 결과들이 많이 보고되고 있는 방법이다 [22-24]. 유리화동결을 위해 난소피질을 10 × 10 × 1 mm 크기로 자른 뒤, 기본 배양액에 7.5% EG 및 7.5% DMSO를 첨가한 동결액에서 25분간 평형(equilibration) 과정을 거친다. 이후, 조직을 20% EG, 20% DMSO 및 0.5 M sucrose가 첨가된 동결액 튜브에 넣고 조직이 튜브의 바닥에 완전히 가라 앉을 때까지 약 15분 동안 유지한다. 조직을 꺼내 Cryotissue의 (Kitazato, Bio Pharma, Japan) 금속 스트립에 올려 놓고, 멸균 액체 질소에 직접 침지한 후, 액체질소가 충전된 보관 탱크에서 보관한다. 해동 시, 1 M sucrose가 들어있는 37°C 기본 배양액 40 mL를 50 mL tube에 넣고, 난소가 보존되어 있는 Cryotissue 금속 스트립을 신속히 해동액 튜브에 넣어 1분간 유지한다. 스트랩으로부터 분리된 난소 조직을 꺼내, 상온의 0.5 M, 0.25 M 및 0 M sucrose 용액에서 각각 5분간 처리한다. 기본 배양액으로 조직을 washing한 후, 이식을 진행한다. 사전에, 난소 조직 일부를 미리 해동하여 이식 전 조직학적 검사, 암표지자 검사 및 이종동물 이식 등의 방법으로 암세포 존재 유무를 확인할 것을 권장한다. 그림 8-4는 유리화동결을 위해 난소 조직을 준비하여 Cryotissue에 조직을 적절히 배치한 뒤 액체질소에 침지하여 보관하는 과정을 나타내었다.

동결보호제(cryoprotective agent, CPA)는 완만동결과 유리화동결 모두에 필요한데, 특히 유리화동결은 초고속 냉각(ultra-rapid cooling)과 고농축 CPA를 필요로 한다. 초고속 냉각은 난소 조직의 얼음 결정 형성을 방지할 수 있다. 최근의 메타 분석에 따르면 유리화동결의 효율은 완만동결의 것과 동일하다고 보고한 바 있지만[25], 유리화동결을 이용한 난소 조직 이식 후 성공적인 출생의 사례는 아직 완만동결에 비해 적은 편이다[26, 27]. 그러나 시간이 지남에 따라 유리화동결로 보존된 난소의 해동 이식이 활발히 진행되면 유리화동결 후의 출생아 보고 역시 증가할 것으로 예상된다.

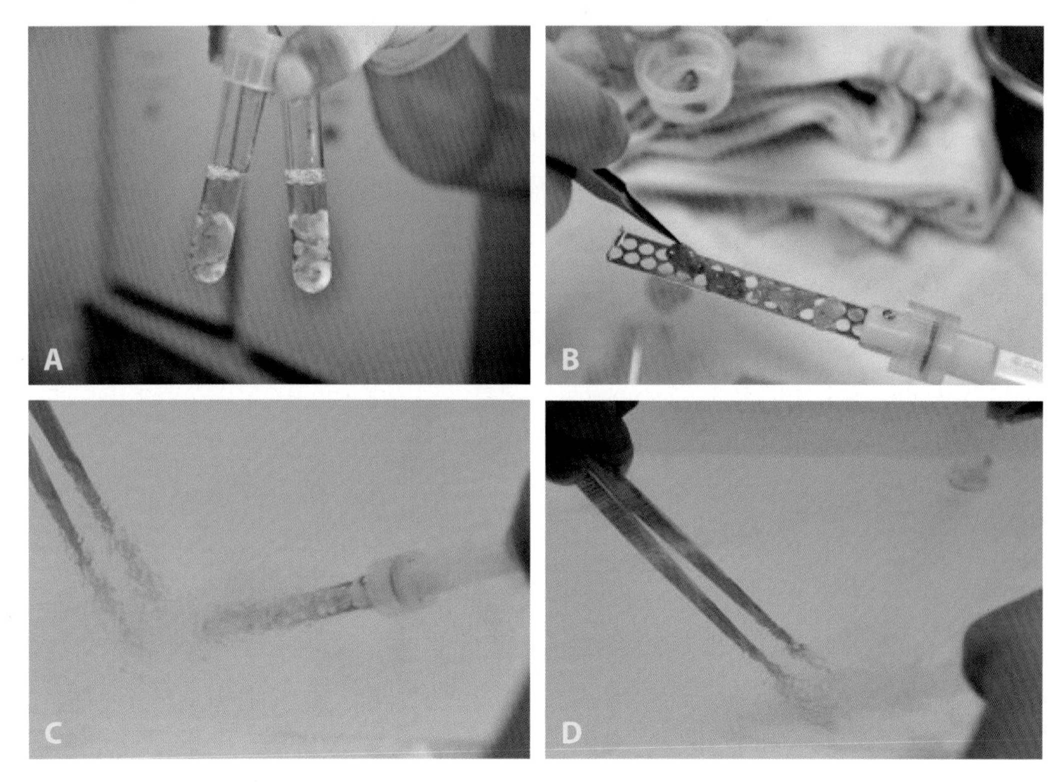

그림 8-4. 유리화동결 Seoul National University Bundang Hospital
(A) 난소 조직의 준비, (B) Cryotop에 난소 조직 거치, (C) LN_2에 침지, (D) LN_2에 보관

3) 난소 조직 이식 방법

동결된 난소는 암치료 종료 후 해동하여 자가이식을 통해 임신을 도모할 수 있다. 자가이식법에는 크게 같은자리 자가이식법과 다른자리 자가이식법(heterotopic autotranplanation)의 2가지 방법이 있다. 같은자리 자가이식법은 난소 조직을 남아있는 난소 또는 난소와(ovarian fossa)의 복막 주머니(peritoneal space)에 이식하는 방법이다. 2004년에 호지킨림프종이 있었던 여성의 동결 난소 조직을 해동하여 이식 시켜 첫 생아를 보고한 이래, 2018년까지 전 세계적으로 130명 이상의 아기가 태어나 난소 조직 자가이식에 대한 임상 적용의 효용성을 입증하기도 하였다. 난소기능의 회복 및 내분비 기능의 회복에 있어서도 높게는 95%까지의 회복률을 보고하였다. 미보고 케이스 등의 변수로 오차는 있으나, 5개 주요 센터(총 111명 환자)의 분석 자료에 따르면 임신율은 대략 29%, 출산율은 23%로 보고하였다[5]. 절반 이상이 자연 임신이 되었고, 태어난 아이들에

대한 주산기 관련 결과 역시 제한적이긴 하나 안정적이었다[28]. 하지만 동결보존한 배아 또는 정자에 비해서 난소 조직의 사용률은 3-5%로 매우 낮은 것으로 보고되었다[29]. 난소 조직을 얻고, 추후 이식을 위해서는 2번의 수술이 필요하다는 것이 이 방법의 단점이 될 수 있다.

같은자리 자가이식법으로 현재 여러 가지 방법들이 소개되어 있다. 적어도 하나의 남은 난소가 존재하는 경우, 피질을 벗긴(decorticated) 난소나 새로 생성한 복막창(peritoneal window)을 선택하여 이식을 할 수 있다. 반면 난소가 남아 있지 않거나, 남아 있더라도 심하게 위축되거나 기능을 하지 않는 경우는, 같은자리이식의 유일한 대안으로 복막창을 사용하여 이식할 수 있다. 2004년 첫 난소 이식을 보고하였던 Donnez 팀이 썼던 방법은 2번의 복강경 수술을 필요로 하였다. 이식 7일 전 첫 번째 수술을 통해 우측 난소의 hilus 밑 쪽에 복막창을 만들어 혈관생성을 유도하고, 복막창을 만든 7일 뒤 두번째 복강경 수술을 통해 해동한 난소 조각을 생성한 고랑(furrow)에 넣어주게 된다. 이 위치는 난소 혈관 및 난관과 매우 가까웠으며 당시 봉합은 사용하지 않았다[2]. 이러한 기본 방식에 ovarian graft를 Interceed로 덮거나, fibrin glue를 더하거나 하는 몇 가지 변형들이 더해져서 사용되기도 한다. 난소가 없는 경우에도 복막창 안에 난소 조각을 넣고, Interceed로 덮거나 fibrin glue로 덮어준다. 이외에 이식할 난소의 피질을 절제하여 수질의 전체 표면을 노출시킨 뒤, 난소피질의 일부를 난소의 수질 위에 놓고 봉합하는 방법(Silber's technique)[30], 난소의 tunica albuginea 위에 5 mm의 절개선을 내고, 그 아래를 blunt하게 박리 하여 공간을 만들어 해동한 난소 조직을 위치시킨 뒤 봉합하여 고정하는 방법(Meirow's Technique)[3], 난소의 각 면에 절개를 가하고, 여기서 각 난소 절편을 서로 마주하여 난소의 피질하 홈(subcortical pocket) 아래쪽으로 배치하는 방법(Andersen's Technique) 등이 있다[4]. 이식 시의 효율을 높이고자 난소 조직을 작은 조각(cube)으로 만들어 조직 applicator에 넣어서 이식부위에 위치시키고 밀어 넣는 방식도 있다[31]. 최근에는 2차례에 걸친 수술보다는 한번의 수술로 이식을 진행하는 것이 보다 보편적인 방법으로 시행되고 있다.

또 다른 자가이식방법은 다른자리 자가이식법이다. 이 방법은 이식을 위해 또 한 번의 수술을 해야하는 같은자리 자가이식법에 비해 비침습적이라는 장점이 있고, 난자의 획득도 쉽게 할 수 있다. 특히 수명이 제한적인 난소이식편을 반복 이식해야한다는 점을 고려하면, 같은자리 자가이식법의 매력적인 대안이 될 수 있다. 또한 이전 방사선 조사력이 있어 골반 환경이 좋지 않다거나 또는 심각한 골반 유착 등으로 같은자리이식이 어려울 경우에도 이 방법이 사용될 수 있다. 다른자리 자가이식 후의 난소 조직의 수명은 매우 다양한데, 짧게는 3개월에서 길게는 90개월로 다양하다. 하지만 다른자리이식의 경우, 원래 난소가 위치한 곳이 아니므로 상대적으로 혈관 공급이 원활치 않아 난포의 성장 및 성숙에 적대적인 환경이라는 점, 임신을 위해서는 반드시 체외수정시술이 필요하며 현재 2건 정도만 이 방법에 의해 생아가 출생하여[32, 33] 효율을 올리기 위한 추가적인 노력이 필요하다는 점은 단점이 될 수 있겠다. 다른자리이식으로 연구되었던 장소로는 복부의 피하지방층, 전완, 엉덩이, 복직근, 유방조직, 자궁, 복막하조직, 복벽 등이 있으며 아직 완벽하게 확립된 다른자리 자가이식 장소는 없어서 최적 장소에 대한 추가 탐색이 필요하다.

동결-해동한 난소 조직의 난포들을 성숙시켜 난자를 획득할 수 있는 방법은 자가이식 외에도 난포의 체외배양(in vitro culture)과 이종 이식(xenotransplantation)이 가능하다. 이러한 방법은 혹시 있을지 모르는 난소 조직 체내 이식을 통한 암세포의 재유입의 위험성에서 자유롭기 때문에 임상적으로 필요한 기술이다. 지난 10여년간 미성숙 난포 배양 기술, 3차원 체외 배양, 다단계 배양 등에 있어서 다양한 발전이 있었다[34, 35]. 하지만 이러한 배양 방법을 임상에 완벽히 적용하기 위해서는 아직까지 극복해야 할 많은 변수와 장애물이 있어 추가적인 연구가 필요하다.

인간의 난소 조직을 동물 숙주에 이종 이식(xenotransplantation)하는 방법은 가임력보존 뿐만이 아닌 멸종 위기의 종 보호를 위해서도 중요한 방법이다. 많은 동물들에서 이종 이식 후 동난포 단계(antral follicle)까지 성장하였던 결과들도 보고되었고, 설치류에서는 산자도 보고한 바 있다[36]. 인간에서는 암환자에서 난소 조직 자가이식 시 암세포 재유입의 위험으로부터 벗어나기 위한 필요성 등으로 연구가 시작되었다. 인간의 난소 조직을 이종 이식 시켜 난포의 발달, 배란, 황체의 생성까지 성공적으로 보고한 연구들도 몇몇 있다[37-39]. 하지만 이종 이식을 통해 얻은 난자가 충분히 건강하고, 유전적으로 문제가 없는지, 그리고 수정에 문제가 없는지에 대한 추가적인 검증이 필요하고 또한 이종간의 안전성과 윤리성의 문제는 임상 적용 전 반드시 해결되어야 할 문제이므로, 이러한 한계점으로 인해 아직까지 임상에 적용하기에는 많은 추가연구가 필요한 실정이다.

4 난소 조직 동결-해동 및 이식과 관련하여 해결해야 할 과제들

1) 난소 조직 동결-해동 시의 동결손상 방지

완만동결과 유리화동결을 통한 난소 조직의 동결-해동 후 난포 생존율은 50-80% 정도로 보고되지만, 난포 생존율의 향상 및 난포 손상의 최소화, 동결 해동 기법의 최적화 등을 위한 노력들이 아직 필요하다. 현재까지 동결손상을 줄이기 위한 많은 노력들이 있어왔다. 개방형 동결 시스템(open freezing system)의 사용[40], 유전적 조작(genetic manipulation)[41], 다양한 동결 기구의 사용[42], 운송 시간 및 온도 조절의 노력[43], CPA의 변형[44], 그리고 항동결단백질(antifreezing proteins, AFPs)의 첨가[45, 46] 등이 그 예이다.

동결손상의 2가지 중요한 기전은 세포 내부 얼음결정(ice crystal)의 생성 및 염의 축적(salt deposit)이다. 완만동결 시 액화상태가 과냉각(supercooling)되는 −10℃~−40℃ 사이가 얼음 결정의 생성과 성장이 증가하는 시기이지만, 중대한 동결손상은 해동(thawing)시에 일어나는데, 이 시기는 세포막의 일시적인 누출(leakage)이 생겨 조직을 둘러싸고 있는 주위환경의 조성 변화가 유발되기 때문이다. 동결 속도를 느리게 할 경우 과도한 탈수, 세포 내외부에 고농도의 전해질 축적으로 인한 세포 손상이 발생하고, 속도를 빠르게 할 경우에는 세포 내부 얼음 결정 생성으로 인한 세포 손상이 문제시된다. 따라서 동결손상을 감소시키기 위한 냉각 속도(cooling rates)는 세포가 세포 내부의 고농도의 전해질에 노출되는 것을 줄이기 위해 충분히 빠르면서도, 세포를 잘 탈수시키고 세포 내부 얼음 결정 형성을 피할 수 있도록 충분히 느릴 정도의 적절한 속도가 요구된다. 해동속도(thawing rates) 역시 얼음 결정의 생성과 성장을 막기 위해 충분히 빨라야 한다.

세포의 동결보존을 위해서는 CPA가 필요하지만, 이 또한 세포독성(cytotoxic)이 있다. CPA의 세포독성의 정도는 보호제 자체의 성질, 노출 시간 및 온도 등에 의해 달라진다. 세포 하나에 비해, 조직은 여러 종류의 세포들로 이루어져 있어 동결 시 동결안정성(cryostability)을 유지하거나 CPA 투과에 영향을 미치는 물성들이 각기 다르기 때문에 조직에서의 동결 및 해동 조건을 최적화하기는 매우 어렵다. 일반적으로 CPA에 노출시간이 길수록 세포독성이 증가하며, 세포 내외부에 생기는 ice crystal은 다세포 체계에서 세포에 치명적인 영향을 미친다.

고농도의 CPA 투여와 빠른 냉각 속도를 특징으로 하는 유리화동결은 액상(aqueous phase)에서 고체무형상(solid amorphous phase)으로의 직접적인 전환이 되는데, 이는 세포 내외부의 얼음결정 형성을 억제할 수 있다는 점에서 조직 동결에 이점이 있다. 하지만 고농도의 CPA로 인한 화학적, 삼투압적 독성으로 인해 유리화동결 역시 동결에 있어 한계점이 있다. 개별 세포와 달리 조직은 최적의 CPA 침투에 도달하기 위해 고농도의 CPA에 더 오래 노출되어야 한다. 이것은 난소 조직의 유리화에 대한 딜레마로 작용한다. 얼음 핵 형성을 억제하는 AFP는 유리화동결에 더 낮은 농도의 CPA를 사용할 수 있도록 하여 CPA의 독성을 줄일 수 있다. Mouse model을 이용하여 3가지 서로 다른 APFs의 효과를 연구했던 논문에서 고농도의 AFP를 첨가한 군이 난소 조직의 동결-해동 시 난포를 보호하는 효과가 있었고, AFP 중 Leucosporidium-derived ice-binding protein (LeiBP)를 첨가한 군에서 가장 뚜렷한 보호 효과를 보였음을 보고하였다. LeIBP의 유익한 효과는 유리화동결-해동한 난소 조직을 자가이식한 후에도 관찰되었다[45]. 아울러 이러한 AFP의 동결보호 효과는 해동 첫 단계에만 AFP를 처리하여도 동결-해동의 모든 단계에 처리하는 것과 동등한 보호 효과를 나타냄이 보고되었다[47]. 이러한 AFP의 동결보존 효과의 기전은 AFP의 3차원적 구조 및 분자연결을 통해 설명될 수 있음이 최근 보고된 바 있다[48].

조직 생존을 저해할 수 있는 또 다른 요인은 해동 시의 재결정화(re-crystallization)이다. 매우 높은 농도의 CPA를 사용하지 않는 한 해동 시 재결정화를 완전히 제거하는 것은 쉽지 않다. 각 AFP의 해동 시 처리결과 및 현재까지 조직 동결을 위한 표준 유리화동결-해동 프로토콜이 없으며 CPA의 유형 및 농도, 평형 기간 및 단계, 냉각 방법, 해동 온도 및 용액 종류 등에 있어서도 프로토콜마다 다양한 변형이 존재한다. 염 등은 다양한 CPA의 조합을 비교하여 유리화동결을 진행한 연구에서 두 종류의 투과성 CPA의 조합(EG + DMSO)에 비투과성 CPA (sucrose)를 추가하여 2 단계로 평형을 이루는 방법이 동결손상을 최소화할 수 있음을 보고하였다[44].

2) 이식 시 허혈성 손상 방지 및 효율성 증진

동결-해동한 인간 난소 조직의 자가이식은 생식력뿐만 아니라 내분비 기능을 회복시킬 수 있다는 것이 입증되었다. 그러나 이식한 난소 조직의 난포 손실은 매우 높은데, 이는 주로 이식 후 혈관 신생이 되는 동안 조직 저산소증에 의해 발생한다. 쥐에서는 난소 조직 절편 이식 후 2-3일 내에 혈관이 재형성되는 것으로 알려져 있고[49], 동결-해동한 사람 난소 조직을 누드 마우스에 이식하였던 연구에서도 5일째경부터 마우스 혈관의 재관류(reperfusion)가 시작되고 10일째경에는 사람 혈관도 난소 조직의 혈관 재형성에 관여하는 것으로 보고하였다[50]. 허혈 기간이 24시간보다 길어지면 난소 이식편에서 비가역적 저산소성 조직 손상이 불가피해진다[51]. 원시난포(primordial follicle)들은 성장하는 난포 또는 피질의 기질 세포보다 허혈에 더 저항력이 있지만, 그럼에도 불구하고 대부분의 원시난포는 동결손상보다는 허혈 손상으로 소실이 되고, 이식 후 난포의 5−50%만 생존하게 된다[52-54]. 따라서 성공적인 난소 조직 이식을 위해서는 혈관 신생을 촉진하거나 이식편을 허혈로부터 보호하기 위한 방법의 모색이 필요하다. 실제로 많은 연구자들은 난소 이식편의 허혈성 손상을 최소화하기 위해 항산화제 및 혈관 형성 인자를 적용하는 것과 같은 다양한 전략을 연구해왔다.

Nugent의 연구에서, 비타민 E 첨가시 이식 7일 후 난포의 생존율을 향상시켰으며, 비타민 E를 보충 한 그룹은 이식 후 3일째 난소 이식편에서 지질 과산화가 현저하게 감소하는 것으로 보고하였다[55]. 이 연구 결과는 항산화제가 난소 이식편의 허혈 동안 지질 과산화로 인한 손상을 줄일 수 있음을 나타낸다. 비슷하게 비타민 C를 사용한 연구에서도, 소 난소 조직 이식편을 허혈 손상으로부터 효과적으로 보호할 수 있음을 보고하였다[51]. 본 저자의 연구에서도 항산화제인 polyethylene glycol−superoxide dismutase (PEG−SOD)를 난소 조직 유리화동결 및 해동 후 배양액에 첨가했을 경우, 원시난포에 대해 보호 효과가 있었음을 보고하였다[57].

난소 조직은 혈관 내피 성장인자(Vascular endothelial growth factors, VEGF), 변형 성장인자(Transforming growth factors, TGF), 섬유아세포 성장인자(Fibroblast growth factors, FGF) 및 angiopoietins을 포함한 혈관 신생 인자에 대한 풍부한 유전자를 내재하고 있다. 이러한 유전자의 발현은 저산소증에 의해 촉진되며, 이는 저산소 유도 인자(hypoxia−inducible factor, HIF)를 통해 매개된다. 염 등과 공 등의 연구에서 혈관 생성을 촉진시키기 위해서 VEGF, angiopoietin−2 등의 혈관 생성 인자를 투여하였을 때 마우스와 소 난소 조직 이식 시 혈관 신생을 증가시켜 허혈성 손상을 감소시켜 난포의 양과 질을 보존하고 세포자멸사 및 섬유화를 감소시킬 수 있음을 보고하였다[57, 58]. 중간엽줄기세포(mesenchymal stem cell, MSCs) 역시 VEGF, angiogenin의 발현을 증가시켜 혈관 신생을 촉진시킴으로써 난소 조직 이식편의 혈액 관류를 증가시킬 수 있으며, 원시난포의 세포사멸률도 감소시키는 것이 보고되었다[59].

또한 허혈성 손상을 최소화하고 무혈관 난소 이식 후 난포 생존을 개선하기 위해 최적의 이식 부위를 선택하는 것이 필요하다. 동물 실험에서 난소피질 조직을 피하 조직보다는 근육 조직이나 신장 캡슐과 같은 혈관이 풍부한 부위에 이식할 때 더 나은 이식편의 생존을 기대할 수 있음이 보고되었다[60]. 허혈성 손상을 예방하기위한 전략 중 하나는 혈관 pedicle과 함께 전체 난소 이식을 하는 것이지만, 이에는 아직 기술적인 난제가 존재한다.

난소 이식 후 난포 손실의 중요한 원인 중의 하나는 조기 난포 활성화(premature follicular activation)이다. 원시난포는 PI3K−Akt−Foxo3 신호 전달 경로에 의해 균형 잡힌 조절을 받고 있으며, 성장하는 난포에서 분비되는 항뮬러관호르몬과 같은 억제인자에 의해 대부분의 원시난포가 휴면 상태를 유지하고 있다. 난소피질 이식 후 억제 인자 및 신호 전달 경로의 변화로 난포의 평형 상태가 교란되어 세포가 발달단계로 들어가고, 따라서 난포 활성화가 일어나게 되므로, 이러한 기전을 효과적으로 제어하는 방법이 이식 후 난포 소실을 줄일 수 있는 하나의 방법이 될 수 있다.

3) 난소 조직 이식 시의 암 세포 전이

난소 조직 이식 후 암세포 재유입의 위험은 암환자에서 난소 이식 시 제기되는 가장 큰 안전성 문제 중의 하나이다. 동물 실험에서, 림프종에 걸린 공여 쥐의 난소 조직을 이식한 건강한 쥐에서 이식 2-3주 뒤 같은 질병이 발생하여 사망했다는 보고가 있다[61]. 그러나 사람에서는 현재까지 보고된 케이스들에서, 난소 전이의 위험도가 상대적으로 높다고 알려진 혈액암 환자를 포함하여 암 생존자들의 난소 조직을 해동하여 이식후 암세포가 재유입되었다는 보고는 없다[5, 12, 62-64].

난소 전이는 대부분의 암종에서 임상적으로 드물며, 위험도는 질병 유형, 활동성, 병기 및 등급에 따라 다르다. Wilms' tumor 또는 Hodgkin's disease에서 난소 전이 가능성은 무시할 수 있지만, 백혈병 환자의 난소 조직에서 최소 잔류 질환(minimal residual disease, MDR)의 위험은 실제 문제가 될 수 있다. 만성 골수성 림프종(chronic myelogenous lymphoma, CML) 환자의 난소 조직에서 역전사 중합 효소 연쇄 반응(reverse transcriptase-polymerase chain reaction, RT-PCR)을 통해 BCR-ABL 전사체(transcript)가 검출되었거나[65], 급성 림프모구백혈병(acute lymphoblastic leukemia, ALL) 환자의 동결보존된 난소 조직을 재이식하는 것이 잠재적으로 안전하지 않다는 결과들이 보고된 바 있다[66]. 따라서 난소 조직 이식 전에 암세포의 재유입을 방지하기 위해 민감한 마커를 사용하여 난소 조직에서의 MDR을 철저히 선별검사하는 것이 필수적이다. 현재 MDR을 검출하는 데 사용할 수 있는 방법에는 조직학/세포학(histology/cytology), 면역 조직 화학(immunohistochemistry), 유세포 분석(flow cytometry) 및 PCR 등의 방법이 있다. 현재까지 동결-해동 난소 조직의 재이식으로 인한 암 재발 사례는 보고되지 않았지만, 이것이 안전성을 보장하는 것으로 속단해서는 안 된다. 하지만 또 다른 면에서는 시술과 관련하여 암 재발의 위험성에 대해 미리 속단해서는 안될 것이며, 기술의 이점을 최대한 이용하기 위해, 보다 안전한 MDR 선별검사에 대한 기술을 발전시켜나가는 것이 보다 현명한 방법으로 생각된다. 현재는 이를 보완하고자 또다른 측면에서 난소 조직에서 얻은 미성숙 난포를 체외에서 성숙(in vitro maturation)시키거나 또는 인공난소를 통해 난자를 생산하게 하는 방법, 체세포로부터 생식세포를 유도하고자 하는 연구들이 활발하게 이루어지고 있다. 이에 대한 설명은 chapter 19에 기술되어 있다.

5 한국에서의 동결-해동 난소 이식 및 체외수정 시술례

한국에서는 2018년에 동결-해동 난소의 자기자리이식 후 체외수정을 통한 임신 시도를 한 첫 케이스가 보고되었다[67]. 환자는 평소 규칙적인 생리주기를 가졌던 30세 여성으로 Stage IIIC 직장암 진단을 받고 2011월 3월에 대장암 수술을 받았다. 이후 가임력보존을 위한 난소동결을 위해 산부인과로 의뢰되었다. 환자는 수술 이후 생식샘자극호르몬방출호르몬작용제를 투여받으며 4차례의 선행항암화학요법을 이미 받았던 상태로 당시 AMH는 1.30 ng/mL이었다. 환자는 2011년 6월 복강경하 우측 난소절제술 및 좌측난소전위술(ovarian transposition)을 시행받았다. 획득한 우측 난소 조직은 암세포가 없음을 확인 후, 완만동결 및 유리화동결 2가지 방법을 모두 이용하여 동결하였다. 추가 항암방사선치료 시 생식샘자극호르몬방출호르몬작용제 투여를 받았으며 항암치료 후 일시적으로 생리가 회복되었으나 최종적으로 난소기능은 소실되었다. 당시 혈청 호르몬 검사에서 FSH 73.38 mIU/mL, estradiol 48 pg/mL, AMH 0.01 ng/mL이었고 이 시점에서 환자는 아이를 원하여 난소 조직을 이식하기로 결정하였다. 난소동결 후 약 4년 뒤인 2015년 7월에 냉동보존한 난소 조직을 해동 후 자기자리 자가이식을 시행하였다. 수술은 난소 절제 때와 마찬가지로 복강경으로 시행하였으며, 우측 난소 인대와 난관 사이에 공간을 만들어서 난소 조직을 이식 후 봉합하였다(그림 8-5). 이식 전 해동한 난소 조직 절편 하나는 암 세포의 존재 유무 확인을 위해 추가적인 병리 검사 과정을 거쳤다. 이식 3개월 후 측정한 호르몬 수치는 FSH 43.6 mIU/mL, LH 16.1 mIU/mL, estradiol 57 pg/mL, AMH 0.08 ng/mL로 측정되었다. 이후 환자는 난임 클리닉에서 체외수정시술을 위한 치료를 시행하였다. 환자는 11번의 난소과자극을 시행하였고 그 중 7번의 주기에서 난소 조직 이식 부위에서 난포 성장이 관찰되었다. 한 주기에서 미성숙난자 하나가 성공적으로 회수되어 성숙시킨 뒤 수정하여 6세포 배아 1개를 이식하였으나 임신은 되지 않았다. 본 사례에서 난소 조직 동결-해동 이식 후 완전한 내분비 기능의 복구는 달성하지 못하였으나, 난자가 획득되고 이를 통해 체외수정시술이 가능하였음을 확인할 수 있었다. 따라서 난소 조직 이식 후 불충분한 내분비 기능 회복이 있더라도 충분히 배란이 가능하며, 여성 암환자에서 항암화학요법 후 임신의 기회를 제공해 줄 수 있다는 점에서 시사하는 바가 크다고

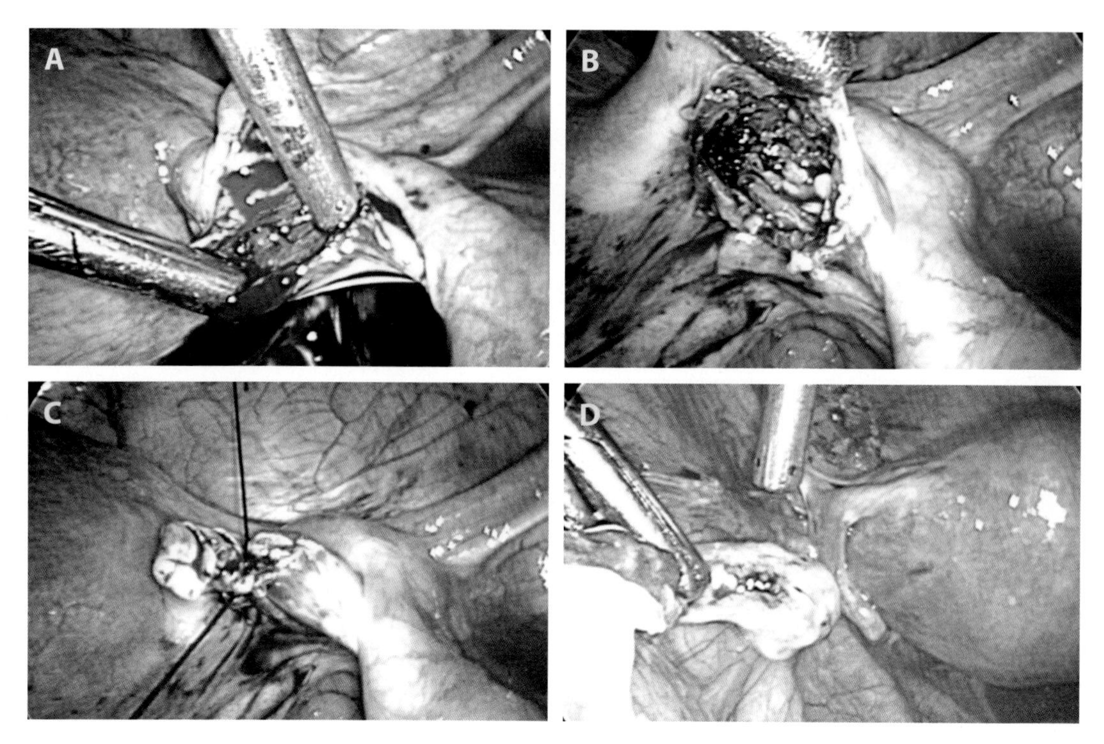

그림 8-5. 복강경 수술을 통한 해동 난소 조직의 이식 (A) 이식할 부위의 확인: 우측 난소 인대와 나팔관 사이에 공간 확보, (B) 만든 공간으로 해동한 난소 조직을 삽입, (C) 난소 조직 이식한 부위를 봉합, (D) 좌측 난소는 원래의 위치로 재조정

할 수 있겠다. 또한 선행 항암요법의 시행 후 난소동결이 이루어졌음을 감안한다면 암치료 전 가임력보존 치료를 위한 의뢰가 이루어져야 치료 효과를 극대화 할 수 있음을 시사하는 결과라고 할 수 있다.

6 전체 난소 동결보존 및 이식(Whole ovary transplantation)

난소 조직 절편 이식의 대체가 될 수 있는 것은 전체 난소 이식이다. 이론상, 난소 절편 이식이 혈관의 부재로 인한 허혈 손상으로 많은 난포들이 소실되는 것에 비해, 전체 난소의 경우 혈관과 함께 이식 시, 이식 직후 바로 혈액 공급이 가능하여 난소기능 보존에 보다 유리한 장점이 있다. 그러나 전체 난소의 경우 난소 조직 절편에 비해 부피가 크고 더욱 다양한 세포로 구성되어 있어

CPA가 세포내외부로 고루 침투하기 어려워 동결손상에 훨씬 취약한 단점이 있다. 또한 수술적으로 미세혈관 문합이 필요하고, 이식 시간을 최소화하는 것도 극복해야 할 큰 기술 장벽이다.

Courbiere 등은 양에서 혈관 줄기와 함께 신선 난소 및 동결 난소 이식에서 난포의 생존을 보고하였는데, 동결 난소이식군에서는 전체 난포가 소실되었고, 신선 난소 이식군에서도 난포 생존율이 6%로 매우 저조한 것으로 보고하였다[68]. 이는 다른 연구에서도 최대 약 8%의 비슷한 난포 성장률을 보고하였다[69]. 이러한 결과는 불완전한 cryotechnology 및 상당한 혈전 생성으로 인한 허혈 괴사에 기인하였던 것으로 설명하고 있다. 그럼에도 불구하고 2002년에 쥐(rat)에서 동결 해동한 전체 난소를 이식하여 임신한 성공적인 첫 케이스를 보고하였다[11]. 사람에서는, 일란성 쌍둥이 간에 신선 난소를 이식하여 1명의 생아를 출생한 사례가 보고된 적이 있다[70]. 그러나 사람에서 동결 난소를 이식하여 성공한 사례는 없어 향후 이에 대한 추가 연구가 필요하다.

7 맺음말

가임력보존은 암치료 등의 결과로 생식 기능을 소실할 수 있는 젊은 여성환자들의 삶의 질과 직결되는 중요한 문제이다. 난소 조직 동결-해동 및 이식은 암환자의 가임력보존을 위한 유효한 방법임에는 틀림이 없다. 130명이 넘은 아이들이 이 기술에 의해 태어났다는 것은 기술의 임상적 중요성과 실효성을 반증하는 것이라 할 수 있겠다. 이는 비단 생식능의 보존뿐만이 아닌 폐경기를 지연시키기 위한 자연 호르몬 치료제로써의 가능도 구현할 수 있어 앞으로 유망한 치료법으로 자리잡을 것임에 틀림없다. 향후 암환자뿐 아니라, 더 많은 여성들이 이 기술의 혜택을 보기위해서는 현재 직면하고 있는 동결손상, 허혈 손상, 암 세포 전파 위험과 같은 문제들의 보다 효과적인 해결책의 제시 및 이식 효율의 향상과 같은 추가적인 기술적 보완이 필요하다. 아울러 난소 이식을 시행하였던 여성과 태어난 아이들에 대한 장기 추적 데이터의 분석이 필요하며, 난포 체외배양, 인공난소 및 이종이식과 같은 대체 방법에 대한 끊임없는 연구, 그리고 전체 난소 이식 기술의 발전 및 이에 대한 효능 검증이 앞으로 추가적으로 연구되어야 할 분야라 할 수 있겠다.

아울러 가임력보존의 성공을 위해서는 처음 암 진단을 받았을 때, 항암 또는 방사선치료가 시작되기 전 가임력보존 전문가를 포함한 여러 전문가들의 협업 속에서 충분한 상담을 받고 결정을 하는 것이 필요하다. 가임력보존 기술은 개인적으로는 향후 여성들에게 임신 및 출산의 기쁨을 누리게 할 수 있고, 나아가 국가적으로는 현재 직면하고 있는 저출산 문제를 해결할 수 있는 실질적인 방안이 될 수 있다. 많은 수요가 있음에도 불구하고, 아직 보험 등의 적용을 받지 못해 상대적으로 큰 부담이 장벽으로 작용해 많은 여성이 이의 혜택을 누리고 있지 못하다. 따라서 국가적으로도 이에 대한 사회적 기반을 마련하는 방안이 장기적으로 필요할 것으로 생각된다.

References

1. Morris RT. The ovarian graft. New York Medical Journal 1895;62:436.
2. Donnez J, Dolmans M-M, Demylle D, Jadoul P, Pirard C, Squifflet J et al. Livebirth after orthotopic transplantation of cryopreserved ovarian tissue. Lancet 2004;364:1405-10.
3. Meirow D, Levron J, Eldar-Geva T, Hardan I, Fridman E, Zalel Y et al. Pregnancy after transplantation of cryopreserved ovarian tissue in a patient with ovarian failure after chemotherapy. N Engl J Med 2005;353:318-21.
4. Andersen CY, Rosendahl M, Byskov AG, Loft A, Ottosen C, Dueholm M et al. Two successful pregnancies following autotransplantation of frozen/thawed ovarian tissue. Hum Reprod 2008;23:2266-72.
5. Donnez J, Dolmans M-MJNEJoM. Fertility preservation in women. N Engl J Med 2017;377:1657-65.
6. Gellert S, Pors S, Kristensen S, Bay-Bjørn A, Ernst E, Andersen CYJJoar et al. Transplantation of frozen-thawed ovarian tissue: an update on worldwide activity published in peer-reviewed papers and on the Danish cohort. J Assist Reprod Genet 2018;35:561-70.
7. Goding J, McCracken J, Baird DJJoE. The study of ovarian function in the ewe by means of a vascular autotransplantation technique. J Endocrinol 1967;39:37-52.
8. Winston R, Browne JMJTL. Pregnancy following autograft transplantation of fallopian tube and ovary in the rabbit. Lancet 1974;304:494-95.
9. Scott JR, Keye WR, Poulson AM, Reynolds WAJF, sterility. Microsurgical ovarian transplantation in the primate. Fertil Steril 1981;36:512-15.
10. Leporrier M, Von Theobald P, Roffe JL, Muller GJC. A new technique to protect ovarian function before pelvic irradiation: heterotopic ovarian autotransplantation. Cancer 1987;60:2201-04.
11. Wang X, Chen H, Yin H, Kim SS, Tan SL, Gosden RGJN. Fertility after intact ovary transplantation. Nature 2002;415:385-85.
12. von Wolff M, Donnez J, Hovatta O, Keros V, Maltaris T, Montag M et al. Cryopreservation and autotransplantation of human ovarian tissue prior to cytotoxic therapy–a technique in its infancy but already successful in fertility preservation. Eur J Cancer 2009;45:1547-53.
13. Van der Ven H, Liebenthron J, Beckmann M, Toth B, Korell M, Krüssel J et al. Ninety-five orthotopic transplantations in 74 women of ovarian tissue after cytotoxic treatment in a fertility preservation network: tissue activity, pregnancy and delivery rates. Hum Reprod 2016;31:2031-41.

14. Robertson AD, Missmer SA, Ginsburg ESJF, sterility. Embryo yield after in vitro fertilization in women undergoing embryo banking for fertility preservation before chemotherapy. Fertil Steril 2011;95:588-91.
15. Knopman JM, Noyes N, Talebian S, Krey LC, Grifo JA, Licciardi FJF et al. Women with cancer undergoing ART for fertility preservation: a cohort study of their response to exogenous gonadotropins. Fertil Steril 2009;91:1476-78.
16. Donnez J, Martinez-Madrid B, Jadoul P, Van Langendonckt A, Demylle D, Dolmans M-MJHru. Ovarian tissue cryopreservation and transplantation: a review. Hum Reprod Update 2006;12:519-35.
17. Woodruff TK, Shah DK, Vitek WS. Textbook of Oncofertility Research and Practice: A Multidisciplinary Approach. Switzerland: Springer; 2019
18. Gosden R, Baird D, Wade J, Webb RJHR. Restoration of fertility to oophorectomized sheep by ovarian autografts stored at-196 C. Hum Reprod 1994;9:597-603.
19. Newton H, Aubard Y, Rutherford A, Sharma V, Gosden RJHr. Ovary and ovulation: Low temperature storage and grafting of human ovarian tissue. Hum Reprod 1996;11:1487-91.
20. Fuller B, Paynter SJRbo. Fundamentals of cryobiology in reproductive medicine. Reprod Biomed Online 2004;9:680-91.
21. Hovatta OJRbo. Methods for cryopreservation of human ovarian tissue. Reprod Biomed Online 2005;10:729-34.
22. Kagawa N, Silber S, Kuwayama MJRbo. Successful vitrification of bovine and human ovarian tissue. Reprod Biomed Online 2009;18:568-77.
23. Silber S, Kagawa N, Kuwayama M, Gosden RJF, sterility. Duration of fertility after fresh and frozen ovary transplantation. Fertil Steril 2010;94:2191-96.
24. Keros V, Xella S, Hultenby K, Pettersson K, Sheikhi M, Volpe A et al. Vitrification versus controlled-rate freezing in cryopreservation of human ovarian tissue. Hum Reprod 2009;24:1670-83.
25. Zhou X-H, Zhang D, Shi J, Wu Y-JJM. Comparison of vitrification and conventional slow freezing for cryopreservation of ovarian tissue with respect to the number of intact primordial follicles: a meta-analysis. Medicine (Baltimore) 2016;95:e4095. doi:10.1097/MD.0000000000004095.
26. Kawamura K, Cheng Y, Suzuki N, Deguchi M, Sato Y, Takae S et al. Hippo signaling disruption and Akt stimulation of ovarian follicles for infertility treatment. Proc Natl Acad Sci USA 2013;110:17474-79.
27. Suzuki N, Yoshioka N, Takae S, Sugishita Y, Tamura M, Hashimoto S et al. Successful fertility preservation following ovarian tissue vitrification in patients with primary ovarian insufficiency. Hum Reprod 2015;30:608-15.
28. Jensen AK, Macklon KT, Fedder J, Ernst E, Humaidan P, Andersen CYJJoar et al. 86 successful births and 9 ongoing pregnancies worldwide in women transplanted with frozen-thawed ovarian tissue: focus on birth and perinatal outcome in 40 of these children. J Assist Reprod Genet 2017;34:325-36.
29. Jadoul P, Guilmain A, Squifflet J, Luyckx M, Votino R, Wyns C et al. Efficacy of ovarian tissue cryopreservation for fertility preservation: lessons learned from 545 cases. Hum Reprod 2017;32:1046-54.
30. Silber SJ, Lenahan KM, Levine DJ, Pineda JA, Gorman KS, Friez MJ et al. Ovarian transplantation between monozygotic twins discordant for premature ovarian failure. N Engl J Med 2005;353:58-63.
31. Zhai J, Yao G, Dong F, Bu Z, Cheng Y, Sato Y et al. In vitro activation of follicles and fresh tissue auto-transplantation in primary ovarian insufficiency patients. J Clin Endocrinol Metab 2016;101:4405-12.
32. Kristensen SG, Giorgione V, Humaidan P, Alsbjerg B, Bjørn A-MB, Ernst E et al. Fertility preservation and refreezing of transplanted ovarian tissue—a potential new way of managing patients with low risk of malignant cell recurrence. Fertil Steril 2017;107:1206-13.
33. Stern C, Gook D, Hale L, Agresta F, Oldham J, Rozen G et al. First reported clinical pregnancy following heterotopic grafting of cryopreserved ovarian tissue in a woman after a bilateral oophorectomy. Hum Reprod 2013;28:2996-99.

34. Lee J, Kim EJ, Kong HS, Youm HW, Kim SK, Lee JR et al. Comparison of the oocyte quality derived from two-dimensional follicle culture methods and developmental competence of in vitro grown and matured oocytes. BioMed Research International 2018;2018:11.
35. McLaughlin M, Albertini D, Wallace W, Anderson R, Telfer EJMBsorm. Metaphase II oocytes from human unilaminar follicles grown in a multi-step culture system. Mol Hum Reprod 2018;24:135-42.
36. Snow M, Cox S-L, Jenkin G, Trounson A, Shaw JJS. Generation of live young from xenografted mouse ovaries. Science 2002;297:2227-27.
37. Kim SS, Soules MR, Battaglia DEJF. Follicular development, ovulation, and corpus luteum formation in cryopreserved human ovarian tissue after xenotransplantation. Fertil Steril 2002;78:77-82.
38. Gook DA, Edgar D, Borg J, Archer J, Lutjen P, McBain JJHR. Oocyte maturation, follicle rupture and luteinization in human cryopreserved ovarian tissue following xenografting. Human Reproduction 2003;18:1772-81.
39. Samuel Kim S, Kang HG, Kim NH, Lee HC, Lee HHJHR. Assessment of the integrity of human oocytes retrieved from cryopreserved ovarian tissue after xenotransplantation. Hum Reprod 2005;20:2502-08.
40. Dittrich R, Maltaris TJC. A simple freezing protocol for the use of an open freezing system for cryopreservation of ovarian tissue. Cryobiology 2006;52:166-66.
41. Bagis H, Aktoprakligil D, Mercan HO, Yurdusev N, Turgut G, Sekmen S et al. Stable transmission and transcription of newfoundland ocean pout type III fish antifreeze protein (AFP) gene in transgenic mice and hypothermic storage of transgenic ovary and testis. Mol Reprod Dev 2006;73:1404-11.
42. Arav A, Natan DJRida. Directional freezing of reproductive cells and organs. Medicine Biology 2012;47:193-96.
43. Bos-Mikich A, Marques L, Rodrigues JL, Lothhammer N, Frantz NJJoar, genetics. The use of a metal container for vitrification of mouse ovaries, as a clinical grade model for human ovarian tissue cryopreservation, after different times and temperatures of transport. J Assist Reprod Genet 2012;29:1267-71.
44. Youm HW, Lee JR, Lee J, Jee BC, Suh CS, Kim SHJHr. Optimal vitrification protocol for mouse ovarian tissue cryopreservation: effect of cryoprotective agents and in vitro culture on vitrified–warmed ovarian tissue survival. Hum Reprod 2014;29:720-30.
45. Lee J, Kim SK, Youm HW, Kim HJ, Lee JR, Suh CS et al. Effects of three different types of antifreeze proteins on mouse ovarian tissue cryopreservation and transplantation. PLoS One 2015;10:e0126252.
46. Lee JR, Youm HW, Lee HJ, Jee BC, Suh CS, Kim SHJYmj. Effect of antifreeze protein on mouse ovarian tissue cryopreservation and transplantation. Yonsei Med J 2015;56:778-84.
47. Kong HS, Kim EJ, Youm HW, Kim SK, Lee JR, Suh CS et al. Improvement in ovarian tissue quality with supplementation of antifreeze protein during warming of vitrified mouse ovarian tissue. Yonsei Med J 2018;59:331-6.
48. Choi S-R, Lee J, Seo Y-J, Kong HS, Kim M, Jin E et al. Molecular basis of ice-binding and cryopreservation activities of type III antifreeze proteins. Comput Struct Biotechnol J 2021;19:897-909.
49. Dissen G, Lara H, Fahrenbach W, Costa M, Ojeda SJE. Immature rat ovaries become revascularized rapidly after autotransplantation and show a gonadotropin-dependent increase in angiogenic factor gene expression. Endocrinology 1994;134:1146-54.
50. Van Eyck A-S, Bouzin C, Feron O, Romeu L, Van Langendonckt A, Donnez J et al. Both host and graft vessels contribute to revascularization of xenografted human ovarian tissue in a murine model. Fertil Steril 2010;93:1676-85.
51. Kim SS, Yang HW, Kang HG, Lee HH, Lee HC, Ko DS et al. Quantitative assessment of ischemic tissue damage in ovarian cortical tissue with or without antioxidant (ascorbic acid) treatment. Fertil Steril 2004;82:679-85.
52. Baird D, Webb R, Campbell B, Harkness L, Gosden RJE. Long-term ovarian function in sheep after ovariectomy and

transplantation of autografts stored at– 196 C. Endocrinology 1999;140:462-71.
53. Aubard Y, Piver P, Cognie Y, Fermeaux V, Poulin N, Driancourt MJHR. Orthotopic and heterotopic autografts of frozen–thawed ovarian cortex in sheep. Hum Reprod 1999;14:2149-54.
54. Lee J, Kong HS, Kim EJ, Youm HW, Lee JR, Suh CS et al. Ovarian injury during cryopreservation and transplantation in mice: a comparative study between cryoinjury and ischemic injury. Hum Reprod 2016;31:1827-37.
55. Nugent D, Newton H, Gallivan L, Gosden RJR. Protective effect of vitamin E on ischaemia-reperfusion injury in ovarian grafts. J Reprod Fertil 1998;114:341-46.
56. Kim EJ, Lee HJ, Lee J, Youm HW, Lee JR, Suh CS et al. The beneficial effects of polyethylene glycol-superoxide dismutase on ovarian tissue culture and transplantation. J Assist Reprod Genet 2015;32:1561-69.
57. Youm HW, Lee J, Kim EJ, Kong HS, Lee JR, Suh CS et al. Effects of angiopoietin-2 on transplanted mouse ovarian tissue. PLoS One 2016;11:e0166782.
58. Kong HS, Lee J, Youm HW, Kim SK, Lee JR, Suh CS et al. Effect of treatment with angiopoietin-2 and vascular endothelial growth factor on the quality of xenografted bovine ovarian tissue in mice. PLoS One 2017;12:e0184546.
59. Xia X, Yin T, Yan J, Yan L, Jin C, Lu C et al. Mesenchymal stem cells enhance angiogenesis and follicle survival in human cryopreserved ovarian cortex transplantation. Cell Transplant 2015;24:1999-2010.
60. Youm HW, Lee JR, Lee J, Jee BC, Suh CS, Kim SHJT. Transplantation of mouse ovarian tissue: comparison of the transplantation sites. Theriogenology 2015;83:854-61.
61. Shaw J, Bowles J, Koopman P, Wood E, Trounson AJHR. Ovary and Ovulation: Fresh and cryopreserved ovarian tissue samples from donors with lymphoma transmit the cancer to graft recipients. Hum Reprod 1996;11:1668-73.
62. Kim SS, Radford J, Harris M, Varley J, Rutherford AJ, Lieberman B et al. Ovarian tissue harvested from lymphoma patients to preserve fertility may be safe for autotransplantation. Hum Reprod 2001;16:2056-60.
63. Shapira M, Raanani H, Barshack I, Amariglio N, Derech-Haim S, Marciano MN et al. First delivery in a leukemia survivor after transplantation of cryopreserved ovarian tissue, evaluated for leukemia cells contamination. Fertil Steril 2018;109:48-53.
64. Greve T, Clasen-Linde E, Andersen MT, Andersen MK, Sørensen SD, Rosendahl M et al. Cryopreserved ovarian cortex from patients with leukemia in complete remission contains no apparent viable malignant cells. Blood 2012;120:4311-16.
65. Meirow D, Hardan I, Dor J, Fridman E, Elizur S, Ra'anani H et al. Searching for evidence of disease and malignant cell contamination in ovarian tissue stored from hematologic cancer patients. Hum Reprod 2008;23:1007-13.
66. Dolmans M-M, Marinescu C, Saussoy P, Van Langendonckt A, Amorim C, Donnez JJB. Reimplantation of cryopreserved ovarian tissue from patients with acute lymphoblastic leukemia is potentially unsafe. Blood 2010;116:2908-14.
67. Lee JR, Lee D, Park S, Paik EC, Kim SK, Jee BC et al. Successful in vitro fertilization and embryo transfer after transplantation of cryopreserved ovarian tissue: report of the first Korean case. Journal of Korean Medical Science 2018;33.
68. Courbiere B, Caquant L, Mazoyer C, Franck M, Lornage J, Salle BJF et al. Difficulties improving ovarian functional recovery by microvascular transplantation and whole ovary vitrification. Fertil Steril 2009;91:2697-706.
69. Imhof M, Bergmeister H, Lipovac M, Rudas M, Hofstetter G, Huber JJF et al. Orthotopic microvascular reanastomosis of whole cryopreserved ovine ovaries resulting in pregnancy and live birth. Fertil Steril 2006;85:1208-15.
70. Silber SJ, Grudzinskas G, Gosden RG. Successful pregnancy after microsurgical transplantation of an intact ovary. N Engl J Med 2008;359:2617-18.

Chapter 09

미성숙난자의 체외성숙

(In vitro maturation of immature oocyte)

서울의대 **지병철**
마리아병원 **주창우**

1 개요 및 적응증

Pincus와 Enzmann은 1935년 체외에서도 포유류의 미성숙난자가 성숙된다는 것을 보고하였고, 1960년대에 Edwards는 인간에서 채취된 미성숙난자가 체외에서 성숙되는 것을 최초로 발표하였다[1]. 이후 인간의 미성숙난자는 배소포(germinal vesicle, GV) 단계에서 감수분열 제2기중기(metaphase II, MII) 단계로 가는 데 최소한 34–36시간의 체외배양이 필요하다는 것과 미성숙난자의 체외성숙에는 난구세포(cumulus cell)의 존재가 필수적이라는 것이 차례로 밝혀졌다[1].

1990년대 초반에 인간의 미성숙난자를 체외배양하여 얻은 성숙난자를 타인에게 공여하여 첫 임신이 보고된 이후로 미성숙난자의 체외성숙(in vitro maturation, IVM) 기법은 많은 발전이 이루어졌다[2]. 현재 보조생식술에서 IVM 기법이란 과배란유도제를 투여하지 않고 미성숙난자를 얻어서 체외에서 배양하여 MII 단계로 성숙시키는 것을 말한다[3, 4].

한편 과배란유도제 투여 후 난자를 채취하면 대부분 성숙난자가 나오지만 15–30%에서는 미성숙난자 상태로 나오게 되는데 이를 체외성숙시켜 수정에 이용하기도 하며 이를 rescue IVM으로 부르기도 한다.

Rescue IVM은 과배란유도제 투여 후 난소과자극증후군의 위험성이 높은 환자에서 주기를 취소하지 않고 좀 더 이른 시기, 즉 우성난포 직경이 14 mm 정도일 때 트리거링을 할 때도 적용 가능하다. 이 경우 일부 성숙난자와 더불어 다수의 미성숙난자가 채취되는데 IVM을 적용하면 충분한 수의 성숙난자를 확보할 수 있으며 난소과자극증후군의 발생도 낮출 수 있다[5].

IVM 기법은 초기에는 상대적으로 임신율이 낮아 큰 주목을 받지 못하다가 2000년대에 들어서는 다양한 IVM 프로토콜의 개발과 배양 기술의 발전으로 일반적인 체외수정술과 비슷한 임신 성공률이 보고되기에 이르렀다[6].

IVM 기법은 주로 난소과자극증후군의 위험성이 높은 다낭성난소를 갖는 환자나 또는 다낭성난소증후군 환자에서 난소과자극증후군의 위험성을 원천적으로 없앨 수 있어 일차적으로 사용하는데 이 그룹에서 배아이식당 임신율은 22–53% 사이로 보고되었다[7].

IVM 기법은 또한 암환자에서 난자 동결을 계획할 때 estrogen 자극이 우려되거나 암치료가 임박하여 과배란유도를 위한 시간이 부족할 때도 사용 가능하다[8]. 또한 자궁내막종을 가진 환자에서 수술 전 난자 동결을 계획할 때 과배란유도가 부담스러운 경우에도 적용 가능하다. 물론 일반적인 정상난소반응군의 난임여성에서도 사용 가능한데 특히 반복적으로 난자질 또는 배아질이 양호하지 못한 경우나 과배란유도제 사용을 기피하는 환자에서도 사용 가능한 방법이다[7].

2 미성숙난자 채취 및 체외성숙 과정

IVM 기법은 과배란유도제를 투여하지 않고 동난포(antral follicle)에서 미성숙난자를 채취하는 방법인데 해당 월경주기에 배아이식을 한다는 점을 고려하여 자궁내막 두께가 8 mm 이상일 때를 기다렸다가 미성숙난자를 채취한다[9].

그러나 요즘은 대개 난소자극호르몬(follicle stimulating hormone, FSH) 150–300 IU를 3일간 투여하는 소위 'FSH priming' 프로토콜을 사용한다[10]. 또한 FSH를 3일간 투여하고 다음날 hCG 10,000 IU를 투여하여 트리거링을 하고 36–38시간 후 미성숙난자를 채취한다[11].

FSH priming 및 hCG 트리거링을 하는 것은 동난포를 약간 성장시켜 미성숙난자의 채취를 용이하게 하고 또한 채취한 미성숙난자의 체외성숙능을 극대화할 수 있다고 알려졌다[12].

예를 들어 월경 3일–5일째에 FSH 150–300 IU를 투여하고 월경 6일째에 hCG로 트리거링을 하면 월경 8일째에 난자 채취를 하게 되고 월경 9일–10일째 난자가 성숙되어 ICSI 수정을 하고 월경 12일–13일째 3일 배아이식을 하게 된다.

황체기 보강은 난자 채취 다음날부터 시작하며 혈중 estrogen이 낮은 관계로 estrogen + progesterone으로 한다.

만일 트리거링 또는 난자 채취 시에 자궁내막이 8 mm 보다 얇으면 만들어진 배아는 일괄

동결하고 다음 주기에 동결배아이식을 진행한다.

미성숙난자를 채취할 때는 통상적인 성숙난자 채취와 동일하게 진행하나 난자 크기가 작은 관계로 좀 더 가는 흡인침(19게이지)을 사용하고 흡인 압력은 좀 더 낮춘다는 점이 다르다(75–100 mmHg).

일본의 한 클리닉에서는 이중 흡인침 시스템을 이용하기도 하는데 17게이지 흡인침 내에 21게이지 흡인침을 넣어서 사용한다(IVF OSAKA IVM Needle). 이 때 17게이지 흡인침으로 먼저 질벽을 통과시키고 이어서 난소 피막을 통과시켜서 난소를 고정시키고 이후 21게이지 흡인침으로 동난포를 흡인함으로써 전체적인 천공 횟수를 줄이고 흡인침이 막히는 것도 예방한다[7].

미성숙난자를 채취하면 대부분 GV 단계 난자이나 일부에서는 metaphase I (MI) 단계의 난자로도 채취된다. 1–2일 동안 배양시 성숙난자가 확인되면 대개는 ICSI 기법으로 수정을 한다.

미성숙난자의 체외성숙에는 배양 조건이 매우 중요하다. 기본 배양액으로는 TCM199 또는 MediCult 사에서 판매하는 MediCult IVM® 배양액 등이 이용되며 여기에 환자의 혈청, FSH 및 LH, epidermal growth factor (EGF), EGF–like growth factor 같은 성장인자를 첨가한다[7]. 환자의 혈청을 첨가하는 것은 단백질 기질로서 작용케 함인데 대신 환자의 난포액을 넣거나 상용화된 human serum albumin, serum substitute supplement를 넣기도 한다.

3 IVM 기법의 안전성

IVM 기법으로 약 5,000명의 아이들이 태어났다[13]. 일반적으로 고식적 체외수정과 ICSI를 통하여 태어난 아이는 자연 임신에 비해 조산과 저체중아의 위험이 증가하는 것으로 보고되어 있다[14]. IVM 기법으로 출생한 아이의 경우 자연 임신과 비교하였을 때 출생 시 체중은 비슷하였다는 초기 보고가 있다[15]. 또 다른 연구에서는 자연 임신, 고식적 체외수정 및 ICSI를 통해 태어난 아이에 비하여 IVM 기법으로 출생한 아이는 출생 시 체중이 유의하게 높았다[16]. 또한 IVM 기법으로 출생한 153 단태아와 ICSI를 통해 출생한 148 단태아를 비교한 경우 IVM 군에서 출생 시 체중이 훨씬 더 높은 것으로 나타났고 조산의 위험은 두 군에서 비슷하였다[17].

IVM 기법으로 태어난 아이 1,421명에서 총 18명이 주요 선천성 결함으로 진단되어 1.27%의 빈도를 보였다[18]. 이는 체외수정술로 태어난 아이에서 주요 선천성 결함의 빈도가 0.37–9.1%인 점, 자연 임신으로 태어난 아이에서 주요 선천성 결함의 빈도가 1.24%인 점을 감안하면 비슷한 정도일 것으로 생각된다[19]. 또한 IVM 기법으로 태어난 아이는 대조군과 비슷한 발달지수 점수를 갖는 것으로 보고되었다[15]. 더불어 IVM 기법으로 태어난 아이는 자연 임신으로 태어난 아이에 비하여 24개월까지 신경심리학적 발달은 비슷하다고 보고되었다[20]. 따라서 현재까지의 연구결과로는 IVM 기법으로 태어난 아이는 조산, 저체중아, 선천성 기형 또는 발달지연의 위험이 증가하지 않는다고 볼 수 있다.

4 가임력보존 측면에서의 미성숙난자의 이용

가임력보존을 위한 난자 채취 시에는 다수의 성숙난자를 얻는 것이 일차 목표이므로 대부분 과배란유도를 시행한다. 사실 가임력보존을 위한 난자 채취 시 처음부터 미성숙난자 획득은 계획하지 않는데 그럼에도 불구하고 미성숙난자를 이용하는 경우가 있다.

첫째는 과배란유도를 할 여유 없이 바로 항암치료가 들어가는 경우이다. 이때는 과배란유도를 하지 않고 바로 미성숙난자만을 채취하고 체외성숙시켜 만일 성숙난자로 진행하면 동결보관한다. 38명의 환자를 대상으로 한 임상연구에서 과배란유도를 하지 않고 난자 및 배아 동결을 진행하였고 평균 동결 개수는 각각 7개, 4개로 보고하였다[21]. IVM은 estrogen 상승이 부담스러운 유방암 환자와 빠른 치료가 필요한 혈액암 환자 등에서 유용한 선택지가 될 수 있다.

둘째는 과배란유도를 할 여유가 없어 난소동결을 계획할 때 적출한 난소에서 미성숙난자를 획득하여 체외성숙시키고 만일 성숙난자로 진행하면 동결보관한다. Huang 등은 동결을 위해 적출한 난소에서 미성숙난자를 획득한 증례를 발표하였고 획득한 난자 개수는 1-4개이었으며 평균 난자성숙율은 79%였다[22]. 난소 조직 동결을 시행하는 환자에서 IVM은 가임력을 보존하기 위한 유용한 보조 수단이 될 수 있다.

셋째는 과배란유도 후 난자 채취 시 일부 미성숙난자가 획득될 수도 있는데 이런 미성숙난자를 체외성숙시키면 전체적으로 성숙난자를 다수 확보하는데 큰 도움이 된다.

통상 난임 환자에서 과배란유도 후 체외수정술 시 15-30%의 난자는 미성숙난자로 나오며 만일 성숙난자가 다수 획득되었다면 미성숙난자는 별로 중요하지 않으나 성숙난자가 소수만 획득되었다면 미성숙난자는 가급적 체외성숙시켜 성숙난자를 더 확보하려는 노력을 한다.

가임력보존 환자에게도 다수의 난자를 확보하는 것이 매우 중요하므로 미성숙난자는 버리지 않고 체외성숙시키는 노력을 하는 것이 유리하다.

Oktay 등은 32명의 유방암 환자에서 과배란유도 후 274개의 성숙난자와 174개의 미성숙난자를 얻었는데 174개의 미성숙난자 중 125개가 성숙되어 총 성숙난자 399개를 확보하였다[23]. 환자당 최종 평균 성숙난자수는 8.6개에서 12.5개로 증가한 셈이다. 유방암 환자를 대상으로 한 다른 연구에서 과배란유도 후 채취된 평균 난자수는 11.4개, 체외성숙율은 64.2%, 동결된 평균 성숙난자수는 7.9개이었으며, 첫 방문 후 난자 채취까지 소요된 기간은 8일이었다[24].

또한 난자 채취가 시행된 시기를 난포기 및 황체기로 나누어 비교하였을 때 채취된 난자수, 난자성숙률, 수정률, 및 동결된 총 난자수 혹은 배아수 모두 통계적으로 유의한 차이가 없었다[25]. 따라서 IVM을 계획하더라도 가임력보존을 목적으로 한다면 월경주기와 상관없이 난자 채취를 계획할 수 있어 유리하다.

References

1. Chian RC. IVM as Clinical Treatment: Overview. In: Chian RC, Nargund G, Huang JY, editors. Development of In Vitro Maturation for Human Oocytes. Switzerland: Springer International Publishing; 2017. p.309-16.
2. Cha KY, Koo JJ, Ko JJ, Choi DH, Han SY, Yoon TK. Pregnancy after in vitro fertilization of human follicular oocytes collected from nonstimulated cycles, their culture in vitro and their transfer in a donor oocyte program. Fertil Steril 1991;55:109-13.
3. Dahan MH, Tan SL, Chung J, Son WY. Clinical definition paper on in vitro maturation of human oocytes. Hum Reprod 2016;31:1383-6.
4. De Vos M, Smitz J, Thompson JG, Gilchrist RB. The definition of IVM is clear-variations need defining. Hum Reprod 2016;31:2411-5.
5. Rose BI. A new treatment to avoid severe ovarian hyperstimulation utilizing insights from in vitro maturation therapy. J Assist Reprod Genet 2014;31:195-8.
6. Cha KY, Han SY, Chung HM, Choi DH, Lim JM, Lee WS, et al. Pregnancies and deliveries after in vitro maturation culture followed by in vitro fertilization and embryo transfer without stimulation in women with polycystic ovary syndrome. Fertil Steril 2000;73:978-83.
7. Morimoto Y, Fukuda A, Satou M. Use of in vitro maturation in a clinical setting. In: Gardner DK, Weissman A, Howles CM, Shoham Z, editors. Textbook of Assisted Reproductive Techniques. 5th Ed. USA: CRC Press; 2018. p.128-40.
8. Ata B, Shalom-Paz E, Chian RC, Tan SL. In vitro maturation of oocytes as a strategy for fertility preservation. Clin Obstet Gynecol 2010;53:775-86.
9. Söderström-Anttila V, Mäkinen S, Tuuri T, Suikkari AM. Favourable pregnancy results with insemination of in vitro matured oocytes from unstimulated patients. Hum Reprod 2005;20:1534-40.
10. Vitek WS, Witmyer J, Carson SA, Robins JC. Estrogen-suppressed in vitro maturation: a novel approach to in vitro

maturation. Fertil Steril 2013;99:1886-90.
11. Fadini R, Dal Canto MB, Mignini Renzini M, Brambillasca F, Comi R, Fumagalli D, et al. Effect of different gonadotrophin priming on IVM of oocytes from women with normal ovaries: a prospective randomized study. Reprod Biomed Online 2009;19:343-51.
12. Chian RC, Buckett WM, Tulandi T, Tan SL. Prospective randomized study of human chorionic gonadotropin priming before immature oocyte retrieval from unstimulated women with polycystic ovarian syndrome. Hum Reprod 2000;15:165-70.
13. Ata B, Chian RC. Obstetric Outcome of In Vitro Maturation Treatment and Risk of Congenital Malformations. In: Chian RC, Nargund G, Huang JY, editors. Development of In Vitro Maturation for Human Oocytes. Switzerland: Springer International Publishing; 2017. p.348-55.
14. Hansen M, Bower C. The impact of assisted reproductive technologies on intra-uterine growth and birth defects in singletons. Semin Fetal Neonatal Med 2014;19:228-33.
15. Shu-Chi M, Jiann-Loung H, Yu-Hung L, Tseng-Chen S, Ming-I L, Tsu-Fuh Y. Growth and development of children conceived by in-vitro maturation of human oocytes. Early Hum Dev 2006;82:677-82.
16. Buckett WM, Chian RC, Holzer H, Dean N, Usher R, Tan SL. Obstetric outcomes and congenital abnormalities after in vitro maturation, in vitro fertilization, and intracytoplasmic sperm injection. Obstet Gynecol 2007;110:885-91.
17. Fadini R, Mignini Renzini M, Guarnieri T, Dal Canto M, De Ponti E, Sutcliffe A, et al. Comparison of the obstetric and perinatal outcomes of children conceived from in vitro or in vivo matured oocytes in in vitro maturation treatments with births from conventional ICSI cycles. Hum Reprod 2012;27:3601-8.
18. Chian RC, Xu CL, Huang JY, Ata B. Obstetric outcomes and congenital abnormalities in infants conceived with oocytes matured in vitro. Facts Views Vis ObGyn 2014;6:15-8.
19. Merlob P, Sapir O, Sulkes J, Fisch B. The prevalence of major congenital malformations during two periods of time, 1986-1994 and 1995-2002 in newborns conceived by assisted reproduction technology. Eur J Med Genet 2005;48:5-11.
20. Söderström-Anttila V, Salokorpi T, Pihlaja M, Serenius-Sirve S, Suikkari AM. Obstetric and perinatal outcome and preliminary results of development of children born after in vitro maturation of oocytes. Hum Reprod 2006;21:1508-13.
21. Huang JY, Chian RC, Gilbert L, Fleiszer D, Holzer H, Dermitas E, et al. Retrieval of immature oocytes from unstimulated ovaries followed by in vitro maturation and vitrification: A novel strategy of fertility preservation for breast cancer patients. Am J Surg 2010;200:177-83.
22. Huang JY, Tulandi T, Holzer H, Tan SL, Chian RC. Combining ovarian tissue cryobanking with retrieval of immature oocytes followed by in vitro maturation and vitrification: an additional strategy of fertility preservation. Fertil Steril 2008;89:567-72.
23. Oktay K, In vitro maturation improves oocyte or embryo cryopreservation outcome in breast cancer patients undergoing ovarian stimulation for fertility preservation. Reprod Biomed Online 2010;20:634-8.
24. Chian RC, Uzelac PS, Nargund G. In vitro maturation of human immature oocytes for fertility preservation. Fertil Steril 2013;99:1173-81.
25. Shalom-Paz E, Almog B, Shehata F, Huang J, Holzer H, Chian RC, et al. Fertility preservation for breast-cancer patients using IVM followed by oocyte or embryo vitrification. Reprod Biomed Online 2010;21:566–71.

Chapter 10

생식샘자극호르몬방출 호르몬작용제

(GnRH agonist)

아주의대 **황경주**
아주의대 **김미란**

1 개요

이 장에서 살펴볼 가임력보존 치료법은 아직은 효과에 대해 논란의 여지가 있는 생식샘자극호르몬방출호르몬작용제(Gonadotropin-releasing hormone agonist, GnRHa)의 사용이다. 임상적으로 효과를 인정받아 널리 사용되고 있는 가임력보존 치료법에는 수정되기 전의 난자 동결보존과 시험관 수정 후의 배아 동결보존이 있으며 난소 조직 동결보존 및 이식도 점차 사용되고 있다. 이러한 동결보존을 위해서는 과배란 유도 및 세침 흡인 시술이나, 복강경 수술과 같은 침습적인 과정이 필요하며 항암이나 방사선 치료와 동시에 시행하기 어렵기 때문에 불가피하게 치료가 늦춰질 수 있다는 단점이 있다. 반면 GnRHa 를 사용하여 난소기능을 억제하는 방법은 약물의 투여이므로 비교적 비침습적이고 항암치료나 방사선치료의 시기가 늦춰질 가능성이 적다는 점에서 각광받고 있다. 또한 여러 연구 결과 효과가 있는 것으로 알려지고 있으나 이에 대해서는 논란이 계속되고 있다. 따라서 가임력보존법으로서의 GnRHa치료의 작용, 기전 및 지금까지 밝혀진 연구들에 대해 상세히 살펴보고자 한다.

2 GnRHa가 난소기능을 어떻게 보존하는가?

1) GnRHa의 합성과 뇌하수체에서의 작용

GnRHa는 GnRH와 비슷하나 한 개 또는 두 개의 아미노산이 대체된 열 개의 아미노산으로 이루어진 펩타이드 분자로서, 생물학적 재조합이 아닌 메리필드 합성법에 의해 화학적으로 합성된다[1]. 자연적인 GnRH는 약 1-2시간마다 박동성을 갖고 방출되며 생식샘자극호르몬인 황체형성호르몬(LH)과 난포자극호르몬(follicle stimulating hormone, FSH)의 분비를 유도한다. GnRHa는 뇌하수체의 GnRH 수용체에 매우 강한 친화력으로 결합하는 성질을 갖고, 반감기가 자연적 GnRH보다 훨씬 길다. 따라서 GnRHa와 GnRH 수용체로 이루어진 결합체가 오래 유지되면 자연적인 GnRH에 결합할 수 있는 유리 수용체의 숫자가 적어지면서 탈감작화가 이루어진다. 처음에 GnRHa가 생식샘자극호르몬 생성 세포에 결합하면 생식샘자극호르몬이 분비되어 갑작스러운 상승 효과를 가져오지만, 며칠 간 지속적으로 투여했을 때는 탈감작화를 통해 FSH 및 LH의 농도가 감소하게 된다. 결과적으로 GnRHa는 생식샘자극호르몬방출호르몬작용제라는 그 이름과는 달리 생식샘자극호르몬을 감소시킨다.

2) 난소기능의 억제와 난소기능 보존

GnRHa는 성조숙증과 같은 상황에서 난소기능을 억제하는 역할로도 쓰인다. 이렇게 난소기능을 억제하는 것이 항암치료 중에는 난소기능을 보존하는 결과를 가져올 수 있다. 현재까지 밝혀진 기전은 다음과 같다.

(1) 사춘기 이전 저생식샘자극 환경을 모방하는 기전

GnRHa에 의해 저생식샘자극 상태가 유도되고 이는 인위적으로 사춘기 이전 호르몬 환경을 만든다. 생식샘독성 화학요법은 난포의 손실을 유도하고 결과적으로 난포에서 분비되는 성호르몬과 인히빈의 분비를 감소시킨다. 낮은 농도의 성호르몬과 인히빈은 시상하부와 뇌하수체에 대한 되먹임을 통해 생식샘자극호르몬, 주로 FSH의 분비를 증가시킨다. 증가된 FSH 농도는 남아 있는 전동난포의 군집과 성장, 즉 난포생성 과정으로의 진입을 강화시킨다. 난포생성 과정 동안 분열하는 세포의 활발한 대사활동은 이 성장하는 난포들이 항암치료의 생식샘 독성에 더 취약하게 만들어 결국 난포 손실이 가속화된다[2]. 이러한 생식샘독성 화학요법 후의 난포 손실의 가속화를 설명하기 위해 "소진 이론"이 제시되었다[3]. 이 이론에서 사이클로포스퍼마이드와 같은 알킬화제(alkylating agent)가 포스파티딜이노시톨-3-인산화효소 신호체계를 통해 단백질의 인산화를 증가시키고 원시난포의 활성화를 가속화시켜 결국 "소진" 효과를 일으킨다고 설명하였다. 난포의 파괴로 인한 항뮬러관호르몬(anti-Müllerian hormone, AMH)의 감소가 더욱 더 원시난포의 군집을 강화시킨다.

Morgan 등[4]은 화학요법에 의한 생식샘독성의 메커니즘을 검토하였다. 조기난소부전이 원시난포의 손실로 인해 야기되는데 이는 화학요법의 직접적인 효과만이 아니라 손상된 난포들을 대체하기 위해 증가된 난포생성에 의해서 간접적으로도 이루어진다고 결론지었다. 더 분화되어 자라고 있는 난포들에서 분비하는 에스트로겐과 인히빈에 의해 FSH가 억제되고 있는데 이러한 난포들이 손상되면 FSH 농도가 증가하고 휴면기에 있던 원시난포가 깨어나 활성화되어 결국 파괴되는 과정이 순환된다. 따라서 GnRHa를 투여하는 것은 뇌하수체에서 GnRH 수용체를 탈감작화 시킴으로서 이런 파괴적인 악순환을 방해하여 에스트로겐과 인히빈의 농도가 낮음에도 불구하고 FSH 농도가 증가하는 것을 막는다.

(2) 원시난포 및 일차난포에 직접 작용하는 기전

원시난포는 생식샘자극호르몬과 독립적으로 성장이 시작된다고 알려져 있어 원시난포의 보호를 기대할 수는 없다고 생각되었으나, 높은 생식샘자극호르몬 농도가 휴면기의 원시난포에 직접적으로 해로운 영향이 있을 수도 있다는 견해도 제시되었다[5]. LH 수치가 높도록 유전자 변형된 쥐로 실험한 연구에서, 실험 쥐는 출생 시에 대조군과 비슷한 수의 난포를 가지고 있다가 몇 주 동안 LH 농도의 증가에 노출된 후 원시난포와 일차난포의 상당한 조기 손실을 겪는다.

또한 원시난포 및 일차난포들이 FSH 수용체와 LH 수용체의 mRNA를 발현할 수 있다는 연구 결과[6]에 따르면 이 미성숙한 난포들도 생식샘자극호르몬에 직접적인 관련이 있을 수도 있다고 여겨진다. FSH가 성인 포유류의 난소표면 상피세포(OSE)에 위치한 다능하고 아주 작은 배아줄기세포(VSELs)와 그 직계 후손인 난소 배아줄기세포(OGSCs)를 포함하는 난소 줄기세포를 변조한다는 사실이 동물 실험을 통해 알려졌다. FSH 수용체(FSHR)의 4가지 동형체가 문헌에 보고되었고 그 중 FSH-R1과 FSH-R3만이 생물학적 활성을 갖는다. FSH는 FSH-R3를 통해 난소 줄기세포를 변조하여 자가 재생, 클론 확장 및 난포와 난모세포로의 분화를 일으키는 것으로 생각된다[7].

원시난포와 일차난포가 생식샘자극호르몬에 의존적이라는 또 하나의 설명은 성장인자와 관련되어 있다. BMP-4, -7 등의 성장인자는 AMH와 반대로 원시난포와 일차난포에 작용하여 휴면기로부터 벗어나게 하여 활성화시킨다[8]. FSH의 자극에 의해 더 분화된 난포에서 성장인자가 분비되고 이에 따라 난포들이 활성화된다. 따라서 GnRHa 병합치료에 의해 뇌하수체 탈감작이 일어나 FSH가 감소되면 난포에서의 성장인자 분비가 줄어들게 되어 원시난포가 휴면 상태로 유지되도록 하고, 궁극적으로 많은 난포가 파괴되는 것을 막는다.

3) 가능성 있는 기전들

아직 실험적으로 증명되지는 않았지만 직접적 또는 간접적으로 GnRHa가 미칠 수 있는 영향들이 고려되고 있다. 앞으로의 연구를 통해 관련성의 유무를 밝혀낼 가능성 있는 기전들은 다음과 같다.

(1) GnRH 수용체에 직접적인 작용을 하는 기전

사람의 난소에도 비록 적은 양일지라도 GnRH 수용체가 있다. Imai 등[9]에 의하면 체외 실험에서 GnRHa가 사이클로포스퍼마이드가 유발하는 과립막세포 손상으로부터 직접적인 보호 효과를 나타내었다고 하였다. 이는 GnRH 수용체에 결합한 GnRHa가 사이클로포스퍼마이드의 세포자멸사 경로를 막는 효과를 내기 때문이라고 여겨진다[10].

(2) 자궁-난소의 관류를 감소시키는 기전

에스트로겐의 생리학적 효과 중 하나는 자궁-난소 관류를 증가시키는 것이다. GnRHa에 의해 뇌하수체 탈감작이 일어난 상태에서는 에스트로겐 농도도 감소되고, 자궁-난소 관류도 감소하게 된다[11]. 이를 통해 항암제의 생식샘독성을 줄일 수 있다. 쥐 모델 실험에서 에스트로겐 레벨이 높으면 난소로의 관류가 증가되는데, GnRHa가 이를 방해한다는 것이 밝혀졌다. 이러한 관류의 감소가 항암제로의 노출을 줄여 결과적으로 생식샘독성을 줄이게 될 가능성이 있다.

(3) 스핑고신-1 인산과의 관련성에 대한 가능성

스핑고신-1-인산(S1P)는 화학요법에 의한 난모세포 자멸사에 영향을 줄 가능성이 있음이 연구되어 왔다[12]. S1P 분자는 여러 기능을 가진 지질로서 세포 생명지속과 암 진행에도 관여한다. 스핑고신 인산화효소/S1P분해효소, 탈인산화효소의 균형이 세포 내 S1P의 농도를 결정한다. GnRHa

가 난소 내 S1P를 증가하도록 조절하여 난포 상실을 감소시킬 수 있다. 한 동물실험[13]에 따르면 암컷 마카크 원숭이의 난소 내부에 관을 설치해서 방사선치료 전에 일주일 간 S1P또는 동위체를 투여했을 때 생리주기를 회복하고 난포를 유지했으며 가임력과 자연 임신율도 보존되었다. 또한 방사선으로부터 보호받은 암컷의 자손들은 정상적으로 자랐다. 인간에서 방사선치료나 항암치료 시 난소에 관을 설치해서 S1P를 투여하는 것은 임상적으로 매우 어렵지만, GnRHa 병합 치료의 효과는 난소 내부의 S1P 또는 이와 비슷한 항자멸사 분자와 관련있을 수도 있다는 주장이 있다[14]. 이론적으로 설명은 가능하나 아직은 이에 대한 실험적인 증명이 필요하다.

(4) 생식줄기세포의 보호에 대한 가능성

15년 전에 Johnson 등[15]이 쥐의 난소에서 유사분열을 하는 활성화된 생식세포가 있다고 가정하였고 이런 생식줄기세포들이 난소의 원시난포집단의 노화를 방지한다고 주장하였다. 이러한 개념은 생식의학에 혁명적인 시각의 변화를 가져왔다. 반세기 이상, 암컷 포유류는 태어날 때 결정되어 증가하지 않는 정해진 수의 난포세포를 가지고 태어난다는 생각이 유지되어 왔다. 그러나 성인 난소가 난포를 생성할 수도 있다는 논쟁이 발화된 후 최근의 연구들은 생식줄기세포의 존재 또는 출생 후 성인에서 생식세포의 유사분열이 일어난다는 근거들을 제시하고 있다[16]. 이러한 연구들에 따라 이론적 가설을 세우자면 GnRHa가 아마도 원시난포 이전의 미분화 상태의 생식줄기세포를 보호할 가능성도 있다. 이러한 새로운 가설은 앞으로 더욱 연구되어야 할 필요성이 있다.

3 GnRHa의 효과에 대한 근거

1) GnRHa 연구의 배경

(1) 전임상시험을 통한 근거

GnRHa의 사용이 생식샘독성을 줄일 수 있다는 근거가 되는 연구는 오래 전부터 제시되어 왔다. 지금으로부터 40년 전에 Glode 등[17]이 GnRHa는 동물 실험을 통해 수컷 쥐에서 사이클로포스퍼마이드의 생식샘독성을 감소시킨다고 하였다. 뒤따르는 연구에서 항암치료를 받는 남자 환자들에서는 GnRHa가 생식샘독성을 낮추는 효과를 보이지 않았으나[18] 오히려 여자 환자들에서 생식샘독성 감소에 효과를 보여 현재까지 연구되고 있다. 유인원을 대상으로 한 동물 실험으로서, 항암치료를 받는 동시에 GnRHa를 투여하는 병합 요법을 시행할 때의 난소 조직을 평가한 연구가 25년 전 시행되었다[19]. 이 연구에서는 GnRHa가 사이클로포스퍼마이드가 유발하는 손상으로부터 난소를 보호한다는 것을 밝히기 위해, 하루 당 난포의 손실 및 원시난포 손실의 총량이 확연하게 감소하는 것을 보여주었다.

(2) GnRHa가 모방하고자 하는 것 - 사춘기 이전 항암치료

앞에서 GnRHa가 사춘기 이전 환경을 인위적으로 만들어 준다고 설명하였다. 먼저 실제로 사춘기 이전에 항암치료를 받은 환자를 대상으로 연구를 진행했을 때 난소기능이 보존되는 것을 확인해 보아야 한다. 결과적으로 사춘기 이전에 항암치료를 받은 환자들은 난소기능이 더 보존되었으며 이러한 결과를 통해 GnRHa의 필요성이 대두되었다. 그러한 원인을 살펴보자면 대사적으로 활동적인 세포의 경우 항암치료에 더 취약하기 때문에 비활성 상태인 일차난포들이 항암치료에도 덜 손상받을 것이라고 생각된다. 이전 연구에 따르면 림프종 환자로 항암치료를 받은 여성 환자들 중에서 사춘기 이전 치료받은 경우 90%에서 난소기능이 보존되었으나 비슷한 치료를 성인기에 받은 환자들은 매우 적은 숫자만이 난소기능이 보존되었다[20]. 따라서 사춘기 이후 여성에서 생식샘독성 항암치료를 받아야 하는 경우 일시적으로 사춘기 이전 환경을 유도하려는 노력이 다수의 전임상적 또는 임상적 연구를 통해 시도되었다.

2) 현재까지의 연구들

Blumenfeld 등[21]의 여러 학자들은 "예방이 치료보다 낫다"라는 철학으로 가임력보존의 새로운 시각을 제시하고 있다. 항암치료 후 장기 생존률이 높아짐에 따라 환자들에서의 조기폐경과 조기난소부전을 예방하는 것이 이전에 냉동시킨 난소 조직을 재이식하는 등의 방법으로 치료하는 것보다 낫다는 것이다. 이 비침습적이고 경제적인 치료 방법의 효과에 대해서는 상반되는 연구 결과들이 발표되고 있어 논란이 지속되고 있다. 항암치료와 함께 GnRHa 병합 치료의 조기폐경 감소율을 비교했을 때, 총 572명의 환자들을 포함하는 9개의 연구들에서는 큰 감소율을 보이지 않았고, 3,100 환자를 포함한 15개의 후향적 연구 및 9개의 무작위대조시험에서는 조기폐경의 중대한 감소를 가져왔다[22]. GnRHa 병합 요법을 받은 환자들은 거의 85-90%에서 규칙적인 월경과 정상 난소기능을 복구하였는데 이는 항암 요법만 시행한 환자군의 40-50%에서만 복구된 것과 확연한 차이를 나타낸다[22]. 가장 중요한 목표인 자연 임신율을 비교했을 때 GnRHa 병합 요법을 받은 환자에서는 연구마다 23%부터 높게는 88%까지 나타나 대조군 환자들의 11% 에서 35%에 비해 확연히 높았다[22].

(1) 대규모 임상시험

최근에 시행된 임상 연구들 중 대규모로 시행된 3개의 전향적 무작위대조시험에서는 항암치료 시 GnRHa의 병합 요법의 효과를 지지하였다. 이 연구들은 모두 유방암 환자들에서 시행되었으며, 통계적으로 유의미하게 조기폐경과 조기난소부전의 확률을 감소시켰다.

POEMS-SWOG S0230 연구[23]는 257명의 폐경 전 유방암 환자들을 대상으로 항암치료 시 GnRHa 병합 요법의 효과를 대조군과 비교하였다. GnRHa 병합요법 군의 환자들은 대조군에 비해 난소기능부전의 개선을 보였으며 더 많은 임신을 나타냈고, 더 나아가 무병생존기간과 전체 생존기간의 개선을 보였다. 구체적으로 살펴보자면, 항암치료가 끝난 뒤 2년 후에 조기폐경과 조기난소부전의 비율은 표준적인 항암치료에서 22%를 보인 반면 GnRHa 병합 요법은 8%로 낮은 확률을 보였다. 대조군 내에서 임신을 시도한 18명의 환자 중 12명이 임신을 성공한 반면 GnRHa 병합요법 군에서 임신을 시도한 25명 중 22명의 성공을 보였다. 기대하지 않았던 결과로, 4년 사망률이 GnRHa 병합요법 군에서는 대조군에 비해 확연히 낮았다. 가장 최근에는 POEMS/SWOG S0230 연구자들이 5년 동안 추적관찰 후 그들의 최종 분석을 발표하였다[24]. 장기간의 추적관찰 결과 GnRHa 병합요법을 받은 환자들이 조기폐경과 조기난소부전의 위험성이 낮아지는 것과 더불어 질병과 관련된 부작용 없이 임신에 더 성공하게 된다는 결론을 밝혔다.

PROMISE-GIM6 연구[25, 26]에서는 유방암으로 항암치료를 시행한 생존자들에 대해서 장기간의 평가를 시행하였는데 추적관찰 기간의 중간값은 7.3년(범위는 6.3-8.2년) 이었다. 난소기능이 5년 내로 회복되는 비율은 GnRHa 병합요법 군에서 72.6% 였고 대조군의 64%에 비해 더 높았고 5년 생존률에는 차이를 보이지 않았다.

OPTION 임상시험[27]은 GnRHa 병합요법의 효과를 알아보기 위해 치료 후 12개월에서 24개월 사이의 무월경의 유병률과 FSH 농도를 측정하였다. 무월경은 대조군의 38%에 비해 GnRHa 병합요법 군에서 22%로 낮았고 조기난소부전의 유병률은 대조군의 34.8%에 비해 18.5%로 낮았다. FSH농도 또한 GnRHa 병합요법 군에서 12개월, 24개월에서 모두 낮았다. 그러나 이 효과는 40세 이상의 여성에서는 통계적으로 유의하지 않았다. 따라서 이 연구는 GnRHa 병합요법은 항암치료를 받은 초기 유방암 환자에서, 특히 40세 미만일 경우에 조기난소부전의 위험을 확실하게 감소시킨다는 결론을 이끌어냈다.

(2) 성공적인 임신율 평가

앞서 여러 연구들에서 일차 평가지표로 무월경이나 월경의 재개 또는 호르몬 수치 등을 평가하였는데, 가임력보존의 가장 중요하고 궁극적인 목표는 성공적인 임신이며 따라서 성공적인 임신율을 평가지표로 하는 연구를 살펴보도록 한다. Blumenfeld의 연구[28]에서 후향적으로 코호트 연구를 시행하였는데, 20년 이상의 데이터를 분석한 결과 GnRHa 병합 치료가 조기난소부전을 예방하는 데 더해 자연 임신율을 확연하게 증가시킬 수 있다는 것을 밝혀냈다. 또한 앞서 기술했듯이 POEMS-SWOG S0230 연구[23]에서도 GnRHa 병합요법이 대조군보다 높은 임신율을 보였다.

(3) 메타분석

Lambertini 등[29]에 의해 시행된 메타분석은 12개의 무작위 대조연구들을 검토하여 1231명의 초기 유방암 환자를 포함하였으며 결론은 다음과 같다. GnRHa의 사용은 조기폐경과 조기난소부전의 위험을 확연히 감소시킨다. 5개의 연구에서 임신에 대해 보고하였는데 GnRHa로 치료받은 환자들이 임신하는 데 더 성공적이었다. 3개의 연구에서는 무병생존기간에서 두 군 간의 차이가 없었다고 보고하였다.

또 다른 메타분석은 Del Mastro 등[30]에 의해 시행되었으며 유방암뿐만 아니라 림프종과 난소암환자를 포함한 765명의 암환자에서 항암치료 중 GnRH 병합요법이 조기폐경의 확연한 감소를 가져오는 것을 보여주었다. 그러나 하위집단 분석에 의해서 림프종과 난소암환자에서는 이러한 관련이 명확하지 않다고 밝혔다.

GnRHa 병합요법과 임신과의 관계를 연구한 한 메타분석[31]에서는 GnRHa 병합치료를 시행한 군에서 마지막 항암치료로부터 6개월 및 12개월 후 규칙적인 생리주기가 회복되는 빈도가 더 높았다. 모든 연구들에서 임신의 성공이 일차 목표로 지정되어 있지 않았으므로 균일하게 보고되지는 않았지만, GnRHa 병합치료 군에서 임신율도 더 높다는 것을 확인하였다.

3) 국제적 가이드라인

GnRHa의 사용을 포함한 가임력보존 방법을 주제로 여러 번의 국제적인 협의회를 통해 가이드라인들이 제시되었다.

미국 생식의학협회(ASRM)에서는 GnRHa의 효능에 대한 증거들에 따라 유방암 환자들에서 조기난소기능부전의 위험성을 감소시키기 위해 사용될 수 있으나 다른 가임력보존 방법을 대체하여 사용하지는 않아야 한다고 정리하였다[32].

유럽 인간 생식 태생학회(European Society of Human Reproduction and Embryology, ESHRE)에서는 GnRHa가 다른 가임력보존 방법들과 동등하거나 대체가능한 요법으로 사용할 수는 없지만 동결보존 이후 또는 동결보존이 불가능할 경우 사용할 수 있는 방법이라고 제시하였다[33].

미국 임상종양학회(American Society of Clinical Oncology, ASCO)에서는 최근 GnRHa를 젊은 유방암 환자에서, 증명된 다른 가임력보존방법이 불가능할 때에 국한하여 사용하도록 권유하였다[34].

젊은 유방암 환자를 위한 국제적 협의회(Breast Cancer in Young Women, BCY)에서 가장 최근에 발표된 4번째 가이드라인[35]에서는 그동안 축적되어온 증거들에 따라 이후에 임신을 원하는 환자들에게는 GnRHa의 병합요법이 항암 또는 선행 항암치료와 동시에 이루어질 수 있게 제공되어야 한다고 하였다. 그러나 아직 그 효능이 충분하게 밝혀져 있지 않으므로 GnRHa의 사용이 다른 가임력보존 방법을 대체해서 사용되어서는 안 된다고 명시하였다.

미국 종합 암 네트워크(National Comprehensive Cancer Network, NCCN)의 가이드라인 중 청소년 및 청년 종양학 분야[36]와 유방암 분야[37]에서는 이전 연구들에 따라 생리주기 억제가 난소기능을 보호할 수도 있다고 언급하였다.

2019년 개정된 16번째 생갈렌 국제 합의 가이드라인[38]에서는 항암 또는 선행 항암치료 중의 GnRHa의 사용이 난소기능을 보존하고 이후의 임신을 촉진시키는 데 기여한다고 결론지었다.

이탈리아 종양학회(Associazione Italiana di Oncologia Medica, AIOM)에서 암환자의 가임력보존을 위한 임상 가이드라인[39]에서는 임신을 원하는 폐경기 이전의 모든 유방암 환자에서 항암치료 중 GnRHa의 사용이 권유되어야 한다고 주장하였다.

4 결론

현재까지 50개 이상의 출판물(무작위대조연구 14건, 비-무작위대조연구 25건, 메타분석 20건)이 GnRHa 병행요법을 받은 3,100명 이상의 환자들을 대상으로 보고되었다[7]. 대부분이 생존자의 조기폐경 및 조기난소부전이 크게 감소했음을 증명하였다. 그에 반해 10개 이상의 출판물이

GnRHa을 효과적인 가임력보존 방법으로 지지하지 않았다. 지난 30년 동안 찬반 대립이 계속되었으며 긍정적인 연구도 많았지만, 주로 현재까지 확립된 다른 가임력보존 방법을 대체할 만큼 효과적이라고는 인정되지 않았다. 그러나 확실한 효과는 아니더라도, 항암치료를 받는 환자들의 앞으로의 삶과 새로운 생명의 탄생에 도움이 되는 치료법이 될 수도 있을 것이므로 지속적인 연구가 필요한 분야이다.

References

1. Conn PM, WF Crowley, Jr. *Gonadotropin-releasing hormone and its analogues.* N Engl J Med 1991;324(2):93-103.
2. Blumenfeld Z, A Evron. *Endocrine prevention of chemotherapy-induced ovarian failure*. Curr Opin Obstet Gynecol 2016;28(4):223-9.
3. Kalich-Philosoph L, et al. *Cyclophosphamide triggers follicle activation and "burnout"; AS101 prevents follicle loss and preserves fertility.* Sci Transl Med 2013;5(185):185-62.
4. Morgan S, et al. *How do chemotherapeutic agents damage the ovary*? Hum Reprod Update 2012;18(5):525-35.
5. Flaws JA, et al. *Chronically elevated luteinizing hormone depletes primordial follicles in the mouse ovary*. Biol Reprod 1997;57(5):1233-7.
6. Patsoula E, et al. *Messenger RNA expression for the follicle-stimulating hormone receptor and luteinizing hormone receptor in human oocytes and preimplantation-stage embryos*. Fertil Steril 2003;79(5):1187-93.
7. Patel H, et al. *Follicle stimulating hormone modulates ovarian stem cells through alternately spliced receptor variant FSH-R3.* J Ovarian Res 2013;6:52.
8. Knight PG, C Glister. *TGF-beta superfamily members and ovarian follicle development*. Reproduction 2006;132(2):191-206.
9. Imai A, et al. *Direct protection by a gonadotropin-releasing hormone analog from doxorubicin-induced granulosa cell damage*. Gynecol Obstet Invest 2007;63(2):102-6.
10. Scaruffi, P, et al. *Gonadotropin Releasing Hormone Agonists Have an Anti-apoptotic Effect on Cumulus Cells*. Int J Mol Sci 2019;20(23):6045.
11. Kitajima Y, et al. *Hyperstimulation and a gonadotropin-releasing hormone agonist modulate ovarian vascular permeability by altering expression of the tight junction protein claudin-5*. Endocrinology 2006;147(2):694-9.
12. Morita Y, et al. *Oocyte apoptosis is suppressed by disruption of the acid sphingomyelinase gene or by sphingosine-1-phosphate therapy.* Nat Med 2000;6(10):1109-14.
13. Zelinski MB, et al. *In vivo delivery of FTY720 prevents radiation-induced ovarian failure and infertility in adult female nonhuman primates*. Fertil Steril 2011;95(4):1440-5. e1-7.
14. Blumenfeld Z, M von Wolff. *GnRH-analogues and oral contraceptives for fertility preservation in women during chemotherapy.* Hum Reprod Update 2008;14(6):543-52.
15. Johnson J, et al. *Germline stem cells and follicular renewal in the postnatal mammalian ovary*. Nature

2004;428(6979):145-50.

16. Tilly JL, EE Telfer. *Purification of germline stem cells from adult mammalian ovaries: a step closer towards control of the female biological clock*? Mol Hum Reprod 2009;15(7):393-8.
17. Glode LM, J Robinson, SF Gould. *Protection from cyclophosphamide-induced testicular damage with an analogue of gonadotropin-releasing hormone*. Lancet 1981;1(8230):1132-4.
18. Johnson DH, et al. *Effect of a luteinizing hormone releasing hormone agonist given during combination chemotherapy on posttherapy fertility in male patients with lymphoma: preliminary observations*. Blood 1985;65(4):832-6.
19. Ataya K, et al. *Luteinizing hormone-releasing hormone agonist inhibits cyclophosphamide-induced ovarian follicular depletion in rhesus monkeys*. Biol Reprod 1995;52(2):365-72.
20. Ortin TT, CA Shostak, SS Donaldson. *Gonadal status and reproductive function following treatment for Hodgkin's disease in childhood: the Stanford experience*. Int J Radiat Oncol Biol Phys 1990;19(4):873-80.
21. Blumenfeld Z, G Katz, A Evron. *'An ounce of prevention is worth a pound of cure': the case for and against GnRH-agonist for fertility preservation*. Ann Oncol 2014;25(9):1719-28.
22. Blumenfeld Z. *Fertility Preservation Using GnRH Agonists: Rationale, Possible Mechanisms, and Explanation of Controversy*. Clin Med Insights Reprod Health 2019;13:1179558119870163.
23. Moore HC, et al. *Goserelin for ovarian protection during breast-cancer adjuvant chemotherapy*. N Engl J Med 2015;372(10):923-32.
24. Moore HCF, et al. *Final Analysis of the Prevention of Early Menopause Study (POEMS)/SWOG Intergroup S0230*. J Natl Cancer Inst 2019;111(2):210-3.
25. Del Mastro L, et al. *Effect of the gonadotropin-releasing hormone analogue triptorelin on the occurrence of chemotherapy-induced early menopause in premenopausal women with breast cancer: a randomized trial*. Jama 2011;306(3):269-76.
26. Lambertini M, et al. *Ovarian Suppression With Triptorelin During Adjuvant Breast Cancer Chemotherapy and Long-term Ovarian Function, Pregnancies, and Disease-Free Survival: A Randomized Clinical Trial*. Jama 2015;314(24):2632-40.
27. Leonard RCF, et al. *GnRH agonist for protection against ovarian toxicity during chemotherapy for early breast cancer: the Anglo Celtic Group OPTION trial*. Ann Oncol 2017;28(8):1811-6.
28. Blumenfeld Z, H Zur, EJ Dann. *Gonadotropin-Releasing Hormone Agonist Cotreatment During Chemotherapy May Increase Pregnancy Rate in Survivors*. Oncologist 2015;20(11):1283-9.
29. Lambertini M, et al. *Ovarian suppression using luteinizing hormone-releasing hormone agonists during chemotherapy to preserve ovarian function and fertility of breast cancer patients: a meta-analysis of randomized studies*. Ann Oncol 2015;26(12):2408-19.
30. Del Mastro L, et al. *Gonadotropin-releasing hormone analogues for the prevention of chemotherapy-induced premature ovarian failure in cancer women: systematic review and meta-analysis of randomized trials*. Cancer Treat Rev 2014;40(5):675-83.
31. Munhoz RR, et al. *Gonadotropin-Releasing Hormone Agonists for Ovarian Function Preservation in Premenopausal Women Undergoing Chemotherapy for Early-Stage Breast Cancer: A Systematic Review and Meta-analysis*. JAMA Oncol 2016;2(1):65-73.
32. Practice Committee of the American Society for Reproductive Medicine. *Fertility preservation in patients undergoing gonadotoxic therapy or gonadectomy: a committee opinion*. Fertil Steril 2019;112(6):1022-33.
33. Anderson RA, et al. *ESHRE guideline: female fertility preservation*. Hum Reprod Open 2020;2020(4):hoaa052.

34. Oktay K, et al. *Fertility Preservation in Patients With Cancer: ASCO Clinical Practice Guideline Update*. J Clin Oncol 2018;36(19):1994-2001.
35. Paluch-Shimon S, et al. *ESO-ESMO 4th International Consensus Guidelines for Breast Cancer in Young Women (BCY4)*. Ann Oncol 2020;31(6):674-96.
36. *NCCN-Guidlelines-for-Physicians-AYA.pdf.*
37. *NCCN-Guidlelines-for-Physicians-Breast cancer.pdf.*
38. Burstein HJ, et al. *Estimating the benefits of therapy for early-stage breast cancer: the St. Gallen International Consensus Guidelines for the primary therapy of early breast cancer 2019.* Ann Oncol 2019;30(10):1541-57.
39. Lambertini M, et al. *Temporary ovarian suppression during chemotherapy to preserve ovarian function and fertility in breast cancer patients: A GRADE approach for evidence evaluation and recommendations by the Italian Association of Medical Oncology*. Eur J Cancer 2017;71:25-33.

Chapter 11

가임력보존수술

(Fertility sparing surgery)

고려의대 **신정호**
고려의대 **이상훈**

1 개요

점점 더 많은 수의 암환자들이 진단 및 치료 전략의 개선의 결과로 생존하고 있기 때문에, 가임력보존은 암치료에서 중심적인 역할을 한다. 산부인과 암의 초기 진단과 관리에 참여하는 의사들은 가임력보존의 중요성을 이해해야 한다.

가임력보존 치료는 초기 산부인과 암으로 한정되기 때문에 외과의사는 각 암 병기를 신중하게 고려해야 한다. 가임력보존 수술을 하기 전에, 의료인들은 다른 표준 치료법과 종양학 및 임신 결과를 비교해야 한다. 적시에 정보를 제공하고 적절한 상담을 통해 환자의 상황에 따라 개별화된 치료 전략이 수립되어야 한다.

2 난소 조직 동결보존 수술 및 이식

난소 조직 동결보존은 실험적인 것으로 여겨지지만, 배아나 난자 동결보존에 비해 몇 가지 장점이 있다. 첫째, 즉각적인 화학요법이 필요하고 배란유도를 위한 충분한 시간이 없는 소아 · 청소년암환자의 유일한 가임력보존 치료법이다. 둘째, 생리주기에 관계없이 시술이 가능하다. 셋째, 원시난포(primordial follicle)를 포함한 많은 수의 난자가 보존될 수 있다. 넷째, 난소의 호르몬

기능을 회복할 수 있어 젊은 여성의 삶의 질을 향상시킨다. 마지막으로, 이 기술은 과배란유도나 정자 기증자를 필요로 하지 않는다[1-4].

이 방법은 화학요법을 시작하기 전에 복강경 난소 제거와 보존을 위한 동결 등을 포함한다. 난소 조직 절제에는 세 가지 옵션이 있는데, (1) 난소피질 조직 채취, (2) 부분 난소절제술, (3) 완전 난소절제술이다[5]. Von Wolff 그룹에 따르면, 난소의 50% 절제가 동결보존에 충분하다고 보고하였으며[6], 난소 조직 동결보존 방법의 경우, 최근의 여러 연구에서 유리화동결법(vitrification)이 시도되고 있다[7-11]. 그러나 이러한 연구결과는 아직 환자에게 유리화 방법을 권장하기에는 근거가 충분하지 않다. Donnez 등은 인간 난소 조직 동결보존과 이식으로부터 처음 24명의 살아있는 출산이 완만동결법(slow freezing)에 의해 이루어졌다고 보고하였다[12]. 지금까지는 난소 조직 동결보존에서 유리화동결법보다 완만동결법이 더 적합한 방법으로 여겨져 오고 있다[13].

암치료가 이루어진 후 냉동된 난소 조직은 해동되어 남은 난소의 표면이나 복막에 이식된다[14]. 대부분의 경우 동결보존 및 해동된 난소 조직은 원래 난소가 있던 부위에 직접 이식하는 같은자리이식(orthotopic transplantation)을 주로 시행하지만, 직접이식이 불가능할 경우 복벽이나 전완부의 피하공간 등 다른 부위에 이식하는 다른자리이식(heterotopic transplantation)을 시행할 수 있다[15].

발표된 연구 자료에 따르면, 2004년 첫 임신이 이 기술을 사용하여 보고된 이후 완만동결법을 이용한 난소 조직 동결보존 후 이식술에서 살아 있는 출생아 수는 120명을 넘어섰다[15-23]. 5개 해외 주요 센터의 데이터에 따르면, 임신율과 출산율(live birth rate)은 각각 29%와 23%였다[23]. 이후 74명의 여성으로 구성된 연구의 보고에서, 임신율은 33%, 출산율은 25%였다[22]. Donnez 그룹의 자료에 따르면 난소 조직 동결보존 후 이식을 받은 여성 22명 중 임신과 출산율은 각각 41%, 36%였다[24]. 동결보존 당시의 환자 연령은 향후 임신 결과 개선에 영향을 미치는 주요 예측 요인이다[1]. 일반적으로 35세 연령은 난소 조직 동결보존의 상한으로 간주되는데, 원시 난자 수는 나이가 들수록 유의하게 감소하기 때문이다[25].

60건의 동결보존된 난소이식의 사례를 검토한 결과, 냉동 속도가 느린 완만동결법으로 보존된 난소 조직을 이식한 후 92.9%의 사례에서 호르몬을 분비하는 난소기능이 다시 회복된 것으로 나타났다[12]. 에스트라다이올의 증가 및 난포자극호르몬(follicle stimulating hormone, FSH) 수준의 감소에 약 3.5–6.5개월이 필요한 것으로 보고되었다. 난소 조직 이식 후 난소기능 회복이 꾸준히 보고되고 있으며, 성공적인 출생아 수도 늘고 있다[1].

난소 조직 동결보존은 즉각적인 화학요법이 필요한 암환자에서 시행될 수 있지만, 난소 조직에 악성 세포가 존재할 수 있으므로 난소 조직 동결보존을 시행할 경우 주의가 필요하다[15, 26]. 연구에 따르면 난소 조직에서는 낮은 수준의 악성 세포가 검출되었으며, 혈액학적 악성 종양이 있는 마우스와 인간 모델 모두에서 이식 후 질병의 재발로 이어질 수 있다는 보고가 있다[27-29]. 따라서, 이 기술은 난소 또는 혈액학적으로 악성인 암환자의 경우에는 금지된다. 이러한 환자에서 난자의 체외수정 및 인공 난소 기술은 가임력을 보존하고 복원하기 위해 고려되어야 한다[15]. 일부 연구자들은 난소기능을 손상시키는데도 암 오염 위험을 줄이기 위해 초기 화학요법 과정을 거친 후 난소 조직을 동결보존할 수 있다는 의견을 제시했다[20, 30].

3 난소 조직 채취 및 수술도구

난소 조직을 채취할 때 추출해야 할 난소 조직의 양에 대해서는 다양한 의견이 나오고 있다. 다량의 난소 조직을 표본으로 추출하면 반복이식 기회를 제공할 수 있다는 장점이 있어 생식 및 내분비 난소기능을 더 오래 유지할 수 있다. 이러한 결정의 환자의 상황에 따라 다른 전략을 고려하여야 한다. 골수이식 전 알킬화제(alkylating agent)나 골반 조사, 고용량 화학요법을 이용한 적극적인 항암요법이 예정돼 있다면 난소부전 전에 다량의 난소 조직을 제거하는 것이 좋은 선택이 될 수 있다. 다만 독성이 적은 화학요법이 예정된 상황에서는 환자에게 남아있는 난소 조직을 더 많이 유지하는 것이 더 바람직한 전략일 수 있다. 난소 조직 절제는 난소피질 조직채취, 부분 또는 완전 난소절제술을 시행할 수 있다[31].

일반적으로 난소 조직을 추출하고 이식할 때는 전기소작술(coagulation) 대신 가위나 메스를 사용하는 것이 좋다. 왜냐하면 전기소작술은 난소 조직을 손상시키고 난소예비능(ovarian reserve)을 감소시킬 수 있기 때문이다[32, 33]. 난소 표면에 봉합이나 피브린 접착제를 사용하는 것은 2차 출혈의 잠재적 위험을 고려한 후 난소 조직 이식 시에 시행할 수 있다. 미성년자 환자의 경우 치료 과정에서 알킬화제나 방사선 치료 등 난소기능에 치명적인 독성이 강한 치료가 포함된 경우 부모나 보호자와 함께 충분히 상의한 후 수술을 고려해야 한다.

4 난소 조직 이식 시 수술적 고려사항

1) 수술기법 소개

암치료를 받기 전 암 진단을 받은 여성의 난소 조직 동결보존과 이식은 가임력을 보존하고 생식 내분비 기능을 회복하는 효과적인 선택이다[34]. 동결보존 후 인간의 난소 조직을 이식하기 위해 개복수술, 복강경수술, 미니 복강경수술, 로봇 보조 이식 수술 등 다양한 수술기법이 도입되었다[35]. 동결보존된 난소 조직 이식수술은 1999년에 처음으로 수행되었고[36, 37], 2004년 완만동결보존기법을 사용하여 보존된 난소 조직을 이식한 후 처음으로 성공적인 출생아가 보고되었다[38]. 다양한 수술 기법을 사용한 동결보존된 난소 조직의 이식 후 임신과 출생의 수가 최근 몇 년 동안 지속적으로 증가하고 있다[39]. 로봇 보조 이식 수술은 정밀하고 보다 섬세한 조직 핸들링이 가능하다는 점에서 이점이 있을 수 있다[40]. 수술집도 의사의 임상경험과 동물실험 경험을 고려하여 난소 조직 이식의 결과를 극대화할 수 있는 가장 적합한 기술을 선택해야 한다.

최소침습적 수술 방식인 복강경 접근 방식은 환자가 항암치료를 시작하기까지 시간이 많지 않을 때 임상적으로 난소 조직 동결보존을 실시하기로 결정하는 경우가 많아 매우 유용한 기법이다. 복강경 수술은 환자가 최소 침습적 시술 후 매우 빠르게 회복할 수 있어 수술 후 큰 지체 없이 항암치료를 시작할 수 있다는 큰 장점이 있다[34]. 특히 단일공 복강경 수술은 수술 후 합병증 발생율이 낮고, 산부인과 영역에서 널리 사용되는 기법으로 이러한 환자의 난소 조직 채취에 아주 적합하다고 사료된다[40].

2) 난소 조직 이식부위

잠재적인 이식 가능 부위는 난소, 난소 인대(ovarian ligament), 복막 주머니(peritoneal pocket), 또는 다른자리이식이다. 난소가 이식부위로 활용될 수 있는 잠재적 장점은 원래 난소가 존재하던 부위에서 채취한 난소 조직이 이식 부위 환경에 쉽게 적응하며 되살아 날 수 있다는 점이다. 다만 봉합 등으로 인한 출혈 위험과 난소에 외상이 발생할 가능성을 고려해야 하는데, 남은 난소 조직이 이식을 받을 수 없을 경우 복막주머니도 다른 선택이 될 수 있다. 다른자리이식은 복부 수술이 필요하지 않다는 장점이 있지만, 지금까지 발표된 모든 출생아들은 동소이식을 통해 보고되었다. 다른자리이식의 경우 자연 임신은 어렵고 체외수정이 필요하다[41, 42].

5 전체 난소 동결보존 및 이식(Whole ovary transplantation)

전체 난소 이식은 혈관 문합으로 즉각적인 재혈관형성(revascularization)이 가능하며 허혈성 손상의 위험을 줄일 수 있다[43]. 그러나 난소 전체에 충분한 양의 동결보호제를 확산시키는 것이 어렵고 혈관 내 얼음 형성에 의해 발생할 수 있는 손상 때문에 전체 난소 동결보존은 아직 쉽지 않은 단계이다[44]. 인간 난소동맥의 지름이 약 0.5 mm, 난소정맥의 지름이 약 3 mm임을 고려하면 혈관 문합 역시 해결해야 할 중요한 기술적 문제이다[45]. 난소 전체의 동결보존과 이식은 실험 동물 연구에서 성공적으로 이루어졌다는 보고들이 있다[46, 47]. 한 그룹은 전체 난소동결보존에 있어 유리화동결보존이 기존의 동결보다 더 효과적인 것으로 보인다고 결론지었다. 그러나, 다른 연구는 난소피질 조직의 전통적인 완만동결이 다른 어떤 방법보다 더 적합하다고 보고하였다[48]. 여러 장애물와 기술적 어려움이 남아있지만, 인간 전체의 난소동결보존과 이식술의 장점이 있으므로 향후 연구를 통해 많은 문제들이 해결될 것으로 보인다.

6 난소 조직 동결보존 수술 및 이식술 후 난소기능회복

위에서 언급한 바와 같이 3개 센터에서 검토한 60건의 난소 조직 동결보존 후 이식술 사례에서 모든 난소 조직은 완만동결법을 사용해 동결 시켰고 92.9%의 사례에서 난소기능이 회복되었다. 이식수술 후 약 3.5–6.5개월 지나서 에스트라다이올의 상승과 FSH 수치의 감소를 확인할 수 있었다[12]. Silber 등은 2008년에 난소 부전 환자를 위해 일란성쌍생아 자매 사이의 난소 같은자리이식을 보고하였다[49]. 동결보존하지 않고 일란성쌍생아 자매 사이에서 시행한 난소 조직 이식수술과 동결보존된 난소 조직 이식 후 77–142일 만에 정상적 FSH 수치회복과 생리주기 재개를 보고하였다. 그 결과, 신선한 난소 조직 이식 후 11명의 출생아와, 동결보존된 난소 조직 이식 후 3명의 출생아를 보고하였다[50, 51]. 대부분의 환자들은 자연 임신을 했고 그들 중 세 명은 한번의 이식 수술로 두번 또는 세번 임신을 했다. 난소 조직 이식 수술의 대부분은 7년 이상 생존하였다.

Donnez 등은 2010년에 유전적으로 동일하지 않은 자매 간의 난소 조직 이식 사례 3건을 보고했다[52]. 이식받은 환자들은 화학요법과 방사선요법을 받아 조기난소부전이 발생한 환자들이었고, 기증된 모든 난소 조직은 인간 백혈구 항원(Human Leukocyte Antigen)이 수용자와 호환되었다. 기증자의 난소피질은 수혈자의 난소 속질(ovarian medulla)에 봉합되었다. 이식 과정에서 채취한 수혜자의 난소에서 시행한 조직검사상 난포 수가 결핍된 위축된 소견을 보였다고 보고하였다. 동종 난소이식(allo−transplantation) 후 난소기능이 성공적으로 회복된 첫 사례이다.

2001년부터 2011년까지 암환자 5명을 대상으로 시행한 다른자리난소 조직 이식의 수명에 대한 연구가 보고되었다[53]. 환자들은 30세에서 40세 사이였고 냉동보관된 난소 조직(1−10년)을 이식받았다. 총 8−10 조각의 빠르게 해동된 난소피질을 3−0 바이크릴을 이용하여 복직근초(rectus sheath)와 근육(rectus muscle) 사이에 다시 이식했다. 내분비 기능의 중지가 확인될 때까지 매월 호르몬 수치를 관찰했다. 내분비 기능은 이식 후 12주에서 20주 사이에 회복되었다. 네 명의 환자가 첫 번째 이식 후 1−2년 후에 두 번째 이식을 받았다. 두 번째 이식 후 내분비 기능 지속 기간은 훨씬 길었고(9−84개월) 가장 긴 것은 7년 동안 지속됐다. 그 환자는 세 번의 체외수정 주기 동안 네 개의 배아를 생성하였다.

이식된 난소 조직의 수명은 여전히 여러 연구에서 평가되고 있다. Jensen 등은 내분비 기능을 최대 10년까지 유지하고 있는 53건의 이식을 보고했으며, 임신을 원하는 32명 중 10명[80명]의 임신율이 31%라고 보고했다. 이 결과는 암과 조기 난소 장애를 가진 젊은 환자들에게 유익할 것이다. 난포는 향후 사용을 위해 보존될 수 있으며, 일부 환자들은 난소 호르몬 기능을 유지하기 위해 반복적인 이식이 필요할 수 있다[54].

이식된 난소 조직의 수명에 영향을 미칠 수 있는 많은 요인들이 있다[52,55]. 가장 중요한 요인 중 하나는 동결보존, 해동과정과 이식 시 재혈관형성(revascularization) 과정에서 생존한 난자의 수이다. 보고에 의하면 이식수술 후 혈관형성으로 산소공급(reoxygenation)을 다시 받으려면 4−5일이 필요하다[56, 57]. 가임력보존의 가능성을 높이기 위해, 대부분의 경우 한 난소에서 피질의 1/2에서 3분의 2정도의 생존이 필요하였고[58], 재혈관형성 동안, 미성숙난자의 약 3분의 1이 허혈 손상에서 살아남았다는 보고가 있다[59].

7 난소 조직 동결보존 수술 및 이식술 후 임신결과

2017년 전 세계적으로 난소 조직 동결보존과 이식술로부터 87명의 살아있는 출산과 9명의 진행 중인 임신이 보고되었다[60, 61]. 난소 조직 이식술에 대한 5개 센터의 데이터에서, 동결보존된 난소 조직의 이식술 후 임신율은 29% (111명 중 32명)로 보고되었다[62]. 일본에서 보고된 유리화 동결보존에 의해 달성된 2명의 출생과 소수의 출생만을 제외하고, 대부분의 임신은 완만동결법에 의해 동결보존된 사례였다[63]. 임신한 여성 중 두 명의 여성이 각각 세 명의 아기를 낳았고, 한 번의 시술 후 여러 차례 자연 임신의 가능성을 보여주었다[64]. Donnez 등에 따르면, 난소 조직 같은자리이식은 50% 이상의 여성들에서 자연 임신이 되었다고 보고하였다[63]. 임신된 여성의 대부분이 난소 조직 동결보존 당시 30세 이하였으므로, 환자의 연령은 중요한 예측인자로 여겨진다. 일반적으로 35세는 난소 조직 동결보존의 상한으로 간주되는데, 난포의 보존(follicle preservation)은 주로 원시난포에서 이루고 환자의 나이에 따라 그 수가 현저히 감소하기 때문이다[65]. 난소 조직 동결보존의 후보를 선택하기 위한 몇 가지 권고 사항이 추천되고 있다(표 11-1) [66, 67].

앞에서 언급한 바와 같이, 난소 조직 이식술은 같은자리이식 또는 다른자리이식으로 분류될 수 있다[68]. 내분비 기능 회복은 다른자리난소이식 후에도 일관되게 보고되었고[69], 다른자리이식술의 장점은 1) 침습적 시술의 회피, 2) 이식 수술의 손쉬운 접근성, 3) 시술이 두 번 이상 필요할 경우 비용 효율, 4) 같은자리이식술을 방해하는 심각한 골반 유착의 경우에도 실현 가능성이 있다는 점이다[70, 71]. 다만 자연적 임신을 기대할 수 없어 체외수정이 필요하며, 현재까지 전 세계적으로 다른자리이식 후 임신한 사례는 아주 소수에 불과하다[72,73].

표 11-1. **Selection criteria for ovarian tissue cryopreservation**

1. Age below 35 years (flexible depending on AMH level and biological age)
2. A high risk of premature ovarian failure (>50%) gonadotoxic
3. A realistic chance of surviving for 5 years
4. No previous chemotherapy or radiotherapy if aged 15 years or older at diagnosis, but mild, non-gonadotoxic chemotherapy is acceptable if younger than 15 years
5. No disseminated disease
6. No contraindications against operation or anaesthesia
7. Informed consent (parent and patient when possible)

anti-MÜllerian hormone, AMH

8 부인종양 환자에 대한 가임력보존 수술

부인과 종양에서 가임력보존을 위한 산부인과 수술은 생식기를 가능한 많이 남겨서 출산할 수 있도록 하는 것이 중요하다. 부인과 종양에서 흔한 자궁경부암, 난소암, 그리고 자궁내막암에 대한 가임력보존 수술에 대해 순차적으로 다루어 보고자 한다.

1) 자궁경부암

국립암등록통계청이 발표한 통계에 따르면 2017년 국내 여성에게서 발생한 환자수는 3,469명이고 여성 암 발생의 3.2%로 7위를 차지하였다. 난소전위수술은 방사선치료를 필요로 하는 자궁경부암환자가 가임력보존을 원하는 경우 고려해야 하는 표준치료 방법 중 하나이다. 국소적으로 국한된 자궁경부암의 경우 방사선치료의 해당범위 상부 경계선 이상으로 난소의 위치를 옮기는 것이 중요하다. 일반적으로 방사선 조사영역의 상부 경계는 요추 4-5번 (L4/5) 상부이므로, 난소가 방사선 손상을 입지 않도록 난소를 전상장골극(anterior superior iliac spine) 또는 배꼽 위까지 수술적으로 이동시키는 것이 매우 중요하다[74, 75]. 하지만 난소전위수술을 받는 환자의 경우 난소가 보존된다고 하더라도 방사선치료를 받은 자궁의 손상으로 인하여 자연임신의 가능성은 높지 않음을 인지하여야 한다.

자궁경부암 초기 환자의 가임력보존수술은 자궁경부원추절제술(conization)과 자궁경부절제술(trachelectomy)이 표준치료에 해당한다. 자궁경부절제술에 대한 적응증은 표 11-2 [74]에 설명되어 있다.

자궁경부절제술의 종양학적 결과와 산부인과 결과는 보고된 연구결과에 의하면 자궁경부

표 11-2. **가임력보존을 위한 자궁경부절제술 적응증**

1. Women who desire to preserve fertility (age <40-45)
2. Stage Ia1*(with lymph vascular space involvement), Ia2, Ib1
3. Lesion size ≤ 2 cm
4. Histologically squamous, adeno or adenosquamous carcinoma
5. No upper cervical canal involvement of cancer
6. No evidence of lymph node metastasis

* Conization: Ia1 without LVSI

절제술을 시행 받은 총 619명의 자궁경부암환자 중 자궁경부암 재발비율은 3.5%(22/619명), 사망률은 1.9%(12/619명)였다. 619명의 환자 중 임신에 성공한 환자는 236명이지만, 이들 환자의 20%는 결국 임신 1삼분기(1st trimester)에 유산하였고, 8%는 2삼분기에 유산을 하였다. 결국 66%가 3삼분기에 분만했고, 임신 32주 전에는 15%, 임신 32주 이후에는 85%가 분만하였다[77-81].

환자의 자궁경부암의 크기가 2 cm 이상일 경우 자궁경부절제술에 앞서 종양의 크기를 줄이기 위해 선행보조화학요법이 시행될 수 있다. 선행보조화학요법을 받은 54명의 환자에서 자궁경부절제술을 시행한 종양학적 결과를 조사한 연구에서 81.5% (44/54) 환자에서 완전 또는 부분 반응이 관찰되었으며 3명의 환자에서 재발이 발생되었으며, 28명의 환자가 성공적으로 임신을 했다[82]. 최근의 체계적 문헌고찰(systemic review)에서, 저자들은 팀의 경험, 환자 또는 부부와의 토론, 그리고 최적의 출산 결과와 치료의 최선의 선택과 균형을 맞추기 위한 객관적인 종양학 데이터를 바탕으로 가임력보존 수술법을 선택해야 한다고 권고하였다[83, 84].

2) 난소암

난소암은 양성종양, 경계성종양, 악성종양으로 분류할 수 있다. 양성종양을 가진 가임기 여성 대부분에게 보존적인 수술(conservative surgery)이 이뤄지기 때문에 경계성종양과 악성종양에 대한 논의를 집중하고자 한다.

(1) 경계성종양

경계성 난소종양은 병리조직학적 소견상 악성 세포 변화를 보이지만 명백한 침윤이 없고 임상적으로 천천히 자라는 상피성 난소 종양으로, 5년 생존율이 80%를 넘을 정도로 예후가 좋다. 경계성 난소 종양은 젊은 연령에서 조기 병변으로 발견되는 경우가 많다. 모든 암 단계를 포함하더라도 경계성종양의 5년 생존율은 86-90%(미국 암학회, NCI, SEER 데이터 2004-2010년)이다. 39건의 연구결과와 총 5,105명의 경계성종양 으로 보존적인수술을 받은 환자가 포함된 메타분석에서 난소낭종절제술을 받은 환자보다 일측 난소난관절제술을 받은 환자의 재발률이 낮았다. 그러나 두 환자 그룹 간에 생존율에서 유의한 차이는 발견되지 않았다[85].

NCCN 가이드라인은 또한 자궁과 한쪽 난소를 보존하고 병변이 있는 일측 난소난관절제술을 명백한 초기 상피종양(early-stage invasive epithelial tumor) 또는 낮은 악성 잠재적 병변(low malignancy potential lesion)을 가진 환자가 가임력을 보존하고자 하는 경우 고려할 수 있다고 권고하고 있다. 화학요법은 경계성 종양 치료에 알려진 이점이 없기 때문에 권장되지 않는다.

연구에 따르면 일측 난소난관절제술을 받은 후 단일 난소를 가진 환자와 2개의 난소를 가진 환자 사이의 임신율은 차이가 없다는 보고가 있다. 그러나 이 두 그룹 간의 임신 기간 차이는 있는 것으로 보고되었다[86].

(2) 악성종양

상피 난소암은 모든 악성 난소 종양의 80%를 차지하며 난소암의 가장 흔한 유형이다. 난소암의 주요 치료로는 수술적 병기 결정 및/혹은 종양감축술과 수술 후 보조 화학요법으로 구성된다. 대한부인종양학회에서 발간한 부인암 진료권고안 V4.0에 의하면, 완전한 병기 설정술은 골반 및 복부 세척 세포검사 이외에 전자궁절제술, 양측 난관-난소절제술, 대망절제술, 골반/대동맥주위 림프절절제술, 다수의 복막 생검과 전이가 있거나 의심되는 부위에 대한 최대 종양감축을 포함한다. 전자궁절제술과 양측 난관-난소절제술을 시행하면서 종양은 피막이 터지지 않고 온전하게 제거될 수 있도록 최대한 노력해야 한다. 이때, 임신을 원하는 환자의 경우 조직분화도와 관계없이 수술 소견상 병기 1A 혹은 1C를 보이면 포괄적 병기 설정술(comprehensive surgical staging)을 시행할 때, 자궁과 한쪽 자궁부속기를 보존하는 가임력보존 수술(fertility-sparing surgery)을 시행할 수 있다. 가임력보존 포괄적 병기설정술이란 임신능력의 보존을 위하여 집도의의 판단에 따라 자궁 및 일측 난소(난관)를 보존하면서, 복강 및 후복강의 모든 장기에 대한 철저한 육안적 검사와 광범위한 조직 검사를 통하여 완전한 병기 결정 수술을 대체하는 것으로 정의한다[87-90].

National Comprehensive Cancer Network (NCCN) 가이드라인은 암 등급에 관계없이 1C기 암과 grade 3의 병기 1A기 또는 1B기 암 또는 투명세포선암종에 대해 화학요법을 권고하고 있다[91]. 더 엄격한 기준을 사용하여, 일부 연구는 1A 또는 1B 단계와 grade 1 또는 grade 2 인 환자가 가임력보존을 위한 적절한 적응증으로 권고한다[92,93]. 국내 상피 난소암환자에서 가임력보존 수술의 종양학적 안전성과 생식 결과를 조사한 결과 병기가 1C 또는 grade 3 보다 높은 암환자의 생존율이 낮으며, 병기 1A-C와 grade 1-2 환자에서 가임력보존 수술은 안전하게 치료할 수 있다고 보고하였다[94].

생식세포종(germ cell tumor), 성끈버팀질종양(sex cord stromal tumor), 1A/1B기 난소고환종(dysgerminoma), 1A기 미성숙기형종(immature teratoma), 1A기 배아(embryonal) 또는 난황낭종양(yolk sac tumor) 등은 가임력보존을 위해 화학요법을 시행하지 않고 임상적으로 모니터링이 가능하다. 하지만, 난소암육종(carcinosarcoma, MMMT)은 희귀종 암으로 매우 예후가 좋지 않아 NCCN 지침에 따라 가임력보존 치료는 환자의 연령에 관계없이 권장되지 않는다[91].

3) 자궁내막암

자궁내막암은 서구 국가에서 가장 흔한 산부인과 악성종양으로 최근 한국에서 꾸준히 증가하고 있다. 자궁내막암 사례의 약 3–14%가 40세 이하의 폐경 전 여성으로 가임력을 보존하고자 원하는 여성일 가능성이 있는 연령에서 진단된다[95-99].

대한부인종양학회에서 발간한 부인암 진료권고안 V4.0에 의하면 수술은 조기 자궁내막암 환자에 있어 가장 중요한 일차 치료법이다. 자궁내막암에서 병기 결정을 위한 표준적인 수술적 방법으로는 전자궁절제술, 양측난관난소절제술, 골반/대동맥 림프절절제술 그리고 골반 및 복부 세척 세포검사를 포함한다[100]. NCCN 지침은 다음과 같은 조건을 모두 충족하는 경우에만 가임력보존을 고려할 것을 권고하고 있다(표 11-3) [101].

분화도 1인 병변이 자궁내막에 국한되어 있는 자궁내막양암의 경우 가임력보존을 원하고 앞에서 언급한 모든 조건을 만족하는 환자의 경우 지속적인 프로게스틴 기반 치료를 위해 메게스테롤(megesterol acetate), 메드록시프로게스테론(medroxyprogesterone) 또는 레보노르게스트렐(levonorgestrel) IUD 사용을 고려할 수 있다. 문헌에 따르면, 메게스테롤의 적절한 복용량은 40–400 mg/d이고, 메드록시 프로게스테론은 200–800 mg/d이다[102-104]. 지속적인 프로게스틴 기반 치료 후, 치료 결과를 평가하기 위해 3–6개월마다 자궁내막 표본 추출 또는 자궁내막 생검을 수행해야 한다. IUD를 삽입한 환자는 각 평가에서 IUD를 교체하는 동안 불편함을 겪을 수

표 11-3. **자궁내막암에서 가임력보존이 가능한 적응증**

1. Well-differentiated (grade 1) endometrioid adenocarcinoma on dilation and curettage (D&C) confirmed by expert pathology review
2. Disease limited to the endometrium on MRI (preferred) or transvaginal ultrasound
3. Absence of suspicious or metastatic disease on imaging
4. No contraindications to medical therapy or pregnancy
5. Patients should undergo counselling that fertility-sparing option is not standard of care for the treatment of endometrial cancer

* All criteria must be met

표 11-4. **부인종양 환자에서 가임력보존 치료방법 요약**

진단	적응증	가임력보존 옵션	내용
자궁경부암	Stage 1A1 (no lymphovascular space invasion)	Conization	- Preferably a non-fragmented specimen with 3-mm negative margins - If positive margins, repeat conization or perform trachelectomy. - Small cell neuroendocrine tumor and adenoma malignum are not considered for this procedure.
	Stage 1A1 (with lymphovascular space invasion) and Stage 1A2	Conization + pelvic lymph node dissection +/- para-aortic lymph node sampling or Trachelectomy + pelvic lymph node dissection +/- para-aortic lymph node sampling	- Sentinel lymph node mapping can be considered.
	Stage IB1	Trachelectomy + pelvic lymph node dissection +/- para-aortic lymph node sampling	- Fertility-sparing surgery for stage IB1 has been most validated for tumors ≤2 cm. - If a patient has a cervical tumor larger than 2 cm in size, trachelectomy may be preceded by neoadjuvant chemotherapy.
난소암	Borderline tumor FIGO Stage I Epithelial cancer FIGO Stage I, Grade 1-2	Unilateral salpingo-oophorectomy	- Unilateral salpingo-oophorectomy preserving the uterus and contralateral ovary can be considered for patients with apparent early-stage invasive epithelial tumors or low malignant potential lesions for patients who wish to preserve their fertility.
	Malignant germ cell and sex cord stromal cell tumor		
자궁내막암	Stage IA, Grade 1 (endometrioid adenocarcinoma, no myometrial invasion)	Continuous progestin-based hormonal therapy (megesterol, medoxyprogesterone, or levonorgestrel IUD)	- Endometrial sampling either D&C or endometrial biopsy must be performed every 3-6 months to assess treatment outcomes. - If a patient shows complete remission 6 months later, she may attempt to get pregnant while being carefully monitored every 3-6 months. - Surgical staging surgery including total hysterectomy and/or bilateral salpingo-oophorectomy should be considered upon pregnancy completion.

있다. 만약 환자가 6개월 후에 완치된 모습을 보인다면, 매 3–6개월마다 세심하게 관찰되는 동안 임신을 시도할 수 있으며, 임신 완료 시 자궁 절제술 및/또는 양쪽 절개술과 같은 외과적 수술을 받을 수 있다. 난소절제술은 자궁내막암이 있는 폐경 전 여성에서 흔히 시행되지만 난소 보존은 초기 자궁내막암이 있는 젊은 환자의 전반적인 생존에 영향을 미치지 않는다는 것이 많은 연구에서 밝혀졌으므로 난소보존을 원하는 45세 이하 여성의 경우 종양이 자궁체부에 국한되어 있고 골반 내 전이소견이 없다면 선택적으로 난소보존을 고려할 수 있다[105-107]. 만약 환자가 모니터링 기간 동안 임신이 되지 않고 자궁내막암이 새로 생기거나 재발한다면, 수술을 받는 것을 고려해야 한다. 위에서 기술한 가임력보존을 위한 약물 치료법과 치료결과 평가 완료 후 6–9개월 이내에 자궁내막암이 발견되면 수술을 다시 고려해야 한다.

가임력보존 치료의 종양학적 예후 및 임신 결과와 관련하여, Gallos 등이 실시한 체계적인 검토 및 메타분석 결과, 자궁내막암의 퇴행률(regression rate)이 76.2%, 재발률(relapse rate)이 40.5%, 가임력보존수술[108] 이후 출산율이 28%로 나타났다.

9 결론

산부인과 부인종양 환자에서 가임력보존 치료의 수술적 선택은 표 11-4에 요약되어 있다. 환자가 가임력보존을 원하는 경우 해당 의료인들은 항암화학요법이나 방사선치료 또는 수술로 인한 조기폐경이나 난임의 위험성에 대해 환자와 그 가족들과 충분히 상의해야 한다. 가임력보존 수술을 수행하기 전에, 다른 표준 치료법과 종양학적 예후 및 임신 결과를 비교하고 치료방법을 선택하는 것은 중요하다. 또한 가임력보존이 가능한 적응증은 주로 초기 산부인과암에 국한되기 때문에 외과의사는 각각의 암 적응증을 주의 깊게 고려하고 선택할 수 있는 치료방법이 보존적인 치료(conservative treatment)나 약물치료에 국한된 경우에만 가임력보존 수술을 해야 한다는 점을 알아야 한다. 다분야의 전문가들이 환자가 처한 상황에 적절한 전략을 수립하여 각 환자마다 높은 품질의 가임력보존을 위한 의료 서비스를 제공하기 위해 종양 전문의, 산부인과 전문의, 생식 생물학자, 외과 전문의, 환자 관리 코디네이터, 정신과 전문의 또는 심리치료사 및 리서치 연구자로 구성된 숙련된 팀이 이루어지기를 권장한다.

Funding: National Research Foundation of Korea Grant by the Korean Government, grant number NRF-2016R1C1B3015250.

References

1. Kim S, Lee Y, Lee S, Kim T. Ovarian tissue cryopreservation and transplantation in patients with cancer. Obs Gynecol Sci 2018;61:431-42.
2. Seli E, Tangir J. Fertility preservation options for female patients with malignancies. Curr Opin Obstet Gynecol 2005;17:299-308.
3. Suzuki N. Ovarian tissue cryopreservation in young cancer patients for fertility preservation. Reprod Med Biol 2015;14:1-4.
4. Campos A L, Guedes Jde S, Rodrigues J K, Pace W A, Fontoura R R, Caetano J P, Marinho R M. Comparison between Slow Freezing and Vitrification in Terms of Ovarian Tissue Viability in a Bovine Model. Rev Bras Ginecol Obstet 2016;38:333-9.
5. Corkum K S, Laronda M M, Rowell E E. A review of reported surgical techniques in fertility preservation for prepubertal and adolescent females facing a fertility threatening diagnosis or treatment. Am J Surg 2017;214:695-700.
6. Lawrenz B, Jauckus J, Kupka M S, Strowitzki T, von Wolff M. Fertility preservation in >1000 patients: patient's characteristics, spectrum, efficacy and risks of applied preservation techniques. Arch Gynecol Obs 2011;283:651-56.
7. Amorim C A, Curaba M, Van Langendonckt A, Dolmans M M, Donnez J. Vitrification as an alternative means of cryopreserving ovarian tissue. Reprod Biomed Online 2011;23:160-86.
8. Isachenko V, Isachenko E, Weiss J M. Human ovarian tissue: Vitrification versus conventional freezing. Hum Reprod 2009;24:1767-8.
9. Isachenko V, Lapidus I, Isachenko E, Krivokharchenko A, Kreienberg R, Woriedh M, Bader M, Weiss J M. Human ovarian tissue vitrification versus conventional freezing: Morphological, endocrinological, and molecular biological evaluation. Reproduction 2009;138:319-27.
10. Keros V, Xella S, Hultenby K, Pettersson K, Sheikhi M, Volpe A, Hreinsson J, Hovatta O. Vitrification versus controlled-rate freezing in cryopreservation of human ovarian tissue. Hum. Reprod 2009;24:1670-83.
11. Klocke S, Bundgen N, Koster F, Eichenlaub-Ritter U, Griesinger G. Slow-freezing versus vitrification for human ovarian tissue cryopreservation. Arch Gynecol Obs 2015;291:419-26.
12. Donnez J, Dolmans M M, Pellicer A, Diaz-Garcia C, Sanchez Serrano M, Schmidt K T, Ernst E, Luyckx V, Andersen C Y. Restoration of ovarian activity and pregnancy after transplantation of cryopreserved ovarian tissue: A review of 60 cases of reimplantation. Fertil Steril 2013;99:1503-13.
13. Lee S, Ryu K J, Kim B, Kang D, Kim Y Y, Kim T. Comparison between Slow Freezing and Vitrification for Human Ovarian Tissue Cryopreservation and Xenotransplantation. Int J Mol Sci 2019;20:3346.
14. Lee S, Song J Y, Kim T, Kim S. Ovarian tissue cryopreservation and transplantation in a young patient with cervical cancer: The first successful case in Korea. Eur J Gynaecol Oncol 2019;40:498-501.
15. Salama M, Anazodo A, Woodruff T K. Preserving fertility in female patients with hematological malignancies: A multidisciplinary oncofertility approach. Ann Oncol 2019;30:1760-75.
16. Donnez J, Dolmans M M, Demylle D, Jadoul P, Pirard C, Squifflet J, Martinez-Madrid B, van Langendonckt A. Livebirth after orthotopic transplantation of cryopreserved ovarian tissue. Lancet 2004;364:1405-10.
17. Donnez J, Dolmans M M, Pellicer A, Diaz-Garcia C, Ernst E, Macklon K T, Andersen C Y. Fertility preservation for age-related fertility decline. Lancet 2015;385:506-7.
18. Dunlop C E, Brady B M, McLaughlin, M, Telfer, E.E, White, J, Cowie, F, Zahra, S, Wallace, W.H, Anderson R A. Re-implantation of cryopreserved ovarian cortex resulting in restoration of ovarian function, natural conception and successful pregnancy after haematopoietic stem cell transplantation for Wilms tumour. J Assist Reprod Genet

2016;33:1615-20.

19. Jensen A K, Macklon K T, Fedder J, Ernst E, Humaidan P, Andersen C Y. 86 successful births and 9 ongoing pregnancies worldwide in women transplanted with frozen-thawed ovarian tissue: Focus on birth and perinatal outcome in 40 of these children. J Assist Reprod Genet 2017;34:325-36.
20. Meirow D, Ra'anani H, Shapira M, Brenghausen M, Derech Chaim S, Aviel-Ronen S, Amariglio N, Schiff E, Orvieto R, Dor J. Transplantations of frozen-thawed ovarian tissue demonstrate high reproductive performance and the need to revise restrictive criteria. Fertil Steril 2016;106:467-74.
21. Rodriguez-Wallberg K A, Tanbo T, Tinkanen H, Thurin-Kjellberg A, Nedstrand E, Kitlinski M L, Macklon K T, Ernst E, Fedder J, Tiitinen A, et al. Ovarian tissue cryopreservation and transplantation among alternatives for fertility preservation in the Nordic countries - compilation of 20 years of multicenter experience. Acta Obs Gynecol Scand 2016;95:1015-26.
22. Van der Ven H, Liebenthron J, Beckmann M, Toth B, Korell M, Krüssel J, Frambach T, Kupka M, Hohl M K, Winkler-Crepaz K, et al. Ninety-five orthotopic transplantations in 74 women of ovarian tissue after cytotoxic treatment in a fertility preservation network: Tissue activity, pregnancy and delivery rates. Hum Reprod 2016;31:2031-41.
23. Donnez J, Dolmans M M. Fertility preservation in women. N Engl J Med 2017;377:1657-65.
24. Donnez J, Dolmans M M, Diaz C, Pellicer A. Ovarian cortex transplantation: Time to move on from experimental studies to open clinical application. Fertil Steril 2015;104:1097-8.
25. Stoop D, Cobo A, Silber S. Fertility preservation for age-related fertility decline. Lancet 2014;384:1311-9.
26. Loren A W, Senapati S. Fertility preservation in patients with hematologic malignancies and recipients of hematopoietic cell transplants. Blood 2019;134:746-60.
27. Dolmans M M, Luyckx V, Donnez J, Andersen C Y, Greve T. Risk of transferring malignant cells with transplanted frozen-thawed ovarian tissue. Fertil Steril 2013;99:1514-22.
28. Dolmans M M, Marinescu C, Saussoy P, Van Langendonckt A, Amorim C, Donnez J. Reimplantation of cryopreserved ovarian tissue from patients with acute lymphoblastic leukemia is potentially unsafe. Blood 2010;116:2908-14.
29. Rosendahl M, Andersen M T, Ralfkiær E, Kjeldsen L, Andersen M K, Andersen C Y. Evidence of residual disease in cryopreserved ovarian cortex from female patients with leukemia. Fertil Steril 2010;94:2186-90.
30. Greve T, Clasen-Linde E, Andersen M T, Andersen M K, Sørensen S D, Rosendahl M, Ralfkiaer E, Andersen C Y. Cryopreserved ovarian cortex from patients with leukemia in complete remission contains no apparent viable malignant cells. Blood 2012;120:4311-6.
31. Corkum K S, M M. Laronda, E E Rowell. A review of reported surgical techniques in fertility preservation for prepubertal and adolescent females facing a fertility threatening diagnosis or treatment. The American Journal of Surgery 2017;214(4):695-700.
32. Rosendahl M, et al. Cryopreservation of ovarian tissue for a decade in Denmark: a view of the technique. Reproductive BioMedicine Online 2011;22(2):162-71.
33. Silber S, et al. Duration of fertility after fresh and frozen ovary transplantation. Fertil Steril 2010;94(6):p. 2191-6. Lee S, et al. Fertility preservation in women with cancer. Clinical and Experimental Reproductive Medicine 2012;39(2):46.
34. Beckmann M, et al. Surgical aspects of ovarian tissue removal and ovarian tissue transplantation for fertility preservation. Geburtshilfe und Frauenheilkunde 2016;76(10):1057.
35. Oktay K, G Karlikaya. Ovarian function after transplantation of frozen, banked autologous ovarian tissue. New England Journal of Medicine 2000;342(25):1919.

36. Oktay K, O Oktem. Ovarian cryopreservation and transplantation for fertility preservation for medical indications: report of an ongoing experience. Fertility and sterility 2010;93(3):762-68.
37. Donnez J, et al. Livebirth after orthotopic transplantation of cryopreserved ovarian tissue. The Lancet 2004;364(9443):1405-10.
38. Oktay K, et al. Robot-assisted laparoscopic transplantation of frozen-thawed ovarian tissue. Journal of Minimally Invasive Gynecology 2017;24(6):897-8.
39. Jensen A K, et al. 86 successful births and 9 ongoing pregnancies worldwide in women transplanted with frozen-thawed ovarian tissue: focus on birth and perinatal outcome in 40 of these children. Journal of assisted reproduction and genetics 2017;34(3):325-36.
40. Karavani G, et al. Single-incision laparoscopic surgery for ovarian tissue cryopreservation. Journal of minimally invasive gynecology 2018;25(3):474-9.
41. Donnez J, et al. Restoration of ovarian activity and pregnancy after transplantation of cryopreserved ovarian tissue: a review of 60 cases of reimplantation. Fertility and sterility 2013;99(6):1503-13.
42. Kim S, et al. Ovarian tissue cryopreservation and transplantation in patients with cancer. Obstetrics & gynecology science 2018;61(4):431-42.
43. Bedaiwy M A, T Falcone. Ovarian tissue banking for cancer patients: reduction of post-transplantation ischaemic injury: intact ovary freezing and transplantation. Hum Reprod 2004;19(6):1242-4.
44. Martinez Madrid B, et al. Freeze-thawing intact human ovary with its vascular pedicle with a passive cooling device. Fertility and sterility 2004;82(5):1390-4.
45. Silber S J, G Grudzinskas, R G Gosden. Successful pregnancy after microsurgical transplantation of an intact ovary. N Engl J Med 2008;359(24):2617-8.
46. Revel A, et al. Whole sheep ovary cryopreservation and transplantation. Fertility and sterility 2004;82(6):1714-5.
47. Yin H, et al. Transplantation of intact rat gonads using vascular anastomosis: effects of cryopreservation, ischaemia and genotype. Human Reproduction 2003;18(6):1165-72.
48. Zhang J M, et al. Cryopreservation of whole ovaries with vascular pedicles: vitrification or conventional freezing? Journal of assisted reproduction and genetics 2011;28(5):445-52.
49. Silber S J, DeRosa M, Pineda J, Lenahan K, Grenia D, Gorman K, et al. A series of monozygotic twins discordant for ovarian failure: ovary transplantation (cortical versus microvascular) and cryopreservation. Hum Reprod 2008;23:1531-7.
50. Silber S J, Gosden RG. Ovarian transplantation in a series of monozygotic twins discordant for ovarian failure. N Engl J Med 2007;356:1382-4.
51. Silber S J, Grudzinskas G, Gosden RG. Successful pregnancy after microsurgical transplantation of an intact ovary. N Engl J Med 2008;359:2617-8.
52. Donnez J, Squifflet J, Pirard C, Jadoul P, Dolmans M M. Restroration of ovarian function after allografting of ovarian cortex between genetically non-identical sisters. Hum Reprod 2010;25:2489
53. Kim S S. Assessment of long term endocrine function after transplantation of frozen-thawed human ovarian tissue to the heterotopic site: 10 year longitudinal follow-up study. J Assist Reprod Genet 2012;29:489-93.
54. Jensen A K, Kirstensen S G, Macklon K T, Jeppesen J V, Fedder J, Ernst E, et al. Outcomes of transplantations of cryopreserved ovarian tissue to 41 women in Denmark. Hum Reprod 2015;30:2838-45.
55. Kim S S, Lee W S, Chung M K, Lee H C, Lee H H, Hill D. Long-term ovarian function and fertility after heterotopic autotransplantation of cryobanked human ovarian tissue: 8-year experience in cancer patients. Fertil Steril

2009;91:2349-54.
56. Wallace W H, Kelsey T W, Anderson R A. Ovarian cryopreservation: experimental or established and a cure for the menopause? Reprod Biomed Online 2012;25:93-5.
57. Van Eyck A S, Jordan B, Gallez B, Heilier J F, Van Langendonckt A, Donnez J. Electron paramagnetic resonance as a tool to evaluate human ovariantissue reoxygenation after xenografting. Fertil Steril 2009;92:374-381.
58. Van Eyck A S, Bouzin C, Feron O, Romeu L, Van Langendonckt A,Donnez J, Dolmans M M. Both host and graft vessels contribute torevascularization of xenografted human ovarian tissue in a murinemodel. Fertil Steril 2010;93:1676-1685.
59. Meirow D. Fertility preservation in cancer patients using stored ovarian tissue: clinical aspects. Curr Opin Endocrinol Diabetes Obes 2008;15:536-47.
60. Friedman O, Orvieto R, Fisch B, Felz C, Freud E, Ben Haroush A, et al. Possible improvements in human ovarian grafting by various host and graft treatments. Hum Reprod 2012;27:474-82.
61. Stine G K, Veronica G, Peter H, Birgit A, Anne Mette B, Erik E, et al. Fertility preservation and refreezing of transplanted ovarian tissue-a potential new way of managing patients with low risk of malignant cell recurrence. Fertil Steril 2017;107:1206-13.
62. Jensen A K, Macklon K T, Fedder J, Ernst E, Humaidan P, Andersen C Y. 86 successful births and 9 ongoing pregnancies worldwide in women transplanted with frozen-thawed ovarian tissue: focus on birth and perinatal outcome in 40 of these children. J Assist Reprod Genet 2017;34:325-36.
63. Donnez J, Dolmans M M, Pellicer A, Diaz Garcia C, Serrano M S, Schmidt K T, et al. Restoration of Ovarian activity and pregnancy after transplantation of cryopreserved ovarian tissue: a review of 60 cases of reimplantation. Fertil Steril 2013;99:1503-13.
64. Donnez J, Dolmans M M, Diaz C, Pellicer A. Ovarian cortex transplantation: time to move on from experimental studies to open clinical application. Fertil Steril 2015;104:1097-8.
65. Anderson C Y. Success and challenges in fertility preservation after ovarian tissue grafting. Lancet 2015;385:1947-8.
66. Donnez J, Dolmans M M, Pellicer A, Diaz Garcia C, Ernst E, Macklon K T, et al. Fertility preservation for age-related fertility decline. Lancet 2014;384:1311-9.
67. Anderson R A, Mitchell R T, Kelsey T W, Spears N, Telfer E E, Wallace W H. Cancer treatment and gonadal function: experimental and established strategies for fertility preservation in children and young adults. Lancet Diabetes Endocrinol 2015;3:556-67.
68. Wallace W H, Smith A G, Kelsey T W, Edgar A E, Anderson R A. Fertility preservation for girls and young women with cancer: population-based validation of criteria for ovarian tissue cryopreservation. Lancet Oncol 2014;15:1129-36.
69. Donfack N, Alves K, Araújo V, Cordova A, Figueiredo J, Smitz J, et al. Expectations and limitations of ovarian tissue transplantation. Zygote 2017;25:391-403.
70. Oktay K, Economos K, Kan M, Rucinski J, Veeck L, Rosenwaks Z. Endocrine function and oocyte retrieval after autologous transplantation of ovarian cortical strips to the forearm. JAMA 2001;286:1490-3.
71. Rodriguez Wallberg K A, Oktay K. Recent advances in oocyte and ovarian tissue cryopreservation and transplantation. Best Pract Res Clin Obstet Gynaecol 2012;26:391-405 .
72. Stern C J, Gook D, Hale L G, Agresta F, Oldham J, Rozen G, et al. Delivery of twins following heterotopic grafting of frozen-thawed ovarian tissue. Hum Reprod 2014;29:1828-9.
73. Donnez J, Jadoul P, Squifflet J, Langendonckt A V, Donnez O, Van Eyck A S, et al. Ovarian tissue cryopreservation and transplantation in cancer patients. Best Pract Res Clin Obstet Gynecol 2010;24:87-100.

74. Lee S, Song J Y, Ku S Y, Kim S H, Kim T. Fertility preservation in women with cancer. Clin Exp Reprod Med 2012;39:46-51.
75. Hwang J H, Yoo H J, Park S H, Lim M C, Seo S S, Kang S, et al. Association between the location of transposed ovary and ovarian function in patients with uterine cervical cancer treated with (postoperative or primary) pelvic radiotherapy. Fertil Steril 2012; 97:1387-93.e1-2.
76. National Comprehensive Cancer Network. Cervical cancer version I.2017: NCCN clinical practice guidelines in oncology (NCCN guidelines) [Internet]. Fort Washington: National Comprehensive Cancer Network; 2016 [cited 2017 Aug 14]. Available from: https://www.nccn.org/professionals.
77. Plante M, Gregoire J, Renaud M C, Roy M. The vaginal radical trachelectomy: an update of a series of 125 cases and 106 pregnancies. Gynecol Oncol 2011;121:290-7.
78. Willows K, Lennox G, Covens A. Fertility-sparing management in cervical cancer: balancing oncologic outcomes with reproductive success. Gynecol Oncol Res Pract 2016;3:9.
79. Shepherd JH, Spencer C, Herod J, Ind TE. Radical vaginal trachelectomy as a fertility-sparing procedure in women with earlystage cervical cancer-cumulative pregnancy rate in a series of 123 women. BJOG 2006;113:719-24.
80. Hertel H, Kohler C, Grund D, Hillemanns P, Possover M, Michels W, et al. Radical vaginal trachelectomy (RVT) combined with laparoscopic pelvic lymphadenectomy: prospective multicenter study of 100 patients with early cervical cancer. Gynecol Oncol 2006;103:506-81.
81. Mathevet P, Laszlo de Kaszon E, Dargent D. Fertility preservation in early cervical cancer. Gynecol Obstet Fertil 2003;31:706-12.
82. Wang D, Yang J, Shen K, Xiang Y. Neoadjuvant chemotherapy followed by fertility-sparing surgery for women with stage IB1 cervical cancer. J Gynecol Oncol 2013;24:287-90.
83. Bentivegna E, Gouy S, Maulard A, Chargari C, Leary A, Morice P. Oncological outcomes after fertility-sparing surgery for cervical cancer: a systematic review. Lancet Oncol 2016;17:e240-53.
84. Bentivegna E, Maulard A, Pautier P, Chargari C, Gouy S, Morice P. Fertility results and pregnancy outcomes after conservative treatment of cervical cancer: a systematic review of the literature. Fertil Steril 2016;106:1195-211.e5.
85. Vasconcelos I, de Sousa Mendes M. Conservative surgery in ovarian borderline tumours: a meta-analysis with emphasis on recurrence risk. Eur J Cancer 2015;51:620-31.
86. Lass A. The fertility potential of women with a single ovary. Hum Reprod Update 1999;5:546-50.
87. Korean Society of Gynecologic Oncology. Practice guideline for ovarian cancer version 4.0. Available at: http://www.sgo.or.kr.
88. Schlaerth AC, Chi DS, Poynor EA, Barakat RR, Brown CL. Long term survival after fertility-sparing surgery for epithelial ovarian cancer. Int J Gynecol Cancer 2009;19:1199-204.
89. Kajiyama H, Shibata K, Mizuno M, Nawa A, Mizuno K, Matsuzawa K, et al. Fertility-sparing surgery in young women with mucinous adenocarcinoma of the ovary. Gynecol Oncol 2011;122: 334-8.
90. Ditto A, Martinelli F, Lorusso D, Haeusler E, Carcangiu M, Raspagliesi F. Fertility sparing surgery in early stage epithelial ovarian cancer. J Gynecol Oncol 2014;25:320-7.
91. National Comprehensive Cancer Network. Ovarian cancer including fallopian tube cancer and primary peritoneal cancer version I 2016: NCCN clinical practice guidelines in oncology (NCCN guidelines) [Internet]. Fort Washington: National Comprehensive Cancer Network; 2016 [cited 2017 Aug 14]. Available from: https://www.nccn.org/professionals.
92. Satoh T, Hatae M, Watanabe Y, Yaegashi N, Ishiko O, Kodama S, et al. Outcomes of fertility-sparing surgery for

stage I epithelial ovarian cancer: a proposal for patient selection. J Clin Oncol 2010;28:1727-32.

93. Fruscio R, Ceppi L, Corso S, Galli F, Dell'Anna T, Dell'Orto F, et al. Long-term results of fertility-sparing treatment compared with standard radical surgery for early-stage epithelial ovarian cancer. Br J Cancer 2016;115:641-8.
94. Park J Y, Kim D Y, Suh D S, Kim J H, Kim Y M, Kim Y T, et al. Outcomes of fertility-sparing surgery for invasive epithelial ovarian cancer: oncologic safety and reproductive outcomes. Gynecol Oncol 2008;110:345-53.
95. Lee S W, Lee T S, Hong D G, No J H, Park D C, Bae J M, et al. Practice guidelines for management of uterine corpus cancer in Korea: a Korean Society of Gynecologic Oncology Consensus Statement. J Gynecol Oncol 2017;28:e12.
96. Siegel R, Naishadham D, Jemal A. Cancer statistics, 2013. CA Cancer J Clin 2013;63:11-30.
97. Crissman J D, Azoury R S, Barnes A E, Schellhas H F. Endometrial carcinoma in women 40 years of age or younger. Obstet Gynecol 1981;57:699-704.
98. Park J Y, Nam J H. Progestins in the fertility-sparing treatment and retreatment of patients with primary and recurrent endometrial cancer. Oncologist 2015;20:270-8.
99. Gallup D G, Stock R J. Adenocarcinoma of the endometrium in women 40 years of age or younger. Obstet Gynecol 1984;64:417-20.
100. Korean Society of Gynecologic Oncology. Practice guideline for uterine corpus cancer version 3.0 [Internet]. Seoul: Korean Society of Gynecologic Oncology; 2015 [cited 2017 Aug 14]. Available from: http://www.sgo.or.kr.
101. National Comprehensive Cancer Network. Uterine neoplasms version I.2017: NCCN clinical practice guidelines in oncology (NCCN guidelines) [Internet]. Fort Washington: National Comprehensive Cancer Network; 2016 [cited 2017 Aug 14]. Available from: https://www.nccn.org/professionals.
102. Ramirez P T, Frumovitz M, Bodurka D C, Sun C C, Levenback C. Hormonal therapy for the management of grade 1 endometrial adenocarcinoma: a literature review. Gynecol Oncol 2004;95:133-8.
103. Tangjitgamol S, Manusirivithaya S, Hanprasertpong J. Fertilitysparing in endometrial cancer. Gynecol Obstet Invest 2009;67: 250-68.
104. Erkanli S, Ayhan A. Fertility-sparing therapy in young women with endometrial cancer: 2010 update. Int J Gynecol Cancer 2010;20:1170-87.
105. SGO Clinical Practice Endometrial Cancer Working Group, Burke WM, Orr J, Leitao M, Salom E, Gehrig P, et al. Endometrial cancer: a review and current management strategies. Part II. Gynecol Oncol 2014;134:393-402.
106. Sun C, Chen G, Yang Z, Jiang J, Yang X, Li N, et al. Safety of ovarian preservation in young patients with earlystage endometrial cancer: a retrospective study and meta-analysis. Fertil Steril 2013;100:782-7.
107. Wright J D, Buck A M, Shah M, Burke W M, Schiff P B, Herzog T J. Safety of ovarian preservation in premenopausal women with endometrial cancer. J Clin Oncol 2009;27:1214-9.
108. Gallos I D, Yap J, Rajkhowa M, Luesley D M, Coomarasamy A, Gupta J K. Regression, relapse, and live birth rates with fertility-sparing therapy for endometrial cancer and atypical complex endometrial hyperplasia: a systematic review and metaanalysis. Am J Obstet Gynecol 2012;207:266.e1-12.

Chapter 12

남성 가임력보존

(Male fertility preservation)

부산의대 **나용진**
부산의대 **주종길**

1 서론

암은 남성 가임력보존에 가장 큰 영향을 주는 인자이며, 현대인이 직면하는 가장 흔한 질병 중 하나로 남성의 약 50%가 일생 동안 암을 경험한다. 질병의 치료와 생존은 오랫동안 의료 전문가와 환자 모두에게 가장 중요한 우선 순위로 고려되었지만, 이러한 치료중심적 관점은 많은 요인들에 의해 상당한 변화가 있게 되었다. 암의 조기 진단이 가능해지고 치료기술이 현저히 진보하면서, 암 생존율은 지난 수십 년 동안 급격하게 증가하였다. 이를 통해 많은 환자들이 암이 진단되더라도 일상적인 삶을 살 수 있는 기회를 제공받았고, 암을 극복한 후의 삶을 고려할 수 있게 되었다. 많은 환자들이 암치료 종료 후 부모가 되는 것을 암치료만큼 중요하게 여기고 있으며, 이에 암치료 과정에서 성기능과 가임력보존을 위한 대책마련은 암을 진단받은 많은 환자들뿐만 아니라 임상의에게도 점점 더 중요한 이슈로 자리잡고 있다.

암과 관련된 가임력보존과 더불어, 교육 및 직업적 목표 달성, 상대적으로 늦은 결혼, 이혼 또는 배우자 사망 이후 새로운 가족 형성으로 늦은 나이에 임신을 시도하고자 하는 경향이 세계적으로 증가하고 있다. 이러한 변화는 가임력을 보존하여 나중에 아이를 가지고자 하는 요구의 증가로 나타나고 있다[1, 2].

임상의는 환자의 가임력에 대한 고민과 요구를 진지하게 받아들이는 자세를 가져야 하며 환자에게 포괄적인 의료 서비스를 제공하기 위해 질병자체의 유해성과 치료과정에서 발생하는 부작용 및 후유증에 대해 사전에 시행 가능한 예방적 처치를 각 환자마다 논의해야 한다. 이를 통해 질병의 진행 및 치료 과정에서 환자가 가임력을 보존할 수 있는 기회를 놓치게 되거나 영구적으로 생식 능력을 상실하는 상황을 피할 수 있을 것이다.

2 암치료와 남성 가임력

환자의 나이와 상관없이 여러 암치료 방법들은 남성 난임에 직접적인 영향을 끼친다[3]. 특히 어린 환자일수록 고농도의 항암제나 고강도의 방사선치료로 고환조직이 직접적으로 손상 받을 수 있으며, 이 때 손상도가 극심할 경우 정조세포(spermatogonium) 및 그 하위 분화세포들에서 세포자멸사(apoptosis)가 유발된다. 또한, 세르톨리세포들도 현저하게 손상되어 정상적인 정자발생 과정을 방해한다. 이러한 환경이 지속되면 결국 임상적으로 영구 불임으로 이어지게 된다[3]. 항암제의 분류에 따른 정자형성에 대한 영향은 표12-1과 같으며, 위험도에 따라 항암제를 분류하면 표12-2와 같다[4, 5].

방사선치료의 경우 남성 난임에 대한 영향은 방사선장(field), 방사선량(dose), 방사선분할(fractionation)의 정도와 상관관계가 있다[3]. 특히, 정자형성은 방사선량의 정도에 매우 민감한데, 방사선량에 따른 정자형성과정의 손상 정도는 표12-3과 같다.

이와 같이 암치료는 남성 가임력에 큰 영향을 끼치기 때문에 암치료 전 남성 가임력보존에 대한 면밀한 상담 및 치료계획이 수립되어야 하며, 본 장에서는 가능한 치료계획에 대해 상세히 다루고자 한다.

표 12-1. **항암제 분류에 따른 남성 가임력에 대한 영향**

항암제 대분류	생식생독성을 가지는 세부 분류	정자형성에 대한 영향
알킬화제 (Alkylating agents)	사이클로포스퍼마이드(Cyclophosphamide), 부설판(Busulfan), 클로람부실(Chlorambucil), 프로카바진(Procarbazine) 등	투여 90일 이내 무정자증 유발가능
백금계 화합물 (Platinum-based agents)	시스플라틴(Cisplatin), 카보플라틴(Carboplatin)	정자형성저하, 염색체이상 유발가능
빈카 알칼로이드제(Vinca alkaloids)	빈크리스틴(Vincristine), 빈블라스틴(Vinblastine)	정자형성억제, 정자운동성 저하
대사길항제(Antimetabolites)	시타라빈(Cytarabine)	정자형성저하, 염색체이상 유발가능
DNA 회전효소 억제제 (Topoisomerase inhibitors)	에토포시드(Etoposide), 독소루비신(Doxorubicin)	세포독성, 염색체이상 유발가능

표 12-2. **생식샘독성 위험도에 따른 항암제의 종류**

위험도	종류
높음(High risk)	사이클로포스퍼마이드, 이포스파미드(Ifosfamide), 부설판, 다카바진(Dacarbazine), 클로람부실, 프로카바진, 멜팔란(Melphalan)
중간(Intermediate risk)	클로르메신(Chlormethine), 시스플라틴(Cisplatin), 카보플라틴(Carboplatin), 독소루비신
낮음(Low risk)	빈크리스틴, 빈블라스틴(Vinblastine), 메토트렉세이트(Methotrexate), 닥티노마이신(Dactinomycin)

표 12-3. **방사선량에 따른 정자형성과정의 손상 정도**

방사선량(단위= Gy*)	정자형성과정에 대한 영향
0.35	가역적 단기 무정자증
2-3	회복 가능성이 있는 장기 정자형성저하
>6	정조줄기세포(spermatogonial stem cell)의 완전한 고갈
12	사춘기 발달장애
20-30	생식샘저하증

*Gy=Grey

3 암치료 전 시행하는 호르몬억제치료 (Hormone suppression before cancer therapy)

호르몬억제치료는 여성 암환자들이 암치료 전 난소기능 보호 및 이에 따른 가임력보존을 위해 흔히 시행하는 방법이다[6]. 하지만, 2018년 개정된 미국임상종양학회(American Society of Clinical Oncology, ASCO)의 가이드라인에 따르면, 남성 암환자들에게 암치료 전 호르몬억제치료는 효과가 유의미하지 않아 권유되지 않는다[6, 7]. 미국임상종양학회에서 발표한 남성 암환자들의 치료 전 가임력보존을 위한 방법들은 표12-4와 같으며, 이들 중 주요 내용에 대해 본문에서 다루고자 한다[7, 8].

표 12-4. **남성 암환자들의 암치료 전 가임력보존을 위해 시행 가능한 선택 사양들**

시술	비고	참고
정자냉동보존 (Sperm cryopreservation)	남성 암환자들을 대상으로 시행한 수많은 코호트연구, 증례보고를 통해 확립된 방법	외래에서 시행가능
생식샘차폐 (Gonadal shielding)	방사선치료 전 차폐기구를 사용하는 방법. 증례보고만 있음	방사선치료가 가능한 암환자에게만 제한적으로 시도가능
고환조직냉동보존 (Testicular tissue cryopreservation) 고환조직 이종이식 (Testis xenografting) 정조세포보존 (Spermatogonial isolation)	인간조직을 사용한 연구는 없음. 동물연구에서는 성공적으로 확립됨.	수술이 가능한 공간 및 인력이 필요
호르몬억제치료 (Hormone suppression)	생식샘자극호르몬방출호르몬(gonadotropin releasing hormone, GnRH)을 사용한 고환기능 억제방법. 다수의 연구결과에 따르면 효용성이 확인되지 않음.	

4 정자냉동보존(Cryopreservation of spermatozoa)

체외수정(in vitro fertilization, IVF)이 보급되기 전에는, 일반적으로 암환자들은 정자 샘플의 양이 비교적 적어서 정자냉동보존을 거쳤을 때 결과가 좋지 않다고 알려져 있었다[9, 10]. 이에 초기 문헌들은 낮은 임신성공률 때문에 정자냉동보존을 지지하지 않았고, 이는 아직까지 일부에서 잘못된 인식으로 남아있다. 체외수정 및 세포질내정자주입(intracytoplasmic sperm injection, ICSI)의 출현으로, 수정과 임신을 가능하게 하기 위해서는, 말 그대로 난모세포당 하나의 정자만 있으면 된다. 따라서, 채취된 정자샘플의 양과 상관없이, 정자의 질이 극도로 저하된 남성 암환자에게도 정자냉동보존을 권유해야 하며, 정액을 채취할 수 있는 청소년기 이후의 남성 암환자들에게 있어서 정자냉동보존은 대표적으로 적용될 수 있는 가임력보존 방법이다.

정자냉동보존 전 시행되는 정액채취에는 여러 방법들이 이용되는데, 자위를 통한 방법이 통상적이다. 환자에게 멸균용기와 독립된 방에서 사적인 시간을 제공하고, 이때 오염 및 살정작용의 위험 때문에 윤활액은 사용하지 않도록 한다[11]. 만일 환자가 주어진 충분한 시간동안 절정에 이르렀는데도 사정하지 않게 되면, 먼저 소변검사를 통해 역행성사정 가능성을 검사한다. 역행성사정 여부가 확인되면 알파작용제(alpha agonist) 투여를 통해 다시 하행성 정액사출을 유도하고, 이 역시 실패할 경우 앞서 얻어진 소변검체로부터 정자를 분리해낸다. 만약 환자가 절정 및 발기에 이르지 못할 경우 다시 충분한 시간을 제공하고, 그럼에도 불구하고 문제가 지속된다면 진동자극이나 전기자극으로 사정을 유도한다. 이마저도 실패하면 수술적으로 고환조직 내 정자를 채취한다. 자위를 통해 적절한 양의 정액을 채취하지 못하는 많은 암환자들에게 진동자극이나 전기자극을 통한 사정방법은 45%에서 60%의 성공률을 보인다는 연구결과가 있다[12, 13]. 따라서, 각 환자마다 적절한 방법을 제공하여 정액을 성공적으로 채취하는 것이 바람직하다.

채취된 정액은 전 처리 후 동결보호제를 배양액에 첨가하여 정자은행에 냉동보존한다[14]. 이 때 비타민E나 항산화단백질을 추가할 경우 해동 이후의 정자의 질이 향상된다는 보고가 있다[15, 16]. 이후 환자가 원하는 시기에 해동 시켜 체외수정이나 세포질내정자주입과 같은 보조생식술에 이용한다. 721명의 남성 암환자들의 정자은행 이용 및 추후 임신의 예후를 후향적으로 분석한 연구에 따르면, 19명의 환자만이 정자냉동보존 후 암치료가 완료되어 배우자의 임신을 위해 보조생식술을 시행 받았으며, 이들 중 3분의 1 가량에서 성공적으로 임신되었다(표 12-5) [17]. 이 연구에서 대부분의 환자들이 보조생식술에 대해 막연한 두려움을 갖고 있거나, 치료가 종료되지 않았거나, 암이 진행되어 사망하여 연구대상에서 제외된 것으로 조사되어 이와 같은 환자들을 위한 적극적인 상담계획이 지속적으로 수립되어야 할 필요성이 있다[17].

냉동보존 및 해동을 시행한 정자는 정상 남성의 정자에 비해 DNA 분절률(DNA fragmentation)이 높고, 미토콘드리아 활성도와 정자 운동성이 낮지만, 시술 자체를 불가능하게 할 정도로 극적인 손상은 없는 것으로 확인되었다[18]. 정자냉동보존은 환자의 나이에 크게 구애 받지 않으

표 12-5. **정자냉동보존 및 해동을 진행한 남성 암환자들의 생식능 예후**[17]

	고환암(n=8)	림프종양(n=6)	기타(n=5)	*p*
배우자의 연령	34.75±5.33	35.5±5.35	35.6±3.83	NS
환자의 연령	32.5±6.24	36.5±10.21	34.4±4.03	NS
수정을 시도한 난자의 개수	6±3.43	4±1.41	2.6±1.5	NS
수정된 난자의 개수	2.13±2.37	2±1.15	3±2.1	NS
분할이 진행된 난자의 개수	2±2.35	2±1.15	3±2.1	NS
이식된 배아의 개수	1.25±0.66	1.83±1.34	2.2±1.72	NS
수정률	35.43%	50%	71.43%	NS
분할률	94.11%	100%	100%	NS
착상률	40%	27.27%	0%	NS
임신율	37.5%	33.33%	0%	NS

며, 급박한 암치료를 앞두고 조속히 가임력보존이 필요한 상황에서도 신속하게 시행 가능하다는 장점도 가지고 있다. 이러한 이유로, 아직까지는 남성 가임력보존법의 가장 우선단계로 정자냉동보존을 시행하는 것이 합당하다[18].

5 정조줄기세포와 생식세포의 냉동보존 및 이식(Cryopreservation and transplantation of spermatogonial stem cell and germ cell)

1) 정조줄기세포

정조줄기세포를 성공적으로 분리하여 난임 쥐 모델에게 이식 후 정자형성이 재생되는 것이 1994년에 처음으로 증명되었다[19, 20]. 정조줄기세포이식은 현재 쥐, 돼지, 염소, 황소, 양, 개 및 원숭이 등에서 보고되고 있으며, 이식을 통한 성공적인 정자생성과 번식사례가 관찰되고 있다[21-26]. 정조줄기세포는 신생아부터 성인까지 모든 연령대의 공여자로부터 얻을 수 있고, 냉동보존이 가능하며, 해동 및 이식 시 정자생성 기능을 유지할 수 있다[27, 28]. 따라서, 생식샘독성치료 시행 전 사춘기 이전 남아에서 정조줄기세포를 포함하는 고환조직생검을 시행하여 검체를 확보하고 냉동하여, 이후에 정자형성을 재생하기 위해 고환에 다시 이식할 수 있을 것으로 보인다[22]. 이 방법은 환자의 자연적인 가임력을 회복시켜 암 생존자들이 배우자와 성교를 통해 임신에 성공하고 생물학적 아이를 가질 수 있게 한다. 이미 1999년에 11명의 성인 비호지킨림프종 환자들에 대한 고환세포냉동보존이 보고되었고, 해동된 고환세포를 7명의 생존자들의 고환에 이식한 것이 보고되었다[29, 30]. 하지만 이 연구에서 환자들의 출산 결과는 보고되지 않았으며, 설사 남성들이 배우자로부터 아이를 얻었다 하더라도, 정자가 앞서 이식된 줄기세포에서 발생했는지 아니면 살아남은 내인성 줄기세포에서 발생했는지 여부를 확인할 수는 없다. 이는 인간 정조줄기세포이식 연구의 해석에 불확실성을 초래하며, 실제로 가임력회복을 입증하기 위해서는 대규모 역학 연구자료가 필요하나 아직까지 이에 대한 추가적인 보고는 없다.

여러 동물 모델의 발전과 이미 사람에서 보존된 고환조직이 수백 건이라는 사실을 고려하면, 정조줄기세포이식 및 기타 줄기세포 기술이 향후 10년 내에 난임 클리닉에 영향을 미칠 것이라고 기대할 만하다[31-33]. 그러나 발전된 기술을 적용하기 전 안정성과 타당성 문제를 고려해야 하는데, 대표적으로 정조줄기세포의 배양기술과 악성세포오염의 가능성을 예로 들 수 있다.

사춘기 이전 소년의 단일 고환에서 쐐기생검 또는 바늘생검을 통해 50 mg에서 1,000 mg의 고환조직을 얻을 수 있다고 알려져 있는데, 이는 11 g에서 26 g에 이르는 성인 남자 고환의 무게에 비해 상대적으로 적은 조직이다[34-36]. 이는 성공적인 배양기술의 필요성을 시사하며, 이미 설치류에서 정조줄기세포에 대한 수 개월에서 1년까지의 장기배양기술과 이를 이용한 정자생성기능 회복 증례가 확인되고 있다[37-41]. 인간의 정조줄기세포배양에 대한 연구도 진행되고 있는데, 배양된 인간세포를 쥐에게 이식하여 정자생성기능 회복을 관찰한 연구는 있었지만 실제로 인간에게 이식하여 완전한 정자발생 가능성을 시험할 수 있는 사례가 없는 실정이다[42-44].

또 다른 문제는 암환자로부터 얻은 고환조직은 악성 세포를 포함할 수 있다는 점이다. 악성세포오염을 제거하면서 실제로 이식에 쓰일 정조줄기세포를 고환조직으로부터 분리하고 농축시키기 위한 형광표지세포분류기(fluorescence activated cell sorting, FACS)와 자기활성화세포분류기(magnetic−activated cell sorting, MAC) 전략이 보고된 바 있으나 그 효용성은 아직 논란이 있다[45, 46]. 악성세포오염에 대한 확정적이고 실질적인 검사가 확립되기 전까지는, 환자의 자가이식 된 정조줄기세포에서 고환으로의 암세포 전이가 발견될 가능성이 있으므로 이에 대한 대안이 필요하다[47-50].

2) 유도다능성줄기세포(Induced pluripotent stem cell)에 기반한 남성난임 치료

몇몇 그룹은 현재 다능성배아줄기세포(pluripotent embryonic stem cells, ESC) 또는 유도다능성줄기세포(induced pluripotent stem cells, iPSC)로부터 생식세포를 생산하는 것이 가능하다고 보고했다[51-58]. 하야시 등은 다능성줄기세포나 유도다능성줄기세포를 BMP4가 있는 배양액에서 배양하여 배반엽상층 줄기세포(epiblast−like stem cells, EpiLC)로 분화시킨 후 이로부터 원시배아세포 유사세포(primordial germ cell−like cells, PGCLC)를 생성하는 것이 가능하다고 보고했다[54]. 이렇게 얻어진 생식세포들은 다시 수컷 난임 쥐의 정세관에 이식되어 정자생식을 재생시키고 추후 세포질내정지주입에 쓰일 홑배수체생식자(haploid gamete)를 생산한다. 세포질내정자주입 후 얻어진 배아는 암컷 생쥐에게 이식되어 새끼를 얻게 된다. 그러나, 일부 개체에서 목 부위 종양이 발견되거나 태어난 지 얼마 안되어 사망하는 양상이 확인되어 배양방법이나 분화방법의 최적화가 필요할 것으로 생각된다[54]. 최근에는 인간 다능성줄기세포를 원시배아세포와 유사한 유전자 발현 패턴을 보이는 인간 원시배아세포 유사세포로 분화시키는 데 성공했다[55, 58].

인간 세포를 이용한 연구에서 자손의 성공적인 생성에 대한 검증은 가능하지 않지만, 이 보고들을 통하여 얻을 수 있는 사실은, 남성 암환자들에게 있어서 가임력보존 시술을 생식샘독성 치료 이전에 시행하는 것이 필수적이지 않다는 것이다. 가족을 꾸리고 싶어하고 자신이 난임이라는 것을 인식하는 소아암의 성인 생존자들은, 이론적으로 자신의 피부, 혈액 또는 다른 체세포 형태에서 정자와 이로 인한 생물학적 자손을 생산할 수 있다. 이 시나리오는 소아암 생존자뿐만 아니라 생식샘독성 치료 이전에 정액이나 고환조직을 보존하지 않았던 모든 생존자에게 적용될 수 있다. 하지만, 인간 세포를 사용한 연구에서는 생식세포 유사세포의 정자형성의 가능성이나 수정능력을 궁극적으로 실험할 수 없다는 것이 한계점으로, 많은 연구자들은 비인간 영장류를 사용함으로써 이 한계점을 극복하려고 한다. 비인간 영장류의 정자형성과정과 고환의 해부학은 인간과 유사하여, 원시배아세포 유사세포를 이용하여 최종 생성된 배우체의 수정능력을 실험할 수 있다는 것은 추후 가능해질지도 모를 인간 연구에 필요한 안전 및 타당성 확립에 대한 초석이 될 수 있을 것이다.

6 고환조직냉동보존 및 이식

1) 고환조직냉동보존(Testicular tissue cryopreservation)

1998년 자료에 의하면 무정자증은 정자냉동보존을 시도하는 환자들 중 13.8%에서 확인되었다[30]. 암치료 전 정자냉동보존을 위해 정액검사를 할 때 무정자증이 확인되면 수술을 통한 고환 내 정자 추출이 하나의 선택지가 될 수 있다[40, 56, 57, 59]. 고환의 생식세포종양을 가진 남성 14명 중 6명, 악성 림프종 환자 17명 중 8명에게서 정자를 추출하는 데 성공했다[40, 56, 57, 59]. 많은 학자들이 암치료로 유전체 상피에 돌이킬 수 없는 손상이 발생할 수 있고 고환조직냉동보존 및 보관된 조직을 이용한 정자채취술의 전반적인 성공률이 양호한 점을 고려해 이 시술을 무정자증을 가진 암환자들의 가임력보존 수단으로 고려할 것을 권고하고 있다[40, 56, 57, 59]. 이 시술은 "Onco-TESE" (Oncological Testicular Sperm Extraction)라고도 불리며 Onco-TESE에서 성공을 거둔 경우가 여러 저자들에 의해 보고되었다. 한 연구진은 무정자증 혹은 심각한 정자부족증을 가진 남성 6명을 대상으로 Onco-TESE를 시도했고, 4명의 환자, 즉 66%에서 정자를 추출하는

데 성공했다[60]. 다른 연구에서도 양측 고환암을 가진 환자들에게서 성공적으로 Onco-TESE를 시행한 사례가 확인되었다[27, 41].

2) 고환조직 이식 및 이종이식(Testicular tissue grafting and xenografting)

고환조직 이식술은 제한적인 크기의 고환조직검체에서 수정능력을 갖춘 정자를 생산하기 위한 대안적인 접근법으로 고려될 수 있다. 정조줄기세포를 수혜자의 정세관에 이식하는 기존 이식술과는 달리, 고환조직 이식은 조직 자체를 이식함으로써 정조줄기세포 뿐만 아니라 그 최적화된 환경(niche)의 온전한 이식까지 포함한다. 정자생식과정이 아직 완전히 성숙되지 않은 어린 생쥐, 쥐, 돼지 및 염소로부터 이식된 고환조직을 성체에 이식하고 이 조직이 성공적으로 성숙하여 정자를 생산하였고 이를 사용하여 수정에 성공, 살아있는 자손개체를 생산하였다는 보고가 있다[61, 62]. 또한, 어린 비인간 영장류의 고환조직을 성체 수컷 쥐에게 이종이식 후 성숙시켜 성공적으로 수정능력을 갖춘 정자를 생산하였다는 결과도 확인되었다[63]. 이러한 결과는 암환자의 고환조직을 실험용 쥐 또는 대량생산시스템이 확립된 다른 동물들에게 이식함으로써 성공적으로 수정 능력을 가진 정자를 얻는 것이 가능할 수 있음을 시사한다. 또한, 이종이식은 채취검체의 악성세포오염에 대한 문제도 해결할 수 있을 것으로 기대된다[64]. 그러나, 이종이식술은 쥐, 돼지 및 다른 동물의 바이러스가 인간 세포로 전염될 수 있는 가능성에 대한 우려가 제기되고 있다[65, 66].

이종의 인간 고환조직이 쥐의 체내에서 성숙하여 정자를 생산할 수 있다는 증거는 현재까지 확인된 바가 없다[67-72]. 하지만, 한 연구에서는, 이식 당시 분명히 정모세포가 관찰되지 않았던 3개월 된 남자아기의 고환조직을 실험용 쥐에게 이식한 후 1년 뒤 제1정모세포가 관찰되었다는 보고가 있다[69]. 쥐가 아닌 다른 동물에 대한 인간 고환조직의 이식 및 유전자 조작은 현재까지 연구된 바가 없다.

고환조직의 악성세포오염이 우려되지 않는 경우, 자가 고환조직 이식도 고려할 수 있다. 한 연구는 어린 마모셋 원숭이의 고환조직이 음낭에 자가이식될 때 완전하게 정자생식을 일으킬 수 있지만, 피부 아래에 이식했을 때는 그렇지 않다는 것을 입증했다[73]. 고환조직 이식술은 자연임신에 성공하지 못하지만 세포질내정자주입을 통한 난자 수정에 사용될 수 있는 정자를 생성할 수 있는 것으로 알려져 있어 추가적인 연구를 통한 기술 발전이 필요하다.

7 결론

지금까지 설명한 가임력보존 방법 및 적용은 그림12-1로 요약할 수 있다. 남성 암환자의 가임력보존은 종합적인 건강관리의 중요한 인자 중 하나로, 암 진단 기법과 치료법이 개선됨에 따라 점점 더 많은 암 생존자들이 부모로서의 삶을 기대하고 이에 대한 기저 질병의 영향을 극복하고자 할 것이다. 본 장에서는, 일반적인 남성 난임환자들 뿐만 아니라 특히 다양한 연령층의 남성 암환자들의 가임력보존을 위한 치료로 사용될 수 있는 여러 방법을 자세히 설명하였다. 남성 암환자들에게 치료를 시작하기 전 특정 질병 상태와 치료의 잠재적인 부작용에 대해 각 환자와 신중하게 논의하는 것이 무엇보다 중요하다.

암 진단 당시, 시기 적절하게 수행해야 하는 많은 응급 검사와 절차에 환자와 의사 모두가 압도되는 경우가 많다. 이러한 상황은 의료 제공자와 환자 사이의 가임력보존과 관련한 심각한 의사소통의 부재를 일으킬 수 있다. 많은 환자들이 가임력보존에 대해 생각하지 못할 뿐만 아니라, 암치료 후 이런 측면에 대해 충분히 고민하고 준비하지 못한 것에 대한 큰 실망과 후회를 할

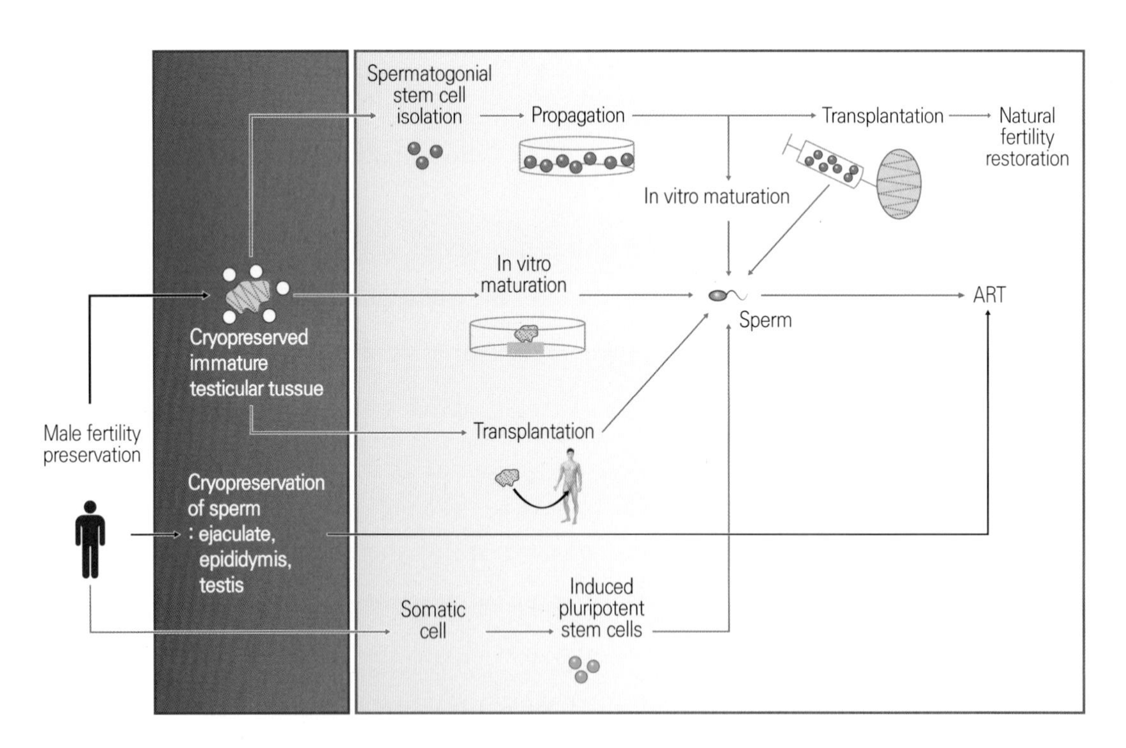

그림 12-1. **남성 가임력보존의 여러 방법들**

수 있다. 다행히, 남성의 가임력보존기술은 상당히 발전되어 왔으며, 이에 대한 지속적인 연구와 결과분석은 오늘날 많은 암치료 및 다른 수많은 원인들로 인하여 나타날 수 있는 영구적인 생식 능력의 손실을 피하는 데 큰 도움이 될 것이다.

References

1. Khandwala YS, Zhang CA, Lu Y, Eisenberg ML. The age of fathers in the USA is rising: an analysis of 168 867 480 births from 1972 to 2015. Human reproduction 2017;32(10):2110-6.
2. Mathews TJ, Hamilton BE. Mean age of mothers is on the rise: United States, 2000-2014. NCHS data brief 2016;232:1-8.
3. Barak S. Fertility preservation in male patients with cancer. Best Practice & Research Clinical Obstetrics & Gynaecology 2019;55:59-66.
4. Okada K, Fujisawa M. Recovery of Spermatogenesis Following Cancer Treatment with Cytotoxic Chemotherapy and Radiotherapy. World J Mens Health 2019;37(2):166-74.
5. Kawai K, Nishiyama H. Preservation of fertility of adult male cancer patients treated with chemotherapy. International Journal of Clinical Oncology 2019;24(1):34-40.
6. Del-Pozo-Lérida S, Salvador C, Martínez-Soler F, Tortosa A, Perucho M, Giménez-Bonafé P. Preservation of fertility in patients with cancer. Oncology reports 2019;41(5):2607-14.
7. Oktay K, Harvey BE, Partridge AH, Quinn GP, Reinecke J, Taylor HS, et al. Fertility preservation in patients with cancer: ASCO clinical practice guideline update. Journal of Clinical Oncology 2018;36(19):1994-2001.
8. Lee SJ, Schover LR, Partridge AH, Patrizio P, Wallace WH, Hagerty K, et al. American Society of Clinical Oncology recommendations on fertility preservation in cancer patients. Journal of clinical oncology 2006;24(18):2917-31.
9. Sanger WG, Armitage JO, Schmidt MA. Feasibility of semen cryopreservation in patients with malignant disease. Jama 1980;244(8):789-90.
10. Bracken RB, Smith KD. Is semen cryopreservation helpful in testicular cancer? Urology 1980;15(6):581-3.
11. Pfeifer S, Butts S, Fossum G, Gracia C, La Barbera A, Mersereau J, et al. Optimizing natural fertility: a committee opinion. Fertility sterility 2017;107(1):52-8.
12. Adank MC, van Dorp W, Smit M, van Casteren NJ, Laven JS, Pieters R, et al. Electroejaculation as a method of fertility preservation in boys diagnosed with cancer: a single-center experience and review of the literature. Fertility sterility 2014;102(1):199-205. e1.
13. Berookhim BM, Mulhall JP. Outcomes of operative sperm retrieval strategies for fertility preservation among males scheduled to undergo cancer treatment. Fertility sterility 2014;101(3):805-11.
14. Bogle OA, Kumar K, Attardo-Parrinello C, Lewis SEM, Estanyol JM, Ballescà JL, et al. Identification of protein changes in human spermatozoa throughout the cryopreservation process. Andrology 2017;5(1):10-22.
15. Taylor K, Roberts P, Sanders K, Burton P. Effect of antioxidant supplementation of cryopreservation medium on

post-thaw integrity of human spermatozoa. Reprod Biomed Online 2009;18(2):184-9.

16. Liu M-J, Sun A-G, Zhao S-G, Liu H, Ma S-Y, Li M, et al. Resveratrol improves in vitro maturation of oocytes in aged mice and humans. Fertility and Sterility 2018;109(5):900-7.
17. Depalo R, Falagario D, Masciandaro P, Nardelli C, Vacca MP, Capuano P, et al. Fertility preservation in males with cancer: 16-year monocentric experience of sperm banking and post-thaw reproductive outcomes. Ther Adv Med Oncol 2016;8(6):412-20.
18. da Silva BF, Borrelli M, Fariello RM, Restelli AE, Del Giudice PT, Spaine DM, et al. Is sperm cryopreservation an option for fertility preservation in patients with spinal cord injury-induced anejaculation? Fertility and Sterility 2010;94(2):564-73.
19. Brinster RL, Avarbock MR. Germline transmission of donor haplotype following spermatogonial transplantation. Proceedings of the National Academy of Sciences 1994;91(24):11303-7.
20. Brinster RL, Zimmermann JW. Spermatogenesis following male germ-cell transplantation. Proceedings of the National Academy of Sciences 1994;91(24):11298-302.
21. Brinster CJ, Ryu B-Y, Avarbock MR, Karagenc L, Brinster RL, Orwig KE. Restoration of fertility by germ cell transplantation requires effective recipient preparation. Biology of reproduction 2003;69(2):412-20.
22. Hermann BP, Sukhwani M, Winkler F, Pascarella JN, Peters KA, Sheng Y, et al. Spermatogonial stem cell transplantation into rhesus testes regenerates spermatogenesis producing functional sperm. Cell stem cell 2012;11(5):715-26.
23. Herrid M, Olejnik J, Jackson M, Suchowerska N, Stockwell S, Davey R, et al. Irradiation enhances the efficiency of testicular germ cell transplantation in sheep. Biology of reproduction 2009;81(5):898-905.
24. Honaramooz A, Behboodi E, Megee SO, Overton SA, Galantino-Homer H, Echelard Y, et al. Fertility and germline transmission of donor haplotype following germ cell transplantation in immunocompetent goats. Biology of reproduction 2003;69(4):1260-4.
25. Izadyar F, Den Ouden K, Stout T, Stout J, Coret J, Lankveld D, et al. Autologous and homologous transplantation of bovine spermatogonial stem cells. Reproduction 2003;126(6):765-74.
26. Jahnukainen K, Ehmcke J, Quader MA, Saiful Huq M, Epperly MW, Hergenrother S, et al. Testicular recovery after irradiation differs in prepubertal and pubertal non-human primates, and can be enhanced by autologous germ cell transplantation. Human reproduction 2011;26(8):1945-54.
27. Ryu B-Y, Orwig KE, Avarbock MR, Brinster RL. Stem cell and niche development in the postnatal rat testis. Developmental biology 2003;263(2):253-63.
28. Shinohara T, Orwig KE, Avarbock MR, Brinster RL. Remodeling of the postnatal mouse testis is accompanied by dramatic changes in stem cell number and niche accessibility. Proceedings of the National Academy of Sciences 2001;98(11):6186-91.
29. Radford J. Restoration of fertility after treatment for cancer. Hormone Research in Paediatrics 2003;59(Suppl. 1):21-3.
30. Radford J, Shalet S, Lieberman B. Fertility after treatment for cancer: questions remain over ways of preserving ovarian and testicular tissue. British Medical Journal Publishing Group; 1999.
31. Sadri-Ardekani H, Akhondi MA, van der Veen F, Repping S, van Pelt AM. In vitro propagation of human prepubertal spermatogonial stem cells. Jama 2011;305(23):2416-8.
32. Sadri-Ardekani H, Mizrak SC, van Daalen SK, Korver CM, Roepers-Gajadien HL, Koruji M, et al. Propagation of human spermatogonial stem cells in vitro. Jama 2009;302(19):2127-34.
33. Wyns C, Curaba M, Petit S, Vanabelle B, Laurent P, Wese J-F, et al. Management of fertility preservation in prepu-

bertal patients: 5 years' experience at the Catholic University of Louvain. Human reproduction 2011;26(4):737-47.
34. Ginsberg J, Carlson C, Lin K, Hobbie W, Wigo E, Wu X, et al. An experimental protocol for fertility preservation in prepubertal boys recently diagnosed with cancer: a report of acceptability and safety. Human reproduction 2010;25(1):37-41.
35. Keros V, Hultenby K, Borgström B, Fridström M, Jahnukainen K, Hovatta O. Methods of cryopreservation of testicular tissue with viable spermatogonia in pre-pubertal boys undergoing gonadotoxic cancer treatment. Human Reproduction 2007;22(5):1384-95.
36. Valli H, Sukhwani M, Dovey SL, Peters KA, Donohue J, Castro CA, et al. Fluorescence-and magnetic-activated cell sorting strategies to isolate and enrich human spermatogonial stem cells. Fertility sterility 2014;102(2):566-80. e7.
37. Kanatsu-Shinohara M, Muneto T, Lee J, Takenaka M, Chuma S, Nakatsuji N, et al. Long-term culture of male germline stem cells from hamster testes. Biology of reproduction 2008;78(4):611-7.
38. Kanatsu-Shinohara M, Ogonuki N, Inoue K, Miki H, Ogura A, Toyokuni S, et al. Long-term proliferation in culture and germline transmission of mouse male germline stem cells. Biology of reproduction 2003;69(2):612-6.
39. Kubota H, Avarbock MR, Brinster RL. Growth factors essential for self-renewal and expansion of mouse spermatogonial stem cells. Proceedings of the National Academy of Sciences 2004;101(47):16489-94.
40. Richardson TE, Chapman KM, Dann CT, Hammer RE, Hamra FK. Sterile testis complementation with spermatogonial lines restores fertility to DAZL-deficient rats and maximizes donor germline transmission. PLoS One 2009;4(7):e6308.
41. Ryu B-Y, Kubota H, Avarbock MR, Brinster RL. Conservation of spermatogonial stem cell self-renewal signaling between mouse and rat. Proceedings of the National Academy of Sciences 2005;102(40):14302-7.
42. Smith JF, Yango P, Altman E, Choudhry S, Poelzl A, Zamah AM, et al. Testicular niche required for human spermatogonial stem cell expansion. Stem cells translational medicine 2014;3(9):1043-54.
43. Wu X, Schmidt JA, Avarbock MR, Tobias JW, Carlson CA, Kolon TF, et al. Prepubertal human spermatogonia and mouse gonocytes share conserved gene expression of germline stem cell regulatory molecules. Proceedings of the National Academy of Sciences 2009;106(51):21672-7.
44. Zheng Y, Thomas A, Schmidt C, Dann C. Quantitative detection of human spermatogonia for optimization of spermatogonial stem cell culture. Human reproduction 2014;29(11):2497-511.
45. Fujita K, Tsujimura A, Miyagawa Y, Kiuchi H, Matsuoka Y, Takao T, et al. Isolation of germ cells from leukemia and lymphoma cells in a human in vitro model: potential clinical application for restoring human fertility after anticancer therapy. Cancer research 2006;66(23):11166-71.
46. Geens M, Van de Velde H, De Block G, Goossens E, Van Steirteghem A, Tournaye H. The efficiency of magnetic-activated cell sorting and fluorescence-activated cell sorting in the decontamination of testicular cell suspensions in cancer patients. Human reproduction 2007;22(3):733-42.
47. Arregui L, Rathi R, Megee SO, Honaramooz A, Gomendio M, Roldan ER, et al. Xenografting of sheep testis tissue and isolated cells as a model for preservation of genetic material from endangered ungulates. Reproduction 2008;136(1):85-94.
48. Gassei K, Schlatt S, Ehmcke J. De novo morphogenesis of seminiferous tubules from dissociated immature rat testicular cells in xenografts. Journal of andrology 2006;27(4):611-8.
49. Honaramooz A, Megee SO, Rathi R, Dobrinski I. Building a testis: formation of functional testis tissue after transplantation of isolated porcine (Sus scrofa) testis cells. Biology of reproduction 2007;76(1):43-7.

50. Kita K, Watanabe T, Ohsaka K, Hayashi H, Kubota Y, Nagashima Y, et al. Production of functional spermatids from mouse germline stem cells in ectopically reconstituted seminiferous tubules. Biology of reproduction 2007;76(2):211-7.
51. Dominguez AA, Chiang HR, Sukhwani M, Orwig KE, Pera RAR. Human germ cell formation in xenotransplants of induced pluripotent stem cells carrying X chromosome aneuploidies. Scientific reports 2014;4(1):1-12.
52. Durruthy Durruthy J, Ramathal C, Sukhwani M, Fang F, Cui J, Orwig KE, et al. Fate of induced pluripotent stem cells following transplantation to murine seminiferous tubules. Human molecular genetics 2014;23(12):3071-84.
53. Easley IV CA, Phillips BT, McGuire MM, Barringer JM, Valli H, Hermann BP, et al. Direct differentiation of human pluripotent stem cells into haploid spermatogenic cells. Cell reports 2012;2(3):440-6.
54. Hayashi K, Ohta H, Kurimoto K, Aramaki S, Saitou M. Reconstitution of the mouse germ cell specification pathway in culture by pluripotent stem cells. Cell 2011;146(4):519-32.
55. Irie N, Weinberger L, Tang WW, Kobayashi T, Viukov S, Manor YS, et al. SOX17 is a critical specifier of human primordial germ cell fate. Cell 2015;160(1-2):253-68.
56. Ramathal C, Angulo B, Sukhwani M, Cui J, Durruthy-Durruthy J, Fang F, et al. DDX3Y gene rescue of a Y chromosome AZFa deletion restores germ cell formation and transcriptional programs. Scientific reports 2015;5(1):1-13.
57. Ramathal C, Durruthy-Durruthy J, Sukhwani M, Arakaki JE, Turek PJ, Orwig KE, et al. Fate of iPSCs derived from azoospermic and fertile men following xenotransplantation to murine seminiferous tubules. Cell reports 2014;7(4):1284-97.
58. Sasaki K, Yokobayashi S, Nakamura T, Okamoto I, Yabuta Y, Kurimoto K, et al. Robust in vitro induction of human germ cell fate from pluripotent stem cells. Cell stem cell 2015;17(2):178-94.
59. Ramasamy R, Ricci JA, Palermo GD, Gosden LV, Rosenwaks Z, Schlegel PN. Successful fertility treatment for Klinefelter's syndrome. The Journal of urology 2009;182(3):1108-13.
60. Rosendahl M, Andersen MT, Ralfkiær E, Kjeldsen L, Andersen MK, Andersen CY. Evidence of residual disease in cryopreserved ovarian cortex from female patients with leukemia. Fertility sterility 2010;94(6):2186-90.
61. Honaramooz A, Snedaker A, Boiani M, Schöler H, Dobrinski I, Schlatt S. Sperm from neonatal mammalian testes grafted in mice. Nature 2002;418(6899):778-81.
62. Schlatt S, Honaramooz A, Boiani M, Schöler HR, Dobrinski I. Progeny from sperm obtained after ectopic grafting of neonatal mouse testes. Biology of reproduction 2003;68(6):2331-5.
63. Honaramooz A, Li M-W, Penedo MCT, Meyers S, Dobrinski I. Accelerated maturation of primate testis by xenografting into mice. Biology of reproduction 2004;70(5):1500-3.
64. Cozzi E, White DJ. The generation of transgenic pigs as potential organ donors for humans. Nature medicine 1995;1(9):964-6.
65. Kimsa MC, Strzalka-Mrozik B, Kimsa MW, Gola J, Nicholson P, Lopata K, et al. Porcine endogenous retroviruses in xenotransplantation—Molecular aspects. Viruses 2014;6(5):2062-83.
66. Weiss RA. The discovery of endogenous retroviruses. Retrovirology 2006;3(1):1-11.
67. Geens M, De Block G, Goossens E, Frederickx V, Van Steirteghem A, Tournaye H. Spermatogonial survival after grafting human testicular tissue to immunodeficient mice. Human Reproduction 2006;21(2):390-6.
68. Goossens E, Geens M, De Block G, Tournaye H. Spermatogonial survival in long-term human prepubertal xenografts. Fertility sterility 2008;90(5):2019-22.
69. Sato Y, Nozawa S, Yoshiike M, Arai M, Sasaki C, Iwamoto T. Xenografting of testicular tissue from an infant human

donor results in accelerated testicular maturation. Human reproduction 2010;25(5):1113-22.

70. Schlatt S, Honaramooz A, Ehmcke J, Goebell P, Rübben H, Dhir R, et al. Limited survival of adult human testicular tissue as ectopic xenograft. Human reproduction 2006;21(2):384-9.
71. Van Saen D, Goossens E, Bourgain C, Ferster A, Tournaye H. Meiotic activity in orthotopic xenografts derived from human postpubertal testicular tissue. Human reproduction 2011;26(2):282-93.
72. Wyns C, Van Langendonckt A, Wese F-X, Donnez J, Curaba M. Long-term spermatogonial survival in cryopreserved and xenografted immature human testicular tissue. Human reproduction 2008;23(11):2402-14.
73. Marc Luetjens C, Stukenborg J-B, Nieschlag E, Simoni M, Wistuba J. Complete spermatogenesis in orthotopic but not in ectopic transplants of autologously grafted marmoset testicular tissue. Endocrinology 2008;149(4):1736-47.

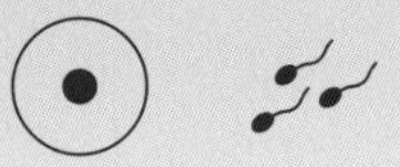

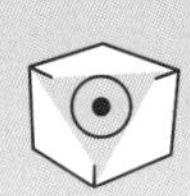

가임력보존 환자의 관리 (Care of Fertility Preservation Patients)

Chapter 13

가임력보존 치료의 제공

(Organization of fertility presercation care)

차의과학대 **윤태기**
차의과학대 **김자연**

암 생존율의 향상, 암치료 전반에 걸쳐 삶의 질에 대한 관심 증가 및 보조 생식 기술(ART)의 지속적인 발전에 따라 가임력보존(Fertility preservation)에 대한 관심이 높아지고 있다. 성공적인 가임력보존 프로그램을 위해서는 여러 가지 고려해야 할 점이 있는데 무엇보다 가임력보존 프로그램은 환자에게 적절한 시기에 정보를 제공해야 한다. 둘째, 가임력보존 치료에 대한 포괄적인 범위의 정보를 제공해야 한다. 셋째, 다 학문적 접근 방식을 채택해야 한다. 넷째, 피임의 필요성, 폐경 증상 등과 같이 가임력에 관련된 특수한 문제가 있을 수 있는 암환자들에게 장기적인 치료를 제공해야한다. 마지막으로, 의료 서비스 제공자에게 최신 가임력보존 정보를 제공하는 역할을 해야 한다.

가임력 저하가 우려되는 항암치료에 직면한 암환자에게 적용 가능한 가임력보존 방법을 최대화하려면 환자가 가임력보존 정보에 신속하게 접근하여 적절한 시기에 가임력보존을 할 수 있도록 돕는 것이 중요하다. 가임력보존 프로그램의 중요한 목표는 환자와 의사들이 암치료의 미래 가임력에 미치는 영향을 고려하여 치료가 시작되기 전 제한된 기간에 가임력보존에 대해 노력할 수 있도록 돕는 것이다.

이 장에서는 가임력보존 프로그램을 설정하기 전에 고려해야 할 가임력보존 의사결정에 어려움을 주는 요소, 현재 가임력보존 프로그램의 한계 및 성공적인 가임력보존 프로그램을 구축하기 위한 핵심 요소에 대해 기술하고자 한다.

1 암환자의 가임력보존 의사결정에 어려움을 주는 요소

첫째, 가임력보존 시술은 시간에 민감한 특성이 있으므로 정보 제공 및 환자의 의사결정이 신속하게 이루어져야 한다. 가장 효과적인 것은 가임력보존 방법에 대한 정보가 암치료가 시작되기 전에 환자에게 제공되는 것이다. 미국 임상 암학회(American Society of Clinical Oncology, ASCO)는 2013년 발표한 가이드라인에서 가임력보존이 필요한 환자는 가임력보존 가능성을 최대화하기 위해 가능한 한 빨리 가임력보존을 시행해야 한다고 강조하였다[1]. 또한 미국 생식 의학회(American Society of Reproductive Medicine, ASRM)가 2013년 발표한 권고안에 따르면 가임력보존이 필요한 환자가 암치료 전에 적절하게 의뢰되지 않으면 나중에 생식능력 소실에 따른 위험성이 높아진다고 명시하였다[2]. 그러나 암치료가 시작되기 전에 가임력보존을 위한 충분한 시간이 없는 경우가 많다. 예를 들어, 유방암 환자의 경우 암 진단에서 항암치료 시작까지 약 2개월이 걸리고, 선행보조화학요법(neoadjuvant chemotherapy)이 계획된 경우 진단과 항암치료 시작 사이의 간격은 약 1개월에 불과하다[3]. 이때, 가임력보존을 위해서는 과배란 유도 및 시술을 위한 약 2주 정도의 기간이 필요한데 이는 생리주기에 맞춰 진행되며 환자에 따라 2주 이상 소요되기도 하므로 암치료 이전에 가임력보존이 불가능 할 수 있다. 또한 혈액암 환자는 종종 응고병증(coagulopathy)이나 중성구감소(neutropenia) 등으로 즉각적인 가임력보존 시술 시작이 어려울 수 있다.

둘째, 가임력보존과 관련된 정보는 매우 복잡하여 환자가 신속하게 적절한 결정을 내리는데 어려움을 준다. 환자가 가임력보존 상담 후에도 가임력보존 지식과 이해도가 부족한 것으로 보고되었다[4]. 이는 가임력보존 상담 중에 사용되는 용어가 고도로 전문화되어 있고, 확률, 발생학, 여성 해부학 및 호르몬 패턴과 같은 복잡한 주제에 대한 이해가 일반인 환자들에게는 어려울 수 있기 때문이다. 또한 가임력보존 방법들마다 가진 위험성이 다르며, 암치료의 용량과 기간, 환자의 나이, 치료 시작 시 환자의 난소예비능과 같은 다양한 요인에 따라 가임력보존 결과가 달라 질 수 있어 환자가 모두 다 이해하기 힘든 점이 있다.

셋째, 가임력보존 치료는 환자에게 상당한 재정적 부담을 준다. 암치료로 인한 가임력 저하에 대한 보고가 증가하고 있음에도 불구하고 가임력보존 치료는 보험 보장이 되지 않는다. 시험관 아기를 시행하는 일반 난임 환자들에 대해서는 보험이 보장되어 있는 반면 현재 암환자의 가임력보존 시술에 대한 보험 보장이 되어있지 않다. 가임력보존 치료에 대해 본인 부담금을 지불하는 환자의 경우 수백 수천 만원이 들 수 있으며 종종 가임력보존 치료가 시작되기 전에 이 비용을 지불해야하기도 한다.

2 현재 가임력보존 프로그램의 한계

현재 시행되고 있는 가임력보존 프로그램의 한계로는 가임력보존 시술에 대한 낮은 의뢰율, 낮은 시술률 및 환자-의사간의 의사소통 부족 등이 있다.

암환자의 가임력보존 치료를 위해 종양전문의가 불임 전문의에게 의뢰하는 비율이 낮다. 2010년 미국 전역의 종양전문의를 대상으로 한 설문 조사에 따르면 95%가 암치료의 가임력 영향에 대해 알고 있지만 이중 절반 이상(61.1%)이 암환자를 불임 전문가와의 가임력보존 상담에는 추천하지 않는 것으로 나타났다[5]. 같은 연구에서 종양전문의의 30%는 암치료를 계획할 때 미래의 임신 가능성에 대한 환자의 욕구를 거의 고려하지 않는다고 응답했다[5]. 이처럼 많은 의사들이 국가 권장 사항이 있음에도 가임력보존을 의뢰하는 것을 꺼리는 이유는 의사들의 생식능력에 대한 지식 부족, 적절한 가임력보존 방법에 대한 정보 부족, 특정 환자군(아이를 낳은 여성, 고령 여성 등)에게 가임력보존이 우선 순위가 아닐 수 있다는 인식 때문이다[6]. 또한 종양전문의는 신속한 치료가 필수적인 암치료에 우선적으로 집중하게 됨으로 가임력보존 문제에 대해 미처 고려하지 못하여 의뢰율이 더 낮아지게 된다.

불임 전문가에게로의 낮은 의뢰율 외에도 낮은 시술율 은 현재 가임력보존 프로그램의 중요한 문제이다. 낮은 가임력보존 시술율은 암치료 전 가임력보존에 대한 촉박한 시간, 가임력보존 치료에 대한 비보험 정책 및 가임력보존 상담에 대한 낮은 의뢰율과 같이 위에서 언급한 모든 가임력보존 문제들에 대한 불가피한 결과 일 수 있다. 가임기 유방암 환자를 조사한 Casa AJ 등의 연구에 따르면 가임력보존 상담을 시행한 환자의 58%만이 가임력보존 치료를 받았다고 보고되었다[7].

환자가 양질의 의사결정을 내리기 위해서는 질병과 치료 방법에 대한 철저한 이해가 필수적이며 환자가 의료 서비스 제공자와 함께 의사결정에 직접 참여하는 것은 환자에게 더 유리한 결과를 가져다준다[8,9]. 중요한 것은 이러한 모든 단계가 환자와 의사 간의 효율적인 의사소통을 기반으로 한다는 것이다. 그러나 환자들의 사회 경제적인 차이 및 가임력보존방법 정보제공을 위한 사전 노출 시간 부족 등으로 인하여 환자와 의사 간의 소통이 방해받게 된다[10].

3 성공적인 가임력보존 프로그램을 위한 방법

1) 종양 전문의와 불임 전문의 간의 협력

성공적인 가임력보존 프로그램을 위해서는 종양전문의와 불임전문가 간의 긴밀한 협력이 필요하다. 가임력보존 치료에 있어 종양전문의의 지원은 매우 중요하다. 왜냐하면 종양 전문의는 가임력보존이 필요한 암환자를 가장 먼저 만나는 의사이기도 하며 그들의 의견은 암환자들의 가임력보존에 대한 의사결정에 큰 영향을 주기 때문이다. 또한, 가임력보존은 항상 1차 암치료와 함께 고려되기 때문에, 특히 치료 계획에 수정이 필요한 경우, 치료 시작 전 불임 전문가와 종양전문의 간의 긴밀한 의사소통이 매우 중요하다. 가임력보존 치료에 대한 종양 전문의의 의뢰율을 늘리는 방법에는 여러 가지가 있을 수 있다. 우선, 종양학팀 간의 가임력보존 교육을 통해 종양전문의의 가임력보존의 중요성에 대한 인식을 도울 수 있다. 또한, 기관 수준에서 치료 동의 절차의 필수 부분 중에 하나로 가임력보존에 대한 환자 교육을 장려하는 정책을 수립하여 가임력보존에 대한 환자의 인식을 향상시킬 수 있다. 예를 들어 진료 중 전자 의무 기록 사용 시, 새로 진단된 가임기 연령 암환자가 있을 경우 경고를 표시하여 종양 의사가 치료 전 가임력보존 상담을 논의하고 환자에게 교육을 제공하도록 도울 수 있다.

종양전문의가 새로 진단된 암환자의 가임력보존 의뢰를 용이하게 하기 위해 가임력보존 서비스 및 협진 의료 연락망을 명확하게 구축하는 것이 중요하다. 여러 분야의 팀워크를 기반으로 하는 가임력보존 프로그램의 경우 가임력보존 상담은 의뢰 후 24-72시간 이내에 이루어지는 것이 이상적이다.

2) 가임력보존을 위한 팀 구축

가임력보존을 위한 팀은 불임 또는 생식내분비 전문의 및 종양 전문의를 포함하여 여러 분야의 전문의들로 구성되어야 한다. 숙련된 마취과 전문의는 가임력보존을 위한 수술적 절차를 위해 환자를 평가하는 데 중심적인 역할을 할 수 있다. 병리학자는 채취된 난소 및 고환 조직에 대해 논의하기 위해 필요하고, 임상 조직은행 업무에 고도의 경험이 있는 연구원은 세포나 조직을 동결 시키기 위한 가임력보존 팀의 핵심 구성원이다. 유전 상담사는 환자가 가진 암이 자손에게 전달될 수 있는 유전적 상태에 대한 정보를 제공하는 데 도움을 줄 수 있다. 마지막으로 정신 건강

전문가는 환자와 그 가족에게 가임력보존 치료에 대한 현실적인 기대치를 설정하고 불임 전문가 및 종양 전문의가 하기 어려운 정서적 지원을 제공하며 다양한 윤리적 문제를 논의할 수 있다. 또한, 환자를 위한 네비게이터(Navigator)는 환자와 전문가 사이의 장벽을 크게 줄일 수 있다[11]. 다학제팀 환경 내에서 이들은 암환자가 가임력보존 방법에 관한 정보를 적시에 받을 수 있도록 하며, 환자와 의사 사이를 연결하는 주요 접촉 역할을 하여 환자가 암치료를 시작하기 전에 정보에 입각한 결정을 내릴 수 있도록 돕는다.

3) 가임력보존 상담 설계

불임 전문가와의 가임력보존 상담을 통해 환자는 불임 및 가임력보존 방법에 관한 주요 정보를 얻게 된다. 가임력보존 상담을 받은 여성 암환자를 대상으로 한 최근 설문 조사에서 환자의 100%가 가임력보존 상담을 통해 충분한 정보를 얻게 되었다고 답했으며, 73%의 환자가 상담 후 가임력보존 치료를 결정했다고 밝혔다[12]. 대부분의 경우 시간 제약으로 인해 가임력보존 상담이 한 번만 시행되기 때문에 이때 환자에게 효율적으로 다양한 정보가 제공되어질 수 있도록 해야 한다.

그 외에 의사결정 지원 도구(Decision Aid)를 상담의 일부로 활용하거나 상담 후 가임력보존관련 브로셔나 웹사이트를 제공함으로써 환자가 복잡한 주제를 더 잘 이해하는데 도움을 줄 수 있다[13]. 사회적 지위, 언어 장벽, 재정적 문제 및 문화적 배경과 같은 다양한 요인이 환자의 의학적 의사결정에 영향을 주며, 환자가 가임력보존 여부 결정에 대해 어려움을 느끼는 요인이 각각 다르므로 그것을 식별하고 해결책을 논의하는 것이 중요하다. 처음 가임력보존 상담 후 후속 방문이나 불임 전문가와의 추가 접촉이 의사결정에 있어 생겨나는 갈등을 낮추는 것으로 나타났다. 따라서 전화나 이메일을 통한 추가 접촉은 시간의 압박 속에서 이상적이며 현실적인 방법일 수 있다[14].

4 부인암환자를 위한 가임력보존의 특별 고려 사항

부인암환자의 가임력보존은 암 종류가 다양하여 각 케이스에 대한 고유한 접근 방식이 필요할 수 있어 어려움이 있다. 보존적 치료는 난소암 및 경계성 난소 종양 환자에서 현재 유일하게 사용되는 가임력보존 방법이다[15, 16]. 자궁경부암 환자의 경우 단순 또는 근치 자궁경부절제술이 암 초기 단계 환자의 가임력보존을 위한 방법이 될 수 있다. 골반 방사선 요법이나 항암 화학 요법을 받을 환자에게는 난자 또는 배아 냉동보존이 시행될 수 있다. 그러나, 난자 채취는 흡인 바늘이 종양을 가로 지르는 경우 출혈 또는 암세포 재 파종 위험이 있기 때문에 주의해야한다. 자궁 내막암의 가임력보존 방법은 호르몬 치료로 제한된다. 많은 연구에서 자궁내막암 환자에서 호르몬 치료 후 좋은 임신 결과들이 보고되었지만 의미있는 결과는 여전히 적다. 난소 조직 동결 보존 방법은 아직까지 임신율은 높지 않아 다분히 실험적인 단계의 치료법이다[17, 18]. 자궁 내막암은 비만 및 무배란과 관련이 있기 때문에 암진단을 받은 많은 여성이 일차 또는 이차 불임일 수 있으나 이와 관계없이 가임력보존을 위한 도움이 필요할 수 있다. 특히 호르몬 민감성 종양의 경우 호르몬 치료 후 임신과 보조생식술의 안전성은 명확하지 않다.

부인암환자의 가임력보존에 대한 무작위 임상 시험(randomized clinical trials)이 아직 없기 때문에 가임력보존을 원하는 환자는 결과에 관한 데이터, 특히 난자 또는 배아 냉동보존과 같이 일반적으로 사용되는 가임력보존 시술의 타당성과 안전성이 현재까지 매우 제한적이라는 것을 분명히 인식해야 한다. 무엇보다, 암환자는 다양한 가임력보존 방법과 보존적 암치료 후 임신의 어려움과 의미에 대해 이해하기 위해 불임 및 생식내분비 전문가와의 상담을 충분히 받아야 한다.

References

1. Loren AW, Mangu PB, Beck LN, Brennan L, Magdalinski AJ, Partridge AH, et al. Fertility preservation for patients with cancer: American Society of Clinical Oncology clinical practice guideline update. J Clin Oncol 2013;31:2500-10.
2. Ethics Committee of the American Society for Reproductive Medicine. Fertility preservation and reproduction in patients facing gonadotoxic therapies: an Ethics Committee opinion. Fertil Steril 2018;110:380-6.
3. Kim J, Oktay K, Gracia C, Lee S, Morse C, Mersereau JE. Which patients pursue fertility preservation treatments? A multicenter analysis of the predictors of fertility preservation in women with breast cancer. Fertil Steril 2012;97:671-6.
4. Balthazar U, Fritz MA, Mersereau JE. Fertility preservation: a pilot study to assess previsit patient knowledge quantitatively. Fertil Steril 2011;95:1913-6.
5. Manga GP, Shahi PK, Urena MM, Pereira RQ, Plaza MI, Peron YI, et al. Phase II study of neoadjuvant treatment with doxorubicin, docetaxel, and capecitabine (ATX) in locally advanced or inflammatory breast cancer. Breast Cancer 2010;17:205-11.
6. Vadaparampil S, Quinn G, King L, Wilson C, Nieder M. Barriers to fertility preservation among pediatric oncologists. Patient Educ Couns 2008;72:402-10.
7. Casa AJ, Potter AS, Malik S, Lazard Z, Kuiatse I, Kim HT, et al. Estrogen and insulin-like growth factor-I (IGF-I) independently down-regulate critical repressors of breast cancer growth. Breast Cancer Res Treat 2012;132:61-73.
8. Street RL Jr, Voigt B, Geyer C Jr, Manning T, Swanson GP. Increasing patient involvement in choosing treatment for early breast cancer. Cancer 1995;76:2275-85.
9. Carlsen B, Aakvik A. Patient involvement in clinical decision making: the effect of GP attitude on patient satisfaction. Health Expect 2006;9:148-57.
10. Letourneau JM, Smith JF, Ebbel EE, Craig A, Katz PP, Cedars MI, et al. Racial, socioeconomic, and demographic disparities in access to fertility preservation in young women diagnosed with cancer. Cancer 2012;118:4579-88.
11. Su HI, Flatt SW, Natarajan L, DeMichele A, Steiner AZ. Impact of breast cancer on anti-mullerian hormone levels in young women. Breast Cancer Res Treat 2013;137:571-7.
12. Kim J, Deal AM, Balthazar U, Kondapalli LA, Gracia C, Mersereau JE. Fertility preservation consultation for women with cancer: are we helping patients make high-quality decisions? Reprod Biomed Online 2013;27:96-103.
13. Garvelink MM, ter Kuile MM, Fischer MJ, Louwe LA, Hilders CG, Kroep JR, et al. Development of a Decision Aid about fertility preservation for women with breast cancer in The Netherlands. J Psychosom Obstet Gynaecol 2013;34:170-8.
14. Balthazar U, Deal AM, Fritz MA, Kondapalli LA, Kim JY, Mersereau JE. The current fertility preservation consultation model: are we adequately informing cancer patients of their options? Hum Reprod 2012;27:2413-9.
15. Park JY, Kim DY, Suh DS, Kim JH, Kim YM, Kim YT, et al. Outcomes of fertility-sparing surgery for invasive epithelial ovarian cancer: oncologic safety and reproductive outcomes. Gynecol Oncol 2008;110:345-53.
16. Colombo N, Parma G, Lapresa MT, Maggi F, Piantanida P, Maggioni A. Role of conservative surgery in ovarian cancer: the European experience. Int J Gynecol Cancer 2005;15 Suppl3:206-11.
17. Lowe MP, Cooper BC, Sood AK, Davis WA, Syrop CH, Sorosky JI. Implementation of assisted reproductive technologies following conservative management of FIGO grade I endometrial adenocarcinoma and/or complex hyperplasia with atypia. Gynecol Oncol 2003;91:569-72.
18. Niwa K, Tagami K, Lian Z, Onogi K, Mori H, Tamaya T. Outcome of fertility-preserving treatment in young women with endometrial carcinomas. BJOG 2005;112:317-20.

Chapter 14

가임력보존 후 난임 치료

(Fertility treatment after fertility preservation)

고려의대 **김용진**
고려의대 **박현태**

가임력보존에 대한 기대는 최근 급격히 증가하고 있다. 항암제 및 수술방법의 발전에 따라 암치료 성적이 향상되면서 암환자의 삶의 질, 그 중에서도 암치료 후의 가임력은 중요한 치료의 고려사항으로 인식되고 있고, 암 이외의 다양한 만성질환의 장 · 단기적 치료계획에서도 생식세포 및 조직의 독성에 대한 판단은 필수적 확인 사항이 되고 있다. 또한, 사회적 · 개인적 원인으로 출산과 임신을 미루려는 사회 경향도 가임력보존 치료를 요구하는 새로운 이유로 급격히 증가하고 있다. 생식의학의 발전은 이러한 다양한 요구를 충족시키기위한 새로운 전략을 제시할 수 있게 했다. 1983년 Trounson 등이 동결배아를 이용한 최초의 출산[1], 1986년 Chen등이 동결난자를 이용한 최초의 출산을 보고한 이후[2], 동결배아와 동결난자를 이용한 가임력보존 전략은 비교적 오랜 기간 축적된 경험을 통해 임상적용이 가능해졌다. 2004년 Donnez 등이 림프종 환자에서 난소 조직의 동결보존 및 자가이식을 통한 임신을 통해 첫 출산을 보고한 후[3], 난소 조직 동결을 이용한 가임력보존 전략으로 현재까지 200건 이상의 출산이 보고되고 있으며, 현재 미국생식의학회에서는 난자 동결을 이용한 전략뿐 아니라, 난소 조직의 동결 · 해동 · 이식을 통한 가임력보존 전략 또한 더이상 실험적인 방법이 아닌 임상적으로 적용 가능하다고 받아들여지기에 이르렀다[4]. 그러나 아직 해결되어야 할 문제는 상존하고 있다. 가임력보존 치료에 대한 접근성은 가장 근본적인 문제라고 할 수 있다. 실제로 가임력보존의 대상자가 될 수 있는 전체 암환자 중에 실제 가임력보존 치료를 접하게 되는 환자의 비율은 아직 낮다. 일부 대규모 연구에 따르면 전체 가임력보존 대상자의 2.0%만이 실제 가임력보존 치료를 받게되며, 난자 동결을 시행한 암환자 중에서 향후 동결난자를 해동하여 임신에 사용하는 경우는 7.2%에 불과하다고 보고하였다[5].

이러한 문제를 극복하기 위해서는 명확한 근거를 제시하기 위한 연구 결과와 통계가 뒷받침 되어야 한다. 즉, 향후 가임력보존의 임상적용을 충족시키기 위해서는 암치료 후 실제 임상에서 임신 시도를 위한 가임력보존 후 난임 치료에 대한 고민과 대책이 필요하다. 이를 위해서는 가임력보존을 위해 동결보존하는 생식세포 및 조직의 사용률과 이를 이용한 난임치료의 임신율, 출산율 등의 통계가 구축되어야 할 것이다. 가임력보존 전략에 따른 임신율에 영향을 주는 인자와 예후 등의 정보는 상담받는 환자뿐 아니라 치료계획을 수립해야 하는 임상의에게도 중요한 지침으로 활용될 것이다. 그러나, 가임력보존을 위한 전략 수립 후 실제 임신 시도까지의 기간이 비교적 많은 기간이 필요하고, 그 기간 또한 많은 변수에 의해 영향을 받는 특성이 있기 때문에 향후 적절한 데이터 구축을 위한 노력이 필요하다.

1 가임력보존 후 난임 치료 성공률

난자 동결

난자 동결을 통한 임신 및 출산은 최초 완만동결(slow freezing) 방법을 통해 성공한 후[2], 1999년 유리화동결(vitrification)에 의한 성공에 이르기까지 무수히 많은 연구와 노력을 거쳐야했다[6]. 2006년에 발표된 Oktay 등의 메타분석은 당시까지의 연구들을 종합하여 해동난자당 출산율은 완만동결법에서 1.9%, 유리화동결법에서 2.0%로 보고하였다[7]. 이는 더 간편하게 사용할 수 있는 유리화동결법이 당시까지 더 널리 사용되던 완만동결법과 큰 차이가 없음을 보여주는 연구였다. 또한 이 연구는 동결하지 않은 난자와 유리화동결법을 이용한 해동난자의 비교를 통해 ICSI를 통한 수정 시도 난자당 출산율(6.6% vs. 3.4%, $P<0.05$)과 이식 배아당 출산율(60.4% vs. 21.6%, $P<0.05$)로 차이가 있음도 보여주었고, 신선주기에 비해 동결난자 이용주기에서 수정률이 2.22배(1.80–2.74), 착상률이 4.66 (3.93–5.52)배, 출산율이 1.5배(1.26–1.79) 낮음을 보고하였다. 이후 난자 동결 기술, 특히 유리화동결법의 보편화는 난자 동결의 효율성을 증가시켰다. 그러나, 신선난자와의 비교 연구들에서는 아직 충분히 최적의 조건을 확립하였다고 보기는 어렵다. 2016년에 난자 동결이 비교적 보편화되있는 Italy의 국가 register 연구에서도 신선난자와 유리화동결법에 의한 해동난자에서의 착상률(15.0% vs. 11.1%, $P<0.001$), 이식주기당 임신율

(26.6% vs. 19.9%, P<0.001)로 차이를 보였는데[8], 흥미로운 사실은 난임 센터의 시술 규모에 따라 이식주기당 임신율이 신선난자를 이용한 주기는 차이가 없으나(1년에 200주기 이하 26.6%, 200−400 주기 26.9%, 500 주기 이상 26.4%), 동결난자를 이용한 주기에서는 차이가 난다는 것이다(1년에 200주기 이하 13.5%, 200−400 주기 14.3%, 500 주기 이상 22.6%). 이는 센터의 경험과 관리의 중요성을 강조하는 결과로 해석할 수 있다.

난자 동결은 난자은행이 활성화되어있는 일부 국가에서는 가임력보존을 포함한 다양한 목적으로의 활용에 유리한 영향을 주었으며[9], 현재 가임력보존 전략으로 가장 널리 사용되고있다[10]. 암환자를 대상으로 한 최초의 동결난자 해동 후 체외수정에 의한 임신 및 출산은 2007년에 호지킨림프종(Hodgkin's lymphoma) 환자에게서 완만동결법에 의해 성공이 보고되었다[11]. 이후 유리화동결법의 확립에 따라 그 효율이 증가했고, 미국과 유럽에서 최선의 선택으로 받아들여졌다[12, 13]. 표 14-1은 암환자를 대상으로 한 동결난자를 이용한 가임력보존 치료전략의 효율에 대한 연구들이다(표 14-1).

표 14-1. **암환자를 대상으로 한 동결난자 가임력보존 치료전략 효율**[14]

저자	연도	암 종류	환자 수	해동 주기	난자 개수	난자 생존율(%)	임상적 임신율(%)	출산율 (%)
Sanchez-Serrano [15]	2010	유방암	1	1	9	100	100	100
Kim [16]	2011	혈액암	1	1	7	71.4	100	100
García-Velasco [17]	2013	혈액암, 난소암	1	1	4		25	25
Alvarez [18]	2014	난소암	1	1	8	87.5	100	100
Da Motta [19]	2014	유방암	1	2	19		50	50
Martinez [20]	2014	유방암, 혈액암, 갑상샘암, 자궁내막암	11	11	65	92.3	54.5	
Perrin (21)	2016	혈액암	1	1	5	100	100	100
Diaz-Garcia [10]	2018	유방암, 혈액암, 난소암	49			77.3	36.4	29.1
Specchia [22]	2019	유방암, 혈액암	11	14	73	86.3	30.8	15.4

표 14-2. **동결난자 수에 따른 가임력보존 치료의 예후**(14)

35세 이하				35세 초과			
선택적 난자 동결		암환자 난자 동결		선택적 난자 동결		암환자 난자 동결	
난자 수	출산율 (%) (95% C.I)	난자 수	출산율 (%) (95% C.I)	난자 수	출산율 (%) (95% C.I)	난자 수	출산율 (%) (95% C.I)
3	5.1 (0.7-9.4)			3	5.9 (3.6-8.3)		
5	15.8 (8.4-23.1)	5	9.1 (-0.7-19)	5	17.3 (13.3-21.3)	4	11.1 (-0.8-23.1)
8	32.0 (22.1-41.9)	8	35.8 (14.3-57.2)	8	17.3 (13.3-21.3)	9	29.3 (3.7-54.8)
10	42.8 (31.7-53.9)	10	42.9 (19.7-66.1)	10	25.2 (20.2-30.1)	10	43.4 (11.3-75.3)
15	69.8 (57.4-82.2)	12	61.9 (35.4-88.5)	15	38.8 (32.0-45.6)		
20	77.6 (64.4-90.9)			20	49.6 (40.7-58.4)		
24	94.4 (84.3-100.4)						

난자 동결을 통한 가임력보존 전략에 있어서 향후 임신 가능성을 담보할 수 있는 예후 인자로는 연령과 보관되는 난자의 수가 있다. 난자 채취 시 여성의 연령이 35세 이전일 경우 10-15개의 성숙난자가 보관될 경우 예상되는 임신 및 출산 확률은 40-70%로 보고되고 있다 [14]. 다음 표 14-2는 선택적 난자 동결과 암환자의 난자 동결 시 가임력보존 후 임신 가능 확률을 비교하고 있다.

난소 조직 동결

현재 미국생식의학회와 유럽생식의학회는 난소 조직 동결 및 해동 후 이식을 통한 가임력보존 전략을 이미 받아들여진 동결배아와 동결난자를 이용한 전략과 함께 임상적용을 승인하고 있다 [4, 23]. 특히, 난소 조직 동결은 사춘기 이전의 미성년 암환자나, 난자 채취 시술에 필요한 기간 동안의 항암치료 연기가 불가능한 암환자의 경우는 유일한 가임력보존 치료 전략이다. 그러나, 동결된 난소 조직의 해동 후 이식까지의 과정은 다른 가임력보존의 치료전략에 비해 임상적용이 상대적으로 제한적으로 적용되고 있으며 임상 경험도 다소 제한적이다. 현재까지 난소 조직 동결 후 이식에 의한 암환자의 가임력보존 치료 후 출산은 200건 이상 보고되었지만[24], 얼마나 많은 난소 조직 해동과 이식이 시행되었는지는 명확한 통계를 확인하기 어렵다. 따라서 난소 조직 동결을 통한 가임력보존 치료의 효율성 평가는 임상경험이 많은 일부 센터에서 발표하는 결과를 통해 유추하게 된다.

최근 발표된 유럽의 5개 센터에서 암환자 285명의 가임력보존을 위해 시행된 난소 조직 동결 후 이식에 대한 임신시도 결과는 다음 표 14-3과 같다[25]. 이 결과에서는 난소 조직 동결 시 연령은 29.3 ± 6.2세였고, 첫번째 조직 이식 시 연령은 34.6 ± 5.5세로 평균 5.3년의 조직동결 기간을 보고하였다. 이식 시 모든 여성에서 불임이 확인되었고, 81.2%의 여성은 난소기능부전이 확인되었으며, 전체 임신율은 38%, 출산율은 26%이었는데 출산에 이른 여성과 출산에 실패한 여성 간에는 조직동결 시 연령의 차이를 보였다. 특히 임신에 성공한 여성의 경우 난자조직동결 시의 연령이 모두 33세 이하였음을 고려할 때 동결 시 여성의 연령이 가임력보존 결과에 대한 예후에 중요한 영향을 미친다는 것을 확인할 수 있다. 특히, 체외수정을 시행한 109명 중 난자체취에 성공한 사례가 78%, 배아이식까지 시행한 사례는 50%였으며, 평균 3.7±0.3회의 체외수정 주기가 시도되었고, 주기당 6.2±0.9개의 난자가 채취되었다. 최근 연구에 따르면 이러한 동결 난소 조직 이식 후 난소자극을 시행할 경우 공난포(empty follicle)가 31%까지 확인된다고 보고하여 이에 대한 대비가 필요하다[26].

난소 조직에 미세전이된 암세포의 재이식 가능성은 난소 조직의 해동 후 이식을 통한 가임력보존 치료전략 시 고려해야하는 중요 위험성 중 하나이다[27]. 아직 많은 데이터가 쌓이지는

표 14-3. **암환자를 대상으로 한 난소 조직 동결/이식 후 임신시도 결과**[25]

방법	환자 수	임신시도 환자 수	임신 환자 수	출산	유산	생존아	조직 동결 시 연령	
							출산 여성	비출산 여성
자연임신	176	167	67(40%)	52(30%)	18(10%)	67	27.6±0.8[a] (17-36)	29.7±0.6[a] (10-44)
체외수정	109	109	39(36%)	23(21%)	20(18%)	28	25.1±1.2[b] (9-33)	29.9±0.6[b] (17-30)
합계	285	276	106(38%)	75(26%)	38(13%)	95	26.9±0.7[c] (9-36)	29.8±0.4[c] (10-44)

[a]P=0.046, [b]P=0.0002, [c]P=0.0005

않았으나 혈액암을 제외한 대부분의 암종에서는 난소 조직의 재이식으로 인한 재발 위험은 매우 낮은 것으로 보인다[25]. 혈액암의 경우, 조직학적으로 확인되지는 않지만 혈만성골수성백혈병 환자의 33%, 급성림프성백혈병 환자의 70%는 PCR 검사를 통한 난소 조직 절편에서의 혈액암 표지자 확인을 보고하기도 하여 위험성이 존재하는 것으로 판단된다[28, 29]. 따라서 일부 연구자들은 백혈병 환자의 경우 항암치료에 의해 관해가 유도된 후 난소 조직을 채취하는 것이 유리할 수 있음을 주장하고 있다[25, 30]. 또한, 난소 조직 채취 이전에 투여된 항암화학요법의 용량과 유형이 이식 후 예후에 큰 영향을 미치지 않음을 보고하여 적극적인 난소 조직 동결 시도를 권고하기도 한다[25].

2 결론

현재 가임력보존 치료는 암환자의 항암치료 계획에 필수적인 고려사항으로 자리잡고 있다. 생식의학의 발전은 가임력보존 치료를 위한 요구를 충족시키기 위해 많은 발전을 거두었으며 난자동결은 물론 난소 조직 동결을 통한 가임력보존 전략도 임상적으로 적용 가능한 치료법으로 인정되기에 이르렀다. 그러나 이러한 동결 생식세포와 조직을 이용한 임신 시도의 효율성과 안정성은 향후 암환자의 특성상 많은 연구와 경험이 필요한 실정이다. 가임력보존 치료의 예후는 동결 시의 연령, 동결되는 난자의 수나 조직의 양이 중요한 예후인자로 확인되며, 동결 난소 조직의 이식에 따른 암세포의 재이식 위험성은 일부 혈액암을 제외하면 낮은 것으로 판단된다. 난소 조직 이식에 따른 임신 예후는 아직 명확히 결론내리기는 어려우나 일부 센터에서의 대규모 결과는 38%의 출산율을 보고하고 있어 고무적이라 할 수 있다.

References

1. Trounson A, Mohr L. Human pregnancy following cryopreservation, thawing and transfer of an eight-cell embryo. Nature 1983;305:707-9.
2. Chen C. Pregnancy after human oocyte cryopreservation. Lancet 1986;1:884-6.
3. Donnez J, Dolmans M-M, Demylle D, Jadoul P, Pirard C, Squifflet J et al. Livebirth after orthotopic transplantation of cryopreserved ovarian tissue. Lancet 2004;364:1405-10.
4. Practice Committee of the American Society for Reproductive Medicine. Electronic address aao. Fertility preservation in patients undergoing gonadotoxic therapy or gonadectomy: a committee opinion. Fertil Steril 2019;112:1022-33.
5. Cobo A, Garcia-Velasco J, Domingo J, Pellicer A, Remohi J. Elective and Onco-fertility preservation: factors related to IVF outcomes. Hum Reprod 2018;33:2222-31.
6. Kuleshova L, Gianaroli L, Magli C, Ferraretti A, Trounson A. Birth following vitrification of a small number of human oocytes: case report. Hum Reprod 1999;14:3077-9.
7. Oktay K, Cil AP, Bang H. Efficiency of oocyte cryopreservation: a meta-analysis. Fertil Steril 2006;86:70-80.
8. Levi-Setti PE, Patrizio P, Scaravelli G. Evolution of human oocyte cryopreservation: slow freezing versus vitrification. Curr Opin Endocrinol Diabetes Obes 2016;23:445-50.
9. Cobo A, Garrido N, Pellicer A, Remohi J. Six years' experience in ovum donation using vitrified oocytes: report of cumulative outcomes, impact of storage time, and development of a predictive model for oocyte survival rate. Fertil Steril 2015;104:1426-34 e1-8.
10. Diaz-Garcia C, Domingo J, Garcia-Velasco JA, Herraiz S, Mirabet V, Iniesta I, et al. Oocyte vitrification versus ovarian cortex transplantation in fertility preservation for adult women undergoing gonadotoxic treatments: a prospective cohort study. Fertil Steril 2018;109:478-85 e2.
11. Yang D, Brown SE, Nguyen K, Reddy V, Brubaker C, Winslow KL. Live birth after the transfer of human embryos developed from cryopreserved oocytes harvested before cancer treatment. Fertil Steril 2007;87:1469 e1-4.
12. Practice Committees of the American Society for Reproductive M, the Society for Assisted Reproductive T. Mature oocyte cryopreservation: a guideline. Fertil Steril 2013;99:37-43.
13. Ethics ETFo, Law, Dondorp W, de Wert G, Pennings G, Shenfield F, et al. Oocyte cryopreservation for age-related fertility loss. Hum Reprod 2012;27:1231-7.
14. Ana C, Antonio G-V, bJosé R, Antonio P. Oocyte vitrification for fertility preservation for both medical and nonmedical reasons. Fertil Steril 2021:1091-101.
15. Sanchez-Serrano M, Crespo J, Mirabet V, Cobo AC, Escriba MJ, Simon C, et al. Twins born after transplantation of ovarian cortical tissue and oocyte vitrification. Fertil Steril 2010;93:268 e11-3.
16. Kim MK, Lee DR, Han JE, Kim YS, Lee WS, Won HJ, et al. Live birth with vitrified-warmed oocytes of a chronic myeloid leukemia patient nine years after allogenic bone marrow transplantation. J Assist Reprod Genet 2011;28:1167-70.
17. Garcia-Velasco JA, Domingo J, Cobo A, Martinez M, Carmona L, Pellicer A. Five years' experience using oocyte vitrification to preserve fertility for medical and nonmedical indications. Fertil Steril 2013;99:1994-9.
18. Alvarez M, Sole M, Devesa M, Fabregas R, Boada M, Tur R, et al. Live birth using vitrified--warmed oocytes in invasive ovarian cancer: case report and literature review. Reprod Biomed Online 2014;28:663-8.
19. da Motta EL, Bonavita M, Alegretti JR, Chehin M, Serafini P. Live birth after 6 years of oocyte vitrification in a survivor with breast cancer. J Assist Reprod Genet 2014;31:1397-400.

20. Martinez M, Rabadan S, Domingo J, Cobo A, Pellicer A, Garcia-Velasco JA. Obstetric outcome after oocyte vitrification and warming for fertility preservation in women with cancer. Reprod Biomed Online 2014;29:722-8.
21. Perrin J, Saias-Magnan J, Broussais F, Bouabdallah R, D'Ercole C, Courbiere B. First French live-birth after oocyte vitrification performed before chemotherapy for fertility preservation. J Assist Reprod Genet 2016;33:663-6.
22. Specchia C, Baggiani A, Immediata V, Ronchetti C, Cesana A, Smeraldi A, et al. Oocyte Cryopreservation in Oncological Patients: Eighteen Years Experience of a Tertiary Care Referral Center. Front Endocrinol (Lausanne) 2019;10:600.
23. Preservation EGGoFF, Anderson RA, Amant F, Braat D, D'Angelo A, Chuva de Sousa Lopes SM, et al. ESHRE guideline: female fertility preservation. Hum Reprod Open 2020;2020:hoaa052.
24. Dolmans MM, Falcone T, Patrizio P. Importance of patient selection to analyze in vitro fertilization outcome with transplanted cryopreserved ovarian tissue. Fertil Steril 2020;114:279-80.
25. Dolmans MM, von Wolff M, Poirot C, Diaz-Garcia C, Cacciottola L, Boissel N, et al. Transplantation of cryopreserved ovarian tissue in a series of 285 women: a review of five leading European centers. Fertil Steril 2021;115:1102-15.
26. Jensen AK, Macklon KT, Fedder J, Ernst E, Humaidan P, Andersen CY. 86 successful births and 9 ongoing pregnancies worldwide in women transplanted with frozen-thawed ovarian tissue: focus on birth and perinatal outcome in 40 of these children. J Assist Reprod Genet 2017;34:325-36.
27. Dolmans MM, Luyckx V, Donnez J, Andersen CY, Greve T. Risk of transferring malignant cells with transplanted frozen-thawed ovarian tissue. Fertil Steril 2013;99:1514-22.
28. Dolmans MM, Marinescu C, Saussoy P, Van Langendonckt A, Amorim C, Donnez J. Reimplantation of cryopreserved ovarian tissue from patients with acute lymphoblastic leukemia is potentially unsafe. Blood 2010;116:2908-14.
29. Rosendahl M, Andersen MT, Ralfkiaer E, Kjeldsen L, Andersen MK, Andersen CY. Evidence of residual disease in cryopreserved ovarian cortex from female patients with leukemia. Fertil Steril 2010;94:2186-90.
30. Shapira M, Raanani H, Barshack I, Amariglio N, Derech-Haim S, Marciano MN, et al. First delivery in a leukemia survivor after transplantation of cryopreserved ovarian tissue, evaluated for leukemia cells contamination. Fertil Steril 2018;109:48-53.

Chapter 15

산과적 결과 및 관리

(Obstetric outcomes and care)

서울의대 **박중신**
서울의대 **박지윤**

1 암 생존자의 임신에 암이 미치는 영향 (Effect of cancer on survivor's pregnancy)

1) 암환자에서의 가임력에 대한 평가와 상담

암의 진단과 치료가 발전함에 따라 암 생존자도 점차 증가하고 있다. 특히 소아암 환자의 경우, 3/4 이상이 암 생존자가 된다는 통계가 있다[1]. 청소년기나 이른 성인기에 호발하는 암으로는 임파선암, 생식기암, 유방암 등이 있는데, 이들의 생존율은 고령 환자에서 발생하는 폐암, 대장암 등과 비교하였을 때 높은 편이며[2], 치료 후 가임기에 들어서거나 치료 후에도 가임기일 수 있기 때문에 이들의 가임력보존과 임신에 대한 대비는 매우 중요하다. 가임기 여성에서 흔한 유형의 암은 유방암, 갑상샘암, 흑색종(melanoma), 자궁경부암, 자궁내막암 및 혈액암이다[2]. 노르웨이의 국가 암 등록(National Cancer Registry) 및 출생 등록(Medical Birth Registry) 데이터를 사용한 인구 기반 연구에서는 암 생존자의 전체 임신율이 일반 인구에 비해 60% 감소했다고 보고했다[3]. 백혈병 생존자에게서 가장 낮은 임신율이 보고되었으며, 갑상샘암 및 흑색종과 같은 유형의 암 생존자에게는 임신율이 특별히 낮아지지 않는 것으로 나타났다.

한 연구에서는 여성이 태어날 때부터 40세까지 암에 걸릴 확률이 46분의 1인 것으로 추정하였다[4]. 점차 암치료 후 생존율이 증가하고 질병이 없는 기간(disease-free)이 길어짐에 따라 많은 사람들이 임신을 원하게 된다. 암 생존자에서 치료 후 가임력의 저하는 우울증, 불안감과 같은 심리적 문제를 야기할 수 있으며, 성공적인 치료로 인하여 암 생존자가 되었음에도 삶의 질을 저하시키는 원인이 되기도 한다[5]. 따라서 가임력에 대한 평가가 필요한 암환자들의 경우 항암치료와 방사선치료 등 각종 치료가 시작되기 전에 가임력보존을 위하여 할 수 있는 처치 및 암치료로 인하여 발생할 수 있는 가임력에 영향을 미칠 수 있는 합병증에 대한 이해를 할 수 있는 기회가 제공되어야 한다[6]. 가임기 여성에서는 사실상 암이 진단되는 순간부터 가임력보존에 대한 상담이 이루어져야 한다[7].

암환자 및 암 생존자에서 피임에 대한 관리도 중요하다. 암 생존자의 경우, 항암치료 및 방사선치료가 가임력을 저하시켰을 것이라고 대부분 예측하기 쉬워 일반적인 사람들에 비하여 철저한 피임을 하지 않을 가능성이 있다. 이러한 경우 예상하지 못한 임신이 발생하는 위험이 오히려 증가할 수 있다[8].

2) 암의 진행과 생존율에 대한 임신의 영향

임신으로 인한 재발 혹은 암의 진행 시 치료에는 몇 가지 어려움이 있다. 가임력보존을 위한 처치가 이루어진 암 생존자라도 임신을 결정하는 것은 어려운 일이며, 많은 고려사항이 따른다. 암치료 과정에서 수술 및 항암치료와 방사선치료로 발생한 합병증이 임신에 미칠 영향과 임신으로 인하여 치료가 지연되었을 경우 발생할 수 있는 암 재발의 위험을 고려하게 된다. 호르몬 수용체와 관계가 있는 유방암의 경우 이후 보조적 호르몬 치료를 많게는 진단 후 10년 정도까지 유지해야 하기 때문에 임신시도를 결정하는 데 있어서 복잡한 문제이다[9].

임신과 관련된 호르몬 변화가 유방암 재발의 위험을 증가시키고 환자의 장기 생존을 저해할 수 있다는 우려가 있다. 임신이 암의 경과와 생존율에 미치는 영향에 관하여 한 메타분석연구에서는 14건의 연구를 분석하였는데, 유방암 진단 후 임신을 한 여성이 오히려 임신하지 않은 여성에 비해 사망 위험이 41% 감소했다[10]. 많은 연구에 따르면 유방암 후 임신은 유방암의 예후를 악화시키지 않으며[10-13], 심지어 일부 연구에서는 임신 후 유방암 환자의 생존율이 향상되었다고 밝히기도 했다[14]. 한 인구 기반 연구는 유방암 진단 후 출산한 사람들을 대상으로 유방암 사망 위험을 평가했고, 임신하지 않은 사람들에 비하여 사망 위험이 5배 감소한 것으로 관찰되었다[14]. 미국 앤더슨 암연구소(MD Anderson Cancer Institute)는 유방암치료 후 임신이 생존 및 재발 위험에 미치는 영향을 연구했는데, 임신을 한 여성의 경우, 초기 단계에 진단이 되었고, 에스트로겐 수용체 음성일 가능성이 더 높으며, 30세 미만인 경우가 많았다는 것을 확인하였다

[15]. 흑색종의 경우에도 젊은 여성에서 진단이 되는 경우가 많은데, 임신 중 호르몬 변화가 암의 경과에 영향을 미칠 수 있다는 우려가 있었다. 스웨덴 여성을 대상으로 한 국가 등록 데이터 기반 코호트 연구에서는 흑색종을 진단받은 185명의 임산부와 5,348명의 임신하지 않은 흑색종 환자들을 비교하였을 때, 생존율에 차이가 없었다[16].

가족력이 있는 암이 진단되었던 생존자의 경우, 임신을 할 경우 자녀도 같은 암에 걸릴 확률이 높아질지도 모른다는 우려를 할 수 있다. 실제로 유방암과 난소암의 경우 BRCA1과 BRCA2 유전자의 변이가 위험인자이며, 대장암과 자궁내막암 역시 관련이 있는 특이 유전자가 알려져 있다. 이러한 암의 경우, 암 생존자들의 유전자 검사를 시행하여 자녀가 청소년기나 이른 성인기에 들어섰을 때 위의 검사들을 진행하고 부모의 결과와 대조해야 한다. 자녀에 대한 암의 예방 및 조기 진단은 물론이고 가임력보존에 대한 상담까지 이루어져야 한다. 유전적인 정보가 구체적이고 충분하다면, 시험관시술을 할 경우 착상전유전검사(preimplantation genetic diagnosis)도 고려해볼 수 있는 처치이다. 다음 세대의 암 발생 위험을 평가 한 현재까지 가장 큰 인구기반 연구에서 생존자에게서 태어난 9,877명에서 가족력이 알려진 일부 암 증후군(familial cancer syndrome)을 제외하고는 대체로 자녀에서 동일한 암의 발생 위험이 증가하지 않았다[17].

3) 암 생존자의 임신 결과에 대한 대규모 연구

5개의 인구 기반 노르딕(Nordic) 연구에서 암 생존자의 자녀에서 성비[18], 선천성 기형[19, 20], 염색체 이상[21], 그리고 신생아의 입원치료[22]에 대한 위험을 확인하였는데, 유의한 위험의 증가는 없었다. 대규모 코호트 연구에 따르면 여성 암 생존자는 그들의 형제 자매 및 일반 인구 대조군보다 임신 성공률 및 생존아 비율이 대체로 낮았다[3, 23-27].

2 향후 임신 결과에 항암치료 및 방사선치료가 미치는 영향 (Effect of chemotherapy and radiotherapy on future obstetric outcomes)

1) 항암치료의 영향

유산과 항암치료 사이의 연관성에 대한 연구 결과는 일관성이 없으며, 암의 종류 및 치료의 종류에 따라 다르다는 한계가 있다. 대부분의 보고에 의하면 조산과 항암치료는 유의한 관계가 없었다[28, 29]. Chow 등은 항암치료를 받은 생존자들의 생존아(live birth) 비율이 위험비율(Risk ratio) 0.82로 낮다는 것을 보여주었다[24]. 약제에 따른 분석을 보면, 사이클로포스퍼마이드(Cyclophosphamide)의 경우, 높은 용량일수록 낮은 생존아 비율과 연관이 있었다. 항암치료 약제 중에서도 부설판(Busulfan)과 로무스틴(Lomustine)의 경우 낮은 임신율과 관련이 있었고, 첫 임신이 30세가 넘은 상태에서 이루어지는 경우 임신에 이르는 시간이 더 오래 걸린다고 나타났다. 따라서 암 생존자에서 가임력에 대한 상담을 하는 시기는 이를수록 중요하다고 할 수 있겠다.

임신 이전에 암을 진단받고 항암치료를 받았다는 이력이 이후 임신의 각종 합병증과 연관이 있는지 확인하는 한 연구에서 1,989명의 소아 시기 암 생존자들을 후향적으로 확인하여 14,278명의 대조군과 비교하였는데 임신성당뇨, 전자간증, 그리고 빈혈의 발생에 차이가 없었다[30]. 일부 연구에서는 소아 혹은 청소년기 암의 여성 생존자에서 일반 인구보다 임신성당뇨 발병률이 더 높다고 보고하였다[31]. 이러한 임신성당뇨의 위험 증가 기전은 명확하지 않지만, 항암치료와 관련한 대사증후군 발생 및 고인슐린혈증이 제시되고 있다[32]. 국제소아암후기영향가이드라인학회(International Late Effects of Childhood Cancer Guideline Harmonization Group)는 안트라사이클린(Anthracycline) 또는 흉부 방사선치료를 받은 모든 여성 암 생존자에서 심근병증 감시가 임신 1삼분기에 이루어져야 한다고 권하고 있다[33]. 안트라사이클린, 흉부 방사선 및 분자 표적 약물을 포함한 암치료 노출은 임신 결과에 영향을 미칠 수 있는 심혈관 위험을 초래할 수 있다[34]. 안트라사이클린은 육종, 유방암 및 혈액암을 치료하는 데 사용되는 항암치료 약물로, 일반적으로 치료 후 수년 안에 나타날 수 있는 심장 독성과 관련이 있다. 이로 인해 이론적으로는 임신 중 심부전이 발생할 수 있다는 우려를 낳는다. 심독성을 줄이기 위한 안트라사이클린의 안전한 용량이 확립되지는 않았지만, 총 누적 용량이 더 높을수록 심장 독성 위험이 증가한다[35]. 대규모 코호트 연구에서 안트라사이클린 치료 후 임신을 한 여성에서 심부전 발생에 대하여 확인하였는데, 한 명도 임신 중 혹은 분만 후 임상적 심부전이 나타나지 않았다[36]. 하지만 다른 연구에서는 안트라사이클린 투여 후 임신 전 심장 기능이 저하되었던 사람들은 임신 후 중

환자실 치료, 입원 기간 연장 및 신생아의 신생아중환자실 입원일수의 증가 등 몇 가지 부정적인 임신 결과가 나타났다[37]. 이러한 연구들은 안트라사이클린 치료를 받은 모든 여성들이 임신 중 혹은 산욕기의 심부전 발생에 대하여 유의하게 그 위험이 증가하지는 않으나, 안트라사이클린 치료로 인하여 심장 기능에 손상이 있었던 경우에는 부정적 임신 결과가 일부 높아져 면밀한 경과관찰이 필요함을 보여준다.

방사선치료에 비하여 항암치료가 부정적 임신 결과와 관련이 있음을 시사하는 연구는 많지 않다. 여러 코호트 연구에서 대조군과 비교하여 소아암 생존자 여성이 출산한 신생아에서 선천성 또는 염색체 이상의 발생 비율에서 유의한 차이가 없는 것으로 나타났다[21, 38-40]. 네덜란드에서 40명의 환자를 대상으로 한 단일센터연구에서 대조군과 비교하여 항암치료를 받은 여성의 신생아 결과에 차이가 없다고 보고하였다[39]. 여성 대장암 생존자에 대한 연구에서 항암치료와 산모의 부정적 산과적 결과 사이에는 약간의 관련성이 있으나, 신생아 결과에는 영향이 없었다[41]. 서울대학교병원은 2011년 19세에 비소세포폐암을 진단받았고, 6년이 지난 25세에 임신인 줄 모르고 임신 기간 내내 항암치료를 지속해 온 환자의 증례를 보고하였다[42]. 마지막 월경일로부터 추정한 임신 주수는 거의 40주 정도였다. 환자는 질식분만으로 2,450 g의 여아를 분만하였고, 신생아는 특이소견이 없이 건강하였다. 자연조산을 비롯한 치료 및 검사 시행 목적의 개입을 위한 인위적 조산 비율이 높아짐에 따라 저체중아(<2,500 g)는 암 생존자 분만의 7–15%에서 발생하며, 이는 일반 인구에 비하여 2–3배 더 높은 비율이다[23, 30]. 복부골반방사선을 제외하고는 저체중아의 비율이 특별히 높아지지 않는 것으로 나타나 대부분의 저체중아는 태아발육부전보다는 조산에 의한 것임을 시사하였다[28-30].

2) 방사선치료의 영향

임신을 시도하였으나, 성공하는 비율은 두개골 및 복부 방사선 조사가 있었던 환자들에서 가장 낮았다[43, 44]. 소아암 생존연구(Childhood Cancer Survival Study)에서 1,915명의 여성에서 4,029건의 임신 결과를 확인하였는데, 난소가 방사선 조사범위에 있었던 환자나 근처에 있었던 환자에서 통계적으로 유의하지는 않지만 자연유산의 빈도가 증가하였다[28]. 이 연구는 또한 방사선 치료를 하지 않은 환자들에 비해 두개골 및 두개골척수 방사선치료를 받은 환자에서 더 높은 유산률을 보고했다. 다른 코호트 연구들에 따르면 두개골 방사선(1.4–6.1배 증가)과 복부골반 방사선(1.4–2.8배 증가)에 노출된 여성에서는 유의하게 유산의 발생이 증가한다고 보고되었다[25,

45]. 영국 소아암 생존자 연구에서는 복부 방사선치료를 받은 10,483명의 생존자들로부터 7,300건의 임신 결과를 분석하였는데, 자연 유산이 미세하게 증가하는 것으로 보고하였다[25]. 반대로 복부골반 방사선치료를 받은 830명의 소아암 생존자를 대상으로 한 캐나다 코호트 연구에서는 자연유산의 위험이 증가하지 않은 것으로 나타났다[40].

대부분의 연구에서 소아암환자들에서 시행한 복부 및 골반 방사선치료는 조산 및 저체중아의 위험 증가와 일관되게 연관되어 있다고 나타났고, 조산의 경우 최대 3.5배, 저체중아의 경우 6.8배 증가한다는 보고가 있다[25, 28, 29, 38-40]. 제안된 메커니즘은 아동기 자궁에 방사선을 조사하는 것이 성인이 된 후 자궁 용적과 혈액 공급을 감소시켜 태아 성장과 임신을 만삭까지 제한할 수 있다는 것이다[25]. 아동기가 아니라도 어느 시기의 방사선이라도 자궁내막, 자궁근층 혹은 자궁의 혈관에 손상을 주기 때문에 제2삼분기 유산이나 조산을 증가시킬 수 있다는 의견도 있다[25, 28, 46-48]. 손상 정도는 총 방사선량, 방사선 조사 부위 및 치료 시점의 환자 연령에 따라 달라지며, 사춘기 전 자궁은 방사선 조사에 더 취약 할 수 있다[49]. 방사선치료에 의한 자궁경부의 섬유화와 자궁 탄력의 감소는 자궁경부무력증과 연관이 있을 수 있으며, 이 역시 조산 위험 증가에 기여할 수 있다. 조산에 대한 위험은 조사된 방사선의 양과 연관이 있었지만, 초경 전과 후 어느 시기에 방사선이 조사되었는지는 영향이 없는 것으로 나타났다[29].

일부 연구에서 복부 및 골반 방사선조사는 주산기 사망 및 산후 출혈의 위험 증가와 관련이 있다는 연구가 있다[39, 40]. 일부 코호트 연구에서 암 생존자에서 임신 중 전자간증의 절대 위험이 약 5%라고 보고 했는데, 이는 대조군보다 높지 않거나 약간(1.4배) 높은 비율이었다[31, 39]. 영국 소아암 생존자 연구에서 복부 방사선 요법으로 치료받은 윌름스(Wilms) 종양의 경우 전자간증을 비롯한 임신 중 고혈압 발병 위험이 3배나 높았고, 이는 방사선치료의 선량이 증가하는 것과 연관이 있었다[38]. 이후 다른 소아암환자를 대상으로 한 연구에서는 방사선치료와 임신 중 고혈압 사이의 연관성이 일관성 있게 발견되지는 않았다[39]. 임신성당뇨의 비율은 대조군보다 암 생존자에서 특별히 더 높지 않다는 연구가 많다[30, 31]. 그러나 한 연구에서 복부 방사선은 2.7–4.7배 임신성당뇨 발병의 위험을 높인다고 하였다[25]. 방사선치료 후 고인슐린혈증, 성장호르몬 결핍 및 후속 성장호르몬 대체요법, 면역기능 저하 및 체중 증가 등이 임신성당뇨 발생과 관련이 있을 수 있다는 보고가 있다[32].

전반적으로 암 생존자는 일반 인구에 비해 사산(stillbirth) 위험이 높은 것으로 나타나지는 않았다[45, 50]. 연구에 있어 사산의 낮은 발병률로 인한 분석의 한계가 있기는 하지만, 일부 연구에서 복부골반 방사선 조사는 주산기 사망률을 높인다는 보고가 있다[25, 40, 51, 52]. 영국의 인구기반 코호트 연구에서는 자녀의 성비가 고선량 생식선 방사선 조사를 받았던 암 생존자에서 일반 인구와 비교하여 달라질 수 있다는 가능성에 대하여 보고 하였는데[53], 이후의 연구들에서는 차이가 없는 것으로 밝혀졌다[30, 31]. 방사선치료와 선천성 기형 발생 위험에 대한 연구들은 유의한 연관성이 없는 것으로 보고하고 있다[19, 20, 30, 31, 40, 54]. 두 개의 연구에서 소아암 생존자 자녀의 유전질환 발생위험을 평가했는데, 잠재적으로 유전자 변이를 일으킬 수 있는 항암치료와 방사선치료가 난소에 가해지더라도 자녀의 유전적 결함을 발생하지 않는다고 보고하였다[55, 56]. 역학연구와 일치하여 현재까지 실험연구에서 방사선치료를 받은 부모에게서 태어난 자녀가 방사선유발 인간생식샘돌연변이(radiation−induced human germline mutation)의 지표인 초가변유전자좌(hypervariable loci)의 생식샘소형위성돌연변이(germline minisatellite mutation)의 비율을 증가시킨다는 증거는 확인된 바가 없다[57].

3 가임력보존 치료의 임신 결과 (Obstetric outcomes of fertility preservation treatment)

1) 남성에서의 가임력보존과 임신 결과

미국임상종양학회는 가임기 남성에서 암치료 전 정액의 냉동보존을 강하게 권하고 있다[58]. 일본의 한 연구에서 암이 진단된 31명의 남성 환자의 정액을 채취하여 냉동보존하였는데, 치료 전과 후의 정액 상태를 분석하기도 하였다[59]. 환자들은 림프종, 백혈병 등으로 구성되어 있었으며, 수술을 비롯한 치료 후 정액 내 정자의 농도가 유의하게 감소하였으나, 기타 전체 정액의 양이나 정자의 움직임, 정자의 숫자에 통계적 차이를 보이지 않았다. 연구 대상자 중 3명의 환자가 치료 전 난임 관련 상담을 통하여 정액을 냉동하여 보존하였는데, 1회의 초기 유산이 있었지만, 모두 ICSI를 통하여 성공적인 분만까지 이르렀다고 보고하였다

2) 여성에서의 가임력보존과 임신 결과

자궁경부암, 자궁내막암, 난소암 등 여성 생식기를 침범하는 암의 경우에는 대부분의 치료가 향후 임신에 직접적인 영향을 미친다. 가임력을 보존하기 위하여 자궁이나 난소의 적출을 피하거

나 수술 범위를 축소할 경우, 암의 재발 및 진행의 위험이 따르기 때문에 가임력보존의 고려는 대게 이른 병기에서만 가능하다. 자궁내막암의 경우 자궁적출술과 양측난소절제술이 대부분의 치료 방침이나, 초기 병기에서는 자궁을 보존하고, 고용량 프로게스테론을 사용하며 주기적 조직검사를 통하여 경과관찰을 해볼 수 있다. 서울대학교병원에서는 2018년 자궁내막암이 진단된 33세 여자환자에서 고용량 프로게스테론(medroxyprogesterone acetate) 투여를 통한 보존적 치료를 시행하면서 총 7회에 거친 시험관 시술을 시행하여 임신 38주 6일에 제왕절개분만으로 건강한 아기를 출산한 증례를 보고한 바 있다[60]. 자궁경부암의 경우, 치료가 완료되어도 가임력이 남아있지 않은 경우도 많기 때문에 가임력보존시술 여부와 관련하여 면밀한 검토가 치료 전에 필요하다. 향후 임신을 계획하는 경우, IA1기에 대해서는 질 근치 자궁경부절제술(trachelectomy)을 고려할 수 있다[61]. Bernardini 등은 자궁경부의 침윤성 암종에 대하여 질 근치 자궁경부절제술을 시행받은 환자들에서 임신의 결과를 발표했는데, 총 22건의 임신 중에서 18건은 출산까지 성공하였고, 3건은 임신 제1삼분기 유산, 1건은 17주에 조기양막파수로 유산을 하였다[62]. 12명의 환자가 만삭에 제왕절개분만을 하였고, 10건은 조산이었으며, 이 증례 시리즈에서 임신 중 암이 재발한 환자는 1명이었다.

난소 조직 및 난자 동결을 통한 가임력보존 후의 임신에 관한 보고는 많지 않다. 암환자에서 동결한 난자를 이용하여 임신과 출산에 성공한 첫 보고는 2007년이었다[63]. 증례는 호지킨림프종으로 진단 당시 27세였고, 13개의 난자를 동결하였다. 3개의 수정란을 이식하였고, 이 중 하나만이 남아 만삭에 분만하였다. 이후 난자 및 난소 조직의 동결을 통한 암 생존자에서의 임신 성공 및 출산에 관한 보고는 지속적으로 이어지고 있다[64, 65]. 다양한 연구에서 보고하고 있는 난소 조직 동결의 사용율은 2–4% 정도이며, 이들이 출산까지 성공하는 비율은 31–37%로 보고하고 있다[66-69]. 대체로 증례 보고의 형태로, 현재 이탈리아에서 진행하고 있는 젊은 유방암 환자를 대상으로 가임력보존의 결과를 확인하기 위한 다기관 전향적 코호트 연구와 같은 대규모 연구의 결과가 향후 암 생존자에서 가임력보존처치 후 임신에 관한 결과를 확인하는 데 도움이 될 것으로 생각된다[70].

4 암 생존자 임신 및 가임력보존 치료 후 임신 시의 관리 (Management of pregnancy in cancer survivor or pregnancy after fertility preservation treatment)

1) 가임기에 호발하는 암 종류에 따른 임신의 결과

유방암

유방암은 가임기 여성에서 진단되는 가장 흔한 암으로, 20–39세 여성 10만 명당 24건 발생한다[2]. 유방암치료는 병기에 따라 여러 방법으로 접근하는데, 치료에는 일반적으로 수술이 포함되며 대부분의 경우 항암치료와 방사선치료의 조합으로 진행된다. 가장 큰 2개의 연구는 스웨덴과 덴마크의 후향적 코호트 연구인데, 덴마크 연구에서 유방암의 이전 병력이 저체중아, 조산, 사산 또는 선천성 기형과 관련이 없다고 보고하였다[71]. 이와 대조적으로 스웨덴의 후향적 코호트 연구에서는 유방암 병력이 32주 미만의 조산, 저체중아 출생, 전치태반, 산전 또는 산후 출혈, 제왕절개분만 및 일부 선천성 기형 발생의 증가와 연관이 있다고 하였다[72]. 따라서 유방암 생존자의 경우 상담에 있어 병기, 치료 결과, 생존율, 임신을 하게 될 경우 치료 대기 시간 등의 문제를 다루어야 한다. 항암방사선치료 등이 종료된 후에 임신이 되었다면, 암 재발에 대한 모니터링과 더불어 위와 같은 임신 중 합병증 발생에 대하여 집중경과 관찰이 필요하다.

갑상샘암

갑상샘암은 15세에서 40세 사이의 여성에서 두 번째로 흔히 진단되는 악성 종양이다[2]. 그러나 5년 생존율은 97%에 가까워 임신을 계획할 가능성이 높은 암이라고 할 수 있다[4]. 임신 기간 동안의 인간융모생식샘자극호르몬과 에스트로겐 수치의 증가는 갑상샘에 자극 효과가 있는 것으로 알려져 있어 임신이 갑상샘암의 진행에 위험한 요소일 것이라는 우려가 있었다[73]. 한 후향적 증례 시리즈에서 갑상샘암치료 후 임신 한 63명의 여성의 초음파 소견 및 갑상샘자극호르몬 수치를 모니터링 했는데, 병기, 갑상샘자극호르몬 수치, 갑상샘글로불린 수치 또는 진단부터 임신까지의 간격과 질병 진행 또는 재발의 상관 관계가 없다는 사실을 발견했다[74]. Pomorski 역시 위와 유사한 결과를 보고하였다[75]. 일부 연구에서는 방사성요오드치료를 받고 1년 이내에 임신한 경우 유산율이 증가한다는 보고도 있다[76]. Chow 등 은 갑상샘암에서 방사성요오드치료가 유산, 사산, 선천성 기형 또는 신생아 사망률에 대한 유의한 영향이 없다고 하였으나, 조산의 발생률은 증가했다고 보고하였다[77]. 이후의 연구들에서는 방사성요오드치료 이후 조산을 비롯한 선천성 기형, 유산, 사산 및 신생아 사망률의 증가가 없다고 하였다[78, 79]. 이렇듯 논란이 있으나, 방사성요오드치료 후 임신하는 것은 치료 후 기간에 따라 임신 결과에 영향을 미칠 수도 있다는 우려가 있어 임신까지 적어도 1년을 기다리는 것으로 여러 연구에서는 권장하고 있다[75, 77, 78, 80].

자궁경부암

자궁경부암은 가임기 연령 여성의 악성 종양 발생률에서 4위를 차지한다[2]. 자궁과 난소 모두 절제를 하는 수술을 받는 경우도 있기 때문에 출산율 감소에 직접적인 영향을 미친다. 이에 따라 아주 초기 병기가 아니면 근치적 전자궁적출술 및 골반 림프절 절제술의 대상이 되기 때문에 임신의 계획이 불가능하다. 연구들에 근거한 자궁경부절제술 후 출산율은 36-56% 정도이며 조산의 비율은 60-80%에 가깝다[62, 81-83]. 조산이 많기 때문에 신생아 질병이환율은 높아지기는 하나 주로 미숙아 분만으로 인한 위험이며, 선천성 기형 등이 증가하는 것은 아닌 것으로 알려져있다. 이른 병기의 자궁경부암환자가 향후 임신을 계획할 때는 자궁 파열을 예방하기 위해 제왕절개분만의 필요성과 출혈 위험 증가에 대한 대비가 필요하며, 방사선항암치료가 추가될 경우 다른 임신 중 합병증에 대한 평가가 필요하다.한 연구에서 자궁경부절제술을 받은 46명의 환자의 결과를 검토했는데, 32명의 환자가 임신을 시도했으며, 12명이 임신에 성공하였다[81]. 이 중 10명이 제 3삼분기까지 임신이 유지되었고, 6명이 37주 이전에 조산을 하였다. 또 다른 연구는 초기 자궁경부암환자를 대상으로 125건의 자궁경부절제술을 분석했는데, 임신 제2삼분기 전 유산은 23%에서 나타났고, 4%에서 신생아 사망이 발생하였다[84]. 가임력보존을 위한 선행보조화학요법(neoadjuvant chemotherapy)의 결과 Robova 등은 28명의 가임력보존을 위한 수술을 받고 보조적 항암치료를 낮은 용량으로 시행받은 초기 자궁경부암환자들의 경과를 확인하였는데, 10명이 임신을 하였고, 6명은 만삭에, 4명은 조산으로 분만을 하였다. 나머지 환자들은 임신이 되지 않았거나 암이 재발 혹은 진행하였다[85]. 다른 소규모 연구에서는 20명의 가임력보존을 원하는 자궁경부암환자에게 복강경 임파선 절제술을 시행하고 보조적 항암치료를 진행하였고, 5명이 임신에 성공하였다[86].

2) 암 생존자에서 모유수유에 대한 고찰

암치료 후 성공적인 임신을 하였더라도, 산후의 모유 수유는 이전 방사선치료의 영향을 받을 수 있다. 특히 프로락틴(prolactin)의 분비와 관련된 기능의 손상은 분만 후 수유를 불가능하게 하거나 수유량이 적게 할 수 있다. 아동기에 급성임파구백혈병에 대한 예방적 두개골 방사선 조사로 치료받은 여성 생존자를 대상으로 한 후향적 연구에서 약 80%는 임신 중 정상적으로 발생해야하는 유방의 변화가 지극히 적었으며, 산후에 수유에 실패하였다[87]. 이는 두개골 방사선조사로 인한 시상하부-뇌하수체-난소 축의 결핍과 관련이 있을 수 있다.

전체 유방 방사선치료는 조기 유방암에서 제한적인 수술을 시행한 후의 표준적 치료이다. 유방암 환자에서의 모유수유에 대한 보고를 살펴보면, 한 연구에서는 조기 유방암으로 전체 유방 방사선치료를 받은 후 임신한 34%의 여성에서 방사선 조사를 받은 유방에서도 수유가 가능하였다[88]. 한 후향적 연구에서 유방보존수술과 방사선치료를 받은 여성에서 17명을 대상으로 수유 형태를 관찰하였는데, 치료받은 유방은 80%에서 용적 감소가 유의하게 발생하였고, 이 연구에서는 모든 여성들이 치료받지 않은 유방에서 수유를 하였다[89].

3) 향후 암 생존자의 임신에 대한 관리와 연구의 방향

암 생존자의 향후 임신에 관한 관리는 최대한 빠른 가임력의 평가와 산전관리가 중요하다. 잠재적인 임신 관련 합병증으로 인해 암 생존자는 위험의 정도를 추정하고, 위험을 줄이기 위한 감시 및 개입에 대해 논의하는 임신 전 상담이 필요하다(그림 15-1). 항암치료 시 동반되는 오심, 구토, 탈모 등 흔한 합병증은 치료 동안만 대부분 발생하고 이후에는 소실되는 경우가 많지만, 가임력은 비가역적으로 소실되어 난임의 원인이 될 수 있다. 가임기 이전 아동기나 청소년기의 암 생존자들의 경우, 항암치료가 시행될 때 이러한 가임력과 난임 가능성에 대한 고려가 이루어지지 못한 채 진행되는 경우가 많다[90, 91].

암의 특성보다는 특정 치료에 대한 노출이 암 생존자의 생식선 기능 및 가임력을 포함한 만성 건강상태를 크게 결정하기 때문에 항암치료 및 방사선치료에 대한 자세한 정보를 수집하여 임신 결과와 연관하는 연구가 지속되어야 한다. 덧붙여, 암 생존자의 임신과 관련된 코호트 연구들 중에서는 과거에는 사용 빈도가 높았으나, 현재는 잘 사용하지 않는 항암치료약제 및 방사선치료요법이 있을 수 있어 지속적으로 최신의 치료들에 대한 가임력 및 임신 중 합병증을 추적관찰하는 연구가 이루어져야 한다. 최근에 많이 이루어지고 있는 표적암치료요법에 대하여는 향후에 생식세포의 유전적 손상 여부를 직접 평가하는 총 게놈 시퀀싱(Whole genome sequencing)이나 유전체 분석이 필요하다. De Roo 등은 전문가들이 이 문제의 규모를 결정하고 생식 기술에

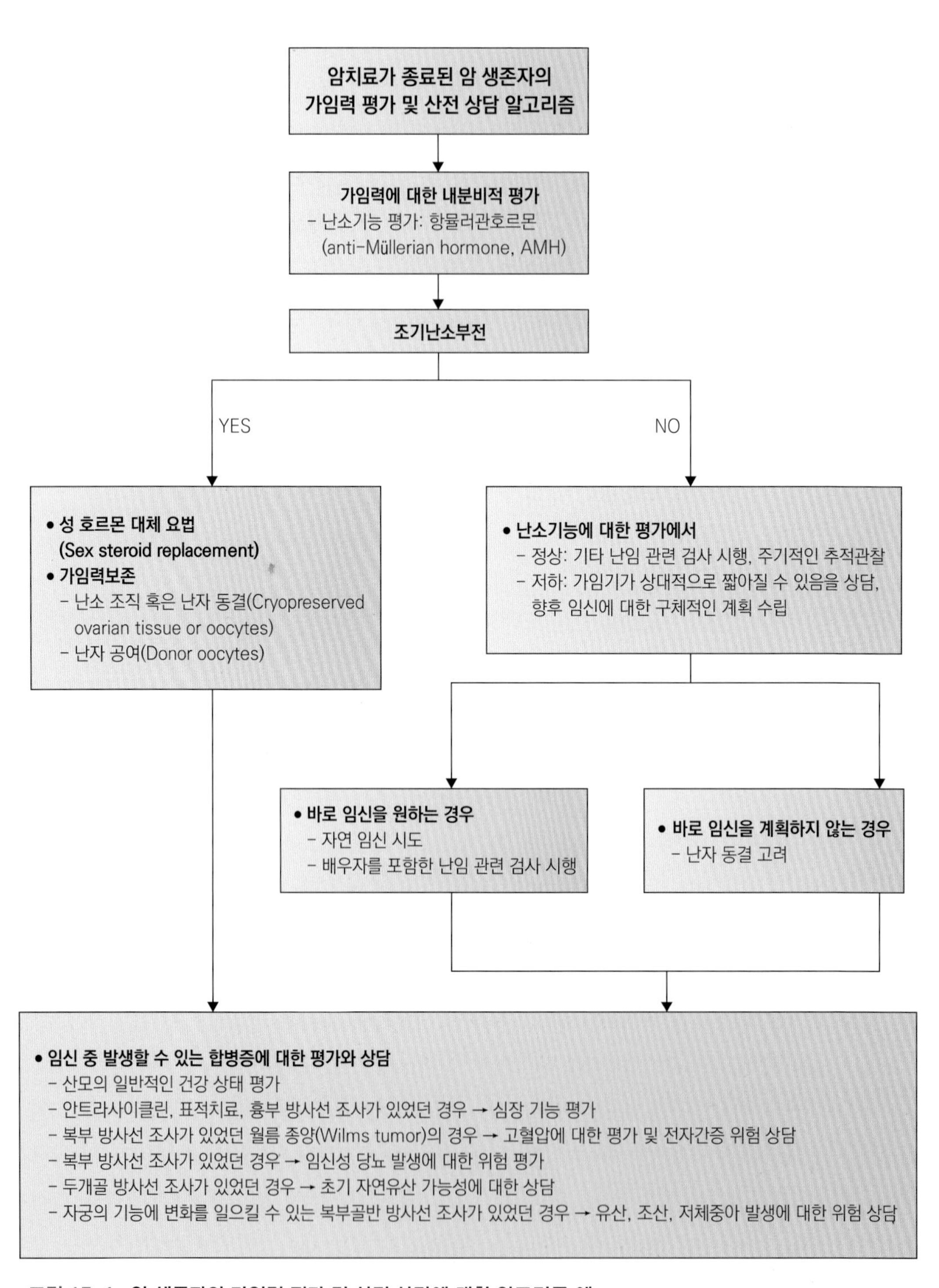

그림 15-1. 암 생존자의 가임력 평가 및 산전 상담에 대한 알고리즘 예

대한 접근을 정의하는 교육도구를 개발할 수 있도록 글로벌종양난임지수를 제안했다[92]. 각 인종에서 호발하는 암에서 가임력보존을 진행하기 위한 가이드라인의 개발을 위해서는 다양한 분야의 전문가들의 개입이 필요하다(예, International Late Effects of Childhood Cancer Guideline Harmonization Group POI guideline)[93].

References

1. Wallace WH, Anderson RA, Irvine DS. Fertility preservation for young patients with cancer: who is at risk and what can be offered? Lancet Oncol 2005;6(4):209-18.
2. Landa A, Kuller J, Rhee E. Perinatal Considerations in Women With Previous Diagnosis of Cancer. Obstet Gynecol Surv 2015;70(12):765-72.
3. Stensheim H, Cvancarova M, Moller B, Fossa SD. Pregnancy after adolescent and adult cancer: a population-based matched cohort study. Int J Cancer 2011;129(5):1225-36.
4. Siegel R, Naishadham D, Jemal A. Cancer statistics for Hispanics/Latinos, 2012. CA Cancer J Clin 2012;62(5):283-98.
5. Partridge AH, Gelber S, Peppercorn J, Sampson E, Knudsen K, Laufer M, et al. Web-based survey of fertility issues in young women with breast cancer. J Clin Oncol 2004;22(20):4174-83.
6. Loren AW, Mangu PB, Beck LN, Brennan L, Magdalinski AJ, Partridge AH, et al. Fertility preservation for patients with cancer: American Society of Clinical Oncology clinical practice guideline update. J Clin Oncol 2013;31(19):2500-10.
7. Kim H, Kim SK, Lee JR, Hwang KJ, Suh CS, Kim SH. Fertility preservation for patients with breast cancer: The Korean Society for Fertility Preservation clinical guidelines. Clin Exp Reprod Med 2017;44(4):181-6.
8. Dominick SA, McLean MR, Whitcomb BW, Gorman JR, Mersereau JE, Bouknight JM, et al. Contraceptive Practices Among Female Cancer Survivors of Reproductive Age. Obstet Gynecol 2015;126(3):498-507.
9. Davies C, Pan H, Godwin J, Gray R, Arriagada R, Raina V, et al. Long-term effects of continuing adjuvant tamoxifen to 10 years versus stopping at 5 years after diagnosis of oestrogen receptor-positive breast cancer: ATLAS, a randomised trial. Lancet 2013;381(9869):805-16.
10. Azim HA, Jr., Santoro L, Pavlidis N, Gelber S, Kroman N, Azim H, et al. Safety of pregnancy following breast cancer diagnosis: a meta-analysis of 14 studies. Eur J Cancer 2011;47(1):74-83.
11. Cooper DR, Butterfield J. Pregnancy subsequent to mastectomy for cancer of the breast. Ann Surg 1970;171(3):429-33.
12. Ariel IM, Kempner R. The prognosis of patients who become pregnant after mastectomy for breast cancer. Int Surg 1989;74(3):185-7.
13. Luo M, Zeng J, Li F, He L, Li T. Safety of pregnancy after surgical treatment for breast cancer: a meta-analysis. Int J Gynecol Cancer 2014;24(8):1366-72.
14. Sankila R, Heinavaara S, Hakulinen T. Survival of breast cancer patients after subsequent term pregnancy: "healthy

mother effect". Am J Obstet Gynecol 1994;170(3):818-23.
15. Blakely LJ, Buzdar AU, Lozada JA, Shullaih SA, Hoy E, Smith TL, et al. Effects of pregnancy after treatment for breast carcinoma on survival and risk of recurrence. Cancer 2004;100(3):465-9.
16. Lens MB, Rosdahl I, Ahlbom A, Farahmand BY, Synnerstad I, Boeryd B, et al. Effect of pregnancy on survival in women with cutaneous malignant melanoma. J Clin Oncol 2004;22(21):4369-75.
17. Madanat-Harjuoja LM, Malila N, Lahteenmaki P, Pukkala E, Mulvihill JJ, Boice JD Jr, et al. Risk of cancer among children of cancer patients - a nationwide study in Finland. Int J Cancer 2010;126(5):1196-205.
18. Winther JF, Boice JD Jr, Thomsen BL, Schull WJ, Stovall M, Olsen JH. Sex ratio among offspring of childhood cancer survivors treated with radiotherapy. Br J Cancer 2003;88(3):382-7.
19. Winther JF, Boice JD Jr, Frederiksen K, Bautz A, Mulvihill JJ, Stovall M, et al. Radiotherapy for childhood cancer and risk for congenital malformations in offspring: a population-based cohort study. Clin Genet 2009;75(1):50-6.
20. Seppanen VI, Artama MS, Malila NK, Pitkaniemi JM, Rantanen ME, Ritvanen AK, et al. Risk for congenital anomalies in offspring of childhood, adolescent and young adult cancer survivors. Int J Cancer 2016;139(8):1721-30.
21. Winther JF, Boice JD Jr, Mulvihill JJ, Stovall M, Frederiksen K, Tawn EJ, et al. Chromosomal abnormalities among offspring of childhood-cancer survivors in Denmark: a population-based study. Am J Hum Genet 2004;74(6):1282-5.
22. Winther JF, Boice JD Jr, Christensen J, Frederiksen K, Mulvihill JJ, Stovall M, et al. Hospitalizations among children of survivors of childhood and adolescent cancer: a population-based cohort study. Int J Cancer 2010;127(12):2879-87.
23. Green DM, Kawashima T, Stovall M, Leisenring W, Sklar CA, Mertens AC, et al. Fertility of female survivors of childhood cancer: a report from the childhood cancer survivor study. J Clin Oncol 2009;27(16):2677-85.
24. Chow EJ, Stratton KL, Leisenring WM, Oeffinger KC, Sklar CA, Donaldson SS, et al. Pregnancy after chemotherapy in male and female survivors of childhood cancer treated between 1970 and 1999: a report from the Childhood Cancer Survivor Study cohort. Lancet Oncol 2016;17(5):567-76.
25. Reulen RC, Zeegers MP, Wallace WH, Frobisher C, Taylor AJ, Lancashire ER, et al. Pregnancy outcomes among adult survivors of childhood cancer in the British Childhood Cancer Survivor Study. Cancer Epidemiol Biomarkers Prev 2009;18(8):2239-47.
26. Pivetta E, Maule MM, Pisani P, Zugna D, Haupt R, Jankovic M, et al. Marriage and parenthood among childhood cancer survivors: a report from the Italian AIEOP Off-Therapy Registry. Haematologica 2011;96(5):744-51.
27. Armuand G, Skoog-Svanberg A, Bladh M, Sydsjo G. Reproductive Patterns Among Childhood and Adolescent Cancer Survivors in Sweden: A Population-Based Matched-Cohort Study. J Clin Oncol 2017;35(14):1577-83.
28. Green DM, Whitton JA, Stovall M, Mertens AC, Donaldson SS, Ruymann FB, et al. Pregnancy outcome of female survivors of childhood cancer: a report from the Childhood Cancer Survivor Study. Am J Obstet Gynecol 2002;187(4):1070-80.
29. Signorello LB, Cohen SS, Bosetti C, Stovall M, Kasper CE, Weathers RE, et al. Female survivors of childhood cancer: preterm birth and low birth weight among their children. J Natl Cancer Inst 2006;98(20):1453-61.
30. Mueller BA, Chow EJ, Kamineni A, Daling JR, Fraser A, Wiggins CL, et al. Pregnancy outcomes in female childhood and adolescent cancer survivors: a linked cancer-birth registry analysis. Arch Pediatr Adolesc Med 2009;163(10):879-86.
31. Haggar FA, Pereira G, Preen D, Holman CD, Einarsdottir K. Adverse obstetric and perinatal outcomes following treatment of adolescent and young adult cancer: a population-based cohort study. PLoS One 2014;9(12):e113292.

32. Taskinen M, Saarinen-Pihkala UM, Hovi L, Lipsanen-Nyman M. Impaired glucose tolerance and dyslipidaemia as late effects after bone-marrow transplantation in childhood. Lancet 2000;356(9234):993-7.
33. Armenian SH, Hudson MM, Mulder RL, Chen MH, Constine LS, Dwyer M, et al. Recommendations for cardiomyopathy surveillance for survivors of childhood cancer: a report from the International Late Effects of Childhood Cancer Guideline Harmonization Group. Lancet Oncol 2015;16(3):e123-36.
34. Hines MR, Mulrooney DA, Hudson MM, Ness KK, Green DM, Howard SC, et al. Pregnancy-associated cardiomyopathy in survivors of childhood cancer. J Cancer Surviv 2016;10(1):113-21.
35. Edgar AB, Wallace WH. Pregnancy in women who had cancer in childhood. Eur J Cancer 2007;43(13):1890-4.
36. van Dalen EC, van der Pal HJ, van den Bos C, Kok WE, Caron HN, Kremer LC. Clinical heart failure during pregnancy and delivery in a cohort of female childhood cancer survivors treated with anthracyclines. Eur J Cancer 2006;42(15):2549-53.
37. Bar J, Davidi O, Goshen Y, Hod M, Yaniv I, Hirsch R. Pregnancy outcome in women treated with doxorubicin for childhood cancer. Am J Obstet Gynecol 2003;189(3):853-7.
38. Green DM, Lange JM, Peabody EM, Grigorieva NN, Peterson SM, Kalapurakal JA, et al. Pregnancy outcome after treatment for Wilms tumor: a report from the national Wilms tumor long-term follow-up study. J Clin Oncol 2010;28(17):2824-30.
39. Lie Fong S, van den Heuvel-Eibrink MM, Eijkemans MJ, Schipper I, Hukkelhoven CW, Laven JS. Pregnancy outcome in female childhood cancer survivors. Hum Reprod 2010;25(5):1206-12.
40. Chiarelli AM, Marrett LD, Darlington GA. Pregnancy outcomes in females after treatment for childhood cancer. Epidemiology 2000;11(2):161-6.
41. Haggar F, Pereira G, Preen D, Woods J, Martel G, Boushey R, et al. Maternal and neonatal outcomes in pregnancies following colorectal cancer. Surg Endosc 2013;27(7):2327-36.
42. Cho JS, Jheon S, Park SJ, Sung SW, Lee CT. Outcome of limited resection for lung cancer. Korean J Thorac Cardiovasc Surg 2011;44(1):51-7.
43. Barton SE, Najita JS, Ginsburg ES, Leisenring WM, Stovall M, Weathers RE, et al. Infertility, infertility treatment, and achievement of pregnancy in female survivors of childhood cancer: a report from the Childhood Cancer Survivor Study cohort. Lancet Oncol 2013;14(9):873-81.
44. Bramswig JH, Riepenhausen M, Schellong G. Parenthood in adult female survivors treated for Hodgkin's lymphoma during childhood and adolescence: a prospective, longitudinal study. Lancet Oncol 2015;16(6):667-75.
45. Winther JF, Boice JD Jr, Svendsen AL, Frederiksen K, Stovall M, Olsen JH. Spontaneous abortion in a Danish population-based cohort of childhood cancer survivors. J Clin Oncol 2008;26(26):4340-6.
46. Arrive L, Chang YC, Hricak H, Brescia RJ, Auffermann W, Quivey JM. Radiation-induced uterine changes: MR imaging. Radiology 1989;170(1 Pt 1):55-8.
47. Critchley HO, Wallace WH, Shalet SM, Mamtora H, Higginson J, Anderson DC. Abdominal irradiation in childhood; the potential for pregnancy. Br J Obstet Gynaecol 1992;99(5):392-4.
48. Critchley HO, Wallace WH. Impact of cancer treatment on uterine function. J Natl Cancer Inst Monogr 2005;34:64-8.
49. Wo JY, Viswanathan AN. Impact of radiotherapy on fertility, pregnancy, and neonatal outcomes in female cancer patients. Int J Radiat Oncol Biol Phys 2009;73(5):1304-12.
50. Fossa SD, Magelssen H, Melve K, Jacobsen AB, Langmark F, Skjaerven R. Parenthood in survivors after adulthood cancer and perinatal health in their offspring: a preliminary report. J Natl Cancer Inst Monogr 2005(34):77-82.

51. Li FP, Gimbrere K, Gelber RD, Sallan SE, Flamant F, Green DM, et al. Outcome of pregnancy in survivors of Wilms' tumor. JAMA 1987;257(2):216-9.
52. Signorello LB, Mulvihill JJ, Green DM, Munro HM, Stovall M, Weathers RE, et al. Stillbirth and neonatal death in relation to radiation exposure before conception: a retrospective cohort study. Lancet 2010;376(9741):624-30.
53. Reulen RC, Zeegers MP, Lancashire ER, Winter DL, Hawkins MM, British Childhood Cancer Survivor S. Offspring sex ratio and gonadal irradiation in the British Childhood Cancer Survivor Study. Br J Cancer 2007;96(9):1439-41.
54. Magelssen H, Melve KK, Skjaerven R, Fossa SD. Parenthood probability and pregnancy outcome in patients with a cancer diagnosis during adolescence and young adulthood. Hum Reprod 2008;23(1):178-86.
55. Signorello LB, Mulvihill JJ, Green DM, Munro HM, Stovall M, Weathers RE, et al. Congenital anomalies in the children of cancer survivors: a report from the childhood cancer survivor study. J Clin Oncol 2012;30(3):239-45.
56. Winther JF, Olsen JH, Wu H, Shyr Y, Mulvihill JJ, Stovall M, et al. Genetic disease in the children of Danish survivors of childhood and adolescent cancer. J Clin Oncol 2012;30(1):27-33.
57. Tawn EJ, Rees GS, Leith C, Winther JF, Curwen GB, Stovall M, et al. Germline minisatellite mutations in survivors of childhood and young adult cancer treated with radiation. Int J Radiat Biol 2011;87(3):330-40.
58. Lee SJ, Schover LR, Partridge AH, Patrizio P, Wallace WH, Hagerty K, et al. American Society of Clinical Oncology recommendations on fertility preservation in cancer patients. J Clin Oncol 2006;24(18):2917-31.
59. Ukita Y, Wakimoto Y, Sugiyama Y, Fujii Y, Fukui A, Hasegawa A, et al. Fertility preservation and pregnancy outcomes in adolescent and young adult male patients with cancer. Reprod Med Biol 2018;17(4):449-53.
60. Kim SW, Kim H, Ku SY, Suh CS, Kim SH, Choi YM. A successful live birth with in vitro fertilization and thawed embryo transfer after conservative treatment of recurrent endometrial cancer. Gynecol Endocrinol 2018;34(1):15-9.
61. Rob L, Robova H, Chmel R, Komar M, Halaska M, Skapa P. Surgical options in early cervical cancer. Int J Hyperthermia 2012;28(6):489-500.
62. Bernardini M, Barrett J, Seaward G, Covens A. Pregnancy outcomes in patients after radical trachelectomy. Am J Obstet Gynecol 2003;189(5):1378-82.
63. Yang D, Brown SE, Nguyen K, Reddy V, Brubaker C, Winslow KL. Live birth after the transfer of human embryos developed from cryopreserved oocytes harvested before cancer treatment. Fertil Steril 2007;87(6):1469 e1-4.
64. Massarotti C, Scaruffi P, Lambertini M, Remorgida V, Del Mastro L, Anserini P. State of the art on oocyte cryopreservation in female cancer patients: A critical review of the literature. Cancer Treat Rev 2017;57:50-7.
65. Leonel ECR, Corral A, Risco R, Camboni A, Taboga SR, Kilbride P, et al. Stepped vitrification technique for human ovarian tissue cryopreservation. Sci Rep 2019;9(1):20008.
66. Imbert R, Moffa F, Tsepelidis S, Simon P, Delbaere A, Devreker F, et al. Safety and usefulness of cryopreservation of ovarian tissue to preserve fertility: a 12-year retrospective analysis. Hum Reprod 2014;29(9):1931-40.
67. Rodriguez-Wallberg KA, Tanbo T, Tinkanen H, Thurin-Kjellberg A, Nedstrand E, Kitlinski ML, et al. Ovarian tissue cryopreservation and transplantation among alternatives for fertility preservation in the Nordic countries - compilation of 20 years of multicenter experience. Acta Obstet Gynecol Scand 2016;95(9):1015-26.
68. Rosendahl M, Schmidt KT, Ernst E, Rasmussen PE, Loft A, Byskov AG, et al. Cryopreservation of ovarian tissue for a decade in Denmark: a view of the technique. Reprod Biomed Online 2011;22(2):162-71.
69. Hoekman EJ, Louwe LA, Rooijers M, van der Westerlaken LAJ, Klijn NF, Pilgram GSK, et al. Ovarian tissue cryopreservation: Low usage rates and high live-birth rate after transplantation. Acta Obstet Gynecol Scand 2020;99(2):213-21.
70. Lambertini M, Anserini P, Fontana V, Poggio F, Iacono G, Abate A, et al. The PREgnancy and FERtility (PREFER)

study: an Italian multicenter prospective cohort study on fertility preservation and pregnancy issues in young breast cancer patients. BMC Cancer 2017;17(1):346.

71. Langagergaard V, Gislum M, Skriver MV, Norgard B, Lash TL, Rothman KJ, et al. Birth outcome in women with breast cancer. Br J Cancer 2006;94(1):142-6.
72. Dalberg K, Eriksson J, Holmberg L. Birth outcome in women with previously treated breast cancer--a population-based cohort study from Sweden. PLoS Med 2006;3(9):e336.
73. Smallridge RC, Glinoer D, Hollowell JG, Brent G. Thyroid function inside and outside of pregnancy: what do we know and what don't we know? Thyroid 2005;15(1):54-9.
74. Hirsch D, Levy S, Tsvetov G, Weinstein R, Lifshitz A, Singer J, et al. Impact of pregnancy on outcome and prognosis of survivors of papillary thyroid cancer. Thyroid 2010;20(10):1179-85.
75. Pomorski L, Bartos M, Narebski J. Pregnancy following operative and complementary treatment of thyroid cancer. Zentralbl Gynakol 2000;122(7):383-6.
76. Sawka AM, Lakra DC, Lea J, Alshehri B, Tsang RW, Brierley JD, et al. A systematic review examining the effects of therapeutic radioactive iodine on ovarian function and future pregnancy in female thyroid cancer survivors. Clin Endocrinol (Oxf) 2008;69(3):479-90.
77. Chow SM, Yau S, Lee SH, Leung WM, Law SC. Pregnancy outcome after diagnosis of differentiated thyroid carcinoma: no deleterious effect after radioactive iodine treatment. Int J Radiat Oncol Biol Phys 2004;59(4):992-1000.
78. Balenovic A, Vlasic M, Sonicki Z, Bodor D, Kusic Z. Pregnancy outcome after treatment with radioiodine for differentiated thyroid carcinoma. Coll Antropol 2006;30(4):743-8.
79. Garsi JP, Schlumberger M, Rubino C, Ricard M, Labbe M, Ceccarelli C, et al. Therapeutic administration of 131I for differentiated thyroid cancer: radiation dose to ovaries and outcome of pregnancies. J Nucl Med 2008;49(5):845-52.
80. Lin JD, Wang HS, Weng HF, Kao PF. Outcome of pregnancy after radioactive iodine treatment for well differentiated thyroid carcinomas. J Endocrinol Invest 1998;21(10):662-7.
81. Ma LK, Cao DY, Yang JX, Liu JT, Shen K, Lang JH. Pregnancy outcome and obstetric management after vaginal radical trachelectomy. Eur Rev Med Pharmacol Sci 2014;18(20):3019-24.
82. Nishio H, Fujii T, Sugiyama J, Kuji N, Tanaka M, Hamatani T, et al. Reproductive and obstetric outcomes after radical abdominal trachelectomy for early-stage cervical cancer in a series of 31 pregnancies. Hum Reprod 2013;28(7):1793-8.
83. Park JY, Kim DY, Suh DS, Kim JH, Kim YM, Kim YT, et al. Reproductive outcomes after laparoscopic radical trachelectomy for early-stage cervical cancer. J Gynecol Oncol 2014;25(1):9-13.
84. Plante M, Gregoire J, Renaud MC, Roy M. The vaginal radical trachelectomy: an update of a series of 125 cases and 106 pregnancies. Gynecol Oncol 2011;121(2):290-7.
85. Robova H, Halaska MJ, Pluta M, Skapa P, Matecha J, Lisy J, et al. Oncological and pregnancy outcomes after high-dose density neoadjuvant chemotherapy and fertility-sparing surgery in cervical cancer. Gynecol Oncol 2014;135(2):213-6.
86. Lanowska M, Mangler M, Speiser D, Bockholdt C, Schneider A, Kohler C, et al. Radical vaginal trachelectomy after laparoscopic staging and neoadjuvant chemotherapy in women with early-stage cervical cancer over 2 cm: oncologic, fertility, and neonatal outcome in a series of 20 patients. Int J Gynecol Cancer 2014;24(3):586-93.
87. Johnston K, Vowels M, Carroll S, Neville K, Cohn R. Failure to lactate: a possible late effect of cranial radiation. Pediatr Blood Cancer 2008;50(3):721-2.

88. Tralins AH. Lactation after conservative breast surgery combined with radiation therapy. Am J Clin Oncol 1995;18(1):40-3.
89. Moran MS, Colasanto JM, Haffty BG, Wilson LD, Lund MW, Higgins SA. Effects of breast-conserving therapy on lactation after pregnancy. Cancer J 2005;11(5):399-403.
90. Rosen A, Rodriguez-Wallberg KA, Rosenzweig L. Psychosocial distress in young cancer survivors. Semin Oncol Nurs 2009;25(4):268-77.
91. Howard-Anderson J, Ganz PA, Bower JE, Stanton AL. Quality of life, fertility concerns, and behavioral health outcomes in younger breast cancer survivors: a systematic review. J Natl Cancer Inst 2012;104(5):386-405.
92. de Roo SF, Rashedi AS, Beerendonk CCM, Anazodo A, de Man AM, Nelen W, et al. Global oncofertility index-data gap slows progress. Biol Reprod 2017;96(6):1124-8.
93. van Dorp W, Mulder RL, Kremer LC, Hudson MM, van den Heuvel-Eibrink MM, van den Berg MH, et al. Recommendations for Premature Ovarian Insufficiency Surveillance for Female Survivors of Childhood, Adolescent, and Young Adult Cancer: A Report From the International Late Effects of Childhood Cancer Guideline Harmonization Group in Collaboration With the PanCareSurFup Consortium. J Clin Oncol 2016;34(28):3440-50.

Chapter 16

가임력보존의 윤리적 고려

(Ethical considerations in fertility preservation

계명의대 **이정호**
계명의대 **박준철**

최근 암환자의 완치율 및 평균 생존율이 크게 증가하였고, 생존 이후 삶의 질(life quality)을 유지하는 것이 더욱 중요해지면서 가임력보존은 최근 생식 의학의 새로운 분야로 자리잡고 있다. 한국 국가암등록 통계를 보면 가임기 여성에서 가장 높은 발생빈도를 보이는 갑상샘암, 유방암 등의 환자에서 5년 평균 생존율이 90%를 넘고 있으며, 백혈병, 림프암 및 중추신경계 암을 포함한 소아암환자의 5년 평균 생존율 역시 70%를 넘는 것으로 보고되었다. 보조생식술의 발달로 다양한 방법의 가임력보존이 가능해짐에 따라 미국종양학회에서는 항암치료나 방사선치료로 인하여 가임력의 감소가 불가피한 경우, 치료를 시작하기 전에 반드시 가임력보존에 대해 상담하도록 권고하고 있다[1]. 또한 특정 암에 대한 유전자 검사가 가능해지고, 유전질환으로 인하여 난소나 고환의 가임력 조기 소실이 예측되는 경우에도 가임력보존 치료가 증가되고 있는 상황이다. 가령 BRCA 유전자 변이가 있는 환자에서 예방적 난소절제술을 시행하는 경우나, 클라인펠터(Klinefelter) 증후군 환자나 터너(Turner) 증후군 환자에서 생식샘 기능이 소실되기 전에 생식세포나 배아를 동결할 수 있을 것이다[2]. 루프스 등의 양성 질환이지만 항암치료제를 사용해야 하는 경우, 트랜스젠더 남성이 난소 제거술을 받는 경우, 또는 나이가 더 들기 전에 난자를 보관하고 싶어하는 미혼 여성에 이르기까지 점차 가임력보존술의 적용 범위가 확대되고 있다[3].

가임력보존 시술의 상용화와 함께 여러가지 법적, 윤리적 문제가 대두되고 있다. 즉, 가임력보존 방법의 선택이나, 보관된 유전 물질의 사용에 대해 각 나라마다 문화적, 종교적 차이에 따라 다양한 양상을 보이고 있다. 지난 세기 동안 배아 동결이나 정자 동결은 이미 안정적으로 시행되어 왔으며, 향후 임신에 대한 충분한 기회를 제공한다. 동결 기술의 발달로 배아 동결을

표 16-1. **가임력보존술**

동결보존	실용화된 보존술	실험적인 보존술
배아 동결 (cryopreservation of embryo)	✓	
난자 동결 (cryopreservation of oocytes)	✓	
난소 조직 동결 (cryopreservation of ovarian tissue)	✓	
난소동결 (cryopreservation of whole ovary)		✓
정자 동결 (cryopreservation of spermatozoa)	✓	
정조 세포 동결 (cryopreservation of spermatogonia)		✓
고환 조직 동결 (cryopreservation of testicular tissue)		✓

할 수 없는 미혼 여성에서의 난자 동결도 임신율이 크게 향상되고 있다. 최근 미국 생식의학회에서는 사춘기 이전의 소아나, 과배란 유도를 시행할 시간적 여유가 없는 응급 상황에서는 난소 조직 동결 또한 더 이상 실험적 방법이 아니라, 사용 가능한 가임력보존술로 인정하였다[4]. 그러나 사춘기 발달 이전 소아에서의 고환 조직 동결은 아직까지 임신율에 대한 정확한 결과를 제공할 수 없는 제한점이 있다(표 16-1). 따라서 일반적으로 의료는 철저한 검증을 통하여 임상에 적용되어 왔으나, 가임력보존술은 암환자의 절박함을 앞세워 이러한 검증 절차 없이 실험적인 시술들까지도 시행된다는 비판이 있을 수 있다. 어느 정도의 기간 동안 보관이 가능한지, 특정 시간 보관된 이후 출생한 자녀에서 유전적 문제가 없는지 역시 해결해야 할 과제이다. 그리고 모든 암환자에게 가임력보존술을 권유하는 것은 옳지 않다는 주장도 있는데, 환자의 여명이 부모가 되기에 턱없이 부족한 경우 오히려 환자의 심리적 고통이나 경제적 부담만 가중시킬 수 있기 때문이다[5].

종교적 이유로 자위(masturbation)에 의한 정액 채취가 거부될 수 있고, 난자나 배아를 이용한 보조생식술에 대해 부정적일 수도 있다. 또한 가임력보존 시술을 받은 환자가 생존하지 못하거나, 배아 동결보존에 동의한 부부 중 일방이 사용을 반대하는 경우 보관된 배아의 처리 같은 다양한 문제가 제기될 수 있다. 따라서 가임력보존 시술은 환자와 보호자에게 충분한 정보를 제공한 후 동의서 취득에 기초하여 시행되어야 하며, 향후 동결보존된 생식세포나 조직을 어떻게 사용할 것인지도 충분히 논의되고 명시되어야 한다. 특히 실용화 단계에 있지 않는 가임력보존술의 경우, 윤리위원회(IRB)의 승인 하에 이루어져야 한다[6]. 가임력보존술과 관련된 윤리적, 도덕적 문제는 시도되는 다양한 치료의 불확실성, 생식세포를 동결보존한 당사자의 사망 시 보관된 생식세포의 처리 방침이 가장 큰 문제일 것이다[7].

1 암환자의 선택(Patient's dilemma: balancing cancer and fertility)

암 진단을 받은 이들은 당장 생존과 치유라는 문제에 직면하게 되며, 신체적, 감정적 및 사회 경제적으로 힘든 상황에 놓이게 된다. 또한 향후 가임력 감소가 예견되는 상황에서는 가임력을 보존하여 자신의 아이를 출산하려는 바람도 있을 것이다. 성인 남성이라면 손쉽게 정자를 동결보존할 수 있을 것이나, 성인 여성의 경우 암치료를 시작하기 전에 과배란 유도 및 난자 채취를 시행 받을 충분한 시간적 여유가 있어야만 난자나 배아를 동결보존할 수 있을 것이다. 또한 과배란 유도에 따른 호르몬 변화가 환자의 질환에 영향을 줄 수도 있다. 특히 효용성과 안정성이 확립되지 않은 실험적 방법의 보존술이라면, 미래의 기술 발달을 기대하며 시술을 받는 것에 대한 고민이 있을 것이다. 따라서 가임력보존술이 암치료나 예후에 악영향을 주지 않는지, 향후 환자 본인에게 어떤 도움을 줄 수 있는지, 시술에 따른 위험성과 향후 임신 성공률 등을 평가하여 결정하여야 하는 어려움에 놓이게 된다[8].

2 동의서(Informed consent)

동의서는 적정하고 이해할 수 있는 정보 제공과 자발적 의사결정에 의해 이루어져야 한다. 환자는 다양한 가임력보존 방법에 대한 충분한 정보를 제공받을 권리가 있고, 시술의 위험성이나 비용에 대한 설명을 통해 자신에게 적합한 방법을 선택할 수 있어야 한다. 이러한 논의는 항암치료나 방사선치료를 시작하기 전에 이루어져야 하고, 치료를 지연시키지 않으면서 생식세포 독성을 최소화할 수 있도록 가임력보존 시술이 신속히 이루어져야 한다. 그러나 암 진단을 받은 후, 환자와 보호자는 정서적인 어려움뿐만 아니라 암치료에 대해 수많은 정보와 결정에 직면하게 됨으로써 가임력보존에 대한 정보와 결정에 소극적일 수 있다. 암 진단을 받은 젊은 남성 중 29%만이 가임력보존에 대한 상담을 받았으며, 11%만이 정자 보관을 시도하였다는 것은 실망스런 결과일 수 있다[9].

가임력보존 시술을 받기로 결정한 후에도, 다양한 가임력보존 시술 중 환자에게 가장 적합한 시술 방법을 선택하는 것 또한 쉬운 일이 아닐 것이다. 가임력보존 시술의 선택은 종양의 종류, 암치료 시작까지의 시간, 환자의 나이, 결혼 유무, 항암제의 종류 및 용량, 방사선치료 범위나 용량 등의 치료 계획, 예후, 향후 임신에 따른 영향, 가임력보존 시술의 비용 등을 고려하여 결정되어야 한다[8]. 그러나 종양 전문의 역시 가임력보존 시술에 대한 충분한 지식이 없으므로, 보다 정확하고 신속한 치료를 위해서는 숙련된 팀 치료가 필요하다. Carlson 등의 연구에서 대부분의 종양 전문의들이 가임력보존에 대해 환자에게 설명한다고 하였으나, 실제 생식 전문의에게 의뢰한 경우는 25%에 불과하였다[6]. 소아내분비 의사들을 대상으로 한 연구에서도 75%의 의사들이 가임력보존술에 대한 상담에 어려움을 느낀다고 하였고, 더 많은 교육이나 표준화된 진료지침이 필요하다고 하였다[10]. 생식내분비 의사는 생식세포의 채취나 생성, 보관에 관여할 뿐만 아니라, 향후 보관된 생식세포나 조직을 해동, 이식에도 관여함으로서 가임력보존 시술의 중심 역할을 함과 동시에 환자의 예후 및 치료과정에 대한 충분한 이해가 있어야 한다. 즉, 성공적인 가임력보존을 시행하기 위해서는 환자의 지속적인 관리가 가능하도록 종양 전문의와 생식 전문의 간의 적절한 협진 체계가 갖추어져 있어야 하며, 가임력보존 시술이 즉각적으로 시행될 수 있도록 표준화 지침에 따른 설비와 전문화된 인력이 상시 운영 가능하여야 한다. 이를 통하여 환자에게 시술의 장단점이나 환자 나이에 따른 한계, 장기 보관에 따른 문제점 뿐만 아니라, 유전 질환의 경우 착상 전 유전 진단을 포함한 유전 상담 및 어려운 결정을 내려야 하는 환자를 도와줄 정신과 상담도 제공하여야 한다[3, 4]. 따라서 효과적인 가임력보존 시술 및 상담을 위해서는 종양 전문의, 소아 전문의, 생식 전문의, 병리 전문의, 정신과 전문의, 심리 상담가 등의 적절한 팀 치료 체계를 기반으로 시행되어야 할 것이다.

가임력보존술의 시술 비용도 환자나 보호자의 결정에 중요한 요소이며, 시술 전 상담에 포함해야 한다. 가임력보존 시술을 위한 비용은 대부분의 국가에서 보험으로 보장해주지 않으므로 환자와 가족에게 결정의 중요한 요인이자 정신적 스트레스를 유발할 수 있다. 일부 사보험들이 난임 치료조차 지원하지 않는 상황에서 가임력보존을 위한 생식세포의 동결이나, 보다 실험적이라 할 수 있는 조직 동결에 대해 지원하지 않겠다는 입장을 견지할 수 있다[6]. 그러나 유방암 환자의 경우 수술 이후 유방 재건술에 대한 치료 보장을 해주는 것과 비교할 때, 항암치료로 인한 난소기능 저하에 대한 치료를 보장하지 않는 것은 형평성에 어긋난다는 지적도 있을 수 있다. 경제적 이유로 가임력을 보존할 기회를 잃는다면 또다른 의료의 불공정을 야기한다는 비판도 있다.

또한 보존 기간에 대한 상담 뿐만 아니라, 보관된 생식세포나 조직을 어떤 상황에서 폐기할 것인지에 관한 정보도 각국의 상황에 맞게 제공되어야 할 것이다[11].

3 성인에서의 가임력보존술

1) 배아 동결

윤리적 관점에서 가임력보존의 이유는 자녀 출산에 대한 자율권의 보장이라 할 수 있을 것이다. 가임력보존 시술이 환자 자신에게나, 향후 출산할 자녀에게 위험이 없는지 면밀한 검토를 통해 적절한 정보가 제공되어야 한다. 배우자가 있는 성인의 경우 배아 동결이 먼저 선택할 수 있는 방법일 것이다. 동결 배아의 생존율은 90% 정도로서, 배아의 동결보존과 해동을 통한 임신은 이미 그 안정성과 실용성을 인정하고 있는 바 기술적인 면에서의 이견은 없다[11].

그러나 암치료를 앞둔 환자에서는 고려해야 할 특수한 사항이 있다. 먼저 과배란 유도를 위한 시간 동안 암치료를 연기할 수 있는지, 현재의 환자 상태가 회복 후 배아 사용을 기대할 수 있을지, 향후 임신이 환자의 질환에 영향을 주지 않는지, 또는 환자의 여명이 길지 않을 경우 자녀 양육에는 문제가 없을지 등에 대한 포괄적 상담이 이루어져야 한다. 물론 배우자나 동거인의 동의도 있어야 한다. 불행히도 암치료 이후 상당수의 환자들이 결혼을 하지 않을 뿐만 아니라, 이혼율 또한 높은 것으로 알려져 있다[5]. 사실혼 관계의 여성이 동거인의 정자를 이용하여 배아를 생성 보관한 경우, 만약 치료 이후 동거인이 해당 배아의 사용을 반대한다면 환자 본인의 결정만으로 사용할 수 있느냐는 문제가 있을 수 있다.

미혼 여성의 경우 난자 동결뿐만 아니라, 공여 정자를 이용한 배아 동결을 고려할 수 있다. 기술적으로 향후 임신을 좀더 담보하기 위하여 공여 정자를 이용한 배아 동결을 선택할 수도 있지만, 사회적, 정서적, 윤리적으로 복잡한 문제가 야기될 수 있다. 가령 향후 출생한 자녀가 정자 공여자의 정보 공개를 원하는 경우, 이를 허용할 것인가에 대해 각 나라마다 규정이 다르다. 정보 공여를 우려하여 공여자가 배아 사용을 반대할 경우, 생성 보관된 배아 사용에 대해 법적, 윤리적 분쟁의 소지가 있다[6].

암 완치 이후 회복된 환자가 불행히도 부부관계를 통한 자녀 출산이 불가능하다면 공여 난자나 정자를 이용하거나, 대리모 시술 등의 방법을 시도할 수도 있을 것이다. 따라서 가임력보존술을 결정하기 전에 미리 다양한 치료 옵션에 관한 설명이 필요하며, 시술 결정은 환자의 여명이나, 향후 출생할 자녀의 복지 등을 고려하여 결정하여야 할 것이다.

2) 정자 동결

성인에서의 정자 동결은 대부분 큰 어려움 없이 진행될 수 있다. 두세 번의 사정 정자로도 향후 임신을 위한 충분한 정자를 동결할 수 있다. 특히 암환자에서 정액 소견이 다소 좋지 못한 경우도 세포질내정자주입술(ICSI)의 발달로 어느 정도는 극복 가능해졌다. 그러나 사정이 불가능한 경우 전기 자극(electroejaculation), 고환 내 정자 추출(testicular sperm extraction), 부고환 정자흡인술(epididymal sperm aspiration) 등의 침습적인 방법이 필요할 수 있다[8].

3) 난자 동결

동결 기술의 발달에 따라 최근 미국생식의학회는 난자 동결을 더이상 실험적인 방법이 아니라, 임상에서 충분히 이용 가능한 기술로 인정하고 있다[12]. 난자의 크기나 구조의 복잡성으로 인하여 동결보존에 기술적 어려움이 있었으나, 유리화동결(vitirification), 세포질내정자주입술 등의 보조생식술의 발달로 해동 난자를 이용한 임신율이 크게 증가하였다. 동결 난자의 해동 이식 시술은 착상률이 10–60%, 임신율이 30–60%로서 신선 배아이식주기와 유사한 성적을 보일 만큼 발전하였다[7]. 또한 이탈리아 등록 연구에서 이식 주기당 15.6%의 임신율을 보였을 뿐만 아니라, 2,152명의 생존아 출생 중 태아 기형은 0.9%로서 유의한 증가는 없었다고 보고하여 안정성도 입증되고 있다[13]. 따라서 배우자가 없는 미혼 여성에서의 난자 동결을 통한 가임력보존이 용이해지고 있으며, 시술을 위한 상담에 있어 임상의사들의 부담을 줄여주고 있다. 즉, 난자 동결의 성공률이 최근 크게 향상되면서, 공여 정자를 이용한 배아 동결을 굳이 고민하지 않아도 되게 되었다. 그러나 대부분의 결과가 사회적 난자 동결 후 임신율에 대한 것으로, 실제 암환자에서 난자 동결 후 생존아 출생률에 대한 연구결과는 제한적이다. 동결보존 시 환자의 나이나 획득된 난자의 수에 따라, 향후 임신 및 출산율에 차이가 있을 것이므로 적절한 상담이 필요하다.

한 주기당 획득되는 난자의 수를 고려할 때, 향후 임신을 보장하기 위해서는 여러 번의 과배란 유도 주기가 필요할 수 있다. 그러나 치료의 지연이나 경제적 심리적 부담을 주어서는 안될 것이다. 암치료를 미루기 힘든 환자들에 있어 생리주기와 무관하게 무작위 개시하는 과배란 유도주기(random start protocols)의 결과가 기존의 생리 시작 3일안에 개시하는 주기와 유사한 성적을 보이므로, 종양 전문의가 가능한 빠른 시기에 생식내분비 전문의에게 의뢰하는 것이 중요하다[14]. 만약 호르몬 변화에 민감한 종양이라면 종양의 전이를 촉진할 수 있다는 이론적 위험도 있다. 그러나 방향화효소억제제를 이용한 과배란 유도주기가 혈중 에스트라디올 농도는 제한하면서도 난자의 질을 저해하지 않는다고 보고되어, 유방암 환자에서도 5년 생존율을 저해하지 않으면서 난자 보존이 가능해졌다. 즉, 환자의 상태에 따른 적절한 과배란 유도 방법의 개발로 가임력보존술의 적용을 보다 용이하게 하고 있다.

4) 난소 조직 동결

성인에서 과배란 유도를 시행할 시간적 여유가 없는 응급 상황일 경우 난소 조직 동결을 시도할 수 있다. 최근 미국생식의학회에서는 난소 조직 동결 또한 더 이상 실험적 방법이 아니라, 사용 가능한 가임력보존술로 인정하였다. 현재까지 전세계적으로 130명의 생존아 출생이 보고되고 있다[4, 15]. 재이식된 난소 조직은 이식후 60–40일부터 난소기능의 재개를 보이며 최장 7년까지 유지되는 것으로 관찰되었다[16]. 따라서 난소의 호르몬 분비 기능이 장기간 보존되는 것은 아니므로, 임신을 시도할 준비가 된 시기에 이식술이 시행되어야 한다.

양측 난소를 모두 절제하여 보관하는 것은 난소 부전을 초래하므로 권유되지 않는다. 항뮬러관호르몬이 0.5 ng/mL 미만이거나 동난포(antral follicle)가 5개 미만인 경우와 같이 난소 배란능이 감소한 경우[3], 또는 40세 이상의 여성에서는 난소 조직 동결이 적절치 않으므로 대상 환자 선정이 중요할 것이다[4]. 그리고 암환자가 회복한 이후, 난소 조직을 해동 및 이식하는 과정에서 조직내 암 세포가 같이 유입될 위험도 있다. 그러나 현재로서는 난소 조직 내의 암세포를 진단하거나 전파를 차단할 방법이 없다. 따라서 이러한 시술은 기관윤리위원회(IRB) 승인하에 이루어져야 하며, 현재까지 난소 조직 동결 후 안전성, 효용성이나 임신율에 대한 자료가 다소 제한적이므로, 의학적으로 선별된 경우에 시행하여야 한다[4].

4 소아에서의 가임력보존술

혈액암이나 골 종양 등을 포함한 소아암환자의 5년 생존율이 최근 크게 향상됨에 따라, 미국 암학회 권고안에서는 사춘기 이후 소아는 정자나 난자 보관을, 사춘기 이전 소아는 난소나 고환 조직 보관에 관하여, 환자와 보호자에게 설명하고 전문 기관으로 의뢰하도록 하고 있다[17]. 한국에서도 소아암환자의 생존율이 크게 증가하고, 생존 이후의 삶의 질에 관한 관심이 증가되면서 가임력보존술에 대한 요구도 증가하고 있다. 그러나 소아에서의 가임력보존술은 배아 동결이나 정자 동결에 비하여 시술의 성공을 장담하기 어려울 뿐만 아니라, 환자 본인의 동의를 받기 어렵고, 보호자와 의견이 일치하지 않는 경우 등 좀 더 복잡한 문제가 대두된다[17].

사춘기가 지난 남아의 경우 정자를 보관할 수 있으나, 종교적, 문화적 이유로 자위에 의한 정자 채취를 금기하는 경우 환자와 보호자가 이를 수용하는 가에 대한 문제가 있다. 청소년의 경우, 환자 자신이 정자 채취에 대해 부끄러워하거나 당황할 수 있어 보호자와 함께 충분히 설명하여 이해시켜야 한다. 또한 채취를 위한 편안한 환경이 중요하며, 정자 채취 당일에는 부모와 동반하지 않는 것이 오히려 성공률이 더 높다는 보고도 있다[18]. 사춘기 발달 정도 뿐만 아니라 환자의 불안, 피로, 통증, 동반 질환, 투약 중인 약물에도 영향을 받을 수 있다[4]. 고환암, 백혈병, 호지킨림프종 등의 특정 암환자에서는 정자의 상태가 더 나쁠 수 있다[19]. 그러나 보조생식술의 발달로 제한된 정자로도 향후 임신에 성공할 가능성은 충분히 있다.

사춘기가 지난 여아의 경우 난자 보관이 가능하나, 과배란 유도와 난자 채취 등 시술 과정에 대한 환자와 보호자의 이해와 동의가 필요하다. 난자 동결 기술의 발달로 가능한 선택이지만, 기술과 경험이 축적된 난임클리닉으로의 접근성이 문제가 될 수 있을 것이다[17]. 난자 채취를 위해서는 열흘 정도의 피하 주사를 맞으며 질 초음파로 난포 성장을 관찰하여야 하고, 마취한 상태에서 질 초음파 유도하에 채취하게 되므로 다소 침습적인 과정에 대해 충분히 이해시켜야 한다.

사춘기 이전의 소아는 난소 조직이나 고환 조직을 동결보존할 수 있다[20]. 불행히도 이러한 동결보존 시술은 성 성숙에 영향을 줄 수도 있으며, 향후 임신을 담보할 수 없는 제한점이 있다. 난소 조직의 동결보존은 사춘기 이전 소녀에서 시행할 수 있는 유일한 가임력보존 방법이며, 출생아 또한 보고된 바 있다. 그러나 고환 조직 동결보존의 경우 아직까지 출생아를 보고한 예가 없는 실험적 방법이다. 그럼에도 전세계 24개 센터에서 1,000여명 이상의 소아의 고환 조직이 동결보존되고 있다[20]. 향후 정조줄기세포(spermatogonial stem cell)의 체외 성숙이나 고환 조직의 재이식 등의 기술 발달이 이루어질 것을 기대하고 있다[14].

생식조직 동결의 장기적인 유익성과 합병증이 명확하지 않은 상황에서 시술자가 과장된 정보를 제공하거나, 가임력을 보존하고 싶어하는 환자나 보호자의 바람으로 치료 방법의 불확실성을 듣지 않으려 할 수 있다. 따라서 환자와 보호자에게 실패할 수 있음을 설명하여야 하고, 과도한 기대를 주어서는 안 된다[6]. 또한 소아는 취약한 대상으로서 시행될 시술을 충분히 이해하지 못하거나, 가임력보존 치료에 따른 위험성과 이익을 판단하지 못할 수 있다. 결국 시술에 관한 자세한 정보나 결정은 환자의 이익을 최선으로 생각하는 보호자와의 상담과 동의를 통해 대부분 이루어질 것이다. 그러나 동의서(informed consent)는 부모나 보호자에 의해 작성되더라도 소아가 충분히 이해할 수 있도록 기술된 설명문에 승낙(assent)을 받도록 하고 있다[21].

소아에서의 설명문은 본인이 직면한 의학적 상황에 대한 이해를 돕고, 향후 시행할 검사나 치료에 대한 설명이 포함되어야 한다. 제안된 검사나 치료를 받아들일 것인지에 대해, 타인의 강요가 없이 환자 본인의 의지로 선택하도록 해야 한다[22]. 보호자의 결정과 소아의 결정이 다른 경우, 소아의 의견이 무시되지 않도록 충분히 배려하여야 한다. 특히 14세 이상의 소아는 이러한 시술의 위험성과 이득을 충분히 이해하고 자신의 결정을 내릴 수 있는 것으로 생각하여, 부모와 의견과 다른 경우 소아의 결정을 존중하도록 상담하여야 한다[23, 24].

소아에서의 가임력보존술은 암치료를 시작하기 전에 환자와 보호자에게 향후 난임 위험도와 가임력보존에 관한 설명을 제공하여야 하고, 암치료 성공률을 저해하지 않는 범위에서 가임력보존술을 시행할 기관으로 의뢰되어야 한다. 소아의 생식세포나 조직 동결은 향후 자신의 아이를 가질 기회를 제공하는 것은 분명하지만, 해동 후 생존율이나 임신율에 대한 정확한 데이터를 제시할 수 없는 한계가 있으므로, 가임력보존술 상담 시에 시술의 효용성과 제한점을 설명하여야 한다. 따라서 소아의 가임력보존 시술은 환아의 나이나 성숙도, 환아와 보호자와의 관계, 가족의 문화적 종교적 신념, 환아의 예후, 시술 가능한 병원으로의 접근성 등 다양한 요인이 결정에 영향을 미칠 수 있다[6].

또한 시술자의 편견(provider's bias)도 있을 수 있다. 특히 실험적인 방법의 가임력보존술을 시행할 때나, 시술을 권유하는 의사와 환자 보호자의 결정이 일치하지 않는 경우에 시술자의 편견이 관찰되었다. 사회경제적 수준이 낮은 환자나 가임력보존 의지가 적은 환자에게는 시술 권유를 하지 않을 수 있으며, 자신의 기관이 이러한 시술을 하지 않는 경우 시술에 대해 설명을 하지 않을 수 있다[25]. 그러므로 의료진, 환자, 보호자 간의 의견이 다를 경우, 윤리 전문가의 중재가 필요할 수 있다[17].

또 다른 문제는 보관된 생식세포나 조직을 어떻게 사용할 것인 가이다. 특히 소아가 생존하지 못하거나, 사용할 수 없는 상황이 된다면, 보관된 생식세포나 조직의 사용은 다양한 법적 윤리적 문제를 야기할 수 있다. 가임력보존술을 시행받기전에 향후 사용 방법에 관하여 동의서 작성 시 기록으로 남기도록 권고하고 있다. 그러나 이런 결정은 소아의 자기 결정권을 침해할 수 있다는 주장이 있다. 따라서 생식세포나 조직의 동결 여부는 치료 시작 전 부모에 의해 결정된다 하더라도, 향후 보관된 조직의 사용에 관하여는 소아가 성인이 된 이후 직접 결정하도록 할 수 있다.

5 암 치유 후 출산(Cancer surviviors' reproduce)

암치료 이후에도 가임력이 유지되고 있는 때에는 정상적인 부부관계를 통한 임신이 가능할 것이다. 그러나 가임력이 감소한 이들은 생식내분비 전문의의 도움이 필요하다. 동결보존된 생식세포나 조직을 이용할 수 있을 뿐만 아니라, 공여 난자나 정자 또는 배아를 이용하거나, 대리모 등도 고려할 수 있을 것이다. 난임 치료에 따른 부작용 뿐만 아니라, 임신에 성공한 후 임신으로 인한 암의 재발이나 악화 가능성도 평가되어야 한다. 암치료 후 임신을 언제부터 시도하는 것이 적정한 지도 중요한 문제이다. 유전병이 있는 경우, 산전 유전자 검사(PGD)를 사전에 시행할 것인지 역시 이슈가 될 수 있다. 따라서 암환자의 임신 및 출산을 준비하는 생식내분비 전문의는 환자의 의학적 상태, 향후 치료 계획 및 예후, 보조생식술이나 임신이 환자의 질환에 미치는 영향 등에 대해 충분히 인지하고 있어야 한다[8].

또한 가임력보존술로 출생한 자녀의 선천성 기형이나 염색체 이상, 또는 암 발생이 증가하는지도 고려되어야 할 문제이다. 항암치료 이후, 자연 임신에 성공하여 출산한 분들의 자녀에서 기형아 증가 등의 유의한 변화는 없었다[26]. 그러나 아직까지 가임력보존술 이후 출생한 자녀들에 대한 연구는 충분치 않으며, 향후 연구가 필요한 상태임을 환자에게 설명할 필요가 있다.

6 사후 동결 세포/조직의 사용 (Posthumous use of stored reproductive tissue)

환자가 사망하거나 사용할 수 없는 상황이라면, 동결보존된 생식세포나 배아를 폐기할지, 가족이 사용할지 등의 문제가 발생할 수 있다. 배아가 수정 시부터 인간 존엄성을 지닌다는 입장에서는 배아의 폐기를 반대할 수 있고, 사랑하는 가족을 잃은 후 고인의 유전 형질을 이용하여 출생아를 얻으려 주장할 수 있다. 그러나 고인의 의지에 반하여 사용하는 것은 윤리적으로 어긋날 뿐만 아니라 법적 문제 또한 야기할 수 있다. 1990년대 Judith hart의 소송은 사망한 아버지의 정자를 이용하여 임신 출산하였으나, 고인의 자녀로 법적 지위를 인정받지 못하였다. 그러나 수년 뒤 Woodward의 소송건에서는 사망한 아버지의 정자를 이용하여 출생한 아이에 대해 상속권 등의 법적 지위를 인정하였는데, 후자의 경우 고인이 본인 사망 후 정자 사용에 대해 동의서에 명시해 두었기 때문이다. 그러나 이것은 미국 법원의 입장이고, 한국의 정서나 사회적 관념과는 분명 거리가 있을 것이다. 사망한 남편의 정자를 이용하여 부인이 자녀를 출생한 경우, 또는 사망한 남편과의 배아를 이식하여 자녀를 출생한 경우, 또는 사망한 부인과의 배아를 대리모를 통해 자녀를 출생한 경우, 고인의 자녀로서 상속권 등의 법적 지위를 가질 수 있는가 하는 등의 문제가 있을 수 있다. 이러한 상황들에 대해 각 나라마다 문화적 종교적 성향에 따라 명확한 법적 기준이 필요할 것이다[6].

미국 암 학회에서는 배아나 조직을 냉동 보관할 때, 환자의 사망, 이혼 또는 암치료 후 건강 상태가 사용이 불가능한 상황일 경우 보관된 생식세포나 배아를 어떻게 처리할 것인지 생식내분비 전문의와 상담하도록 권고하였다[1]. 미국생식의학회 윤리위원회에서는 소아가 생존하지 못하는 경우 소아에서 동결보존된 생식세포나 조직은 폐기하도록 권고하고 있다[8]. 성인의 경우, 환자의 사후에 보관된 배아나 생식세포를 환자의 배우자 또는 가족이 사용하는 것은 고인이 사전에 사후 사용에 대해 서면 기술한 경우로 한정하고 있다[27].

동결보존된 생식세포나 조직을 이용하여 향후 줄기세포 연구에 활용할 수도 있을 것이다. 이는 형성된 배아가 언제부터 고유한 도덕적 지위(moral status)를 갖는 가에 대한 문제로 귀결될 수 있다[28]. 배아는 고유한 도덕적 지위가 없이 부모에 속해 있다는 견해에서는, 보다 자유롭게 배아 줄기세포를 이용한 장애인 치료의 효용성을 주장할 수 있을 것이다. 특히 배아 이식을 통한 출산을 목적으로 생산된 배아가 아니라는 점과 체외수정술 과정에서 저등급 배아와 같이 폐기될 배아를 이용한다는 점을 근거로 제시하기도 한다. 그러나 수정 시로부터 인간으로서 존엄성을 갖는다고 보는 관점에서는 배아의 생성 및 이용이 엄격히 제한될 수 있다. 셋째, 배아가 분열을 거듭할수록 도덕적 지위를 얻어간다는 관점에서 보면, 산전유전검사(PGD)를 시행하는 4-8세포기에 추출한 할구세포를 이용하자는 주장도 있을 수 있다. 실제 배아 줄기세포 연구 및 치료는 영국, 싱가포르 등의 국가에서는 법적으로 허용되는 반면, 독일, 이탈리아 등의 국가에서는 엄격히 제한하고 있다. 가임력보존을 위해 보관되었던 생식세포나 조직을 사용할 결정권을 누가 가질 것인가에 대한 문제를 비롯하여 한층 더 깊은 사회적 논의가 필요할 것이며, 배아를 생성, 분석, 보관, 해동 및 폐기 등의 과정이 실제 이루어지는 보조생식술 실험실에서는 현실적이고 구체적인 윤리적 법적 제도 장치 마련이 절실히 요구된다.

7 결어

최근 암환자에서 가임력보존에 대한 관심은 "전혀 고려되지 못한다"에서 "항상 설명하고 상담한다"로 큰 사고의 변화를 가져왔다. 과거 보조생식술이 난임 환자에게 희망을 주었듯이, 가임력 보존술은 암환자에게 완치 이후 삶에 대한 희망과 질을 높여줄 것이다. 그러나 기술의 발전과 동반된 많은 윤리적, 법적, 사회적 문제를 안고 있으며, 향후 우리 사회가 풀어야 할 과제이다. 즉, 오랜 기간 시행되어 온 정자나 배아 동결에 비하여 최근 시도되는 시술들은 장기적인 안정성에 대한 근거가 아직 충분치 못하며, 암환자가 사망 시 보관된 생식세포나 조직을 사후에 어떻게 처리할지, 부모의 여명이 충분치 않을 경우 자녀의 복지 문제, 난소나 고환 조직을 보관 후 재이식하는 경우 암세포의 전파 가능성 등의 문제가 제기되고 있다.

References

1. Lee SJ, Schover LR, Partridge AH, Patrizio P, Wallace WH, Hagerty K, et al. American Society of Clinical Oncology recommendations on fertility preservation in cancer patients. J Clin Oncol 2006;24(18):2917-31.
2. Londra L, Wallach E, Zhao Y. Assisted reproduction: Ethical and legal issues. Semin Fetal Neonatal Med 2014;19(5):264-71.
3. Preservation EGGoFF, Anderson RA, Amant F, Braat D, D'Angelo A, Chuva de Sousa Lopes SM, et al. ESHRE guideline: female fertility preservation. Hum Reprod Open 2020;2020(4):hoaa052.
4. Practice Committee of the American Society for Reproductive Medicine. Electronic address aao. Fertility preservation in patients undergoing gonadotoxic therapy or gonadectomy: a committee opinion. Fertil Steril 2019;112(6):1022-33.
5. Rebar RW. Social and ethical implications of fertility preservation. Fertil Steril 2016;105(6):1449-51.
6. Patrizio P, Caplan AL. Fertility preservation Ethical consideration. In: Donnez J, Kim SS, editors. Principles and practice of fertility preservation. Cambridge: Cambridge Univ Press; 2011. p. 479-87.
7. Carvalho BR, Kliemchen J, Woodruff TK. Ethical, moral and other aspects related to fertility preservation in cancer patients. JBRA Assist Reprod 2017;21(1):45-8.
8. Ethics Committee of the American Society for Reproductive Medicine. Electronic address Aao. Fertility preservation and reproduction in patients facing gonadotoxic therapies: an Ethics Committee opinion. Fertil Steril 2018;110(3):380-6.
9. Grover NS, Deal AM, Wood WA, Mersereau JE. Young Men With Cancer Experience Low Referral Rates for Fertility Counseling and Sperm Banking. J Oncol Pract 2016;12(5):465-71.
10. Nahata L, Ziniel SI, Garvey KC, Yu RN, Cohen LE. Fertility and sexual function: a gap in training in pediatric endocrinology. J Pediatr Endocrinol Metab 2017;30(1):3-10.

11. Kucuk M. Fertility preservation for women with malignant diseases: ethical aspects and risks. Gynecol Endocrinol 2012;28(12):937-40.
12. Practice Committees of the American Society for Reproductive M, the Society for Assisted Reproductive T. Mature oocyte cryopreservation: a guideline. Fertil Steril 2013;99(1):37-43.
13. Levi-Setti PE, Borini A, Patrizio P, Bolli S, Vigiliano V, De Luca R, et al. ART results with frozen oocytes: data from the Italian ART registry (2005-2013). J Assist Reprod Genet 2016;33(1):123-8.
14. Burns KC, Hoefgen H, Strine A, Dasgupta R. Fertility preservation options in pediatric and adolescent patients with cancer. Cancer 2018;124(9):1867-76.
15. Donnez J, Dolmans MM. Fertility Preservation in Women. N Engl J Med 2017;377(17):1657-65.
16. Kim SS. Assessment of long term endocrine function after transplantation of frozen-thawed human ovarian tissue to the heterotopic site: 10 year longitudinal follow-up study. J Assist Reprod Genet 2012;29(6):489-93.
17. Klipstein S, Fallat ME, Savelli S, Committee On B, Section On HO, Section On S. Fertility Preservation for Pediatric and Adolescent Patients With Cancer: Medical and Ethical Considerations. Pediatrics 2020;145(3).
18. Opsahl MS, Fugger EF, Sherins RJ, Schulman JD. Preservation of reproductive function before therapy for cancer: new options involving sperm and ovary cryopreservation. Cancer J Sci Am. 1997;3(4):189-91.
19. Magelssen H, Brydoy M, Fossa SD. The effects of cancer and cancer treatments on male reproductive function. Nat Clin Pract Urol 2006;3(6):312-22.
20. Goossens E, Jahnukainen K, Mitchell RT, van Pelt A, Pennings G, Rives N, et al. Fertility preservation in boys: recent developments and new insights (dagger). Hum Reprod Open 2020;2020(3):hoaa016.
21. Ramstein JJ, Halpern J, Gadzinski AJ, Brannigan RE, Smith JF. Ethical, moral, and theological insights into advances in male pediatric and adolescent fertility preservation. Andrology 2017;5(4):631-9.
22. Sisk BA, Canavera K, Sharma A, Baker JN, Johnson LM. Ethical issues in the care of adolescent and young adult oncology patients. Pediatr Blood Cancer 2019;66(5):e27608.
23. Schover LR, Brey K, Lichtin A, Lipshultz LI, Jeha S. Oncologists' attitudes and practices regarding banking sperm before cancer treatment. J Clin Oncol 2002;20(7):1890-7.
24. Bioethics AAoPCo. Informed consent, parental permission, and assent in pediatric practice. Committee on Bioethics, American Academy of Pediatrics. Pediatrics 1995;95(2):314-7.
25. Gupta AA, Donen RM, Sung L, Boydell KM, Lo KC, Stephens D, et al. Testicular Biopsy for Fertility Preservation in Prepubertal Boys with Cancer: Identifying Preferences for Procedure and Reactions to Disclosure Practices. J Urol 2016;196(1):219-24.
26. Hudson MM. Reproductive outcomes for survivors of childhood cancer. Obstet Gynecol 2010;116(5):1171-83.
27. Practice Committee of Society for Assisted Reproductive T, Practice Committee of American Society for Reproductive M. Essential elements of informed consent for elective oocyte cryopreservation: a Practice Committee opinion. Fertil Steril 2008;90(5 Suppl):S134-5.
28. Patrizio P, Caplan AL. Ethical issues surrounding fertility preservation in cancer patients. Clin Obstet Gynecol 2010;53(4):717-26.

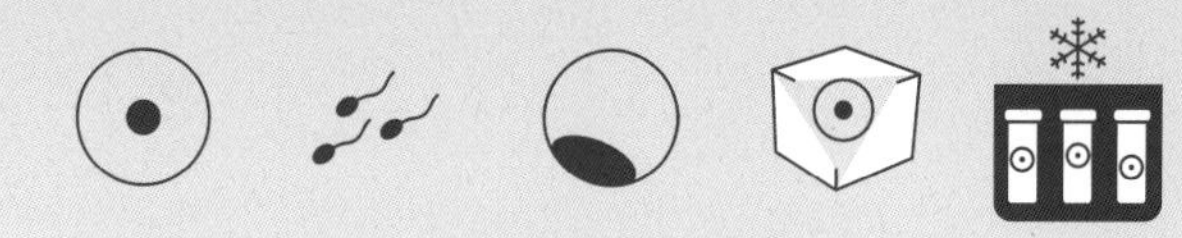

가임력보존 치료의 전망 (Future Techniques for Fertility Preservation)

Chapter 17

가임력보존 치료제

(Fertoprotective agents)

이화의대 **정경아**
이화의대 **박소연**

항암화학요법으로 인해 발생할 수 있는 흔하고 치명적인 부작용은 난임과 조기난소기능 부전이다. 이에 따라 생식샘독성 위험이 있는 항암치료를 받는 여성 암환자의 암치료 후 삶의 질을 높이기 위해서는 조기난소부전의 예방과 난소기능의 보호가 중요한 과제이다. 따라서 여러 국제적 치료지침에서 임상의는 항암치료로 인한 난소기능 저하, 조기난소부전의 위험성을 여성 암환자와 협의해 가임력보존의 결정을 신속하게 도와야 한다고 권고하고 있다[1, 2, 3].

생식샘독성 항암치료를 받는 여성에서 가임력보존을 위해 사용할 수 있는 방법은 난자 동결보존, 배아 동결보존, 난소 조직 동결보존, 난소전위술, 생식샘자극호르몬방출호르몬작용제(GnRH agonist)의 사용 등이 있으며, 이러한 가임력보존 치료 중에 난소기능을 최대한 보호할 수 있어야 한다. 가임력보존 치료제(Fertoprotective agents)는 항암제 사용 시 난소기능 손상의 경로를 차단하거나 항암제가 난소로 직접 전달되는 것을 방해하는 기전으로 원시난포(primordial follicle)의 저장고를 보호하고 난포의 소실을 예방할 수 있다는 점에서 젊은 환자들의 가임력보존을 위한 새로운 선택이 될 수 있다. 암세포를 파괴하는 항암제의 치료효과를 감소시키지 않으면서 생식샘독성 부작용을 완화하고 난소기능을 보호하여 가임력을 보존할 수 있는 가능성이 기대되는 치료제에 대한 연구와 개발이 지속되고 있다[4].

항암 화학요법 또는 방사선치료 중에 암세포는 파괴하면서 난자는 보호할 목적으로 임상적 사용이 가능해질 것을 목표로 하여 현재까지 연구되어 온 가임력보존 치료제는 다음과 같다.

1 Ammonium trichloro (dioxoethylene- o,o') tellurate ; AS101

AS101은 1987년에 처음 소개된 면역조절제(immunomodulator)로 anti-inflammatory cytokine IL-10을 억제하여 AKT pathway를 활성화한다. 임상 연구에서 AKT는 항암치료의 효과를 감소시키지 않으면서 조혈 부작용을 줄인다[5]. PI3K/AKT/mTOR 경로는 원시난포의 동원과 활성화 과정에서 매우 중요한 역할을 담당하는 것으로 알려져 있다. 쥐모델 실험에서 사이클로포스퍼마이드가 이 경로의 발현을 증가시키고 따라서 조용했던 원시난포 저장고의 활성화를 유도한다고 증명했다. 이러한 과정은 세포자멸사(apoptosis)보다 난포의 소진(burn-out)으로 보여지며, 면역조절제인 AS101의 투여는 항암제에 의한 원시난포의 과활성화를 약화시킨다고 보고하였다[6]. 동물실험에서 AS101은 쥐의 난소예비능을 보호하는 효과를 보였으며 PI3K/AKT 경로의 상위 단계까지 영향을 미칠 것으로 예측하였다[7].

2 Ceramide-1 Phosphates, C1P

항암화학요법에 사용되는 약물이 세포자멸사(apoptosis)를 유도하고 혈관형성(angiogenesis)에 조절이상을 일으킨다는 많은 연구가 있다. 스핑고리피드(sphingolipid)는 극 지질(polar lipid)로 세포막의 구성요소이며 세포자멸사와 혈관형성 조절에 관여한다. 생체활성형 스핑고리피드 대사체 중 하나가 sphingosine 1-phosphate이며 가임력보존 치료제로 사용 가능할 수 있는 세포자멸사 억제제(apoptosis inhibitor), C1P에 해당한다. 쥐의 복강 내에 사이클로포스퍼마이드를 투여하고 CIP를 추가하여 사이클로포스퍼마이드로 인한 세포자멸사를 유의하게 감소시켜 기질내 혈관기능을 향상시키고 난소예비능 저하를 줄였다[8].

Sphingosine-1-phosphate (S1P)는 스핑고리피드 대사물(sphingolipid metabolite)로 쥐 동물실험에서 방사선 또는 항암치료로 인한 생식세포 세포자멸사(germ cell apoptosis)를 억제하는 것으로 나타났다. 따라서 xenograft model을 이용하여 난소이식(ovarian transplantation)에 S1P가 신생혈관형성(neoangiogenesis)을 촉진시켜 허혈재관류손상(ischemic reperfusion injury)을 감소시킨다는 연구결과가 있었다[9]. 항암제인 사이클로포스퍼마이드, 독소루비신(doxorubicin)으로 처리한 실험 결과, S1P가 세포독성제(cytotoxic agent)에 의한 사람의 난포 세포자멸사(human apoptotic follicle death)를 막을 수 있는 기전이 있다는 기대로, 가임력을 보존해야 하는 여성의 항암치료 시 난소기능 보존을 위한 예방적 약물 전략의 발달을 목표로 연구가 지속되고 있다[10]. 최근에는 S1P 효과에 역작용하는 ATM inhibitor를 동시 투여하여 ATM-mediated pathway를 통한 DNA repair에서의 S1P 영향을 보여줌으로써 S1P가 남성의 정자 노화(sperm aging)에도 예방 효과가 있을 수 있음을 시사하여 향후 임상적 적용을 위해서는 지속적인 많은 연구가 필요하다[11].

3 항뮬러관호르몬(Anti-mullerian hormaone, AMH)

AMH는 난포발달 과정 중 전동난포 또는 동난포의 과립막세포에서 분비하며 원시난포의 동원을 억제하여 원시난포 저장고의 고갈을 방해한다. 사이클로포스퍼마이드나 시스플라틴과 같은 항암제는 발달중인 난포를 손상시켜 AMH 분비가 감소하는 원인으로 알려져 있다. 결과적으로 원시난포를 강력하게 동원하게 되고 따라서 난소예비능은 감소하게 된다. 이러한 기전을 난소의 소진 효과(burn-out effect)라고 한다. 항암화학요법 시 AMH의 투여는 항암제에 의한 AMH 감소를 상쇄하기 위한 개념에서 시작되었다. 동물실험에서 쥐의 복강내에 AMH를 투여하였을때, AMH 투여군에서 사이클로포스퍼마이드에 의한 AMH의 손상을 상쇄할 수 있다는 것을 확인하였다[12,13]. 쥐모델 실험에서 AMH를 사이클로포스퍼마이드, 독소루비신, 카보플라틴과 공동투여시에 AMH는 난포형성을 억제하고 난소예비능을 유의하게 보호하는 효과를 보였다[14].

4 mTOR inhibitors; 에버롤리무스(Everolimus)

PI3K/AKT/mTOR 경로에 작용하는 또다른 약제로 mTOR 억제제가 연구중인데 동물실험에서 사이클로포스퍼마이드 처리가 된 쥐에 mTOR1 inhibitor인 에버롤리무스(RAD001)의 단독 투여 또는 mTOR1/2 inhibitor INK128 (MLN0128)의 동시 투여시 PI3K/AKT/mTOR 경로에서 발현을 억제하여 난포의 소진을 방지하고 원시난포의 저장고를 유지하였으며 AMH를 정상화시키고 가임력의 회복을 보였다[15]. 에버롤리무스는 세포분열과 혈관형성을 억제시켜 종양세포 성장을 막는 인산화효소(kinase) 억제제의 일종으로 FDA 승인을 받아 유방암, 췌장, 폐, 위장관 신경내분비 종양의 치료에도 사용되며, 가임력보존을 위한 방법으로 고려해 볼 수 있으나 아직 사람에서 난소를 보호하는 효과가 확실하게 검증되지는 않았다.

5 이마티닙(Imatinib)

이마티닙은 티로신 인산화효소 억제제로 시스플라틴 치료에 의해 c-Abl 인산화효소 억제를 통해 유도되는 우성난포의 손실을 예방하는 보호제로 제안되었다[16]. 시스플라틴은 c-Abl과 TAP73의 TAp63 의존적 발현을 유도하여 난소에서 BAX 발현을 활성화시킨다. BAX의 활성화는 c-Abl/TAP73/BAX에 의해 매개되며, 시스플라틴에 의해 손상된 난포세포의 사멸을 유도한다[17]. 그러나 이와 반대로 이마티닙이 시스플라틴을 매개로 한 난포세포의 사멸과 난소예비력의 손실을 막을 수 없다는 연구 결과들도 발표되었다[18,19]. 이마티닙에 대한 상반된 연구결과로 인해, 화학요법 중 난포의 DNA 손상에 대한 이마티닙의 보호 효과에 대한 추가 연구가 필요하다.

6 멜라토닌(Melatonin)

멜라토닌(N-acetyl-5-methoxytryptamine)은 척추동물의 송과체에서 분비되며 트립토판(tryptophan)의 유도체이다. 멜라토닌은 난소의 난모세포와 과립막세포에 MT1, MT2 두 종류의 수용체가 존재하여 여러 기전으로 난소를 보호한다고 알려져 있다[20]. 먼저, 항산화제로써의 수용체를 통해 청소부 역할을 한다. 최근 연구에서 멜라토닌 투여는 SIRT1 시그널링을 통해 산화스트레스에 의한 난소 손상을 감소시켜 조기난소부전을 예방한다고 보고하였다[21]. 또한 멜라토닌은 시스플라틴에 의한 원시난포의 과도한 동원과 그로 인한 난포의 소진을 예방할 수 있다고 보고하였다[22]. 멜라토닌 수용체는 다양한 세포 과정과 약물 반응에 중요한 역할을 하는 G단백질 결합수용체로 난포 내 멜라토닌의 보호효과는 G단백질 결합수용체 의존경로를 통해 얻어지는 것으로 생각된다. 또한 멜라토닌의 난포 보호효과가 시스플라틴 처리 난소에서 PI3K/AKT/FOXO3a 신호경로의 활성화를 억제함으로써 매개된다. 또 다른 연구에서는 멜라토닌이 별아교세포(astrocyte)에서 AKT 인산화 PI3K 신호경로를 유도하고 PI3K/PTEN/AKT 신호경로를 통해 허혈상태에서 신경보호 활동을 매개한다고 보고하였다[23]. 시스플라틴 처리를 한 쥐실험에서 PTEN/AKT 신호경로를 통해 원시난포의 과항진이 발생하였는데 이 과정에서 PTEN의 억제가 되지 않으면 경로의 활성화을 유도하여 원시난포의 소진을 초래하였다[24]. 동물실험에서 멜라토닌 사용 시 그렐린(ghrelin)을 함께 투여하면 멜라토닌 단독 투여에 비해 시스플라틴 매개의 PTEN 억제효과가 더 컸다[22,25].

7 타목시펜(Tamoxifen)

타목시펜은 에스트로겐 수용체의 길항제로 호르몬 반응성 항암요법의 보조제로 사용되고 있다. 타목시펜이 항암화학요법으로부터 난포를 보호하는 정확한 기전은 밝혀지지 않았지만 쥐를 이용한 실험에서 독소루비신 처리한 난포의 DNA 단편화(fragmentation)를 개선시켰다[26]. 또한 사이클로포스퍼마이드, DMBA (7,12-dimethylbenzanthracene), 독소루비신 및 방사선에 의한 난포세포 소실에 대한 보호효과를 보고하였다[27].

8 기타 연구 중인 약물

3,5,3'-트리오도티로닌(Triiodothyronine, 갑상샘 호르몬, T3)는 여러 세포주에서 세포자멸사를 억제하는 효과를 보이며 과립막세포에서는 파클리탁셀(paclitaxel)에 의한 난포의 사멸을 억제하였다[28]. 그러나 T3의 난소기능 보호 효능은 아직 확실하게 검증되지 않아 추가적인 연구가 필요하다.

G-CSF (Granulocyte colony-simulation factor)는 난소혈관의 보호를 통해 사이클로포스퍼마이드, 부설판(busulfan), 시스플라틴에 의해 유도되는 원시난포의 손실을 감소시킨다고 보고하였다[29]. 그러나 항암화학요법에 대한 보호효과를 보여주는 낙관적인 결과에도 불구하고, G-CSF가 난소혈관을 보호하는 기전은 아직 알려져 있지 않다.

Checkpoint kinase 2 (CHK2) 억제제는 난포세포 DNA 손상의 체크포인트 반응을 억제하는 물질로 쥐모델 실험연구에서 멸균 선량의 방사선에 피폭되었을 때 난소기능과 가임력을 보호하는 효과를 보였다[30].

현재까지 연구되어 오고 있는 항암화학요법 시 난소기능 보호제는 표 17-1과 같다[31]. 최근 많은 가능성 있는 난소기능 보호제에 관한 연구들이 진행되고 있으며 다양한 기전을 통해 그 효과를 입증하고 있다. 주로 쥐모델을 이용한 실험연구 결과이지만 향후 임상에서 적용 가능할 수 있기를 기대하며 보다 발전적인 연구가 지속되어야 할 것이다.

표 17-1. **항암화학요법 시 난소기능 보호제에 관한 연구결과**

보호제	항암제	기전	실험모델	참고문헌
AMH	CPM	Accelerated PMF activation	Mouse	Kano 2016
	DOX, Carboplatin			Sonigo 2018
ATM inhibitors:	CIS	Direct loss of PMFs	Mouse	Tuppl 2018
ETP-46464	DOX			Kim 2018
KU55399				
ATR inhibitors:	CIS	Direct loss of PMFs	Mouse	Kim 2018
ETP-46464	DOX	Accelerated PMF activation		Luan 2019
AZD6738	CPM	Atresia		
AS101	CPM	Direct loss of PMFs, Atresia, Vascularization	Mouse	Kalich-Philosoph 2013, Di Emidio 2017
Bortezomib	DOX	Direct loss of PMFs	Mouse	Roti Roti 2014
CIP	CPM	Direct loss of PMFs, Atresia, Vascularization	Mouse	Pascuali 2018
CHK2 inhibitors:	CIS	Direct loss of PMFs	Mouse	Rinaldi 2017
BML277	DOX			Tuppi 2018
LY2603618	CPM			Luan 2019
LY2606368				
CK1 inhibitors:	CIS	Direct loss of PMFs	Mouse	Tuppi 2018
MK-8776	DOX			
CHIR-124				
PMF670462				
PMF4800567				

보호제	항암제	기전	실험모델	참고문헌
PMF5006739				
Crocetin	CPM	Accelerated PMF activation	Mouse	Di Emidio 2017
Dexrazoxane	DOX	Atresia	Mouse	Kropp 2015
Ghrelin	CIS	Accelerated PMF activation	Mouse	Jang 2017
G-CSF	CIS	Atresia, Vascularization	Mouse	Skaznik-Wikiel 2013
Imatinib	CIS	Direct loss of PMFs, Atresia	Mouse	Kim 2013, Maiani 2012, Zamah 2011, Rinaldi 2017, Tuppi 2018, Gonfloni. 2009, Kim 2018
Luteinizing Hormone	CIS	Direct loss of PMFs, Atresia	Mouse	Rossi 2017, Tuppi 2018
MDR1	CPM	Delivery to ovary	Mouse	Brayboy 2013 2017, Salih 2011, Wang 2018
Melatonin	CIS		Mouse	Jang 2016
Mesna	CIS		Rat	Li 2013
Mirtazapine	CIS		Rat	Altuner 2013
mTORC inhibitors:	CPM		Mouse	Adhikari 2013
Everolimus (RAD001)	CIS			Goldamn 2017
INK128				
Rapamycin				
Resveratrol	CIS	Atresia	Rat	
S1P	CPM	Direct loss of PMFs	Mouse Rat Human	Morita 2000, Li 2014 2017, Meng 2014
Sildenafil Citrate	CIS	Atresia	Rat	Taskin 2015
Tamoxifen	CPM	Direct loss of PMFs, Inflammation	Rat Human	Ting and Petroff 2010, Piasecka-Srader 2015, Sverrisdottir 2009 2011

References

1. Loren AW, Mangu PB, Beck LN, Brennan L, Magdalinski AJ, Partridge AH, et al. American Society of Clinical, Oncology. Fertility preservation for patients with cancer: American Society of Clinical Oncology clinical practice guideline update. J. Clin. Oncol 2013;31:2500–10.
2. Peccatori FA, Azim HA, Orecchia R, Hoekstra HJ, Pavlidis N, Kesic V, et al. Cancer, pregnancy and fertility: ESMO Clinical Practice Guidelines for diagnosis, treatment and follow-up. Ann Oncol 2013;24:60–70.
3. Paluch-Shimon S, Pagani O, Partridge AH, Bar-Meir E, Fallowfield L, Fenlon D, et al. Second international consensus guidelines for breast cancer in young women (BCY2). Breast 2016;26:87–991.
4. Woodruff Teresa K, Shah Divya K, Vitek Wendy S. Textbook of oncofertility research and practice. Springer Nature Switzerland AG; 2019. P.93-6.
5. von Wolff M, Nawroth F. Fertlity preservation in oncological and non-oncological disease. Springer Nature Switzerland AG; 2020. P.241-50.
6. Kalich-Philosoph L, Roness H, Carmely A, Fishel-Bartal M, Ligumsky H, Paglin S, et al. Cyclophosphamide triggers follicle Activation and "burnout"; AS101 prevents follicle loss and preserves fertility. Sci Transl Med 2013;5(185):185ra162.
7. Di Emidio G, Rossi G, Bonomo I, Alonso GL, Sferra R, Vetuschi A, et al. The natural carotenoid crocetin and the synthetic tellurium compound AS101 protect the ovary against cyclophosphamide by modulating SIRT1 and mitochondrial markers. Oxidative Med Cell Longev 2017;2017:8928604.
8. Pascuali N, Scotti L, Di Pietro M, Oubiña G, Bas D, May M, et al. Ceramide-1-phosphate has protective properties against cyclophosphamide-induced ovarian damage in a mice model of premature ovarian failure. Hum Reprod 2018;33:844–59.
9. Soleimani R, Heytens E, Oktay K. Enhancement of neoangiogenesis and follicle survival by sphingosine-1-phosphate in human ovarian tissue xenotransplants. PLoS One 2011;6(4):e19475.
10. Li F, Turan V, Lierman S, Cuvelier C, De Sutter P, Oktay K. Sphingosine-1-phosphate prevents chemotherapy-induced human primordial follicle death. Hum Reprod 2014;29(1):107-13.
11. Stobezki R, Titus S, Halicka D, Darzynkiewicz Z, Oktay K. Declining BRCA-Mediated DNA Repair in Sperm Aging and its Prevention by Sphingosine-1-Phosphate. Reprod Sci 2020;27(3):940-953.
12. Sonigo C, Beau I, Grynberg M, Binart N. AMH prevents primordial ovarian follicle loss and fertility alteration in cyclophosphamide-treated mice. FASEB J 2019;33:1278–87. .
13. Roness H, Spector I, Leichtmann-Bardoogo Y, Savino AM, Dereh-Haim S, Meirow D. Pharmacological administration of recombinant human AMH rescues ovarian reserve and preserves fertility in a mouse model of chemotherapy, without interfering with anti-tumoural effects. J Assist Reprod Genet 2019;36:1793–803.
14. Kano M, Sosulski AE, Zhang L, Saatcioglu HD, Wang D, Nagykery N, et al. AMH/MIS as a contraceptive that protects the ovarian reserve during chemotherapy. Proc Natl Acad Sci U S A 2017;114(9):E1688–97.
15. Goldman KN, Chenette D, Arju R, Duncan FE, Keefe DL,Grifo JA, et al. mTORC1/2 inhibition preserves ovarian function and fertility during genotoxic chemotherapy. Proc Natl Acad Sci U S A 2017;114(12):3186–91.
16. Gonfloni S, di Tella L, Caldarola S, Cannata SM, Klinger FG, di Bartolomeo C, et al. Inhibition of the c-Abl-TAp63 pathway protects mouse oocytes fromchemotherapy-induced death. Nat Med 2009;15:1179–85.
17. Kim SY, Cordeiro MH, Serna VA, Ebbert K, Butler LM, Sinha S, et al. Rescue of platinum-damaged oocytes from programmed cell death through inactivation of the p53 family signaling network. Cell Death Differ 2013;20:987–97.

18. Kerr JB, Hutt KJ, Cook M, Speed TP, Strasser A, Findlay JK, et al. Cisplatin-induced primordial follicle oocyte killing and loss of fertility are not prevented by imatinib. Nat Med 2012;18: 1170–2.
19. Maiani E, di Bartolomeo C, Klinger FG, Cannata SM, Bernardini S, Chateauvieux S et al. Reply to: Cisplatin-induced primordial follicle oocyte killing and loss of fertility are not prevented by imatinib. Nat Med 2012;18:1172–4.
20. Wang SJ, Liu WJ, Wu CJ, Ma FH, Ahmad S, Liu BR, et al. Melatonin suppresses apoptosis and stimulates progesterone production by bovine granulosa cells via its receptors (MT1 and MT2). Theriogenology 2012, 78, 1517–26.
21. Ma M, Chen XY, Li B, Li XT. Melatonin protects premature ovarian insufficiency induced by tripterygium glycosides: Role of SIRT1. Am J Transl Res 2017;9:1580–602.
22. Jang H, Lee OH, Lee Y, Yoon H, Chang EM, Park M, et al. Melatonin prevents cisplatin-induced primordial follicle loss via suppression of PTEN/AKT/FOXO3a pathway activation in the mouse ovary. J Pineal Res 2016, 60, 336–47.
23. Kilic U, Caglayan AB, Beker MC, Gunal MY, Caglayan B, Yalcin E, et al. Particular phosphorylation of PI3K/Akt on Thr308 via PDK-1 and PTEN mediatesmelatonin's neuroprotective activity after focal cerebral ischemia in mice. Redox Biol 2017;12:657–65.
24. 2Chang EM, Lim E, Yoon S, Jeong K, Bae S, Lee DR, et al. Cisplatin induces overactivation of the dormant primordial follicle through PTEN/AKT/ FOXO3a pathway which leads to loss of ovarian reserve in mice. PLoS One 2015;10(12):e0144245.
25. Jang H, Na Y, Hong K, Lee S, Moon S, Cho M, et al. Synergistic effect of melatonin and ghrelin in preventing cisplatin- induced ovarian damage via regulation of FOXO3a phosphorylation and binding to the p27 (Kip1) promoter in primordial follicles. J Pineal Res 2017;63(3).
26. Ting AY, Petroff BK. Tamoxifen decreases ovarian follicular loss from experimental toxicant DMBA and chemotherapy agents cyclophosphamide and doxorubicin in the rat. J Assisted Reprod. Genet 2010;27:591–7.
27. Mahran YF, El-Demerdash E, Nada AS, Ali AA, Abdel-Naim AB. Insights into the protective mechanisms of tamoxifen in radiotherapy-induced ovarian follicular loss: impact on insulin-like growth factor 1. Endocrinology 2013;154:3888-99.
28. Verga FC, Timperi E, Bucci B, Amendola D, Piergrossi P, D'Amico D, et al. T(3) preserves ovarian granulosa cells from chemotherapy-induced apoptosis. J Endocrinol 2012;215:281-9.
29. Skaznik-Wikiel ME, McGuire MM, Sukhwani M, Donohue J, Chu T, Krivak TC, et al. Granulocyte colonystimulating factor with or without stem cell factor extends time to premature ovarian insufficiency in female mice treated with alkylating chemotherapy. Fertil Steril 2013;99:2045-54.e3.
30. Rinaldi VD, Hsieh K, Munroe R, Bolcun-Filas E, Schimenti JC. Pharmacological inhibition of the DNA damage checkpoint prevents radiation-induced oocyte death. Genetics 2017;206(4):1823–8.
31. Spears N, Lopes F, Stefansdottir A, Rossi V, De Felici M, Anderson RA, et al. Ovarian damage from chemotherapy and current approaches to its protection. Human Reproduction Update 2019;25(6):673-93.

Chapter

18 난소기능의 재생

(Ovarian rejuvenation)

차의과학대 **이우식**
차의과학대 **김지향**

1 서론

난소는 생식 내분비 기능에 매우 중요한 기관이다. 난소기능부전은 폐경기가 되면 정상적으로 일어나는 것으로 폐경의 나이는 유전적으로 정해져 있으며 평균 50세 전후에 발생한다.

실제 난소의 노화는 30세부터 서서히 진행되나 특별한 원인 없이 임신과 출산을 경험해보지 못한 젊은 나이에 난소기능부전이 되는 경우도 있다. 이런 조기난소기능부전의 경우 약 10% 정도만이 원인이 규명되며 알려진 원인으로는 다양한 유전, 면역, 감염, 내분비 문제, 난소기능 소실을 유발하는 의인성(iatrogenic) 원인 등이 있다. 난소기능이 저하되어 폐경에 가깝게 진행되면 월경주기는 불규칙해지고 난소의 에스트로겐 생산이 급감하고 이로 인한 갱년기 증상이 야기된다. 일과성 열감, 불면증, 기분 변화, 질 건조증, 조직 탄력 및 pH 변화, 골밀도 감소 등이 대표적인 폐경기의 증상들이다. 이런 변화는 난소기능부전이 일찍 찾아올수록 더 빠르고 심하게 나타난다. 호르몬 대체 요법은 갱년기 증상과 장기적인 합병증을 완화시킬 수 있지만 장기간의 호르몬 대체 요법이 유방암, 심장병 및 뇌졸중의 위험을 증가시킬 가능성이 있는 것으로 보고 되면서[1], 현재는 갱년기 증상의 치료 예를 들면 혈관운동계 증상 및 비뇨생식기 증상 등에만 우선적으로 사용이 권고되고 있다[2].

난소기능저하나 난소기능부전에 대한 난소기능의 회복, 즉 재생 치료에 대한 수요는 계속 증가하고 있다. 최근 결혼과 출산을 미루려는 사회 분위기와 함께 미혼 여성의 고령화라는 문제가 대두되었고 상당한 여성들이 이미 난소 노화가 진행된 상태에서 첫 임신을 준비 한다. 또한 암치료 기술의 괄목할 발전으로 인해 젊은 여성 암생존자가 증가하였고 활발한 검진으로 인해 결혼 전 난소 종괴에 대한 수술을 받은 가임기 여성들도 증가하면서 의인성 난소기능부전 역시 증가하고 있다. 조기난소부전이 아니더라도 전반적인 평균 수명의 증가로 인해 여성들은 평균 폐경 연령인 50세부터 30−40년 이상을 성 호르몬 결핍 상태로 살아야 하며, 이로 인한 삶의 질과 건강권 문제 역시 간과할 수 없다.

난소기능을 회복하기 위한 근본적이고 효과적인 치료법은 아직 없다. 다행히도 최근 들어 가속화되고 있는 재생의학 발전에 힘입어 난소기능저하도 재생의학에서 해결의 실마리를 찾으려는 노력들이 시도되고 있다.

본 장에서는 현재까지 진행되어 온 난소기능 재생 연구에 대해 알아보고 현재 시도되고 있는 임상 연구들을 소개하고자 한다.

1) 흔들리는 no new eggs dogma

남성의 생식세포는 성인 기간 내내 지속적으로 생산되지만[3], 여성의 경우 생식세포는 출생 후 동적 평형 상태를 이룬다. 출생 시 500,000−1,000,000개의 원시난포(primordial follicle)가 존재하는 것으로 추정되나 25,000개 정도 남아있는 상태인 38세부터 기하급수적으로 감소하기 시작하여 51세인 폐경 시점엔 1000여 개 정도만 남게 되고 난소의 가임력 및 호르몬 생성 기능은 완전히 소실 된다[4]. 배란 준비를 위해 한 달에 1,000개의 비율로 난포성장이 시작되고 이 중 한두 개가 최종 배란이 되며, 평생 배란으로 사용되는 난자는 400여 개에 불과하다. 훨씬 더 많은 수의 난자들이 선택이 되지 못하고 수년에서 수 십년 휴면(dormant) 상태로 있다가 atresia에 빠진다. 이 속도가 빠르거나 원시난포의 예비력(reserve)이 선천적으로 작거나 초경이 빠르거나 출산력이 없으면 폐경 역시 빠른 것으로 알려져 있다[5].

출생 후에 난자는 새로 생기지 않는다는 “No new egg dogma”는 1951년 영국의 유명한 해부학자인 Zuckerman에 의해 처음 논문으로 발표됐으며[6] 실제로 암컷 포유류의 생식세포 생산이 출생 이후엔 불가능하다는 실험적 증거는 없지만 이 가설에 대한 반론의 증거 역시 없다는 것을 근거로, 지난 50여 년간 여성 생식 내분비계의 기본 통념으로 군림해 왔다.

그러나 2004년 Tilly는 암컷 포유류의 생식세포 생산이 출생 시 중단된다는 기존의 통념에 반하는 놀라운 연구 결과를 발표하였다. 쥐에서 배아 단계부터 성인기까지 미성숙난자수를 세어 난포의 dynamics를 확인 했는데 기존의 통념과는 맞지않게 노화 쥐에서 예비 난포가 보충이 된다는 것과 분열 중인 상태를 나타내는 mitotic gene marker를 이용하여 난소 내 새로운 난자를 생성할 수 있는 생식계 줄기세포(germline stem cells, GSCs)의 존재 가능성을 제시했다[7]. 비슷한 시기 백혈병 환자들이 타가 골수이식 후 폐경 상태에서 저절로 배란이 회복되거나 임신이 되는 증례들이 보고 되면서[8-13] 포유류의 no new eggs dogma에 대한 반론은 힘을 얻기 시작했다. 2005년 Tilly는 마우스를 이용한 후속연구에서 난자가 골수의 줄기세포로 부터 유래할 수 있고 골수이식을 통해 마우스의 생식능력을 회복시킬 수 있다는 주장을 했다[14]. 하지만 이후 동료 연구자들의 재현 연구가 계속 난항을 거듭하며 GSCs의 존재를 지지하는 그룹[15-24]과 GSCs의 발견은 잘못된 해석이라고 반박하는 그룹[25-32] 사이의 치열한 공방을 이어 왔다. 2012년 Tilly는 여성의 난소 조직에서 GSCs를 분리하여 in vitro 에서 난자를 생산하였고, 면역 결핍 마우스 체내에 여성의 난소피질을 이종 이식 후 분리해낸 GSCs 를 주입하여 1−2주 후 난자로 추정되는 세포가 만들어진다는 연구 결과를 새로이 발표하기에 이른다[33]. 그러나 2013년 그동안의 GSCs의 존재에 대한 상충되는 결과를 설명하는 데 도움이 될 만한 연구결과가 발표됐다. Dokshin 등은 난소 내 특정 세포가 난모세포와 매우 흡사하고 호르몬에 유사하게 반응하는 세포로 분화할 수 있다고 보고 했다. 그러나 이 세포들은 감수 분열에 들어 가지 않기 때문에 난자와 유사해보이지만 진정한 난자는 아닌 것(oocyte−like differentiation without meiosis)으로 보고 했다[34].

현재까지도 GSCs 의 존재 여부에 대해서는 논란 중이나 Tilly의 주장 이후로 필연적인 자연현상이라고만 생각해왔던 폐경이 극복할 수 있는 재생 치료의 대상이라는 인식의 전환이 이뤄졌으며 난소기능 재생 관련 연구가 활성화되는 계기가 마련되었다.

2) 조기난소기능부전 치료를 위한 새로운 전략

생식 기능의 노화를 막거나 난소기능의 재생을 위해 최근 들어 생식 의학 분야의 여러 선도적인 연구들이 수행되어 왔다. 대표적인 예로서, 난소 내 GSCs를 분리하려는 시도와 줄기세포로부터 생식세포를 분화시키거나 잔여 난포를 재활성화하는 연구들이 있다.

Tilly의 주장대로 여성의 난소가 남성의 고환처럼 새로운 생식세포를 계속 만들어 낼 능력을 갖추고 있다면 앞으로 이런 GSCs를 분리, 배양하여 난자를 대량 생산하여 체외수정이나 연구를 위해 손쉽게 이용할 수 있으며, 폐경을 늦추거나 난소기능저하의 치료에도 사용할 수 있을 것이다. 그러나 GSCs의 존재는 가설 수준으로 좀더 명확한 근거가 필요하다.

최근에는 유도만능줄기세포(induced pluripotent stem cell, iPSC)나 배아줄기세포(embryonic stem cells, ESCs)에서 난자를 만들려는 노력들이 시도되고 있다[35]. 동물에서는 iPSC를 이용하여 인공 생식세포를 만들어 자손까지 만드는데 성공했다[36,37]. 사람에서도 GSCs [33]와 ESCs [38]를 이용하여 난자와 유사한 인공난자를 만든 보고가 있으며 인공난자로 수정까지 성공했다는 보고도 있다[39]. 그러나 아직까지 사람에서는 진정한 생식세포로서의 기능인 배발달과 임신에 성공한 예는 없다[40].

난소기능부전으로 진단된 여성 4명 중 3명은 난소에 휴면 상태의 난포가 남아 있다[41]. 마지막 치료 전략은 이런 휴면 상태의 난포를 인위적으로 재활성화하려는 시도들이다. 이런 난포의 재활성화를 위해 약물이나 기계적 자극을 이용하여 체외 활성화를 시키거나 난소에 직접 줄기세포나 성장인자를 주입하여 체내 활성화를 시키는 전략이다. 현재 임상연구가 활발히 이뤄지고 있어 현실적인 치료 방법으로 임상 사용이 가능한 전략이기도 하다.

2 난소 재생 치료 임상 연구

현재까지 발표된 난소기능 재생에 관한 임상연구는 잔여 난포의 재활성화에 관한 연구들이 대부분이다.

본 절에서는 IVA (in vitro activation)를 사용한 휴면 난포의 활성화, 난포 성숙을 위한 난소피질 절편화(drug-free IVA), 줄기세포 난소 이식 및 난소 내 혈소판풍부혈장(platelet-rich plasma, PRP) 주입을 소개하고자 한다.

1) In-vitro activation

난소에는 다양한 발달 단계의 난포들이 존재하며 특정 신호전달체계에 의해 활성화되고 성장하는 것으로 알려져 있다. 그러나 대부분의 난포는 원시난포 단계에서 휴면 상태로 수개월에서 수년간 머물게 되는데, PTEN-PI3K-Akt-Foxo3 pathway에 관여하는 일부 유전자를 없앤 유전자 조작 마우스(PTEN null mice) 에서는 모든 휴면 원시난포가 조기 활성화되는 것이 밝혀졌다[42-44]. 이를 이용하여 Jing 등은 사람의 난소피질 절편에 PTEN inhibitor와 PI3K activating peptide을 써서 원시난포를 활성화시킨 후 면역결핍 마우스에 이종 이식하여 성숙난자를 얻는 데 성공하였다[45].

Kawamura 등은 1930년 초부터 시행되어 온 다낭성난소증후군 환자들의 난소 쐐기절제술과 난소드릴링 후 자연적으로 난포 성장이 시작된다는 사실과 여성 암환자들이 가임력보존을 위해 동결해 둔 난소피질 절편을 암 완치 후 재이식했을 때 저절로 난포성장이 시작된다는 사실을 발견하고 난소피질을 잘라내는 행위가 자연적인 난포 성장을 유도할 것이라는 가설을 세우고 연구하기 시작했다[46-48]. 연구결과 이러한 현상은 Hippo signaling pathway의 억제에 의한 것이며 마우스의 난소에서 Hippo signaling이 억제되면 다운 스트림의 성장인자 발현이 증가되어 이차 난포 성장이 촉진되고 성숙한 난모세포의 생성이 유도된다는 것을 실험적으로 밝혀 냈다. Hippo signaling이 억제되면 actin polymerization이 증가하고 Yes-associated protein (YAP)의 인산화가 감소하여 핵내 YAP이 증가한다. YAP의 활성화는 세포내 신호 단백인CCN (intracellular signaling protein CCN; CYR61, connective tissue growth factor and nephroblastoma overexpressed proteins) 성장인자 및 BIRC (baculoviral inhibitors of apoptosis repeat containing apoptosis inhibitors) 세포자연사 억제제의 발현이 증가 되고 분비된 CCN2 및 관련 인자는 난포 성장을 촉진하는 것이다. 이후 2013년 가와무라는 이 두가지 기전 즉 PTEN-PI3K-Akt-Foxo3 경로 변화를 기반으로 한 원시난포의 활성화와 Hippo signaling 억제를 통한 이차 난포의 활성화를 동시에 구현한 최초의 IVA 임상연구 결과를 발표했다(그림 18-1) [49].

IVA는 난포의 활성화에 관여하는 조절 인자들을 이용하여 조기난소부전 여성의 난소에 일부 소량 남아있는 원시난포를 인위적으로 활성화하여 배란에 이르게 하는 방법이다.

처음에 소개된 IVA는 난소 조직 채취 및 재이식을 위한 두 번의 복강경 수술로 구성되는 2단계 프로토콜이었다. 즉, 첫번째 단계는 복강경 수술을 통해 난소피질을 생검한 후 이를 작은 조각으로 나눠 Hippo signaling pathway를 억제하고 성장인자의 분비를 유도하는 것이고 두 번째 단계는 48시간 동안 시험관 내 활성화 약물인 PI3K 억제제 및 Akt 자극제를 사용하여 난소 절편을 배양한 후 두 번째 복강경 수술을 통해 난소 절편을 재이식하는 것이다. 이를 조기난소부전 환자 37명에게 시행하여 4명의 여성에게서 배아 이식을 하였고 이중 3명의 임신 및 2명의 성공적인 분만을 보고했다[49].

이후 수술 횟수를 줄이고 냉동보존 및 약물 치료를 생략한 채 1회의 복강경수술만 하는 drug-free IVA 프로토콜이 파생됐다. Drug-free IVA는 난소기능 저반응군(poor ovarian response, POR)들의 경우 이차성 난포도 많이 가지고 있다는 것에 착안하여 약물에 의한 활성화 과정을 생략하고 난소피질 절편화만을 통해 Hippo signaling을 억제 시킨 후 난포의 성숙을 유도하는 것을 말한다. 이 방법을 통해 Andersen 등은 난소기능 저반응군 20명의 여성에서 12건의

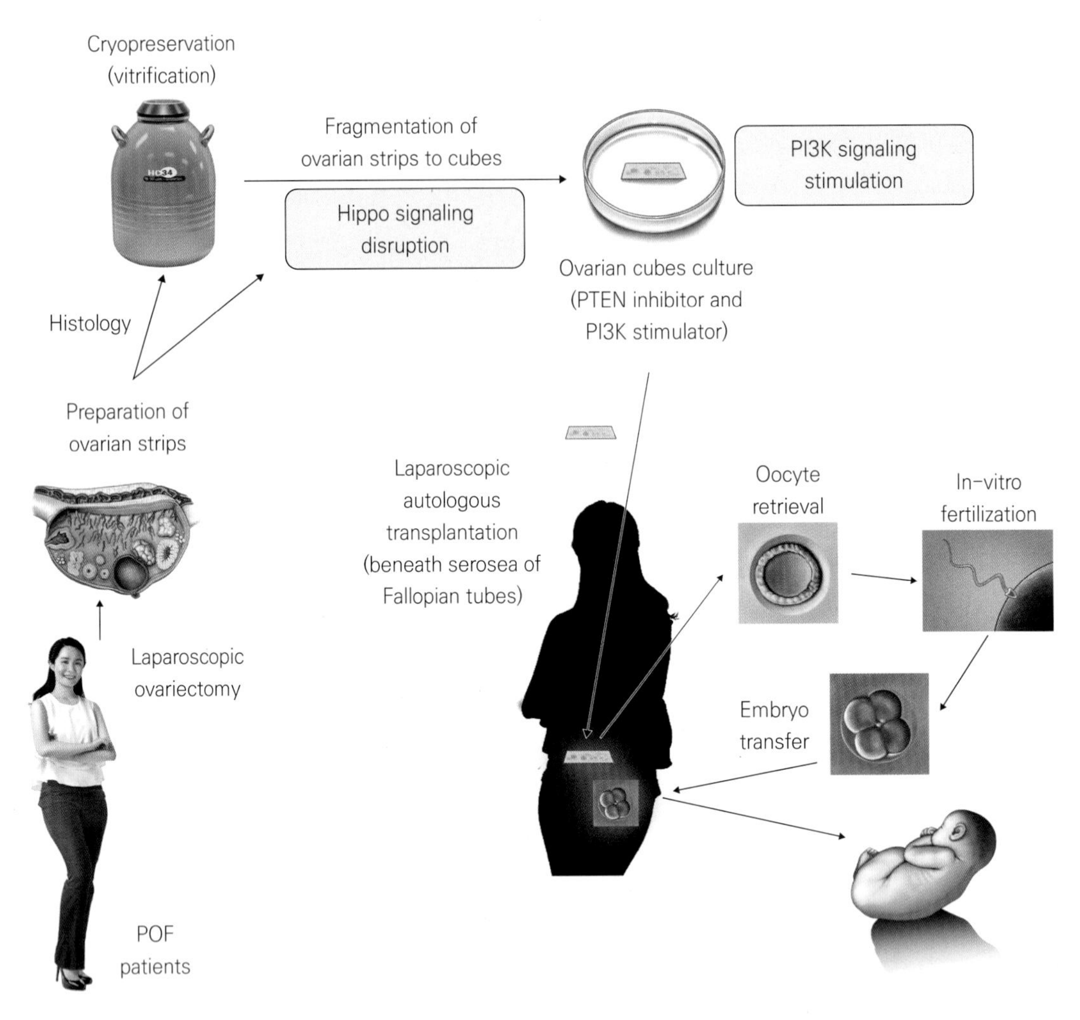

그림 18-1. A scheme for in-vitro activation (Kawamura K, Kawamura N, Hsueh AJ. Activation of dormant follicles: a new treatment for premature ovarian failure? Curr Opin Obstet Gynecol 2016;28(3):217-22.)

임신 성공을 보고했다[50].

2018년 Zhang 등은 80명의 조기난소기능부전 환자들을 대상으로 덜 침습적인 난소 생검(ovarian biopsy)이나 scratching만으로도 난포활성화가 되는지 보고자 하였다[51]. 그 결과 13.75 (11/80)%의 배란재개율과 1.25 (1/80)%의 출산율을 보고하여 in situ disruption도 난포활성화가 가능함을 입증하였다. 그러나 in vitro disruption인 기존의 IVA 보다는 효과가 떨어지는 것으로 확인됐다[52]. 현재까지 IVA에 의한 live birth를 보고한 임상 연구를 표 18-1에 정리하였다.

표 18-1. **previously reported cases with in-vitro activation**

Procedure type	Study	Patients	Residual follicle visualized /total	Follicle growth /total	Mature oocyte /total	Pregnancy /total (method)	No. of live birth cases
IVA	Kawamura et al. [49]	POI 27	13/27	8/27	5/27	2/27 (IVF)	1
	Suzuki et al. [53]	POI 10	7/10	1/10	1/10	1/10 (IVF)	1
	Zhai et al. [54]	POI 14	7/14	6/14	4/14	1/14 (IVF)	1
drug free-IVA	Fabregues et al. [55]	POI 1	1/1	3/NA	2/NA	1/1 (IVF)	0 (24 Weeks ongoing)
	Lunding et al. [50]	DOR 20	90% (at fourth biopsy)	3/20 (by AFC)	1/3	12/20	10 (7: IVF/ICSI, 1: IUI, 2: natural, 2 abortion)
	Tanaka et al. [56]	POI or DOR 15	NA	13/15	NA	1 natural preg 4 IVF	3 (1 ongoing preg, 1 miscarriage)
	Ferreri et al. [57]	POI 14	3/14	7/14	5/14	4/14	2 (1 ongoing preg, 1 prenatal death d/t preterm birth)
	Kawamura et al. [52]	POR with DOR 11	partial dissection (8/11 or 9/11) AFC 11/11	9/11 (AFC 증가)	11/11	4/11 (3 IVF, 1 natural)	1 (2 ongoing preg)

POI, primary ovarian insufficiency; IVA, in vitro activation; IVF, in vitro fertilization; ICSI, intracytoplasmin sperm injection; NA, not available; DOR. Decreased ovarian response; AFC, antral follicle count; POR, poor ovarian response

IVA나 drug-free IVA는 조기난소부전 환자의 가임력 회복에 유용할 뿐만 아니라 고령가임기 난임 여성, 난임 치료를 받고 있는 암 생존자 및 기타 외인성 요인에 의해 난소 예비력이 감소된 상태에서도 유용하게 사용될 수 있을 것이다. 암환자들이 완치판정 후 가임을 위해 동결해 둔 난소 절편의 재이식 시 이식 전 Hippo signaling 억제 시킨 후 재이식 하는 것이 보다 나은 배란 회복을 위해 도움이 될 수 있으며[52], 난소 조직 동결이 유일한 방법인 초경 전 여아의 가임력보존 시 IVA를 활용하여 향후 가임력 회복 효율을 극대화할 수 있을 것으로 생각된다.

2) Stem cell therapy

세포치료(cell therapy)는 인체 내에서 중요한 기능을 하던 세포가 죽거나 제 기능을 못해서 발생하는 질병의 경우 정상 기능을 가진 세포를 만들어 해당 부위에 주입하면 조직 기능이 되살아나는 현상이 일부 환자에서 확인되면서 하나의 치료법으로 자리매김했다. 즉 뛰어난 품질과 능력의 세포가 다양한 결핍이나 기능 결함이 생긴 병변의 치료에 사용되는, 새롭고 잠재력이 큰 하나의 치료방법이다. 줄기세포가 대표적인 세포치료제로 떠오르는 이유 중 하나는 줄기세포는 형질의 변화 없이 무한 증식이 가능하고 인체의 특정 부위에 존재하거나 착상 전 배아조직으로부터 분리가 쉽고 다루기 어렵지 않다는 것 때문이다[58, 59]. 특히 여성호르몬 치료의 경우 암 발생에 대한 위험성이 보고 되면서 이를 대체할 치료로 줄기세포 치료가 부상하기 시작했다. 최근에는 가임력 회복을 위해 줄기세포 치료가 시도되고 있다.

생식 영역에서 사용된 줄기세포에는 ESCs, mesenchymal stem cell (MSCs), iPSCs, 정원줄기세포(spermatogonial stem cell), GSCs 등이 있다[60]. 가장 많이 연구된 것은 MSCs이며 다양한 중간엽 조직인 골수, 지방 조직, 양수 및 양막, 월경 혈액, 자궁 내막, 피부, 제대혈에서 발견되고 분리가 용이하다[61, 62]. 또한 MSCs의 사용의 장점은 윤리적 문제가 적다는 것, 낮은 면역항원성, 제한적이긴 하지만 면역조절기능 그리고 상처치유를 위해 화학주성(chemotaxis)을 한다는 점이다. MSCs 기능은 내재적 분화, 증식, 자가 복제 능력, 세포 간 직접 시그널링, 및 사이토카인, 케모카인, 세포외 소포 같은 다양한 성장인자를 통한 paracrine 효과 등이 있다[63-67].

2008년 Fu 등은 골수 유래 MSCs로 항암제로 손상된 동물의 난소기능을 회복시킬 수 있는 것을 밝혔으며[68], 2012년 Liu 등은 사람의 양수 내 CD44 + / CD105 + MSCs로 마우스 모델에서 손상된 난소의 기능을 회복시킬 수 있는 것을 확인했다[69]. 2019년 Mohamed 등은 제대혈 MSCs가 여러 가지 이유로 생식 능력을 상실한 피험자의 난소 조직 손상을 개선시킨다고 보고했다[70]. 줄기세포의 치료 효과는 동물 모델과 임상 시험을 통한 다양한 연구를 통해 이미 입증되었다.

2000년 초부터 항암치료 후 조기난소부전이 된 환자들 중 타가 골수 이식 후 자연 임신 발생 증례들이 보고되면서 이는 줄기세포 치료의 난소기능 재생 효과에 대한 임상적 근거로 제시되어 왔다[8-13]. 2018년 스페인의 Herraiz 등은 17명의 난소기능저하 환자들을 대상으로 골수 유래 MSCs를 이용하여 자가 줄기세포 난소 내 이식(autologous stem cell ovarian transplantation, ASCOT)을 시행한 전향적 파일럿 연구결과를 보고 했다[71]. 총 50×10^6 CD133+ cells을 방사선 유도 하에 대퇴동맥 카테터를 이용하여 한쪽의 난소 동맥 내로 직접 주입했다. ASCOT은 여성의

81.3 %에서 난소기능 바이오마커(AMH 및 AFC)를 개선시켰으며 ASCOT 후 15명의 환자에서 28주기IVF를 시행하였다. 총 51개의 성숙난자가 채취되어 미세수정을 통해 31개의 배반포가 생성되었으나 착상전유전검사 결과 정상 배아율은 16.1% (5/31)에 불과했다. 5건의 정상 배아 이식 후 2명이 임신에 성공하였으나 한 명은 유산하였다. 이후 3명의 자연임신이 추가로 발생하였는데 이 중 2명이 IVF에서 임신 됐던 경우였으며, 결론적으로 15명 중 세명에서 임신이 성공하여 환자당 임신율은 20%이었고 출생아 수는 한 명이 두 번 분만한 것까지 포함하여 총 3명이었다.

지금까지의 연구 결과를 종합해보면 줄기세포가 난소기능을 강화하고 되살려 난포 형성에 긍정적인 영향을 미치고 과립막세포의 세포자연사를 예방하며 난소 호르몬을 조절할 수 있는 것으로 보인다[68, 71-74]. MSCs가 다양한 계열의 난소 내 세포로 분화가 가능하기 때문에 조직재생과 관련된 신호 전달 체계를 활성화해서 난소기능을 개선한다고 생각되어진다[75-78]. MSCs의 분화력은 환자의 나이, 세포 투여 경로, 투여된 세포 수 등에 따라 달라질 수 있으며 세포의 분비체(secretome)와 분비된 다양한 성장인자들이 난소 내 세포의 증식 및 재생을 촉진한다는 것이 알려졌다[79]. 염증을 유발하는 사이토카인과 항염증 사이토카인 간의 균형을 조절해 면역 반응을 조정하고 손상 받은 세포의 세포자연사 경로를 차단하는 것도 밝혀졌다[80]. 또한 섬유화된 난소의 콜라겐을 감소시키고[81], 섬유모세포(fibroblast)의 증식을 억제하고 세포외 기질의 침착을 감소시켜[82] 난소 손상 회복의 기전 중 항섬유화 효과도 있다는 것을 알 수 있다. 표 18-2에 현재까지 발표된 MSC를 이용한 주요 임상시험을 정리하였다.

줄기세포 치료는 난포 형성, 과립막세포 자연사억제, 신생 혈관 형성 및 항섬유화 효과 등과 같은 난소기능의 다양한 측면을 향상시키고 회복시키는 데 긍정적인 효과를 나타낸다. 그러나 줄기세포 사용과 관련하여 윤리적, 기술적 문제가 있으며 줄기세포 치료는 여러 국가에서 아직 위법인 경우가 많다. ESCs 사용에 대한 윤리적 문제는 ESCs 대신 MSCs를 사용하여 해결할 수 있지만 줄기세포를 추출하고 이식하는 과정에서 해결해야 할 몇 가지 안전성 문제가 여전히 남아 있다[88].

줄기세포는 향후 난소기능 장애 치료를 위한 입증된 새로운 치료 전략이므로, 그 치료 메커니즘을 평가하고, 임상 적용에서 품질 관리를 위한 표준을 구축하며, 안전성을 보장하기 위한 추가 연구가 필요하다.

표 18-2. **Clinical trials on stem cell treatment for ovarian rejuvenation**

Study	cell type	Inclusion criteria	No	injection method	outcome
Edessy et al 2021 [83]	BMDSC (autologous)	Idiopathic POI	10	10 ml aspiration via laparoscopic injection.	Cycle restoration; hormone recovery; spontaneous pregnancy. And live birth (1/10)
Gupta et al 2018 [84].	BMDSC (autologous)	Perimenopausal women	1	1-2 mL BMDSC at 3-4 sites via laparoscopic instillation	Hormone recovery; follicular growth reactivations; pregnancy via euploid thawing ET; and live birth
Gabr et al 2016 [85].	BMDSC (GMP)	Idiopathic POI	30	3-5 x 10^6 MSC via laparoscopic injection or ovarian artery through catheter.	Cycle restoration; hormone Recovery; follicular growth reactivation; and pregnancy via natural conception (1/30)
Herraiz et al. 2018 [71]	BMDSC (autologous)	POR (by ESHRE criteria)	15	50 x 10^6 CD133+cell intra-arterial catheter into one ovarian a. (after 10 ug/kg/d G-CSF S.C * 5days)	Hormone recovery; follicular growth reactivation; and pregnancy via IVF (2/15) or natural conception (3/15) (Consecutive pregnancy of two patients, two live births for one patient)
Ding, L et al 2018 [86]	collagen/ UCMSC	Idiopathic POI	8	5 x 10^6 collagen/ UCMSC via TVUS guidance	Follicular reactivation (5/8) Natural Conception (2/8) -1 trisomy 21 1/14, >20 wks ongoing)
	UCMSC		6	5 x 10^6 UCMSC via TVUS guidance	Follicular reactivation (1/6) Natural conception (1/6)
Yan et al. 2020 [87]	UCMSC	Idiopathic POI	61	0.5 x 10^7 orthotropic injection to unilateral ovary under TVS	Hormone recovery; follicular growth reactivations; oocyte retrieval 15/61; and live birth (4/61): 3 ICSI, 1 natural

BMMSC, bone marrow-derived mesenchymal stem cell; T.ET, thawing embryo transfrer, GMP, good manufacturing practice; POF, premature ovarian failure; UCMSC, umbilical cord-derived mesenchymal stem cell

3) Platelet-rich plasma (PRP)

PRP는 최근 들어 재생의학 분야에서 각광받는 치료제로 이미 세계적으로 정형외과, 스포츠의학, 치과, 이비인후과, 신경외과, 안과, 비뇨기과 피부과 등 다양한 분야에서 조직 재생 치료와 통증 완화의 목적 등으로 사용되고 있다.

생식의학 분야에서는 최근 난소기능저하나 조기난소기능부전 여성의 난소기능 회복을 위한 치료방법으로 PRP의 사용이 도입되고 있다. PRP는 조직 치유, 혈관 신생 및 세포 성장을 촉진할 수 있는 혈소판 내에 포함 된 성장인자로 구성된 농축물이기 때문에 이 작용기전은 paracrine signaling을 기반으로 한다[89, 90].

혈소판은 지혈(hemostasis)을 주로 담당하는 것으로 알려져 있으나 상처치유기에 혈소판 내부의 α 과립(alpha granule)에서 성장인자도 분비가 된다. 성장인자는 비활성형태로 저장되어 있다가 상처 발생 시 thrombin에 의해 자극을 받으면 활성화된다. 혈소판 한 개당 50개에서 최대 80개의 α 과립을 가지고 있으며 지혈과 관련이 있는 거의 30가지 유형의 성장인자가 있다.

혈소판 주요 성장인자의 종류에는 transforming growth factor β (TGF β), vascular endothelial growth factor (VEGF), platelet-derived growth factor (PDGF), epithelial growth factor (EGF), insulin-like growth factor-1 (IGF-1), hepatocyte growth factor (HGF) 등이 있다. 그 외에도 혈소판은 대식세포(macrophage), 골모세포(osteoblast), MSCs를 유인하는 생리활성 단백질을 방출하고, 괴사 조직의 제거 및 조직의 재생과 치유를 촉진한다[91].

PRP란 정상 혈소판의 수치가 150,000-350,000/μL 일때, 최소 4-6배 이상 농축되어 1 μL 당 혈소판의 수치가 1,000,000개 이상이 된 혈액 조성물이다. 환자의 정맥혈을 채혈하여 원심분리만으로 정상 혈액 내 혈소판 농도보다 최소 5배 이상 농축된 혈소판을 쉽고 빠르게 얻을 수 있다. PRP는 자가 유래이기 때문에 알레르기 반응이나 면역거부반응이 없으며, 혈액을 통해 감염되는 질병에 대한 위험성도 거의 없다(그림 18-2).

자가 PRP를 이용한 생식분야의 첫 임상 연구는 2015년 보고된 중국의 얇은 자궁내막 환자들을 대상으로 적용한 경우이다. 얇은 내막으로 반복착상실패 중인 5명의 난임 환자에게 자궁강내 PRP를 주입하여 5명 모두 임신에 성공한 사례를 보고했으며[92], 이 연구를 필두로 생식 분야에서의 임상 연구가 시작 됐다. 난소에서의 첫 사례는 2016년에는 유럽생식의학회(European Society of Human Reproduction and Embryology, ESHERE) 초록 발표를 통해 그리스 그룹이 폐경기 전후의 고령 가임기 여성(41-49세) 8명의 난소에 자가 PRP를 주입한 후 8명 모두 배란과 생리가 재개되었다는 보고였다[93]. 2018년에는 미국의 Sills 등이 난소기능저하 환자의 난소에

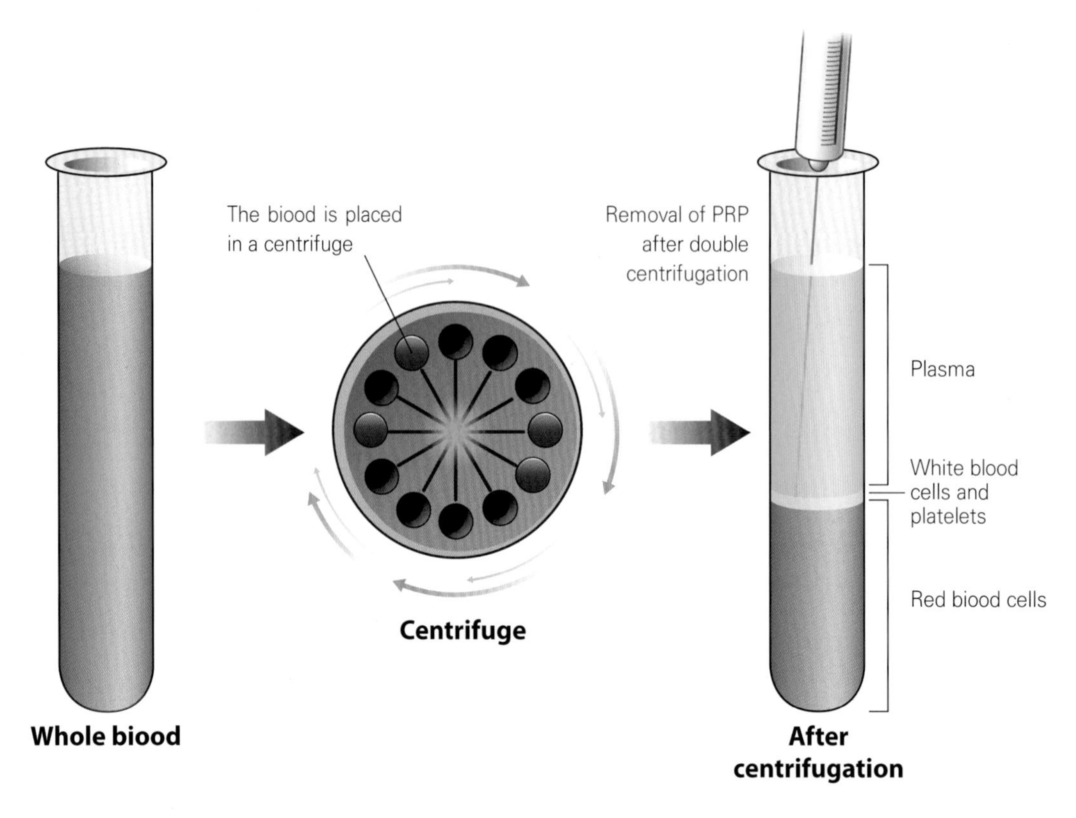

그림 18-2. Platelet-rich plasma preparation

자가 PRP를 주입하여 난소기능이 회복되었고 참여한 4명의 환자 모두 배반포 상태의 배아 생성에 성공하였다는 논문을 보고하였다[94].

이후, 난소기능저하 및 조기난소기능부전 여성과 같은 난소기능 장애가 있는 여러 일련의 환자에서 난소 내 자가 PRP 주입 치료 후 난소기능의 개선과 지속적인 출생이 보고되고 있다[94-100]. 현재까지 난소기능저하 및 난소기능부전 환자들에게 진행된 임상 연구들의 결과는 표 18-3에 정리되어 있다. PRP의 제조 방식에 대해서는 아직 표준화가 이뤄지지 않았으나 모든 연구에서 시술 방식은 질식 초음파 유도 하에 난자 채취용 바늘을 이용하여 난소에 대한 직접 주입으로 시행됐다.

표 18-3. **Clinical trials on stem cell treatment for ovarian rejuvenation**

Disease	Study	No of patients	Main findings
DOR	Sills et al., 2018 [94]	4	AMH increase or/and FSH decrease in all cases - Oocytes retrieval (5.3 ± 1.3 MII oocytes) in all cases. - IVF occurred range 59-110 days after treatment. - At least one cryopreserved blastocyst for each patient.
POR	Sfakianoudis et al., 2019 [95]	3	- Oocyte retrieval increase (2.1 vs 0.64 before treatment). - 2 spontaneous conceptions. - 3 live births.
	Farimani et al., 2019 [96]	23	- Oocyte retrieval increase (2.1 vs 0.64 before treatment). - 2 spontaneous conceptions. - 3 live births.
POI	Sfakianoudis et al., 2018 [97]	1	- Menstrual cycle restoration 6 weeks after treatment. - FSH decrease and slightly AMH increase. - Biochemical pregnancy, resulting in a spontaneous abortion at the 5th week of pregnancy.
	Pantos et al., 2019 [98]	3	- Menstrual cycle restoration in all cases 1-2 months after treatment. - AMH increase or/and FSH decrease in all cases - Pregnancy in natural conception through natural conception 2-6 months after treatment.
	Cakiroglu et al., 2020 [99]	311	Spontaneous pregnancy in 7.4% of patients (69.6% achieved live birth). - AMH and AFC increased after treatment. FSH increase not observed. - Antral follicle observation and COS initiation in 64.6% of patients. 40.8% of these patients achieved at least one blastocyst. - 22.8% of stimulated patients achieved a pregnancy after transfer.
DOR + POR + POI + menopause	Sfakianoudis et al., 2020 [100]	120	- POR patients: AMH and AFC increased and FSH decrease two menstrual cycles after treatments. 14 pregnancies and 12 live births.

POR, poor ovarian responder; DOR, diminished ovarian reserve; AFC, antral follicle count; AMH, anti-mullerian hormone; FSH, follicle-stimulation hormone; COS, controlled ovarian stimulation

배란 현상을 미세 외상(micro−trauma)으로 설명하는 관점에서 볼 때[101], 반복적인 배란으로 인해 축적된 난소의 미세 반흔, 섬유화 등의 조직 재생 측면에서 난소기능의 재생 목적으로의 PRP 사용에 대한 합리적인 근거를 제시할 수 있다.

난소에서도 마찬가지로 PRP내의 성장인자, 사이토카인, 케모카인이 서로 시너지를 일으키며 조직 괴사 제거, 세포재생, 세포 증식 및 이동, 세포 외 기질 합성, 리모델링, 혈관 신생 및 상피화 등의 재생 및 치유 과정을 가속화한다. 난소의 신생 혈관형성의 증가는 난포 증식과 생존율 증가, 난포 발달을 촉진하는 것으로 추정된다. 여러 인자 중 가장 활성화된 인자는 PDGF로 줄기세포의 화학주성, 세포분열(mitogenesis) 그리고 복제를 자극한다. 또한 VEGF의 PDGF 자극은 fibronectin을 자극하여 신생 혈관 형성을 증가시키고 세포 증식과 세포 모델링을 증가시킨다[102]. 다른 사이토카인인 TGF−β1 및 −β2의 활성은 MSCs의 활성 증가와 관련이 있다[103]. 많은 연구에서 PRP 내 백혈구 역시 다량의 VEGF를 생성한다고 보고한다. 결국 PRP 내 VEGF, FGF 및 endostatin 억제제 및 thrombospondin−1, 백혈구 유래의 추가 VEGF 가 혈관 형성에 중요한 역할을 할 것으로 생각된다[104].

2013년 스페인 그룹에서 가임력보존을 위해 동결보존 했던 난소 조직을 자가이식 할 때 생착률을 높이기 위해 PRP를 난소 조직에 첨가했고 이후 임신에 성공하여 출산까지 보고한 예가 있다[105]. Hosseini 등은 난자형성에서 PRP의 효과를 규명하는 연구를 보고했는데 3D 배양시 분리된 초기 인간 난포의 성장과 생존에 있어PRP의 긍정적인 효과를 입증해냈다[106]. PRP 는 원시난포와 일차성 난포 부터 전동난포상태(preantral stage)까지 난포 발달을 촉진하는 것으로 확인됐다.

난소기능부전 치료에서 PRP의 작용기전은 난소의 미세 환경을 개선시키고 휴면 난포를 활성화시킬 수 있는 성장인자 또는 사이토카인이 분비되고 신생 혈관형성 증가로 갱년기나 조기난소부전 환자에게 남아있는 휴면 상태의 원시난포, 일차 및 이차난포를 활성화 및 발달시켜 배란을 유도하는 것으로 정리해 볼 수 있다[106, 107].

지금까지의 PRP 연구들의 제한점은 대조군 없이 진행된 케이스 시리즈라는 점이며 향후 임상 적용 확대를 위해선 기술의 유효성과 안전성을 정확하게 평가해야 하며, 이를 위해서 무작위 임상 시험을 통해 근거를 확보하는 것이 필요하다.

자가 PRP는 비침습적이고 저렴하고 제조가 간단하며 시술 역시 상대적으로 쉽고 안전하다. PRP가 자가 혈액의 산물이며 유효성에 대한 근거만 충분히 확보된다면 부인과를 비롯한 재생이 필요한 산부인과 여러 질환에서 매력적인 비수술적 옵션이 될 것으로 기대된다. 지금까지 기술한 세 가지 난소 재생 치료법의 비교를 표 18-4에 정리하였다.

표 18-4. **세 가지 난소 재생 치료법의 비교**

Strategy	Invasiveness	Cost	Safety concerns
In-vitro activation	+++	+++	+++
Drug free IVA	+++	+++	++
Autologous stem cell therapy	++	+++	++
Autologous PRP	+	+	+

+: low, ++: moderate, +++: high

3 전망

지금까지 난소기능부전에 대한 재생의학 연구 동향을 살펴보았다. 재생의학 분야의 눈부신 발전에도 불구하고 주로 연구되는 분야는 수요가 많은 특정 질환에만 한정되어 있고 실제로 임상에 활용되는 경우는 아직 많지 않다. 난소의 재생치료는 아직 치료 전략 개발 단계이지만 일부 과학자들은 벌써부터 여성을 위한 청춘의 묘약이 개발될 가능성까지 점치고 있다. 가임력은 차치하더라도 최소 호르몬요법을 대체할 만큼의 내분비 기능만이라도 유지할 수 있는 치료법이 개발된다면 중년기 여성의 심혈관계 질환, 골다공증 같은 여성호르몬 결핍에서 오는 중대한 합병증에서 자유로워질 날이 올 수 있을 것으로 기대된다.

난소의 재생치료는 아직 기술 수준이 높지 않고 앞으로 개발되어야 할 기술이 많다는 점에서 변동성이 크지만 기존의 방법으로 치료가 불가능했던 난치성 불임 및 중년 여성의 갱년기 질환에 새로운 치료 대안이 될 수 있을 것으로 전망된다.

References

1. Shelling AN. Premature ovarian failure. Reproduction 2010;140(5):633-41.
2. Shifren JL, Gass ML, NAMS Recommendations for Clinical Care of Midlife Women Working Group. The North American Menopause Society recommendations for clinical care of midlife women. Menopause. 2014;21(10):1038-62.
3. Brinster RL. Male germline stem cells: from mice to men. Science 2007;316:404-5.
4. Hansen KR, Knowlton NS, Thyer AC, Charleston JS, Soules MR, Klein NA. A new model of reproductive aging: the decline in ovarian non-growing follicle number from birth to menopause. Human Reproduction 2008;23:699-708.
5. Mishra GD, Pandeya N, Dobson AJ, Chung HF, Anderson D, Kuh D, et al. Early menarche, nulliparity and the risk

for premature and early natural menopause. Hum Reprod 2017;32(3):679-86.
6. Zuckerman S. The number of oocytes in the mature ovary. Rec Prog Horm Res 1951;6:63-108
7. Johnson J, Canning J, Kaneko T, Pru JK, Tilly J. Germline stem cells and follicular renewal in the postnatal mammalian ovary. Nature 2004;428:145–50.
8. Salooja N, Chatterjee R, McMillan AK, Kelsey SM, Newland AC, Milligan DW, et al. Successful pregnancies in women following single autotransplant for acute myeloid leukemia with a chemotherapy ablation protocol. Bone Marrow Transplant. 1994;13:431-5.
9. Sanders JE, Hawley J, Levy W, Gooley T, Buckner CD, Deeg HJ, et al. pregnancies following high-dose cyclophosphamide with or without high-dose busulfan or total-body irradiation and bone marrow transplantation. Blood 1996;87:3045-52.
10. Salooja N, Szydlo RM, Socie G, Rio B, Chatterjee R, Ljungman P, et al. Pregnancy outcomes after peripheral blood or bone marrow transplantation: a retrospective survey. Lancet 2001;358:271-6.
11. Hershlag A, Schuster MW. Return of fertility after autologous stem cell transplantation. Fertil Steril 2002;77:419-21.
12. Veitia RA, Gluckman E, Fellous M, Soulier J. Recovery of female fertility after chemotherapy, irradiation, and bone marrow allograft: further evidence against massive oocyte regeneration by bone marrow-derived germline stem cells. Stem Cells 2007;25:1334-5.
13. Liu J, Malhotra R, Voharelli J, et al. Ovarian recovery after stem cell Transplantation. Bone Marrow Transplant 2008;41(3):275-2782
14. Johnson J, Bagley J, Skaznik-Wikiel M, Lee HJ, Adams GB, Niikura Y, et al. Oocyte generation in adult mammalian ovaries by putative germ cells in bone marrow and peripheral blood. Cell 2005;122(2):303-15.
15. Bukovsky A, Svetlikova M, Caudle MR. Oogenesis in cultures derived from adult human ovaries. Reproductive Biology and Endocrinology 2005;3:17.
16. Johnson J, Bagley J, Skaznik-Wikiel M, Lee HJ, Adams GB, Niikura Y, et al. Oocyte generation in adult mammalian ovaries by putative germ cells in bone marrow and peripheral blood. Cell 2005a;122:303-15.
17. Virant-Klun I, Zech N, Rozman P, Vogler A, Cvjeticanin B, Klemenc P, et al. Putative stem cells with an embryonic character isolated from the ovarian surface epithelium of women with no naturally present follicles and oocytes. Differentiation; Research in Biological Diversity 2008;76:843–56.
18. Niikura Y, Niikura T, Tilly JL. Aged mouse ovaries possess rare premeiotic germ cells that can generate oocytes following transplantation into a young host environment. Aging.2009;1:971–8.
19. Zou K, Yuan Z, Yang Z, Luo H, Sun K, Zhou L, et al. Production of offspring from a germline stem cell line derived from neonatal ovaries. Nature Cell Biology 2009;11:631–6.
20. Pacchiarotti J, Maki C, Ramos T, Marh J, Howerton K, Wong J, et al. Differentiation potential of germ line stem cells derived from the postnatal mouse ovary. Differentiation 2010;79:159–70.
21. Parte S, Bhartiya D, Telang J, Daithankar V, Salvi V, Zaveri K, et al. Detection, characterization, and spontaneous differentiation in vitro of very small embryonic-like putative stem cells in adult Mammalian ovary. Stem Cells and Development 2011;20:1451–64.
22. Zhang Y, Yang Z, Yang Y, Wang S, Shi L, Xie W, et al. Production of transgenic mice by random recombination of targeted genes in female germline stem cells. Journal of Molecular Cell Biology 2011;3:132–41.
23. White YAR, Woods DC, Takai Y, Ishihara O, Seki H, Tilly JL. Oocyte formation by mitotically active germ cells purified from ovaries of reproductive-age women. Nature Medicine 2012;18:413–21.
24. Zhou L, Wang L, Kang JX, Xie W, Li X, Wu C, et al. Production of fat-1 transgenic rats using a post-natal female

germline stem cell line. Molecular Human Reproduction 2014;20:271–81.

25. Vogel G. Bone marrow fails to produce oocytes. Science 2006;16:1583
26. Bristol-Gould SK, Kreeger PK, Selkirk CG, Kilen SM, Mayo KE, Shea LD, et al. Fate of the initial follicle pool: empirical and mathematical evidence supporting its sufficiency for adult fertility. Developmental Biology 2006 ;298:149–54.
27. Liu Y, Wu C, Lyu Q, Yang D, Albertini DF, Keefe DL, et al. Germline stem cells and neo-oogenesis in the adult human ovary. Developmental Biology 2007;306:112–20.
28. Byskov AG, Høyer PE, Yding Andersen C, Kristensen SG, Jespersen A, Møllgård K. No evidence for the presence of oogonia in the human ovary after their final clearance during the first two years of life. Human Reproduction 2011;26:2129–39.
29. Kerr JB, Brogan L, Myers M, Hutt KJ, Mladenovska T, Ricardo S, et al. The primordial follicle reserve is not renewed after chemical or -irradiation mediated depletion. Reproduction 2012;143:469–76.
30. Zhang H, Zheng W, Shen Y, Adhikari D, Ueno H, Liu K. Experimental evidence showing that no mitotically active female germline progenitors exist in postnatal mouse ovaries. PNAS 2012;109:12580–5.
31. Lei L, Spradling AC. Female mice lack adult germ-line stem cells but sustain oogenesis using stable primordial follicles. PNAS 2013;110:8585–90.
32. Yuan J, Zhang D, Wang L, Liu M, Mao J, Yin Y, et al. No evidence for neo-oogenesis may link to ovarian senescence in adult monkey. Stem Cells 2013;31:2538–50.
33. White YA, Woods DC, Takai Y, Ishihara O, Seki H, Tilly JL. Oocyte formation by mitotically active germ cells purified from ovaries of reproductive-age women. Nat Med 2012;18(3):413-21.
34. Dokshin GA, Baltus AE, Eppig JJ, Page DC. Oocyte differentiation is genetically dissociable from meiosis in mice. Nat Ganet 2013;45(8):877-83.
35. Sfakianoudis K, Rapani A, Grigoriadis S, Retsina D, Maziotis E, Tsioulou P, et al. Novel Approaches in Addressing Ovarian Insufficiency in 2019: Are We There Yet? Cell Transplant 2020;29:963689720926154.
36. Hayashi K, Ogushi S, Kurimoto K, Shimamoto S, Ohta H, Saitou M. Offspring from oocytes derived from in vitro primordial germ cell-like cells in mice. Science 2012;338(6109):971–5.
37. Hayashi K, Saitou M. Generation of eggs from mouse embryonic stem cells and induced pluripotent stem cells. Nat Protoc 2013;8(8):1513–24.
38. Aflatoonian B, Ruban L, Jones M, Aflatoonian R, Fazeli A, Moore HD. In vitro post-meiotic germ cell development from human embryonic stem cells. Hum Reprod 2009;24(12):3150–9.
39. Tesarik J, Nagy ZP, Sousa M, Mendoza C, Abdelmassih R. Fertilizable oocytes reconstructed from patient's somatic cell nuclei and donor ooplasts. Reprod BioMed Online 2001;2(3):160–4.
40. Hendriks S, Dancet EA, van Pelt AM, Hamer G, Repping S. Artificial gametes: a systematic review of biological progress towards clinical application. Hum Reprod Update 2015;21(3):285–96.
41. De Vos M, Devroey P, Fauser BC. Primary ovarian insufficiency. Lancet 2010;376: 911-21.
42. Reddy P, et al. Oocyte-specific deletion of Pten causes premature activation of the primordial follicle pool. Science 2008;319:611–3.
43. John GB, Gallardo TD, Shirley LJ, Castrillon DH. Foxo3 is a PI3K-dependent molecular switch controlling the initiation of oocyte growth. Dev Biol 2008;321:197–204.
44. Adhikari D, Liu K. Molecular mechanisms underlying the activation of mammalian primordial follicles. Endocr Rev 2009;30:438–64.
45. Li J, Kawamura K, Cheng Y, Liu S, Klein C, Liu S, et al. Activation of dormant ovarian follicles to generate mature

eggs. Proc Natl Acad Sci 2010;107(22):10280-4.
46. Stein IF, Leventhal ML. Amenorrhea associated with bilateral polycystic ovaries. Am J Obstet Gynecol 1936;29:181.
47. Farquhar C, Brown J, Marjoribanks J. Laparoscopic drilling by diathermy or laser for ovulation induction in anovulatory polycystic ovary syndrome. Cochrane Database Syst Rev 2012;6:CD001122.
48. Donnez J. Children born after autotransplantation of cryopreserved ovarian tissue. A review of 13 live births. Ann Med 2011;43(6):437–50.
49. Kawamura K, Cheng Y, Suzuki N, Deguchi M, Sato Y, Takae S, et al. Hippo signaling disruption and Akt stimulation of ovarian follicles for infertility treatment. Proc Natl Acad Sci 2013;110(43):17474-9.
50. Lunding SA, Pors SE, Kristensen SG, Landersoe SK, Jeppesen JV, Flachs EM, et al. Biopsying, fragmentation and autotransplantation of fresh ovarian cortical tissue in infertile women with diminished ovarian reserve. Hum Reprod 2019;34(10):1924-36.
51. X Zhang, T Han, L Yan, X Jiao, Y Qin, Z J Chen. Resumption of ovarian function after ovarian biopsy/scratch in patients with premature ovarian insufficiency. Reproductive Sciences 2019;26(2):207-213.
52. Kawamura K, Ishizuka B, Hsueh AJW. Drug-free in-vitro activation of follicles for infertility treatment in poor ovarian response patients with decreased ovarian reserve. Reprod Biomed Online 2020;40(2):245-253.
53. Suzuki N, Yoshioka N, Takae S, Sugishita Y, Tamura M, Hashimoto S, et al. Successful fertility preservation following ovarian tissue vitrification in patients with primary ovarian insufficiency. Hum Reprod 2015;30(3):608-15.
54. Zhai J, Yao G, Dong F, Bu Z, Cheng Y, Sato Y, et al. In vitro activation of follicles and fresh tissue auto-transplantation in primary ovarian insufficiency patients. J Clin Endocrinol Metab 2016;101:4405-12.
55. Fabregues F, Ferreri J, Calafell JM, Moreno V, Borrás A, Manau D, et al. Pregnancy after drug-free in vitro activation of follicles and fresh tissue autotransplantation in primary ovarian insufficiency patient: a case report and literature review. J Ovarian Res 2018;11(1):76.
56. Tanaka Y, Hsueh AJ, Kawamura K. Surgical approaches of drug-free in vitro activation and laparoscopic ovarian incision to treat patients with ovarian infertility. Fertil Steril 2020;114(6):1355-7.
57. Ferreri J, Fàbregues F, Calafell JM, Solernou R, Borrás A, Saco A, et al. Drug-free in-vitro activation of follicles and fresh tissue autotransplantation as a therapeutic option in patients with primary ovarian insufficiency. Reprod Biomed Online 2020;40(2):254-60.
58. Kumar S, Singh N. Stem cells: A new paradigm. Indian J Hum Genet 2006;12(1):4-10.
59. Chagastelles PC, Nardi NB. Biology of stem cells: an overview. Kidney Int Suppl 2011;1(3):63-67.
60. Volarevic V, Bojic S, Nurkovic J, Volarevic A, Ljujic B, Arsenijevic N, et al. Stem cells as new agents for the treatment of infertility: current and future perspectives and challenges. BioMed Res Int 2014;2014:507234.
61. Nombela-Arrieta C, Ritz J, Silberstein LE. The elusive nature and function of mesenchymal stem cells. Nat Rev Mol Cell Biol 2011;12(2):126-31.
62. Shyam H, Singh SK, Kant R, Saxena SK. Mesenchymal stem cells in regenerative medicine: A new paradigm for degenerative bone diseases. Regen Med 2017;12(2):111-4.
63. Mohamed SA, Shalaby SM, Abdelaziz M, et al. Human mesenchymal stem cells partially reverse infertility in chemotherapy-induced ovarian failure. Reprod Sci 2018;25(1):51-63.
64. Riad Omar F, Afifi Amin NM, Elsherif HA, et al. Role of adipose-derived stem cells in restoring ovarian structure of adult albino rats with chemotherapy-induced ovarian failure: A histological and immunohistochemical study. J Carcinog Mutagen 2016;7:1-10.
65. Keshtkar S, Azarpira N, Ghahremani MH. Mesenchymal stem cell-derived extracellular vesicles: novel frontiers in

regenerative medicine. Stem Cell Res Ther 2018;9(1):63.
66. Abd-Allah SH, Shalaby SM, Pasha HF, et al. Mechanistic action of mesenchymal stem cell injection in the treatment of chemically induced ovarian failure in rabbits. Cytotherapy 2013;15(1):64-75.
67. Mobarak H, Heidarpour M, Lolicato F, Nouri M, Rahbarghazi R, Mahdipour M. Physiological impact of extracellular vesicles on female reproductive system; highlights to possible restorative effects on female age-related fertility. Biofactors 2019;45(3):293-303.
68. Fu X, He Y, Xie C, Liu W. Bone marrow mesenchymal stem cell transplantation improves ovarian function and structure in rats with chemotherapy-induced ovarian damage. Cytotherapy 2008;10(4):353-63.
69. Liu T, Huang Y, Guo L, Cheng W, Zou G. CD44+/CD105+ human amniotic fluid mesenchymal stem cells survive and proliferate in the ovary long-term in a mouse model of chemotherapy-induced premature ovarian failure. Int J Med Sci 2012;9(7):592-602.
70. Mohamed SA, Shalaby S, Brakta S, Elam L, Elsharoud A, Al-Hendy A. Umbilical cord blood mesenchymal stem cells as an infertility treatment for chemotherapy induced premature ovarian insufficiency. Biomedicines 2019;7(1):1-13.
71. Herraiz S, Buigues A, Diaz-Garcia C, Romeu M, Martinez S, Gomez-Segui I, et al. Fertility rescue and ovarian follicle growth promotion by bone marrow stem cell infusion. Fertil Steril 2018;109(5):908–918.
72. Wang S, Yu L, Sun M, Mu S, Wang C, Wang D, et al. The therapeutic potential of umbilical cord mesenchymal stem cells in mice premature ovarian failure. BioMed Res Int 2013;doi:10.1155/2013/690491.
73. Sun M, Wang S, Li Y, Yu L, Gu F, Wang C, et al. Adipose-derived stem cells improved mouse ovary function after chemotherapy-induced ovary failure. Stem Cell Res Ther 2013; 4(4):80.
74. Guo JQ, Gao X, Lin ZJ, Wu WZ, Huang LH, Dong HY, et al. BMSCs reduce rat granulosa cell apoptosis induced by cisplatin and perimenopause. BMC Cell Biol 2013; doi:10.1186/1471-2121-14-18.
75. Grady ST, Watts AE, Thompson JA, Penedo MCT, Konganti K, Hinrichs K. Effect of intra-ovarian injection of mesenchymal stem cells in aged mares. J Assist Reprod Genet 2019;36(3):543-56.
76. Takehara Y, Yabuuchi A, Ezoe K, et al. The restorative effects of adipose-derived mesenchymal stem cells on damaged ovarian function. Lab Invest 2013;93(2):181-93.
77. Rezabakhsh A, Cheraghi O, Nourazarian A, et al. Type 2 diabetes inhibited human mesenchymal stem cells angiogenic response by over-activity of the autophagic pathway. J Cell Biochem 2017;118(6):1518-30.
78. Rahbarghazi R, Nassiri SM, Ahmadi SH, et al. Dynamic induction of pro-angiogenic milieu after transplantation of marrow-derived mesenchymal stem cells in experimental myocardial infarction. Int J Cardiol 2014;173(3):453-66.
79. Ling L, Feng X, Wei T, et al. Human amnion-derived mesenchymal stem cell (hAD-MSC) transplantation improves ovarian function in rats with premature ovarian insufficiency (POI) at least partly through a paracrine mechanism. Stem Cell Res Ther 2019;10(1):46.
80. Harrell CR, Fellabaum C, Jovicic N, Djonov V, Arsenijevic N, Volarevic V. Molecular mechanisms responsible for therapeutic potential of mesenchymal stem cell-derived secretome. Cells 2019;8(5):467.
81. Wang Z, Wang Y, Yang T, Li J, Yang X. Study of the reparative effects of menstrual-derived stem cells on premature ovarian failure in mice. Stem Cell Res Ther 2017;8(1):11.
82. He Y, Chen D, Yang L, Hou Q, Ma H, Xu X. The therapeutic potential of bone marrow mesenchymal stem cells in premature ovarian failure. Stem Cell Res Ther 2018;9(1):263.
83. Edessy M, Hosni HN, Shady Y, Waf Y, Bakr S, Kamel M. Autologous stem cells therapy, the first baby of idiopathic prematureovarian failure. Acta Medica International 2016;3(1):19-23.
84. Gupta S, Lodha P, Karthick MS, Tandulwadkar SR. Role of Autologous Bone Marrow-Derived Stem Cell Therapy for

Follicular Recruitment in Premature Ovarian Insufficiency: Review of Literature and a Case Report of World's First Baby with Ovarian Autologous Stem Cell Therapy in a Perimenopausal Woman of Age 45 Year. J Hum Reprod Sci 2018;11(2):125-130.

85. Gabr H, Elkheir WA, El-Gazzar A. Autologous stem cell transplantation in patients with idiopathic premature ovarian failure. J Tissue Sci Eng 2016;doi:10.4172/2157-7552.C1.030.
86. Ding L, Yan G, Wang B, Xu L, Gu Y, Ru T, et al. Transplantation of UC-MSCs on collagen scaffold activates follicles in dormant ovaries of POF patients with long history of infertility. Sci China Life Sci 2018;doi:10.1007/s11427-017-9272-2.
87. Yan L, Wu Y, Li L, et al. Clinical analysis of human umbilical cord mesenchymal stem cell allotransplantation in patients with premature ovarian insufficiency. Cell Prolif 2020;doi:10.1111/cpr.12938.
88. Ciccocioppo R, Cantore A, Chaimov D, Orlando G. Regenerative medicine: the red planet for clinicians. Intern Emerg Med 2019;14(6):911-21.
89. Boswell SG, Cole BJ, Sundman EA, Karas V, Fortier LA. Platelet-rich plasma: a milieu of bioactive factors. Arthroscopy 2012;28(3):429–39.
90. Sundman EA, Cole BJ, Karas V, Della Valle C, Tetreault MW, Mohammed HO, et al. The anti-inflammatory and matrix restorative mechanisms of platelet-rich plasma in osteoarthritis. Am J Sports Med 2014; 42(1):35–41.
91. Amable PR, Carias RB, Teixeira MV, da Cruz Pacheco I, Correa do Amaral RJ, Granjeiro JM, et al. Platelet-rich plasma preparation for regenerative medicine: optimization and quantification of cytokines and growth factors. Stem cell research & therapy 2013;4:67.
92. Chang Y, Li J, Chen Y, Wei L, Yang X, Shi Y, et al. Autologous platelet-rich plasma promotes endometrial growth and improves pregnancy outcome during in vitro fertilization. Int J Clin Exp Med 2015;8(1):1286-90.
93. Pantos K, Nitsos N, Kokkali G, Vaxevanoglou T, Markomichali C, Pantou A. Ovarian rejuvenation and folliculogenesis reactivation in peri-menopausal women after autologous platelet-rich plasma treatment. In: Abstracts, ESHRE 32nd Annual Meeting
94. Sills ES, Rickers NS, Li X, Palermo GD. First data on in vitro fertilization and blastocyst formation after intraovarian injection of calcium gluconate-activated autologous platelet rich plasma. Gynecol Endocrinol. 2018; 34(9):756–60.
95. Sfakianoudis K, Simopoulou M, Nitsos N, Rapani A, Pantou A, Vaxevanoglou T, et al. A Case series on platelet-rich plasma revolutionary management of poor responder patients. Gynecol Obstet Invest 2019;84(1):99–106.
96. Farimani M, Heshmati S, Poorolajal J, Bahmanzadeh M. A report on three live births in women with poor ovarian response following intra-ovarian injection of platelet-rich plasma (PRP). Mol Biol Rep 2019;46(2):1611–6.
97. Sfakianoudis K, Simopoulou M, Nitsos N, Rapani A, Pappas A, Pantou A, et al. Autologous Platelet-Rich Plasma Treatment Enables Pregnancy for a Woman in Premature Menopause. J Clin Med 2018;8(1):10.3390
98. Pantos K, Simopoulou M, Pantou A, Rapani A, Tsioulou P, Nitsos N, et al. A case series on natural conceptions resulting in ongoing pregnancies in menopausal and prematurely menopausal women following platelet-rich plasma treatment. Cell Transplant 2019;28(9-10):1333–40.
99. Cakiroglu Y, Saltik A, Yuceturk A, Karaosmanoglu O, Kopuk SY, Scott RT, et al. Effects of intraovarian injection of autologous platelet rich plasma on ovarian reserve and IVF outcome parameters in women with primary ovarian insufficiency. Aging (Albany NY). 2020;12(11):10211–22.
100. Sfakianoudis K, Simopoulou M, Grigoriadis S, Pantou A, Tsioulou P, Maziotis E, et al. Reactivating Ovarian Function through Autologous Platelet-Rich Plasma Intraovarian Infusion: Pilot Data on Premature Ovarian Insufficiency, Perimenopausal, Menopausal, and Poor Responder Women. J Clin Med 2020;9(6).

101. Duffy DM, Ko C, Jo M, Brannstrom M, Curry TE. Ovulation: parallels with inflammatory processes. Endocr Rev 2019;40(2):369–416.
102. Sills ES, Wood SH. Autologous activated platelet-rich plasma injection into adult human ovary tissue: molecular mechanism, analysis, and discussion of reproductive response. Biosci Rep 2019;doi:10.1042/BSR20190805.
103. Albanese A, Licata ME, et al. Platelet-rich plasma (PRP) in dental and oral surgery: from the wound healing to bone regeneration. Immun Ageing 2013;10:23.
104. Zhang N, Wu YP, et al. Research progress in the mechanism of effect of PRP in bone deficiency healing. Sci World J 2013;134582.
105. Callejo J, Salvador C, et al. Live birth in a woman without ovaries after autograft of frozen-thawed ovarian tissue combined with growth factors. J Ovarian Res 2013;doi: 10.1186/1757-2215-6-33.
106. Hosseini L, Shirazi A, et al. Platelet-rich plasma promotes the development of isolated human primordial and primary follicles to the preantral stage. Reprod Biomed Online 2017;35:343–50.
107. Cremonesi F, Bonfanti S, Idda A, Anna LC. Improvement of Embryo Recovery in Holstein Cows Treated by Intra-Ovarian Platelet Rich Plasma before Superovulation. Vet Sci 2020;7(1):16.

Chapter 19

인공난소와 생식세포 생성

(Artificial ovary and stem cell technology for germ cell formation)

을지대 **전진현**
을지대 **이재왕**

여성의 가임력보존을 위한 방법으로는 난자, 배아 및 난소 조직 동결/이식이 현재 임상적으로 사용되고 있으며, 이중 난소 조직 동결/이식 방법은 적용 대상 범위가 난자 및 배아 동결보다는 넓다는 장점을 가지고 있으나, 백혈병이나 난소암 등 난소 조직을 자가이식 하였을 때 나타날 수 있는 암의 재발 위험성 등이 그 한계로 지적되고 있다. 본 챕터에서는 이러한 난소 조직 동결/이식의 단점을 극복하고자 인공 난소(artificial ovary)를 이용한 가임력보존과 줄기세포를 이용한 생식세포(정자/난자) 생성 연구에 대해 간략히 설명하고자 한다.

1 여성 가임력보존을 위한 인공난소 (Artificial ovary for female fertility preservation)

앞서 언급한 바와 같이 인공난소의 개발은 주로 여성 암환자 등에 있어서 가임력보존을 첫 번째 목적으로 연구 및 개발되고 있다. 인공난소라 함은 여성의 신체 내 난소(ovary) 기능을 대신하기 위하여 개발 및 제작하며, 이러한 난소 조직의 기능은 생식세포(gamete)의 생성과 내분비기능(endocrine function)에 있다[1]. 특히나, 가임력보존(fertility preservation)을 위한 생식세포의 생성은 난소 조직의 동결보존(cryopreservation) 및 이식(transplantation)을 통해 임상적으로 그 효용성이 입증되었으나, 표 19-1에서 보여지는 바와 같이 유방암(breast cancer), 림프종(lymphoma)

표 19-1. **악성종양 종류에 따른 난소 내 악성세포 존재 위험도(Dolmans and Masciangelo, 2018)**

저위험군(Low risk)	중간위험군(Moderate risk)	고위험군(High risk)
Breast cancer, stage I-II infiltrating ductal subtype	Breast cancer, stage IV infiltrating lobular subtype	Leukemia
Squamous cell carcinoma of the cervix	Colon cancer	Neuroblastoma
Hodgkin's lymphoma	Adenocarcinoma of the cervix	Burkitt lymphoma
Soft tissue sarcoma	Non-Hodgkin's lymphoma	
Rhabdomyosarcoma	Ewing sarcoma	
Renal tumors	Contralateral ovarian cancer or borderline ovarian tumor	

및 난소암(ovarian cancer) 등에서는 난소 조직(ovarian tissue)의 이식을 통한 암의 재발 등의 위험성이 꾸준히 보고되었기 때문에 난소 조직을 이용한 가임력보존은 그 한계가 있다고 알려져 있다[2]. 즉, 난소 조직을 이용한 가임력보존을 꾀하기 어려운 환자에게는 난소의 기능적 단위인 난포(ovarian follicle)을 따로 분리 및 이식을 통해 난소 조직을 통한 가임력보존의 효과를 얻고자 하며, 이 과정에서 다양한 연구 등을 통해 개발된 것이 바로 인공난소이다[3].

연구 및 개발하고자 하는 인공난소의 장점으로는 난소 조직 내 존재할 수 있는 악성세포로 인한 재발의 위험성을 제거함으로써 인공난소동결보존 및 이식을 통한 가임력보존을 시행할 수 없는 환자들을 대상으로 적용이 가능하며(그림 19-1), 이식의 효율을 높일 수 있는 다양한 생체재료(biomaterial)를 이용하여 이식 후 난포의 생존 및 발달을 보장하여, 인공난소 개발의 주된 목적인 생식세포의 생성과 성 호르몬(sex hormone)의 원활한 공급을 꾀할 수 있다는 점에 있다(그림 19-2).

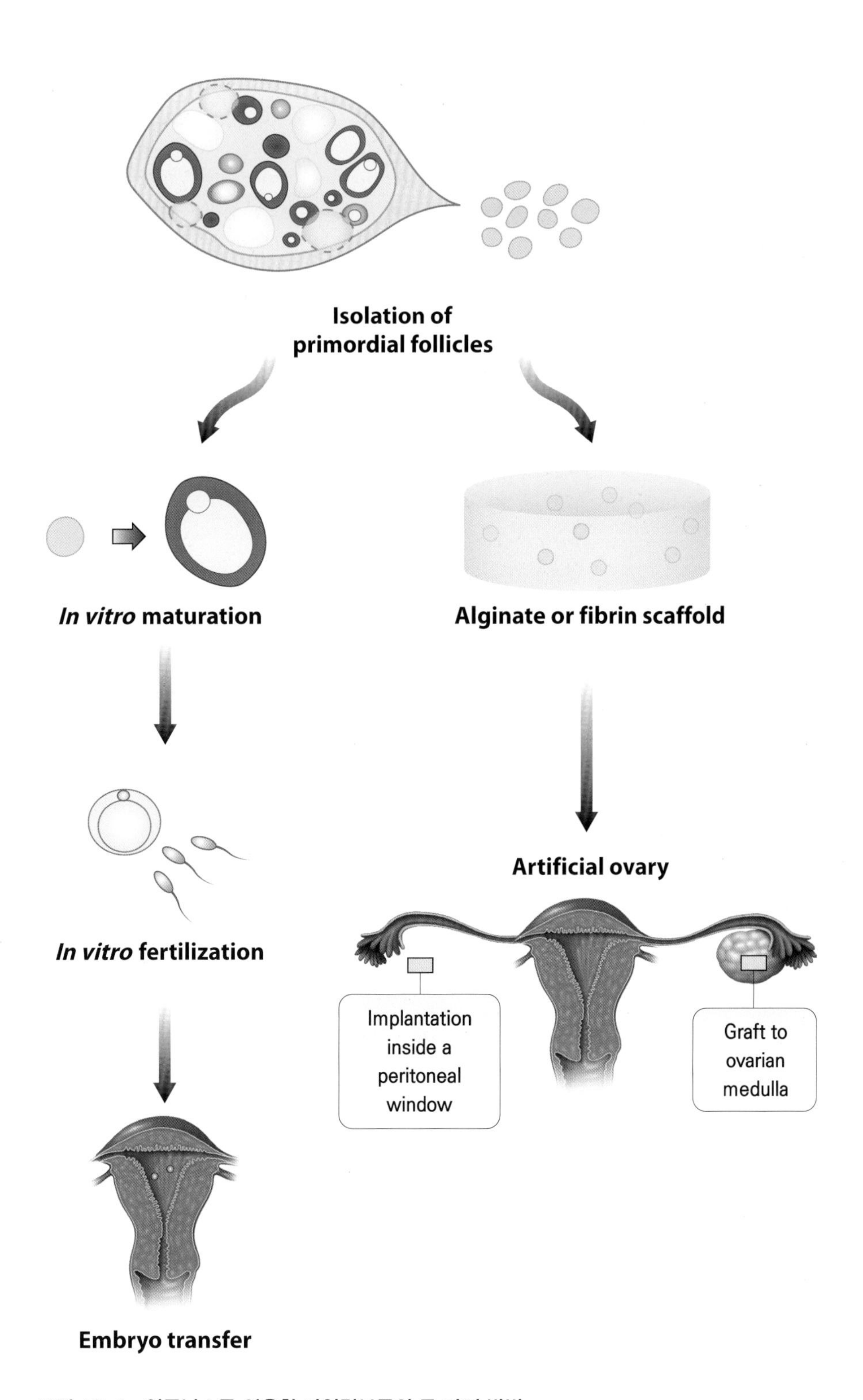

그림 19-1. 인공난소를 이용한 가임력보존의 두 가지 방법

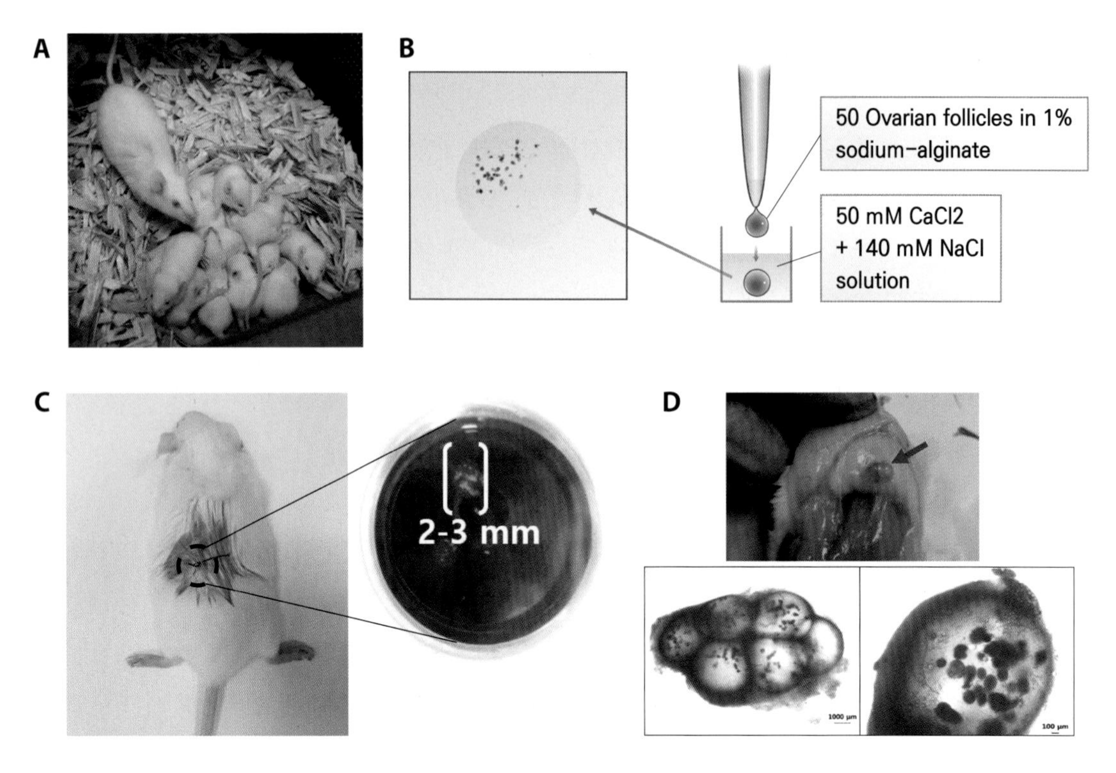

그림 19-2. 인공난소 연구를 위한 (A) 실험동물(생쥐) (B) 알지네이트 캡슐화 (C) 인공난소 피하 이식 및 (D) 이식체 수거

반면, 이러한 인공난소는 1) 인공난소동결보존 및 이식기술과 비교하여 아직은 실험적 단계(experimental phase)에 머무르는 현실이고, 2) 인공난소동결보존 및 이식기술과 비교하여 조직 내 혈관의 부재 등을 통한 허혈성손상(ischemic injury)이 크다고 판단되며, 3) 인공난소동결보존 및 이식기술과 비교하여 환자에게 이식되어지는 난포의 발달상태, 양과 질이 상대적으로 낮다고 알려져 있다. 뿐만 아니라 4) 난소 조직 내 존재할 수 있는 악성세포로 인한 재발의 위험성은 꾸준히 제기되고 있으며, 5) 인공난소의 형태유지 및 기능향상 등을 위하여 사용되어지는 생체재료의 안전성과 안정성에 관한 연구가 미흡하다[5-6].

이러한 장단점을 지니고 있는 가임력보존을 위한 인공난소 개발의 중요성과 더불어 왜 이러한 인공난소의 개발이 필요한가를 이해하기 위해서는 가임력보존 이외의 인공난소를 임상적으로 필요로 하는 대상이 누구인지를 고민해 볼 필요가 있다. 비록, 가임력보존 및 성 호르몬 분비 기능 회복을 위한 인공난소 이용은 아직 실험적 단계에 머무르고 있는 실정이나, 적용 대상이 확장될 수 있다는 점에서 앞으로의 그 효과가 기대된다.

인공난소의 추가적인 임상 적용 가능 대상자로는 1) 생식독성을 나타내는 항암요법(화학요법 및 방사선요법) 등으로 인한 가임력의 저하가 예상되는 환자, 2) 고령의 가임기 poor responder 및 난포와 난자의 수와 질의 저하를 나타내는 diminished ovarian reserve 환자, 3) 가임기 연령의 조기난소부전(primary ovarian insufficiency) 환자 등을 이야기 할 수 있다. 다음과 같은 적응증을 나타낼 경우는 아래와 같은 방법을 통해 가임력보존을 고려할 수 있다.

① 난소 조직의 체외배양 및 활성화(ovarian tissue in vitro culture and activation)
② 난소 조직으로부터 난포의 획득, 체외 3차원 배양 또는 생체재료를 이용한 인공난소 제작(ovarian follicle isolation from ovarian tissue, in vitro 3D culture, and activation)
③ 3차원 배양된 난포로부터 수정이 가능한 난자의 획득 또는 제작한 인공난소의 생체 내 이식

앞서 언급한 바와 같이 인공난소 개발을 통해 여성 가임력보존을 성공적으로 성취할 수 있는데, 현재까지 보고된 환자 적용을 위한 인공난소 개발 연구 방법은 인공난소 개발은 크게 1) 난포의 3차원 체외배양을 통한 수정 가능한(fertilizable) 성숙난자 획득과 2) 생체재료를 이용한 이식 가능한(transplantable) 인공난소 제작 및 수정 가능한 성숙난자 획득 방법을 소개하고자 한다.

(1) 난포의 3차원 체외배양을 통한 수정 가능한 성숙난자 획득[7-9]

본 방법을 이용하여 성숙란을 얻기 위해 먼저, 난소 조직의 체외배양 및 체외활성화를 통해 성장난포(growing follicle)를 획득하고, 알지네이트(alginate), 피브린(fibrin) 등 난포의 3차원 성장을 지지해줄 수 있는 생체재료를 이용한 캡슐화(encapsulation) 및 체외 배양을 난포의 발달 상태에 맞게 진행한 후 성숙한 체외 배양된 난포의 체외 배란(in vitro ovulation)을 통한 수정 가능한 성숙난자를 획득할 수 있다.

(2) 생체재료를 이용한 이식 가능한 인공난소 제작 및 수정 가능한 성숙난자 획득

이식 가능한 인공난소 제작 역시 먼저 난소 조직 획득을 통한 다양한 발달 단계의 난포를 획득을 진행한 이후 알지네이트, 피브린 등 난포의 3차원 성장을 지지해줄 수 있으며, 이식이 가능한 생체재료를 이용한 캡슐화 된 인공난소를 신체의 정상위치에 이식한다. 앞선 체외 배양과 달리 체내 이식 이후 난포가 성장할 수 있는 환경을 체내를 통해 구성한 후 체내 난포 성숙 및 체내 배란을 통한 수정 가능한 성숙난자 획득하는 방법이다. 그림 19-3은 생쥐모델에서 인공난소를 제작,

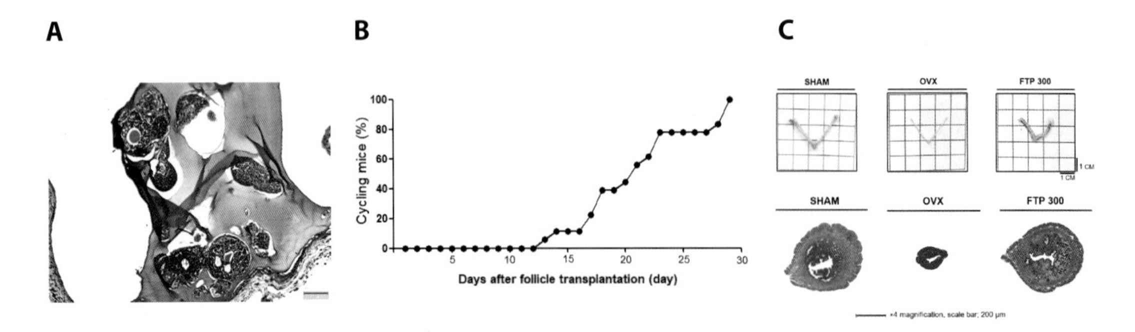

그림 19-3. 인공난소를 이용한 이식 후 (A) 이식체의 조직병리학적 관찰, (B) 이식체의 의한 호르몬 회복 및 (C) 이식에 따른 자궁 내막 변화 OVX; oophorectomized, FTP300; transplantation of 300 ovarian follicle

이식한 이후 체내에서 성장한 이식된 난포, 그 결과 회복된 암컷 생쥐의 발정주기와 체내 인공난소로부터 공급된 호르몬으로 인한 자궁내막의 두께 변화를 나타낸 것으로 다음과 같은 임상 적용을 위한 많은 선행연구가 보고되고 있다.

다음과 같은 동물실험을 이용한 연구가 환자에게 안전한 방법으로 적용되기 위해 크게 세 가지 고려해야 할 점들이 있다.

(1) 적절한 난포의 획득과 선택

첫 번째 고려할 사안으로는 난포의 분리 및 획득과정에서 난포의 기저막(basement membrane), 과립막세포(granulosa cell) 및 난자(oocyte)에 물리적 손상을 야기할 수 있으며, 이러한 경우 인공난소의 효율이 저하될 수 있다고 알려져 있다. 또한, 인공난소를 위한 적정 수의 난포와 발달 단계에 따른 난포 이식의 효과가 명확히 밝혀진 바가 없으며, 발달단계에 따라 이식의 효율을 높이기 위한 방법은 다르게 적용되어야만 한다는 점을 역시 명심해야 할 것이다. 마지막으로 인공난소용 기질에 따른 캡슐화 할 수 있는 난포의 수는 달라질 수 있으며, 그에 따라 이식 후 발생하는 허혈성 손상(ischemic injury)을 최소화하기 위해 중요한 혈관신생형성(neovascularization)의 확립이 필요하다고 알려져있다.

(2) 적절한 인공난소용 기질의 선택

인공난소 제작을 위한 생체재료의 선택에 관한 연구는 지난 수십 년간 다양한 종을 대상으로 연구가 진행되었으며, 표 19-2에 정리한 바와 같이 사용한 물질 역시 plasma clot부터 PEG-VS hydrogel에 이르기까지 다양하게 이뤄져왔다[3-4]. 두 번째 고려해야할 점으로는 인공난소 제작을 위한 생체재료의 선택으로서 그 기준은 생물안전성(biosafety)과 임상적 호환기준(clinically compatible standards)를 꼽을 수 있으며, 근본적으로 이식될 난포의 보호, 지지, 생체적합성, 생체 온도와의 반응성, 생체 내 이식 후 분해성, 혈관형성능력 등이 효율적인 인공난소 제작을 위해 반드시 면밀하게 살펴볼 필요가 있다. 이러한 기준에서 현재까지 알려진 생체재료는 크게 생체고분자(natural polymer)와 합성고분자(synthetic polymer)로 구분되어진다. 생체고분자의 예로는 콜라겐, 피브린, 혈장응고괴, 알지네이트 및 탈세포화한 난소 조직이 있으며, 합성고분자로는 폴리에틸렌글리콜(polyethylene glycol)이 알려져 있다.

(3) 이식부위와 적용 시 고려사항

마지막 고려할 점으로는 반드시 목적에 따른 이식부위 선정과 적용 방법에 있다. 인공난소를 이용한 생쥐실험으로는 신장피막(kidney capsule), 복강(abdominal cavity), 복벽 주머니(peritoneal pocket), 피하 주머니(subcutaneous pocket) 및 난소피막(ovarian bursa)가 연구에 많이 이용된 것과 마찬가지로 사람에게도 목적에 따라 (생식세포 생성 혹은 호르몬 생성) 이식부위를 크게 같은자리이식(orthotopic transplantation)과 다른자리이식(heterotopic transplantation)으로 나누어서 고려할 수 있다. 그러한 이유는 이식 부위 및 주변 환경에 따라 이식의 효율과 안정성 등은 크게 달라질 수 있으며, 이러한 연구는 앞서 언급한 바와 같이 임상 적용을 하고자 할 때 그 목적에 맞추어 진행할 수 있도록 선행되어 발표된 바 있다[10]. 이식 시 고려해야할 두 가지 중점은 면역거부(immune rejection)와 허혈성 손상으로 각각의 이식된 이식체 내 난포의 사멸을 유도하여 이식의 효율을 저하시킬 수 있기 때문에 면역억제제의 사용, 자가이식, 적절한 생체재료의 사용 및 이식 후 혈관 재형성 촉진 및 항산화제 사용 등을 통한 허혈성 손상의 감소 등을 통해 그 효율을 증가시킬 수 있다[11].

표 19-2. **분리된 생쥐 또는 인간의 난포를 이용한 인공난소 제작 및 이식에 사용된 기질의 효율성[Dolmans MM and Amorim CA, Reproduction, 2019]**

종	적용기질	이식기간	난포 생존율	연구의 주된 결과	참고문헌
생쥐(Mouse)	혈장 응고괴 (Plasma clot)	~4.5개월	-	새끼(Offspring)	Gosden (1990)
생쥐	콜라겐(Collagen)	~21일	-	동난포(antral follicle)에서의 에스트로겐 생성, 난포 발달, 난자 퇴화 및 황체화	Telfer et al. (1990)
생쥐	혈장 응고괴	~12주	-	새끼	Carroll and Gosden (1993)
사람(Human)	혈장 응고괴	7일	20%	난포발달, 난소형태구조 형성	Dolmans et al. (2007)
사람	혈장 응고괴	5개월	29%	동난포까지의 난포 발달 및 난소형태 구조 형성	Dolmans et al. (2008)
생쥐	피브린(Fibrin)	7일	32%	동난포까지의 난포 발달 및 난소형태 구조 형성	Luyckx et al. (2014)
생쥐	피브린	21일	17%	난포발달, 난소기능회복	Smith et al. (2014)
생쥐	알지네이트(Alginate)	7일	20%	난포발달	Vanacker et al. (2014)
생쥐	피브린	~6개월	-	새끼	Kniazeva et al. (2015)
생쥐	탈세포화 된 소의 난소 (Decellularized bovine ovary)	~4주	-	난소생존	Laronda et al. (2015)
생쥐	피브린/혈소판 용해물 (Fibrin/platelet lysate)	14일	48%	난포발달	Rajabzadeh et al. (2015)
생쥐	피브린	~7일	28%	난포발달 및 난소 형태구조 형성	Chiti et al. (2016a)
생쥐	PEG-VS하이드로겔(PEG-VS hydrogels modified with RGD)	~60일	대략 35%	동난포, 황체, 호르몬 생성 및 기질 혈관 재형성	Kim et al. (2016)
사람	피브린	7일	23%	난포생존	Paulini et al. (2016)
사람	피브린	~7일	35%	난포생존 및 난소 형태구조 형성	Chiti et al. (2017a)
생쥐	피브린	~7일	42%	난포발달 및 난소 형태구조 형성	Chiti et al. (2017b)

종	적용기질	이식기간	난포 생존율	연구의 주된 결과	참고문헌
생쥐	젤라틴(Gelatin)	-10주	-	새끼	Laronda et al. (2017)
생쥐	탈세포화 된 사람의 난소 (Decellularized huamn ovary)	4주	-	난포생존 및 호르몬 생성	Hassanpour et al. (2018)
사람	탈세포화 된 사람의 난소	3주	25%	난포 생존	Pors et al. (2018)
생쥐	탈세포화 된 사람의 난소	3주	33%	난포 발달	Pors et al. (2018)
생쥐	알지네이트	7일	-78%	성숙난자 (MII oocytes) 및 배아	1Rios et al. (2018)

* MII, metaphase II; PEG-VS, polyethylene glycol-vinyl sulfonel; RGD, arginine (R), glycine (G), and aspartate (D)

2 줄기세포 유래 생식세포의 생산 (Production of germ cells from stem cells)

1) 줄기세포의 특징과 분화능(Characteristics and differential potential of stem cells)

다세포 생물에서 줄기세포는 미분화되거나 부분적으로 분화된 세포로서, 다양한 유형의 세포들로 분화할 수 있고 무한정 증식하여 동일한 줄기세포를 더 많이 생산할 수 있는 가장 초기 유형의 미분화세포들이다. 줄기세포는 배아 및 성체 모두에서 존재하지만 각각 약간 다른 특성을 가지고 있다. 줄기세포들이 분화되기 시작하면 무한히 분열할 수 없는 선조세포(progenitor cells)로 1차 분화되고, 다음 단계로는 하나의 세포 유형으로 분화하는 전구체 세포(precursor cells) 또는 모세포(blasts)로 그 분화능이 제한되게 된다. 최종적으로는 신경세포, 근육세포, 분비세포 등과 같은 특정 기능을 수행하는 세포들로 분화되어 더 이상 증식하지 못하고 일정 기간 후에는 사멸하게 된다. 줄기세포는 그 기원에 따라 배아줄기세포(embryonic stem cells, ESC)와 성체줄기세포(adult stem cells, ASC) 그리고 분화된 성체세포를 다시 줄기세포로 역분화시킨 유도만능줄기세포(induced pluripotent stem cells, iPSC)로 구분할 수 있다(그림 19-4).

(1) 배아줄기세포

1981년에 영국 생물학자인 Martin Evans와 Matthew Kaufman에 의해 생쥐 주머니배(blastocyst)

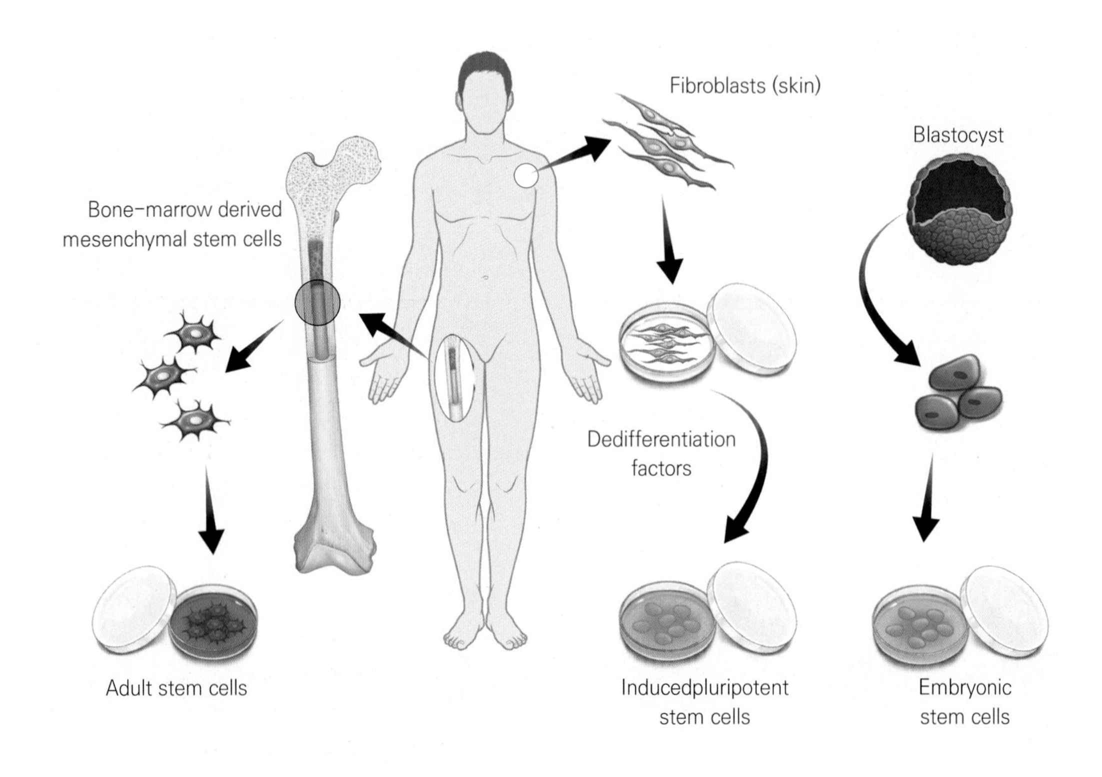

그림 19-4. 세포의 유래에 따른 줄기세포의 구분 골수(bone marrow)에서 유래한 성체줄기세포인 중간엽 줄기세포(mesenchymal stem cells), 초기 배아인 주머니배(blastocyst)에서 유래한 피부의 섬유아세포(fibroblast)를 역분화인자들로 처리한 유도만능줄기세포 (Adapted from Christopherson and Nesti, Stem Cell Research and Therapy 2011 [12])

에서 배아줄기세포가 처음으로 분리되어 성공적으로 배양되었다[13]. 이러한 생쥐 배아줄기세포는 특정 유전자의 기능을 연구하기 위한 유전자 적중(gene knock-out) 모델에 효과적으로 활용되고 있다. 사람의 배아줄기세포는 1998년에 미국 발생생물학자인 James Thomson은 체외수정을 통해 얻어진 사람 주머니배에서 내세포괴(inner cell mass)를 분리하여 이를 배양하여 전분화능(pluripotency)을 가진 배아줄기세포의 특성을 확인하였다[14]. 이러한 사람 배아줄기세포는 재생의학(regenerative medicine)에서 필수적인 세포 공급원으로 활용되거나 생식세포(germ cell) 발생을 포함한 초기 발생에 대한 중요한 연구 재료로 사용되고 있다.

① 수정과 주머니배 발생(Fertilization and blastocyst development)

사람이 속하는 포유류에서는 일반적으로 성숙난자와 정자 사이의 수정(fertilization)을 통해 수정란이 형성되고, 수정란은 배아의 특징적인 세포분열인 난할(cleavage)을 진행하게 된다. 사람과 생쥐의 배아는 수정 후 3일 정도에 8-12-세포기의 할구들이 밀집화(compaction)되어 오디 모양의 상실배(morula)로 발생을 진행하고, 그 이후 배아 내부에 포배강(blastocoel)이 형성되는 주머니배로 발생된다. 수정 후 5일이 되면 포배는 안쪽에 존재하는 내부세포덩어리(inner cell mass, ICM)와 바깥쪽에 존재하는 영양막(trophoblasts)으로 분화된다.

② 내부세포덩어리의 분리와 배아줄기세포의 확립(Isolation of ICM and establishment of ES cells)

1975년 Solter와 Knowles가 마우스 포배를 이용한 실험에서 개발한 방법인 항체와 보체를 이용한 면역수술(immunosurgery)로 포배에서 내부세포덩어리를 분리하는 방법이 2000년대 초반까지 사람의 포배에서 배아줄기세포를 확립하는데 많이 사용되었다[15]. 그 이후 다양한 방법들이 시도되어 면역수술이 아닌 물리적인 분리 방법과 다양한 포배 배양 방법으로 내부세포덩어리를 분리하는 방법들이 사용되고 있다. 이렇게 분리된 내부세포덩어리는 지지세포(feeder cells) 위에서 배양하거나 특별한 조건의 배양액에서 계대배양하면서 배아줄기세포의 특성들을 확인하게 된다.

③ 전분화능 배아줄기세포와 생식세포 생산(Pluripotent embryonic stem cells and production of germ cells)

배아줄기세포는 기본적으로 성체를 구성하는 모든 종류의 세포들로 분화될 수 있는 전분화능을 가지고 있기 때문에 특정한 조건에서 정자와 난자 같은 생식세포로 분화가 가능하다. 이러한 생식세포로의 분화와 이를 이용한 산자의 생산에 대한 연구들이 마우스 모델에서 성공적으로 진행되었다. 최근에는 생쥐와 사람 배아줄기세포를 이용한 생식세포로의 분화와 성공적인 정자와 난자의 생산도 보고되고 있다[16].

(2) 성체줄기세포

성체줄기세포는 골수 또는 다양한 조직들에서 줄기세포틈새(stem cell niche)로 알려진 신체의 일부 선택된 위치에 존재하면서, 조직의 기능과 항상성을 유지하기 위해 노화되거나 손상된 세포들을 대체해 준다. 이들은 빠르게 손실된 세포 유형을 보충하기 위해 존재하며 다능성(multipotent) 또는 단능성(unipotent) 특성을 가지고 있다. 즉, 몇 가지 세포 유형 또는 하나의 세포 유형으로만 분화된다. 포유류에서는 혈액과 면역 세포를 보충하는 조혈줄기세포(hematopoietic stem cell), 피부 상피를 유지하는 기저 세포(basal cell), 뼈, 연골, 근육 및 지방 세포를 유지하는 중간엽줄기세포(mesenchymal stem cell) 등이 있습니다. 성체줄기세포는 소수의 세포이지만, 그들이 분화하여 형성된 전구 세포와 말기 분화 세포는 그 종류와 수가 훨씬 더 많아진다.

성체줄기세포에 대한 연구는 1960년대 토론토 대학의 캐나다 생물학자인 Ernest A. McCulloch, James E. Till 및 Andrew J. Becker 등에 의해 처음으로 시도되었다[17, 18]. 현재 이러한 성체줄기세포를 이용한 치료법은 제대혈 줄기세포 이식과 골수 이식과 같은 분야와 병행하여 발전되고 있으며, 임상적인 적용 범위도 확대되고 있다.

① 성체줄기세포의 기원(Origin of adult stem cells)

1950년대의 초창기 성체 줄기세포에 대한 연구들에서 연구자들은 골수에 최소한 두 종류의 줄기세포가 포함되어 있음을 발견했다. 조혈줄기세포(hematopoietic stem cells)는 신체의 모든 유형의 혈액 세포를 형성할 수 있으며, 골수 기질줄기세포(stromal stem cells)는 뼈, 연골, 혈액 형성을 도와주는 기질 세포, 지방 및 섬유질 조직 등을 형성할 수 있는 세포들로의 분화능을 가진 세포 집단으로 중간엽줄기세포라고 부르기도 한다.

② 성체줄기세포의 종류(Types of adult stem cells)

성체줄기세포는 뇌, 골수, 말초 혈액, 성체 줄기세포 혈관, 골격근, 피부, 치아, 심장, 장, 간, 난소 상피 및 고환을 포함한 많은 기관과 조직에서 확인되었다. 이들은 줄기세포틈새라고 하는 각 조직의 특정 영역에 존재하는 것으로 생각된다. 근래의 연구들에 따르면 많은 조직에서 일부 유형의 성체줄기세포는 작은 혈관의 가장 바깥쪽 층을 구성하는 혈관주위세포(pericytes)일 가능성이 높다[19]. 성체줄기세포는 정상적인 조직의 항상성과 기능을 유지되는 상태에서는 오랜 시간 동안 세포분열이 정지 상태를 유지할 수 있다.

③ 성체줄기세포와 생식세포 생산(Adult stem cells and production of germ cells)

성체줄기세포는 배아줄기세포에 비해 제한적인 분화능을 가지고 있기 때문에 정자와 난자 같은 생식세포로의 직접적인 분화는 불가능한 것으로 알려져 있다. 그러나 최근 일부 연구자들이 특정한 조건에서 동물 조직 유래 성체줄기세포를 정자와 난자 같은 생식세포로의 분화 가능성을 제시하였다[20].

(3) 유도만능줄기세포

다능성이 없는 성인의 피부세포와 같은 최종 분화된 체세포에 역분화를 유도할 수 있는 4가지 역분화 유전자(Oct3/4, Sox2, c-Myc, Klf4)를 도입한 후 발현시키거나, 역분화를 일으키는 4가지 유전자가 도입된 세포에서 만들어진 역분화 유도 단백질을 추출하여 이를 다시 체세포에 주입함으로써 배아줄기세포와 같은 다능성을 갖는 줄기세포를 만들 수 있는데 이를 유도만능줄기세포 또는 역분화 줄기세포(dedifferentiated stem cell)라고 한다[21].

① 유도만능줄기세포의 장점(Advantages of iPSC)

유도만능줄기세포는 성인 조직의 체세포에서 직접 만들 수 있기 때문에 배아줄기세포 생산에서의 배아 파괴라는 윤리적인 문제점을 극복할 수 있다. 또한, 각 개인은 자신 체세포에서 유래한 다능성의 줄기세포주를 가질 수 있으므로, 이를 특정 세포로 분화시킨 후 이식하는 경우에 일반적인 타인의 성체줄기세포를 이식하는 경우에 나타나는 면역 거부 반응이 나타나지 않게 된다. 유도만능줄기세포 분화에 대한 연구는 다양한 분야에서 진행되고 있으며, 생식세포로의 분화 연구에서도 일부 성공적인 결과가 보고되었다[22]. 그러나 유도만능줄기세포에서는 다양한 원인들에 의해 돌연변이나 다른 유전적인 이상이 나타날 수도 있다. 아직까지 이와 같이 유도만능줄기세포의 안전성에 대한 우려가 남아있어 이에 대한 해결이 필요한 상황이다.

② 유도만능줄기세포와 생식세포의 생산(iPSC and production of germ cells)

유도만능줄기세포는 적절한 조건 하에서 수컷 생식세포 및 난자 유사 세포로 분화할 가능성이 확인되었다. 또한, 불임 마우스 모델을 이용한 연구에서 고환에 이식된 유도만능줄기세포가 정자로 분화되는 것을 확인하여 생식세포로의 분화능을 입증하였다[23]. 근래의 연구들에서 마우스 성체줄기세포를 유도만능줄기세포로 역분화시킨 후에 생식세포로의 분화에 성공하였다. 이러한 생식세포로의 분화와 이를 이용한 산자의 생산에 대한 연구들이 마우스 모델에서 성공적으로 진행되었다. 최근에는 사람 역분화 유도만능줄기세포를 이용한 정자와 난자의 성공적인 생산도 보고되고 있다[24, 25].

2) 생식세포의 발달과 줄기세포 유래 정자와 난자의 생산(Development of germ cells and production of sperm and oocytes from stem cells)

체내에서의 생식세포의 형성은 두배수체(diploid)의 다능성인 생식선 줄기세포(germ line stem cells, PGC) 세포가 홀배수체의 정자와 난자로 분화하는 일련의 감수분열(meiosis)과 특이적인 분화과정을 통해 진행된다. 이 과정에는 후성적 재프로그래밍(epigenetic reprogramming), 성별 결정(sex determination) 및 감수분열에서 염색체 교차와 같은 중요한 생물학적 이벤트가 포함된다. 이러한 생식세포 형성 기작은 발생생물학의 핵심 문제이지만, 여전히 많은 부분들에서 정확한 조절 과정을 이해하기 위한 연구가 필요한 상황이다. 체외배양을 통한 생식세포의 생산은 수십 년 동안 많은 연구자들에 의해 시도되어 왔으나 아직까지 많은 한계점이 있었다. 최근 줄기세포에 대한 연구가 급속히 발전되면서 체외배양을 통해 생식세포를 생산하는 가능성이 열리고 있다. 이러한 줄기세포를 이용한 생식세포의 생산은 인간과 보호 동물의 가임력보존과 번식을 위한 생식세포의 대체 공급원으로 활용될 수 있다.

(1) 체내에서 생식세포의 발달(Development of germ cells in vivo)

생식세포의 발달은 장배형성기(gastrulation stage) 즈음에 다능성 배아덩이외판(epiblast)에서 지정된 원시생식세포에서 시작되는 것으로 알려져 있다[26]. 원시생식세포의 특징적인 분화는 인접한 배아 외조직(extraembryonic tissue)의 자가분비(autocrine) 또는 주변분비(paracrine) 작용에 의해 유발된다. 특히, 마우스에서 배외외배엽(extraembryonic ectoderm)의 BMP4와 다능성 배아덩이외판 자체의 WNT3는 원시생식세포의 발생과 분화에 필수적이다[27-29]. 이러한 조절과정을 통해 배아의 후부에서 원시생식세포가 형성되고, 이들이 생식 융기(genital ridge)로 이동하여 결국에는 난소 또는 고환을 형성한다. 이 기간 동안 PGC는 CpG 디뉴클레오타이드의 대량 메틸기 제거(demethylation)와 유전체(genome) 전체 수준에서 히스톤 변형(histone modification)의 동적인 변환에 의해 후성유전학적 기억(epigenetic memory)이 지워지게 된다[30, 31].

성분화(sex differentiation)는 생식소 체세포 계통에서 먼저 나타나고 생식세포 계통이 뒤이어 분화가 진행한다[32]. 성별 결정의 기본이 되는 Y-염색체에 존재하는 Sry 발현 시 수컷 생식소 체세포는 Sox9, Fgf9 및 Cyp21b와 같은 수컷 특정 유전자 세트를 발현하는 Sertoli 세포로 분화된다. 대조적으로 Sry를 발현하지 않는 암컷 생식소 체세포는 Wnt4, BMP2, Foxl2와 같은 여성 특이적 유전자 세트를 발현하는 과립구 형태의 세포로 분화된다[33]. 성분화 이후 PGC는 주위의 분화된 체세포의 신호에 반응하여 성별에 따라 특이적으로 분화하기 시작한다. 세포분열

G1 단계에서 정지된 남성 PGC는 전정조세포(prospermatogonia)가 되고, 반면 여성 PGC는 감수분열에 들어가 1차 난모세포(oogonia)가 된다(그림 19-5).

태아기에 형성되는 전정조세포에서 정자 특이적인 새로운 후성유전학적 변형이 유전체에 각인(imprinting)된다[34, 35]. 그런 다음 출생 후 일부 전정조세포가 지속적으로 분열하는 줄기세포인 정자줄기세포(spermatogonial stem cells, SSC)가 되는데, 이들은 평생동안 정자 형성을 유지하는데 매우 중요한 역할을 한다. 사춘기가 시작된 후에 정자줄기세포는 조금 더 분화된 유형의 정조세포(spermatogonia)가 되고, 정모세포가 뒤따르고 감수분열이 일어나 홀배수체인 정자세포(spermatid)를 형성한다. 최종적으로 감수분열이 종료된 정자세포는 Sertoli 세포와의 긴밀한 상호작용에 의해 작은 머리와 긴 꼬리를 가진 성숙한 정자(sperm)로 분화된다(그림 19-5).

암컷에서의 감수분열 전기-I 시기는 임신 후기에 시작되어, 출산 전후인 주산기 단계에서 대부분의 난모세포는 세포사멸에 의해 제거되고, 나머지 난모세포의 대부분은 난자를 효과적으로 보유하는 원시난포(primodial follicle, Pederson 단계: Type 2)를 형성하여 여성의 생식력을 유지한다. 사춘기가 시작된 후 일부 난자를 둘러싼 과립구 세포로 구성된 원시난포는 주기적으로 난포 발달을 진행한다. 난포가 발달하면서 편평 과립구 세포는 일차 난포(primary follicle)라고 하는 입방 과립구 세포의 단일층을 형성한다(Pederson 단계: Type 3a / 3b). 과립구 세포의 증식으로 인해 과립층 세포층이 층화되어 이차 난포(secondary follicle)를 형성한다(Pederson 단계: Type 4/5). 난포의 크기가 커짐에 따라 과립구 세포는 난포의 난포액에 의해 분리되고 그 결과로 생긴 구조를 동난포(antral follicle)라고 한다(Pederson 단계: Type 6/7). 배란 직전에 난자-난구세포 복합체(oocyte-cumulus complex, OCC)가 성숙 난포에서 돌출된다(Pederson 단계: Type 8). 이러한 난포의 발달과 배란 과정에는 난포자극호르몬(follicle stimulating hormone, FSH)과 황체형성호르몬(luteinizing hormone, LH)이 필수적이다[36, 37].

난포 발달 동안, 난자는 감수분열 전기-I 단계의 쌍사기(diplotene/dictate) 단계에서 정지되고, 난자 특이적인 새로운 후성유전학적 변형이 유전체에 각인된다. 난자 성장이 최종 단계에 도달하면 황체형성호르몬이 급격히 증가하여 난소에서의 배란과 난자의 감수분열 재개를 유발한다. 사람과 마우스에서 최종적으로 배란된 난자는 제2감수분열 중기-II (MII) 단계에 정지되어 있으나, 정자와의 수정에 의해 재활성화되고 배아 발생을 진행하게 된다(그림 19-5).

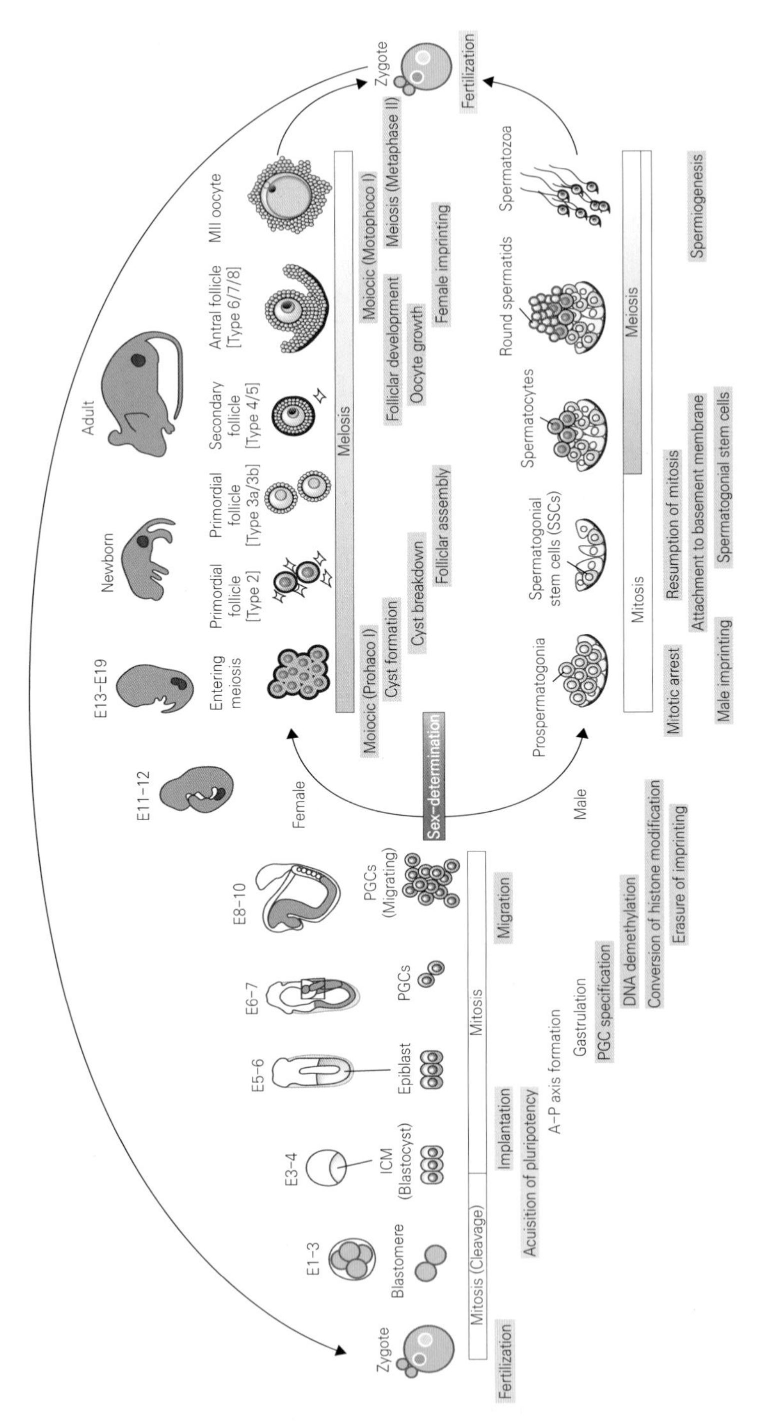

그림 19-5. 마우스의 생식세포 계통의 개략도 마우스 배아 발생 6일 즈음에 다능성 외피(epiblast)에서 선택된 PGC는 생식소(gonad)로 이동하기 시작한다. 체세포 환경과의 상호작용에 의해 마우스 원시생식세포(PGC)는 암컷에서 감수분열에 들어가거나 수컷에서 전정조세포로 분화된다. 성별 결정 후 난소와 고환에서 각각 난자 형성과 정자 형성이 진행된다. 직사각형 안의 단어들은 생식세포 발달 과정에서의 중요한 변화를 명시하고, Pederson 단계에 따른 난포 성숙 정도는 괄호안에 표시되어 있다. (Adapted from Hayashi et al. 2019, Biology of Reproduction [16])

(2) 줄기세포 유래 정자와 난자의 생산(Production of sperm and oocytes from stem cells)

① 마우스 다능성줄기세포 유래 원시생식세포의 생산(Production of primodial germ cells from pluripotent stem cells in mouse)

마우스 정자 및 난자의 전구체인 원시생식세포는 배아 발생 5.5–6.5일 즈음에 다능성 배아덩이외판에서 파생된다[39, 40]. 따라서 배아줄기세포 및 유도만능줄기세포와 같은 다능성 줄기세포를 이용하여 원시생식세포의 발생과 분화를 체외배양 조건에서 재현할 수 있을 것으로 생각되었다. 따라서 초기 연구에서는 마우스 배아줄기세포를 사용하여 원시생식세포를 생산하려는 연구를 진행하였다[41–43]. 그러나 초기 연구들에서는 원시생식세포의 발생과 분화에 대한 다양한 분자 메커니즘에 대한 지식이 부족했기 때문에 다소 제한적인 부분에서만 성공하였다.

체내에서의 원시생식세포의 발달과 분화 부분에서 설명한 바와 같이, 마우스에서 원시생식세포 분화의 핵심 결정 인자로 작용하는 것은 다능성 배아덩이외판에 인접한 배외외배엽(extra-embryonic ectoderm)에서 분비되는 BMP4이다. 마우스 배아 발생 6일째 다능성 배아덩이외판 주변에서 전방–후방 축은(anterior–posterior axis) 축은 전방 내장 내배엽(anterior visceral endoderm, AVE)에서 분비되는 LEFTY1, CER1 및 DKK1과 같은 NODAL 및 WNT의 억제 신호에 의해 형성된다. 이러한 억제 신호를 받지 않는 다능성 배아덩이외판 세포는 NODAL 및 WNT 신호에 영향을 받아 후방 배아덩이외판으로 특정화된다[44]. 이러한 연구들을 바탕으로 Ohinata 등은 이식 후 마우스 배아덩이외판와 일련의 사이토카인(BMP4, BMP8b, LIF, SCF 및 EGF)을 사용하여 원시생식세포의 특정화와 분화에 성공했다[45].

다양한 연구 결과들을 통해 만능줄기세포를 다능성 배아덩이외판 배양 시스템을 기반으로 원시생식세포로 특정화시키는 방법이 개발되었다(그림 19-6A). 특히, Hayashi 등은 마우스의 배아줄기세포와 유도만능줄기세포를 원시생식세포로 특정화하는 체외배양 시스템을 구축했다 [46]. 그들의 연구에서 원시생식세포 사양에 대한 BMP4 반응성을 부여하기 위해 마우스 배아줄기세포를 bFGF 및 activin A와 함께 2일 동안 전배양하였다. 이러한 전배양(preculture) 과정을 통해 마우스 배아줄기세포는 체내 다능성 배아덩이외판과 매우 유사한 유전자 발현 프로파일을 가진 배아덩이외판–유사 세포(epiblast–like cell, EpiLC)로 효율적으로 분화되었다. 배아덩이외판–유사 세포는 BMP4, BMP8b, LIF, SCF 및 EGF 등이 공급되는 적절한 체외배양 조건에서 PGC–유사 세포(PGC–like cells)로 효율적으로 분화될 수 있는 잠재력이 확인되었다[47]. 체외배양된 PGC–유사 세포를 정자줄기세포가 결여된 신생아 W/Wv 마우스 고환에 이식하여 성숙한 정자로 분화되는 것을 확인하였다(그림 19-6B). 동일한 연구에서 마우스 배아 섬유모세포(mouse

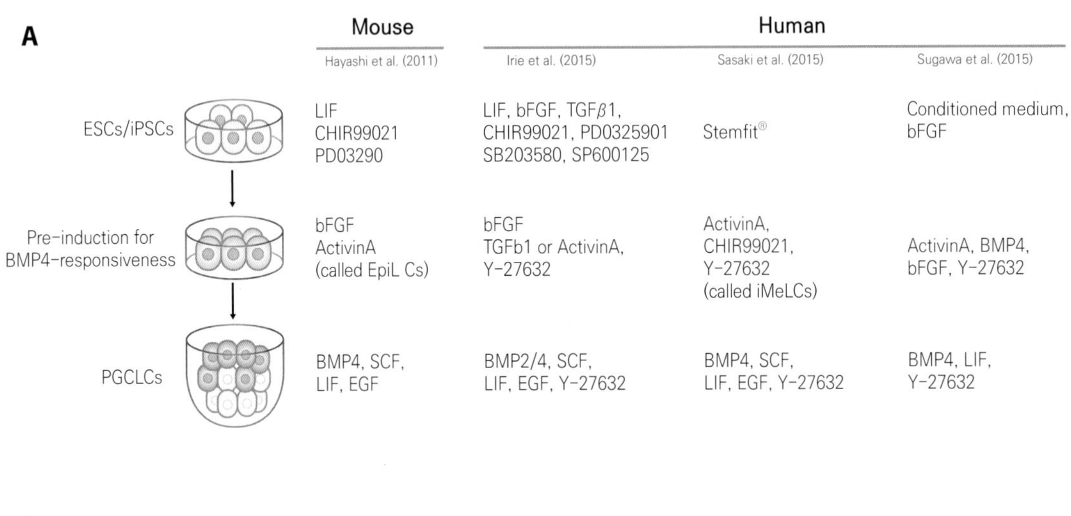

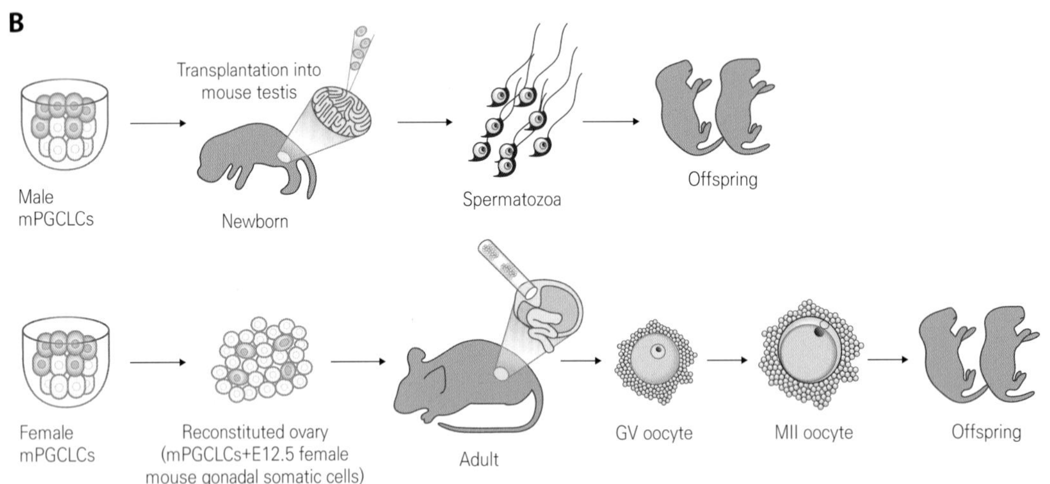

그림 19-6. 원시생식세포(PGC)의 분화 조건과 줄기세포에서 유래한 정자와 난자의 생산 **(A)** PGC 분화에 대한 BMP4 반응성을 부여하고 마우스 및 인간 ESC와 iPSC에서 PGC-유사 세포를 유도하는 배양 방법. **(B)** 마우스 PGC-유사 세포를 고환 및 난소로 이식하여 성숙한 정자와 난자로 분화할 수 있는 잠재력과 산자 생산 가능성 평가 방법(Adapted from Hayashi et al. 2019, Biology of Reproduction [16]).

embryonic fibroblast, MEF)에서 유도된 iPSC로부터 기능성 PGC-유사 세포를 생산하는데 성공하였다[47]. iPSC 유래 PGC-유사 세포를 고환에 이식하면 정자로 분화되고, 이러한 정자로부터 자손을 얻을 수 있기 때문에, 이론적으로는 모든 종류의 체세포로부터 정자를 생산할 수 있다.

마우스 암컷에서도 배아줄기세포와 유도만능줄기세포 유래 PGC-유사 세포의 난자 생산

가능성이 확인되었다[48]. 성체 난소에서는 난포 구조의 새로운 형성이 매우 드물게 발생하기 때문에 PGC-유사 세포를 난소에 이식하는 경우에는 체세포와 함께 이식해야 한다[49]. 따라서 체외배양된 PGC-유사 세포를 배아 발생 12.5일된 마우스의 난소 체세포와 함께 응집시켜 면역 손상 마우스의 난소낭에 이식하여 적절한 난포 구조가 형성되는 것을 확인하였다[22] (그림 19-6B). 난소로의 이식에서 완전히 성장한 GV 난자는 배양에서 MII 난자로 성숙되었으며, 이 성숙난자는 야생형 마우스 정자로 수정되면 정상 개체로 발생될 수 있음이 확인되었다[22]. 또한, 이 연구에서 마우스 배아 섬유아세포(mouse embryonic fibroblast, MEF)에서 유도된 iPSC로부터 기능성 PGC-유사 세포를 생산하고, 이들이 성숙한 난자로 분화될 수 있으며 마우스 ESC 유래 PGC-유사 세포에서도 동일한 방식으로 자손을 낳을 수 있음을 보여주었다. 이러한 연구들은 체외배양된 PGC-유사 세포가 암컷 생식소에서도 기능적이며 난자가 체세포에서 유래될 수 있음을 입증하였다[22].

② 인간 다능성 줄기세포 유래 원시생식세포의 생산(Production of primodial germ cells from pluripotent stem cells in human)

인간 배아줄기세포의 확립 이후, 여러 연구들에서 인간 ESC로부터 생식세포 계통을 체외배양할 수 있는 가능성들이 제시되었다[50, 51]. 이러한 연구들에서 인간 PGC-유사 세포가 자발적으로 또는 BMP4에 대한 반응으로 인간 ESC에서 분화될 수 있음을 확인하여 PGC가 다능성 줄기세포와 유사한 세포 계통임을 주장하였다. 인간의 전분화능줄기세포인 ESC와 iPSC에서 PGC-유사 세포로의 분화에 필요한 최적의 조건을 찾기 위해 많은 연구들이 진행되었다[52-54]. 마우스에서와 유사하게 BMP4는 인간 원시생식세포의 발생과 분화에서도 중요한 사이토카인으로 작용한다[55].

Irie 등은 TGFβ (또는 activin A) 및 bFGF를 사용한 사전 유도 배양과 GSK3β, MEK, JNK 및 p38에 대한 억제제를 포함하는 4가지 억제 조건 하에서 배양된 ESC와 iPSC는 BMP4, SCF, LIF 및 EGF에 대한 반응으로 성공적으로 PGC-유사 세포로 분화될 수 있음을 보고하였다[56]. 이러한 결과는 4가지 억제 조건으로 배양된 hESC와 iPSC가 BMP4 반응성을 획득함을 시사한다. Sasaki 등은 인간 iPSC에서 BMP4 반응성을 확립하는 또 다른 체외배양 조건으로, activin A와 GSK3β 억제제로 배양한 후 BMP4에 반응하도록 하면 PGC-유사 세포로 분화 될 수 있는 잠재력이 있는 초기 중배엽 세포로 분화시키는 방법을 제시하였다[57] (그림 19-6A).

전분화 줄기세포에서 유래한 인간 PGC-유사 세포는 체내에서 발생 분화되는 PGC와 유사한 유전자 발현 프로파일과 후성유전학적 유전학적 변형을 가지고 있음이 확인되었다[58]. Sugawa 등은 hESC와 iPSC를 체외배양할 때 activin, bFGF 및 저농도(5 ng/mL)의 BMP4를 사용하여 중배엽 유사 세포로 분화시킨 다음 높은 농도(100 ng/mL)의 BMP4를 처리하여 중배엽 유사 세포에서 PGC-유사 세포로의 분화를 보고했다[59].

전술한 바와 같이, 다능성 줄기세포로부터 기능성 배우자의 생산은 생식세포와 지지하는 체세포 사이의 적절한 상호작용이 필요하다. 태아 생식선 체세포에서 유래된 체세포는 성인 난소의 체세포보다 난자 형성을 성공적으로 유도할 가능성이 더 높을 것으로 생각된다. 이것은 난포의 구조가 태아 단계에서 조립된다는 사실과 관련이 있으며, 생식선 체세포의 요구 사항은 생쥐 이외의 동물에서 난자의 재구성에 병목이 되기 때문에, 적절한 상호작용과 난포 구성이 이종 간에 걸쳐 형성될 수 있는지에 대한 연구도 진행되고 있다. Yamashiro 등은 사람 iPSC에서 분화된 PGC-유사 세포를 마우스 배아 발생 12.5일 된 난소 체세포와 함께 배양하여 이종 간에 재구성된 난소에서 사람 PGC-유사 세포가 120일 이상 유지됨을 확인하였다[60]. 이러한 이종 간의 난포형성 시스템은 아직 확인되지 않은 초기 인간 생식세포 발달에서 유전자 기능을 평가하는데 유용한 방법이 될 수 있다. 이러한 지속적인 연구와 노력은 인간의 ESC와 iPSC를 이용하여 체외 배우자 형성에 대한 단서를 제공할 것으로 기대된다.

(3) 줄기세포의 체외배양을 통한 정자와 난자의 생산에 대한 고려 사항(Perspective of sperm and oocyte production by in vitro culture of stem cells)

위에서 설명한 바와 같이, ESC와 iPSC를 사용하는 시험관 내 배우자 생산과 부분적으로 또는 전체적으로 재구성된 생식세포 발달의 성과는 두 가지 중요한 의미를 갖는다. 첫째로, 생식세포 발달에 대한 더 나은 이해를 위한 모델 시스템을 제공하고, 둘째로 자손을 생산하기 위한 배우자의 대체 공급원이 될 수 있다.

생식세포의 발생과 분화에 대한 모델 시스템으로서, 시험관 내 배우자발생(gametogenesis) 과정은 이러한 과정을 체외에서 재현할 수 있는 세포주가 없기 때문에, PGC 분화, 후성학적 재프로그래밍, 감수분열, 정자와 난자 성숙 등을 연구하는데 매우 유용하다. 그러나 아직까지 체외에서의 배우자 생산은 과정은 체내에서의 배우자 생산보다는 정교하게 조절되지 않기 때문에 감수분열에서 염색체의 잘못된 페어링이 in vivo보다 in vitro에서 더 자주 발생하는 것으로 보고되었다[61]. 따라서, 모델로서의 체외 배우자발생의 임상적인 유용성은 여전히 한계가 있다. 임상적인 적용 가능성을 높이려면 배우자발생 과정을 정확하게 재구성하는 체외배양 조건을 개선하는 것이 필수적이다. 유전자 발현, 후성유전학적 변형 및 생체 내와 시험관 내에서 배우자발생 사이의 대사를 비교하면 배양 조건의 개선에 대한 단서를 찾을 수 있을 것이다. 이러한 다양한 개선 방법들을 시도함으로써 체외 배우자 생산과정에서 생식세포의 발생과 분화에 대한 지식들의 축적이 가능할 것이다.

체외배양을 통해 생산된 정자와 난자를 대체 공급원으로 이용하여 산자를 얻는 것에 대한 것은 신중한 고려가 필요하다. 여러 연구들에서 체외배양된 배우자로부터 생식력이 있는 마우스의 성공적인 생산을 주장했지만, 생산된 동물들에서 유전자 발현, 후성유전학적 변형, 신진 대사, 수명 및 질병 등의 측면에서 정확하게 평가되지 않았다. 실제로 체외수정은 태반의 후성유적학적 변화 및 대사 상태에 영향을 미칠 수 있다고 제안되었다[62]. 실제로, 체외배양을 통해 생산된 배우자에서 유래한 태반은 체내에서 생산된 배우자의 태반보다 통계적으로 유의하게 무거운 것으로 확인되었다[63]. 이러한 태반에서의 변화는 체외 배우자 생산과정에서 변환된 요인들에 의해 발생했을 가능성이 높다. 따라서, 체외 배우자 생산 기술의 확대 적용을 위해서는 시험관 내 배우자생산을 통해 얻어진 마우스들에 대한 엄격한 평가가 필요하다. 뿐만 아니라 체외에서 인간 배우자를 생산하고, 이들을 실제적인 인간 생식에서 사용하는 것에 대해서는 윤리적인 관점에서 다양하고 심층적인 논의가 선행되어야 할 것이다[64].

References

1. Woodruff TK. Lessons from bioengineering the ovarian follicle: a personal perspective. Reproduction 2019;158(6):F113–F126.
2. Dolmans MM and Masciangelo R. Risk of transplanting malignant cells in cryopreserved ovarian tissue. Minerva Ginecol 2018;70(4):436-443.
3. Cho E, Kim YY, Noh K and Ku S. A new possibility in fertility preservation: The artificial ovary. J Tissue Eng Regn Med 2019;158(6):F113-F126.
4. Dolmans MM, Amorim CA. Fertility Preservation: Construction and use of artificial ovaries. Reproduction 2019;158(5):F15-F25.
5. Dolmans MM, Donnez J, Cacciottola L. Fertility preservation: The challenge of freezing and transplanting ovarian tissue. Trends Mol Med 2020;9:S1471-4914.
6. Kim SY, Kim SK, Lee JR, Woodruff TK. Toward precision medicine for preserving fertility in cancer patients: existing and emerging fertility preservation options for women. J Gynecol Oncol 2016;27(2):e22.
7. Salama M, Woodruff TK. From bench to bedside: Current developments and future possibilities of artificial human ovary to restore fertility. Acta Obstet Gynecol Scand 2019;98:659–664.
8. Takae S, Suzuki N. Current state and future possibilities of ovarian tissue transplantation. Reprod Med Biol 2019;18(3):217-224.

9. Salama M, Anazodo A, Woodruff TK. Preserving fertility in female patients with hematological malignancies: a multidisciplinary oncofertility approach. Ann Oncol 2019;30:1760–1775.
10. Youm HW, Lee JR, Lee J, Jee BC, Suh CS, Kim SH. Optimal vitrification protocol for mouse ovarian tissue cryopreservation: effect of cryoprotective agents and in vitro culture on vitrified-warmed ovarian tissue survival. Hum Reprod 2014;29(4):720-30.
11. Lee J, Kim EJ, Kong HS, Youm HW, Lee JR, Suh CS, et al. A combination of simvastatin and methylprednisolone improves the quality of vitrified-warmed ovarian tissue after auto-transplantation. Hum Reprod 2015;30(11):2627-38.
12. Christopherson GT, Nesti LJ. Stem cell applications in military medicine. Stem Cell Res Ther 2011;2(5):40.
13. Evans MJ, Kaufman MH. Establishment in culture of pluripotential cells from mouse embryos. Nature 1981;292(5819):154-6.
14. Thomson JA, Itskovitz-Eldor J, Shapiro SS, Waknitz MA, Swiergiel JJ, Marshall VS, Jones JM. Embryonic stem cell lines derived from human blastocysts. Science 1998;282(5391):1145-7.
15. Solter D, Knowles BB. Immunosurgery of mouse blastocyst. Proc Natl Acad Sci USA 1975;72(12):5099-102.
16. Hayashi K. In vitro reconstitution of germ cell development. Biol Reprod 2019;101(3):567-78.
17. Becker AJ, McCulloch EA, Till JE. Cytological demonstration of the clonal nature of spleen colonies derived from transplanted mouse marrow cells. Nature 1963;197(4866):452–454.
18. Siminovitch L, McCulloch EA, Till JE. he distribution of colony-forming cells among spleen colonies. J Cell Comp Physiol 1963;62(3):327–36.
19. Crisan M, Yap S, Casteilla L, Chen CW, Corselli M, Park TS, et al. A perivascular origin for mesenchymal stem cells in multiple human organs. Cell Stem Cell 2008;3(3):301-13.
20. Evron A, Goldman S, Shalev E. Human amniotic epithelial cells differentiate into cells expressing germ cell specific markers when cultured in medium containing serum substitute supplement. Reprod Biol Endocrinol 2012;10:108.
21. Takahashi K, Yamanaka S. Induction of pluripotent stem cells from mouse embryonic and adult fibroblast cultures by defined factors. Cell 2006;126(4):663–76.
22. Hayashi K, Ogushi S, Kurimoto K, Shimamoto S, Ohta H, Saitou M. Offspring from oocytes derived from in vitro primordial germ cell-like cells in mice. Science 2012;338(6109):971-5.
23. Zhu Y, Hu HL, Li P, Yang S, Zhang W, Ding H, et al. Generation of male germ cells from induced pluripotent stem cells (iPS cells): an in vitro and in vivo study. Asian J Androl 2012;14(4):574-9.
24. Yamashiro C, Sasaki K, Yabuta Y, Kojima Y, Nakamura T, Okamoto I, et al. Generation of human oogonia from induced pluripotent stem cells in vitro. Science 2018;362(6412):356-60.
25. Hwang YS, Suzuki S, Seita Y, Ito J, Sakata Y, Aso H, et al. Reconstitution of prospermatogonial specification in vitro from human induced pluripotent stem cells. Nat Commun 2020;11(1):5656.
26. Nicholls PK, Schorle H, Naqvi S, Hu YC, Fan Y, Carmell MA, Dobrinski I, Watson AL, Carlson DF, Fahrenkrug SC, Page DC. Mammalian germ cells are determined after PGC colonization of the nascent gonad. Proc Natl Acad Sci USA 2019;116(51):25677-87.
27. Lawson KA, Dunn NR, Roelen BA, Zeinstra LM, Davis AM, Wright CV, Korving JP, Hogan BL. Bmp4 is required for the generation of primordial germ cells in the mouse embryo. Genes Dev 1999;13(4):424–36.
28. Liu P, Wakamiya M, Shea MJ, Albrecht U, Behringer RR, Bradley A. Requirement for Wnt3 in vertebrate axis formation. Nat Genet 1999;22(4):361–5.
29. Ohinata Y, Ohta H, Shigeta M, Yamanaka K, Wakayama T, Saitou M. A signaling principle for the specification of the germ cell lineage in mice. Cell 2009;137(3):571–84.

30. Seisenberger S, Andrews S, Krueger F, Arand J, Walter J, Santos F, Popp C, Thienpont B, Dean W, Reik W. The dynamics of genome-wide DNA methylation reprogramming in mouse primordial germ cells. Mol Cell 2012;48(6):849–62.
31. Tang WW, Kobayashi T, Irie N, Dietmann S, Surani MA. Specification and epigenetic programming of the human germ line. Nat Rev Genet 2016;17(10):585–600.
32. Jameson SA, Natarajan A, Cool J, DeFalco T, Maatouk DM, Mork L, Munger SC, Capel B. Temporal transcriptional profiling of somatic and germ cells reveals biased lineage priming of sexual fate in the fetal mouse gonad. PLoS Genet 2012;8(3):e1002575.
33. Parrott JA, Skinner MK. Thecal cell-granulosa cell interactions involve a positive feedback loop among keratinocyte growth factor, hepatocyte growth factor, and Kit ligand during ovarian follicular development. Endocrinology 1998;139(5):2240–5.
34. Davis TL, Yang GJ, McCarrey JR, Bartolomei MS. The H19 methylation imprint is erased and re-established differentially on the parental alleles during male germ cell development. Hum Mol Genet 2000;9(19):2885–94.
35. Ly L, Chan D, Trasler JM. Developmental windows of susceptibility for epigenetic inheritance through the male germline. Semin Cell Dev Biol 2015;43:96–105.
36. Kumar TR, Wang Y, Lu N, Matzuk MM. Follicle stimulating hormone is required for ovarian follicle maturation but not male fertility. Nat Genet 1997;15(2):201–4.
37. Dierich A, Sairam MR, Monaco L, Fimia GM, Gansmuller A, LeMeur M, Sassone-Corsi P. Impairing follicle-stimulating hormone (FSH) signaling in vivo: targeted disruption of the FSH receptor leads to aberrant gametogenesis and hormonal imbalance. Proc Natl Acad Sci USA 1998;95(23):13612–17.
38. Son WY, Das M, Shalom-Paz E, Holzer H. Mechanisms of follicle selection and development. Minerva Ginecol 2011;63(2):89-102.
39. Lawson KA, Hage WJ. Clonal analysis of the origin of primordial germ cells in the mouse. Ciba Found Symp 1994; 182:68–84; discussion 84–91.
40. Tam PP, Zhou SX. The allocation of epiblast cells to ectodermal and germ-line lineages is influenced by the position of the cells in the gastrulating mouse embryo. Dev Biol 1996;178:124–32.
41. Hubner K, Fuhrmann G, Christenson LK, Kehler J, Reinbold R, De La Fuente R, Wood J, Strauss JF 3rd, Boiani M, Scholer HR. Derivation of oocytes from mouse embryonic stem cells. Science 2003;300:1251–6.
42. Toyooka Y, Tsunekawa N, Akasu R, Noce T. Embryonic stem cells can form germ cells in vitro. Proc Natl Acad Sci USA 2003;100:11457–62.
43. Geijsen N, Horoschak M, Kim K, Gribnau J, Eggan K, Daley GQ. Derivation of embryonic germ cells and male gametes from embryonic stem cells. Nature 2004;427:148–54.
44. Robertson EJ. Dose-dependent Nodal/Smad signals pattern the early mouse embryo. Semin Cell Dev Biol 2014;32:73–9.
45. Ohinata Y, Payer B, O'Carroll D, Ancelin K, Ono Y, Sano M, Barton SC, Obukhanych T, Nussenzweig M, Tarakhovsky A, Saitou M, Surani MA. Blimp1 is a critical determinant of the germ cell lineage in mice. Nature 2005;436(7048):207–13.
46. Hayashi K, Ohta H, Kurimoto K, Aramaki S, Saitou M. Reconstitution of the mouse germ cell specification pathway in culture by pluripotent stem cells. Cell 2011;146:519–32.
47. Ohinata Y, Ohta H, Shigeta M, Yamanaka K, Wakayama T, Saitou M. A signaling principle for the specification of the germ cell lineage in mice. Cell 2009;137(3):571–84.
48. Saitou M, Miyauchi H. Gametogenesis from pluripotent stem cells. Cell Stem Cell 2016;18(6):721-35.

49. Park TS, Galic Z, Conway AE, Lindgren A, van Handel BJ, Magnusson M, Richter L, Teitell MA, Mikkola HK, Lowry WE, Plath K, Clark AT. Derivation of primordial germ cells from human embryonic and induced pluripotent stem cells is significantly improved by coculture with human fetal gonadal cells. Stem Cells 2009;27:783–95.
50. Chen D, Sun N, Hou L, Kim R, Faith J, Aslanyan M, Tao Y, Zheng Y, Fu J, Liu W, Kellis M, Clark A. Human primordial germ cells are specified from lineage-primed progenitors. Cell Rep 2019;29(13):4568-82.
51. Chan YS, Goke J, Ng JH, Lu X, Gonzales KA, Tan CP, Tng WQ, Hong ZZ, Lim YS, Ng HH. Induction of a human pluripotent state with distinct regulatory circuitry that resembles preimplantation epiblast. Cell Stem Cell 2013;13:663–75.
52. Gafni O, Weinberger L, Mansour AA, Manor YS, Chomsky E, Ben-Yosef D, Kalma Y, Viukov S, Maza I, Zviran A, Rais Y, Shipony Z, et al. Derivation of novel human ground state naive pluripotent stem cells. Nature 2013;504:282–86.
53. Takashima Y, Guo G, Loos R, Nichols J, Ficz G, Krueger F, Oxley D, Santos F, Clarke J, Mansfield W, Reik W, Bertone P, et al. Resetting transcription factor control circuitry toward ground-state pluripotency in human. Cell 2014;158:1254–69.
54. Theunissen TW, Powell BE, Wang H, Mitalipova M, Faddah DA, Reddy J, Fan ZP, Maetzel D, Ganz K, Shi L, Lungjangwa T, Imsoonthornruksa S, et al. Systematic identification of culture conditions for induction and maintenance of naive human pluripotency. Cell Stem Cell 2014;15:471–87.
55. Kee K, Gonsalves JM, Clark AT, Pera RA. Bone morphogenetic proteins induce germ cell differentiation from human embryonic stem cells. Stem Cells Dev 2006;15:831–7.
56. Irie N, Weinberger L, Tang WW, Kobayashi T, Viukov S, Manor YS, Dietmann S, Hanna JH, Surani MA. SOX17 is a critical specifier of human primordial germ cell fate. Cell 2015;160(1-2):253–68.
57. Sasaki K, Yokobayashi S, Nakamura T, Okamoto I, Yabuta Y, Kurimoto K, Ohta H, Moritoki Y, Iwatani C, Tsuchiya H, Nakamura S, Sekiguchi K, et al. Robust in vitro induction of human germ cell fate from pluripotent stem cells. Cell Stem Cell 2015;17:178–94.
58. Tang WW, Dietmann S, Irie N, Leitch HG, Floros VI, Bradshaw CR, Hackett JA, Chinnery PF, Surani MA. A unique gene regulatory network resets the human germline epigenome for development. Cell 2015;161:1453–67.
59. Sugawa F, Arauzo-Bravo MJ, Yoon J, Kim KP, Aramaki S, Wu G, Stehling M, Psathaki OE, Hubner K, Scholer HR. Human primordial germ cell commitment in vitro associates with a unique PRDM14 expression profile. EMBO J 2015;34:1009–24.
60. Yamashiro C, Sasaki K, Yabuta Y, Kojima Y, Nakamura T, Okamoto I, Yokobayashi S, Murase Y, Ishikura Y, Shirane K, Sasaki H, Yamamoto T, et al. Generation of human oogonia from induced pluripotent stem cells in vitro. Science 2018;362:356–60.
61. Hikabe O, Hamazaki N, Nagamatsu G, Obata Y, Hirao Y, Hamada N, Shimamoto S, Imamura T, Nakashima K, Saitou M, Hayashi K. Reconstitution in vitro of the entire cycle of the mouse female germ line. Nature 2016;539:299–303.
62. Bloise E, Lin W, Liu X, Simbulan R, Kolahi KS, Petraglia F, Maltepe E, Donjacour A, Rinaudo P. Impaired placental nutrient transport in mice generated by in vitro fertilization. Endocrinology 2012;153:3457–67.
63. de Waal E, Vrooman LA, Fischer E, Ord T, Mainigi MA, Coutifaris C, Schultz RM, Bartolomei MS. The cumulative effect of assisted reproduction procedures on placental development and epigenetic perturbations in a mouse model. Hum Mol Genet 2015;24:6975–85.
64. Ishii T, Saitou M. Promoting in vitro gametogenesis research with a social understanding. Trends Mol Med 2017;23:985–8.

Index

한글

ㅁ

ㅂ

ㅅ

ㅍ

ㅎ

영어

A

B

C

번호